개념을 잡아 주는 **자율학습 기본서**

고등 **셀파**

사회·문화

이호균·이봉수·김예리·주우연

BOOK **1**

핵심 개념과 문제를 담은 **개념 잡는 알집**

천재교육

개념을 잡아 주는 자율학습 기본서

고등 셀파

늘 가까이에 두고 보는 꼼꼼한 기본서!
고득점의 길로 안내하는 자율학습 파트너(Self-study Partner), 셀파!

- **새 교육과정**에 따라 새롭게 나온 **교과서를 완벽하게 분석**하였습니다.
- **꼼꼼한 개념 정리**와 **친절한 설명**으로 사회·문화의 개념을 잡아 줍니다.
- 새 교과서의 중요한 **자료와 활동의 핵심 내용**을 체계적으로 정리하였습니다.
- **다양한 유형**과 **단계별 문제, 수능 기출 문제**로 내신과 수능을 한번에 대비할 수 있습니다.
- **5회의 단원 평가 문제**로 학교 시험 직전에 빠르고 철저하게 대비할 수 있습니다.
- **강남구청 인터넷 수능 방송**과 함께 공부할 수 있습니다.

이 책을 지으신 선생님

이호균(창현고등학교)   이봉수(덕성여자고등학교)
김예리(덕성여자고등학교)   주우연(혜화여자고등학교)

개념을 잡아 주는 **자율학습 기본서**

고등 # 셀파

· 사회·문화 ·

이 책의 구성과 특징

BOOK 1 | 개념 잡는 알집

교과서 내용 정리

❶ 교과서 핵심 개념 정리 핵심 개념을 중심으로 4종 교과서의 내용을 체계적으로 정리

❷ 고득점을 위한 셀파 Tip 시험에 꼭 출제되는 핵심 부분을 한눈에 볼 수 있도록 정리

셀파 자료 탐구

❶ 자료 분석 교과서와 수능의 주요 자료를 수록하고, 상세하게 설명

❷ ○, ×로 정리 기출 선택지를 통한 내용 정리

개념 완성

개념 채우기 앞에서 정리한 교과서의 주요 내용을 주제별로 깔끔하게 표로 정리하고, 빈칸 채우기로 주요 개념을 다시 확인

탄탄 내신 문제

내신 객관식 및 서답형 문제 내신 예상 문제, 시험 비중이 높아지고 있는 서답형 문제로 집중 연습

도전 수능 문제

기출 문제 수능, 평가원, 교육청 기출 문제로 수능 유형 연습

BOOK 2 | 딱 맞는 풀이집

○ 딱 맞는 풀이집

모든 문제에 대한 상세한 풀이, 정답을 찾아가는 셀파-Tip, 자료를 분석하는 셀파-Tip, 내 것으로 만드는 셀파-Tip 등의 코너를 통한 친절한 해설 수록

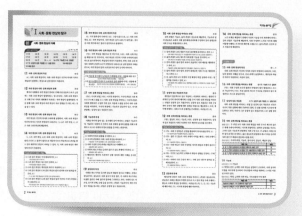

BOOK 3 | 시험 대비 문제집

○ 대단원 주제별 정리

대단원의 주요 내용을 빠르게 복습할 수 있도록 표로 정리

○ 내신 대비 단원 평가

실제 내신 시험 형태의 대단원 평가 문제 수록

○ 정답 및 해설

단원 평가에 대한 상세하고 친절한 해설 수록

이 책의 **차례**

I

사회·문화 현상의 탐구

01 사회·문화 현상의 이해   10
02 사회·문화 현상의 탐구 방법   22
03 사회·문화 현상의 탐구 절차와 태도   34

II

개인과 사회 구조

01 인간의 사회화   50
02 사회 집단과 사회 조직   62
03 일탈 행동의 원인과 대책   74

III

문화와 일상생활

01 문화의 이해   88
02 하위문화와 대중문화   100
03 문화의 변동   112

CONTENTS

IV 사회 계층과 불평등

01 사회 불평등 현상과 계층   128
02 다양한 사회 불평등 양상   140
03 사회 복지와 복지 제도   152

V 현대의 사회 변동

01 사회 변동과 사회 운동   166
02 저출산·고령화와 다문화적 변화   178
03 세계화·정보화와 전 지구적 수준의 문제   186

고등 셀파 사회·문화

4종 교과서 단원별 페이지 찾아보기

고등 셀파 사회·문화 목차		셀파	
I 사회·문화 현상의 탐구	01 사회·문화 현상의 이해	10 ~ 21	
	02 사회·문화 현상의 탐구 방법	22 ~ 33	
	03 사회·문화 현상의 탐구 절차와 태도	34 ~ 45	
II 개인과 사회 구조	01 인간의 사회화	50 ~ 61	
	02 사회 집단과 사회 조직	62 ~ 73	
	03 일탈 행동의 원인과 대책	74 ~ 83	
III 문화와 일상생활	01 문화의 이해	88 ~ 99	
	02 하위문화와 대중문화	100 ~ 111	
	03 문화의 변동	112 ~ 123	
IV 사회 계층과 불평등	01 사회 불평등 현상과 계층	128 ~ 139	
	02 다양한 사회 불평등 양상	140 ~ 151	
	03 사회 복지와 복지 제도	152 ~ 161	
V 현대의 사회 변동	01 사회 변동과 사회 운동	166 ~ 177	
	02 저출산·고령화와 다문화적 변화	178 ~ 185	
	03 세계화·정보화와 전 지구적 수준의 문제	186 ~ 197	

천재교육	지학사	미래엔	비상교육
12 ~ 21	12 ~ 19	12 ~ 21	10 ~ 21
22 ~ 35	20 ~ 37	22 ~ 33	22 ~ 33
36 ~ 49	38 ~ 45	34 ~ 43	34 ~ 45
54 ~ 65	52 ~ 67	50 ~ 67	50 ~ 61
66 ~ 77	68 ~ 77	68 ~ 77	62 ~ 73
78 ~ 89	78 ~ 85	78 ~ 87	74 ~ 85
94 ~ 103	92 ~ 101	94 ~ 105	90 ~ 99
104 ~ 117	102 ~ 117	106 ~ 117	100 ~ 111
118 ~ 125	118 ~ 125	118 ~ 125	112 ~ 121
130 ~ 141	132 ~ 147	132 ~ 147	126 ~ 137
142 ~ 153	148 ~ 157	148 ~ 157	138 ~ 149
154 ~ 163	158 ~ 165	158 ~ 165	150 ~ 159
168 ~ 179	172 ~ 179	172 ~ 179	164 ~ 171
180 ~ 189	188 ~ 195	188 ~ 197	177 ~ 183
190 ~ 203	180 ~ 187 196 ~ 203	180 ~ 187 198 ~ 205	172 ~ 176 184 ~ 193

I.

사회·문화 현상의 탐구

이 단원의 핵심 포인트

중단원	핵심 포인트	학습일
01 사회·문화 현상의 이해	• 사회·문화 현상의 의미와 특성 • 사회·문화 현상을 보는 관점	월 일 ~ 월 일
02 사회·문화 현상의 탐구 방법	• 사회·문화 현상의 연구 방법 • 자료 수집 방법	월 일 ~ 월 일
03 사회·문화 현상의 탐구 절차와 태도	• 사회·문화 현상의 탐구 절차 • 사회·문화 현상의 탐구 태도와 윤리	월 일 ~ 월 일

셀파와 내 교과서 단원 비교

셀파	천재교육	지학사	미래엔	비상교육
01 사회·문화 현상의 이해	01 사회·문화 현상의 이해	01 사회·문화 현상의 이해	01 사회·문화 현상의 이해	01 사회·문화 현상의 이해
02 사회·문화 현상의 탐구 방법	02 사회·문화 현상의 탐구 방법	02 사회·문화 현상의 연구 방법 03 사회·문화 현상에 대한 자료 수집 방법	02 사회·문화 현상의 연구 방법	02 사회·문화 현상의 탐구 방법
03 사회·문화 현상의 탐구 절차와 태도	03 사회·문화 현상의 탐구 절차와 태도	04 사회·문화 현상의 연구 태도와 연구 윤리	03 사회·문화 현상의 탐구 절차와 윤리	03 사회·문화 현상의 연구 태도와 탐구 절차

01 사회 · 문화 현상의 이해

1 사회 · 문화 현상의 의미와 특성

1. 자연 현상과 사회·문화 현상[1]의 의미 자료 01

(1) **자연 현상** 인간의 의지나 노력과는 상관없이 자연계에서 일어나는 현상
(2) **사회·문화 현상** 사회적 관계[2]를 맺고 사회적 상호 작용을 한 결과로 나타나는 인간의 모든 사회 활동 및 이와 관련된 현상 **주의** 선천적·유전적·생리적 특성에 의해 나타나는 현상이나 개인적인 차원에서 나타나는 현상은 사회·문화 현상에 해당하지 않는다.

2. 자연 현상과 사회·문화 현상의 특성

(1) **자연 현상의 특성**
① 몰가치성
  • 의미: 인간의 의지 및 가치와 무관하게 일어나므로 옳고 그름을 판단할 수 없음.
  • 사례: 오랫동안 비가 내리지 않아 가뭄이 발생함.
② 필연성과 확실성의 원리
  • 의미: 어떤 원인에 따른 결과가 필연적으로 발생함. → 인과 관계에 따른 일반화가 가능함.
  • 사례: 물은 100℃가 되면 끓음. **분석** 법칙 발견을 통한 비교적 정확한 예측이 가능하다.
③ 보편성[3]
  • 의미: 시대와 장소를 초월하여 같은 조건하에서는 동일한 현상이 대부분 나타남.
  • 사례: 물은 시간과 공간에 상관없이 위에서 아래로 흐름. **비교** 자연 현상은 사회·문화 현상과 달리 반복과 재현이 용이하다.
④ 존재 법칙
  • 의미: 인간의 인식 여부와 상관없이 자기 자신의 원리에 따라 사실 그대로 존재함.
  • 사례: 인간이 지진을 자연재해라고 여기는 것과 상관없이 자연 법칙에 따라 지진은 발생함.

(2) **사회·문화 현상의 특성**
① 가치 함축성
  • 의미: 사회·문화 현상에는 인간의 의지와 가치가 개입되어 나타남.
  • 사례: 가뭄이나 홍수로 인한 피해를 막기 위해 댐을 건설함.
② 개연성[4]과 확률의 원리 **비교** 사회·문화 현상은 자연 현상에 비해 인과 관계가 불분명하다.
  • 의미: 원인과 결과가 어느 정도 관련되어 있지만, 필연적인 관계는 아님.
  • 사례: 명절에는 대체로 가족 영화가 흥행할 가능성이 큼.
③ 보편성과 특수성 자료 02
  • 의미: 보편적인 현상이 존재하지만 시대나 사회적 상황에 따라 구체적인 양상에 차이가 있음.
  • 사례: 인간 사회에서는 보편적으로 언어를 사용하지만, 각 사회마다 사용하는 언어가 다름.
④ 당위 법칙
  • 의미: 인간이라면 마땅히 따라야 한다고 여기는 규범적 요구가 적용됨.
  • 사례: 우리 사회에서는 연장자에게 높임말을 써야 함.

2 사회 · 문화 현상을 보는 관점 **분석** 동일한 사회·문화 현상도 관점에 따라 다르게 이해될 수 있으며, 그에 따라 원인 분석이나 해결 방안도 달라질 수 있다.

1. 거시적 관점과 미시적 관점 자료 03

(1) **거시적 관점** 사회 제도나 구조에 초점을 두고 사회라는 큰 체계 속에서 사회·문화 현상을 파악하려는 관점 **예** 기능론, 갈등론
(2) **미시적 관점** 사회적 행위자인 구성원 간의 상호 작용과 생활 세계[5]에 초점을 맞추어 사회·문화 현상을 파악하려는 관점 **예** 상징적 상호 작용론

---

[1] 자연 현상과 사회·문화 현상의 관계
자연 현상과 사회·문화 현상은 별개로 존재하는 것이 아니라 상호 밀접하게 연관되어 있으며, 서로 영향을 주고받는다. 예를 들어 태풍이 발생하여 과일 가격이 상승하는 것은 자연 현상이 사회·문화 현상에 영향을 주는 경우이다. 반면, 화석 연료 사용으로 지구 온난화가 발생하는 것은 사회·문화 현상이 자연 현상에 영향을 주는 경우이다.

[2] 사회적 관계
사회적 상호 작용을 지속하여 그 결과 안정된 틀을 갖춘 상태로, 가족 관계, 교우 관계 등을 들 수 있다.

고득점을 위한 셀파 Tip

• 자연 현상과 사회·문화 현상의 특성

자연 현상	사회·문화 현상
몰가치성	가치 함축성
필연성과 확실성의 원리	개연성과 확률의 원리
보편성	보편성과 특수성
존재 법칙	당위 법칙

[3] 보편성
자연 현상의 보편성은 겉으로 관찰되는 자연 현상의 특징이 아니라, 자연 현상의 발생 원리가 갖는 특징이다. 자연 현상은 사회·문화 현상과 달리 시대와 장소 등이 달라도 동일한 조건을 갖추면 동일한 현상이 나타난다.

[4] 개연성
'아마 ~그럴 것이다.'와 같이 확률과 가능성을 고려하는 것이다. 사회·문화 현상은 복합적인 요인에 따라 발생하며, 인간의 의도와 가치 판단이 개입되어 나타나기 때문에 예상과 달리 예외적인 현상이 나타날 수 있다.

[5] 생활 세계
학문적으로 잘 정리된 객관적이고 이론적인 세계와 대비되는 일상 속 삶의 세계를 말한다. 우리가 사물이나 사람들과 관계를 맺으면서 일상적으로 살고 있는 세계라고 볼 수 있다.

자료 01 　자연 현상과 사회·문화 현상

　2016년 1월, 32년 만에 지독한 한파가 기승을 부렸던 제주도에는 3일 동안 엄청난 양의 폭설이 쏟아졌다. 한국공항공사는 제설 작업에 나섰지만, 계속되는 폭설과 활주로로 몰아치는 강풍으로 인해 비행기의 이착륙이 어려워지자 제주 공항의 운영을 중단하기로 결정하였다.

　제주 공항을 이용하고자 했던 승객들은 공항에서 밤을 새우며 대기하였다. 제주특별자치도청과 제주관광공사는 부족했던 담요와 이불을 어린이에게 먼저 지급하였다. 공항이 정상화될 때까지 불편을 겪은 승객 중 일부가 항의했지만, 우려했던 격한 충돌은 없었다. 승객들의 높은 시민 의식이 만들어 낸 결과였다. 제주특별자치도청은 이번 사태를 계기로 공항에 머무르는 승객을 지원하는 지침을 개선하기로 하였다.

－「제주의 소리」, 2016. 1. 26. －

자료 분석 | 자연 현상은 인간의 의지와 무관하게 발생하는 것으로, 제주도에서 발생한 한파, 강풍, 폭설이 이에 해당한다. 사회·문화 현상은 인간의 의지나 가치, 감정 등이 개입된 것으로, 제설 작업, 제주 공항의 운영 중단 결정, 제주 공항 이용 승객들이 겪은 불편 등이 이에 해당한다.

자료 02 　성년식을 통해 본 사회·문화 현상의 보편성과 특수성

　많은 사회에서는 일정한 연령에 도달한 젊은이들에게 어른이 되었다는 자부심을 심어주고 책임감을 부여하기 위해 성년식을 행하고 있다. 성년식의 모습은 사회마다 다양하게 나타난다. 우리나라 조선 시대의 경우 15~20세가 된 남자에게 상투를 틀어 갓을 씌우는 관례가 있었다. 아프리카 하마르 부족의 경우 성년이 된 젊은이는 옷을 걸치지 않고 소의 등을 네 번 뛰어넘어야 한다. 남태평양 펜타코스트섬에서는 일정한 나이가 되면 발목에 포도 넝쿨이나 칡뿌리를 감고 30m 정도 높이의 탑에서 뛰어내리는 의식을 치른다.

자료 분석 | 사회·문화 현상은 보편성과 특수성이 같이 나타난다. 성년식은 여러 사회에서 관찰되는 제도라는 점에서 보편성을 띠지만, 성년식의 세부적 양상이 사회에 따라 차이가 있다는 점에서 특수성도 지닌다.

자료 03 　거시적 관점과 미시적 관점

▲ 거시적 관점

▲ 미시적 관점

자료 분석 | 사회 구조나 제도와 같은 큰 체계 속에서 사회·문화 현상을 살펴보는 거시적 관점은 숲 전체에 초점을 두어 바라보는 것과 같다. 반면, 사회·문화 현상에 대해 사회적 행위자인 구성원들 간의 상호 작용에 초점을 맞춰 살펴보는 미시적 관점은 숲속에서 나무를 관찰하는 것과 같다. 사회·문화 현상을 제대로 이해하기 위해서는 한 가지 관점이 아닌 다양한 관점에서 바라볼 필요가 있다.

2. 사회·문화 현상을 이해하는 여러 관점

(1) 기능론 자료 04 자료 05

① 기본 입장

- 사회를 하나의 살아 있는 유기적[6] 통합 체계로 보는 관점
- 사회를 이루는 사회 제도나 집단 등이 상호 연관성을 갖고 일정한 기능을 수행하면서 사회가 유지됨.
- 사회를 이루는 구성 요소들이 서로 조화와 균형을 이룸.
- 개인은 사회 질서를 위하여 사회 속의 한 부분으로서 기능을 담당함.
- 사회의 규범과 가치는 구성원 간 합의된 것으로, 사회 질서 유지와 안정을 위해 지켜야 함.
- 사회의 각 구성 요소가 주어진 역할을 제대로 수행하지 못하면 사회 문제나 갈등이 발생함.
  → 일시적인 병리 현상으로 문제가 되는 부분이 원래의 기능을 회복하면 다시 안정을 이룸.

② 장점 사회 질서와 통합이 나타나는 사회·문화 현상을 설명하기에 적합함.

> **비교** 기능론은 갈등론과 달리 사회가 스스로 균형을 회복할 힘을 가지고 있다고 본다.

③ 한계

- 사회 갈등이나 변동의 중요성을 간과함.
- 혁명과 같은 급격한 사회 변동을 설명하기 어려움.
- 기존 질서나 기득권[7]을 유지하기 위한 보수적인 논리로 이용될 수 있음.

(2) 갈등론

① 기본 입장

- 사회에는 희소가치[8]를 둘러싸고 집단 간 지배와 피지배 관계가 존재한다는 관점
- 사회 안정과 유지는 지배 집단이 자신들의 기득권을 유지하는 데 유리한 규범이나 사회 제도 등을 통해 피지배 집단을 억압한 결과임.

> **예시** 법 제도는 지배 집단이 그들의 기득권을 지키기 위한 수단으로, 피지배 집단을 억압하거나 착취하는 데 이용된다.

- 희소가치가 배분되는 과정에서 집단 간의 대립과 갈등이 나타남.
- 갈등과 대립은 지배 집단의 억압에 대하여 피지배 집단이 저항하는 과정에서 나타난 불가피한 현상으로, 사회 발전과 변화의 원동력임.

> **비교** 사회 갈등을 병리적인 현상으로 보는 기능론과 달리 갈등론에서는 본질적이고 필연적인 현상으로 파악한다.

② 장점 집단 간 지배와 억압으로 갈등이 나타나는 사회·문화 현상을 설명하기에 적합함.

③ 한계

- 사회가 안정적으로 유지되는 상황을 설명하기 어려움.
- 사회 각 부분 간의 복잡한 관계를 지배와 피지배의 관계로 단순화함.
- 급격한 사회 변동을 강조함으로써 사회 혼란을 유발하는 급진적인 태도를 취함.

(3) 상징적 상호 작용론 자료 06

① 기본 입장

- 개인들이 일상적으로 상호 작용하는 과정에서 나타나는 행위의 주관적인 동기와 의미의 해석에 초점을 두어 현상을 보는 관점
- 인간은 각자의 상황 정의[9]를 바탕으로 행위를 선택하고, 의미 전달의 수단으로서 상징[10]을 활용하여 타인과 상호 작용을 함.
- 인간의 행동을 상호 작용의 과정과 그 과정이 일어나는 사회적 맥락 속에서 이해해야 함.
- 사람들이 행위의 의미를 공유하지 못하면 사회적 상호 작용에 문제가 발생함.

② 장점 인간이 가진 상징과 사회 구성원인 인간 개인의 능동성을 강조함. → 사회·문화 현상을 심층적으로 이해할 수 있음.

③ 한계 개인의 행위에 영향을 미치는 사회 구조나 제도의 힘을 경시함.

---

⑥ 유기적
생물체처럼 전체를 구성하고 있는 각 부분이 서로 밀접하게 관련을 가지고 있어서 떼어 낼 수 없는 것을 말한다.

⑦ 기득권
한 사회에서 중요하게 여기는 가치 등을 특정한 개인이나 집단이 이미 차지한 권리를 의미한다.

⑧ 희소가치
누구나 갖고 싶지만 모두 가질 수 있을 만큼 충분하지 않은 것으로, 한 사회의 재화, 권력, 명예, 부 등을 가리킨다.

고득점을 위한 셀파 Tip

- **사회·문화 현상을 바라보는 관점**

거시적 관점	기능론	사회의 조화와 균형을 중심함.
	갈등론	희소가치를 둘러싼 대립과 갈등에 주목함.
미시적 관점	상징적 상호 작용론	인간 행위의 주관적인 동기와 의미의 해석에 초점을 둠.

⑨ 상황 정의
사회 구성원이 자신의 상황에 대해 각자의 의미를 부여하고 해석하는 것을 말한다. 예를 들어 시험 점수를 받았을 때, 어떤 사람은 '고작 80점'이라고 받아들이고, 어떤 사람은 '80점이나'라고 생각하는 것은 각자 상황 정의를 다르게 하기 때문이다.

⑩ 상징
사물이나 인간의 동작에 특정한 의미를 부여하여 공유하는 것으로, 몸짓이나 기호, 언어, 문자 등 그 종류가 다양하다.

셀파 자료 탐구

자료 04 스펜서의 사회 유기체설

사회는 여러 가지 면에서 생물 유기체와 매우 유사하므로 사회를 더욱 잘 이해하려면 생물 유기체에서 볼 수 있는 질서와 발전의 논리를 사회의 발전에 적용하는 것이 바람직하다. 생물 유기체의 각 기관은 생존을 위해 존재하며 생물 유기체의 소멸은 필연적으로 각 기관 혹은 부분의 소멸을 의미한다. 이와 마찬가지로 개인은 사회를 위해 존재하며 사회를 떠나서는 의미 없는 존재가 된다.

– 스펜서(Spencer, H.), 「종합 철학 체계」 –

자료 분석 | 기능론에서는 생물 유기체가 유기체를 구성하는 서로 다른 기능을 수행하는 기관들이 조화와 균형을 이루기 때문에 생명이 유지되는 것처럼, 사회도 사회를 구성하는 사회 제도나 집단이 일정한 기능을 수행하기 때문에 유지된다고 본다.

자료 05 교육 제도를 바라보는 기능론과 갈등론의 관점

> 교육은 그 사회가 합의한 가치나 규범을 내면화하는 과정이라고 생각합니다. 많은 부모가 기본 습관이나 예절을 가르치는 것은 다른 사람과 함께 살아가는 방법을 익히게 하여 사회 구성원으로 자기 역할을 제대로 수행하도록 하려는 것입니다.

> 우리 사회의 기득권층이 요구하는 내용을 배우는 과정이 교육이라고 생각합니다. 예를 들어 사회에서 강조하는 기본 습관, 즉 '다른 사람과 충돌하지 마라.', '과제는 정해진 시간 안에 해야 한다.'라고 하는 것도 알고 보면 산업 현장에서 일을 일사불란하게 할 수 있도록 하려는 것입니다.

갑   을

자료 분석 | 갑은 교육의 역할을 사회가 합의한 가치나 규범을 사회 구성원에게 내면화시켜 사회 구성원으로서 각자 역할을 제대로 수행하게 하는 것으로 본다는 점에서 기능론의 입장에 해당한다. 반면, 을은 교육을 사회의 기득권층이 요구하는 내용을 배우는 것으로 보므로 갈등론의 입장에 해당한다.

자료 06 선물의 의미

우리는 중요한 시험을 앞두고 있는 주변 사람들에게 다양한 종류의 선물을 한다. 전통적으로는, 주로 떡이나 엿을 주었고, 최근에는 포크나 두루마리 휴지를 선물하기도 한다. 이것을 받은 사람은 시험 문제를 잘 '찍고', 잘 '풀라'는 의미로 이해하고 고맙게 여긴다. 그런데 이런 상징에 익숙하지 않은, 외국인에게 시험을 잘 보라며 포크나 두루마리 휴지를 선물한다면 매우 당황해하거나 우스꽝스러운 행동으로 오해받을 수도 있을 것이다.

> 포크구나! 고마워.

> 이제 곧 시험이지? 이거 받고 잘 찍어!

자료 분석 | 중요한 시험을 앞두고 주는 선물에는 시험 문제를 잘 풀고, 잘 찍으라는 의미가 담겨 있다. 이런 선물에 대한 상징을 모르는 외국인과 같은 경우에는 이해가 어려울 수 있다. 사람들은 일상생활에서 상징을 주고받고 이를 공유함으로써 사회적 상호 작용을 하게 되는데, 이것이 원활하게 이루어지지 않으면 문제가 발생할 수 있다.

기출 선택지 O, ×로 정리하기

1 기능론은 학교 교육이 지배 집단의 가치를 전수시킨다고 본다.

(O , ×)

2 기능론과 상징적 상호 작용론은 사회의 각 부분이 상호 유기적 관계를 맺고 있다고 본다.

(O , ×)

3 기능론은 사회 갈등 세력을 기존 질서에 편입시켜 사회의 안정과 발전을 도모할 수 있다고 본다.

(O , ×)

4 갈등론은 사회 갈등과 투쟁이 사회 발전의 원동력이라고 본다.

(O , ×)

5 갈등론은 사회 변동의 불가피성을 강조한다.

(O , ×)

6 갈등론은 사회 문제 해결을 위해 사회화와 도덕 교육을 강조한다.

(O , ×)

7 갈등론은 현존 사회 질서의 전면적 재구성을 통해 사회 갈등을 해결할 수 있다고 본다.

(O , ×)

8 상징적 상호 작용론은 사회 구성원의 능동성을 중시한다.

(O , ×)

9 상징적 상호 작용론은 행위 주체인 인간이 부여하는 의미를 중시한다.

(O , ×)

10 상징적 상호 작용론은 가족 간 갈등과 해체를 필연적이고 자연스러운 것으로 간주한다.

(O , ×)

11 상징적 상호 작용론은 가족 문제 해결을 위해 가족 구성원 간의 고착화된 불평등 관계를 근본적으로 개선해야 한다고 본다.

(O , ×)

정답 1 × 2 × 3 O 4 O 5 O 6 ×
7 O 8 O 9 O 10 × 11 ×

1 사회·문화 현상의 의미와 특성

의미	사회적 관계를 맺고 사회적 상호 작용을 한 결과로 나타나는 인간의 모든 사회 활동 및 이와 관련된 현상	
특성	(❶)	인간의 의지와 가치가 개입되어 나타남.
	개연성과 확률의 원리	원인과 결과가 어느 정도 관련되어 있지만, 필연적인 관계는 아님.
	보편성과 특수성	시대와 장소에 상관없이 나타나는 동시에 시대나 사회적 상황에 따라 차이가 있음.
	(❷)	인간이라면 마땅히 따라야 한다고 여기는 규범적 요구가 적용됨.

2 사회·문화 현상을 보는 거시적 관점

구분	기능론	갈등론
기본 입장	• (❸) 통합체인 한 사회를 이루는 사회 제도나 집단 등이 상호 연관성을 갖고 일정한 기능을 수행하면서 사회가 유지된다고 보는 관점 • 사회의 각 구성 요소가 제 역할을 제대로 수행하지 못하면 사회 문제나 갈등이 발생하지만, 곧 기능을 회복하면 안정을 이룸.	• (❹)를 많이 가진 집단과 그렇지 않은 집단이 한 사회에서 지배와 피지배 관계를 이루고 있다고 보는 관점 • 갈등과 대립은 지배 집단의 억압에 대하여 피지배 집단이 저항하는 과정에서 나타난 불가피한 현상으로 사회 발전과 변화의 원동력이 됨.
장점	사회 질서와 통합이 나타나는 사회·문화 현상을 설명하기에 적합함.	집단 간 지배와 억압이 나타나는 사회·문화 현상을 설명하기에 적합함.
한계	사회 갈등이나 변동의 중요성을 간과함.	사회가 안정적으로 유지되는 상황을 설명하기 어려움.

3 사회·문화 현상을 보는 미시적 관점

구분	상징적 상호 작용론
기본 입장	• 개인들이 일상적으로 상호 작용하는 과정에서 나타나는 행위의 주관적인 동기와 의미의 (❺)에 초점을 두어 현상을 보는 관점 • 인간은 각자의 상황 정의를 바탕으로 행위를 선택하고, 의미 전달의 수단으로서 상징을 활용하여 타인과 상호 작용을 함.
장점	상호 작용의 수단인 상징과 사회 구성원인 인간 개인의 (❻)을 강조함.
한계	사회 구조나 제도의 힘을 경시함.

정답 ❶ 가치 함축성 ❷ 당위 법칙 ❸ 유기적 ❹ 희소가치 ❺ 해석 ❻ 능동성

---

1 사회·문화 현상의 의미와 특성

★01 다음은 A에 대한 검색 결과이다. 이에 대한 설명으로 옳지 <u>않은</u> 것은?

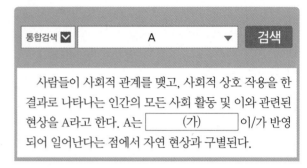

통합검색 ☑ [A ▼] 검색

사람들이 사회적 관계를 맺고, 사회적 상호 작용을 한 결과로 나타나는 인간의 모든 사회 활동 및 이와 관련된 현상을 A라고 한다. A는 [(가)]이/가 반영되어 일어난다는 점에서 자연 현상과 구별된다.

① A는 가치 함축적이다.
② A는 존재 법칙을 따른다.
③ A는 개연성의 원리가 작용한다.
④ A는 시대나 사회적 상황에 따라 특수성을 갖는다.
⑤ (가)에는 '인간의 의지와 가치'가 들어갈 수 있다.

02 다음 두 사례를 종합하여 도출할 수 있는 결론으로 가장 적절한 것은?

• 계속되는 한파로 인해 난방 용품에 대한 수요가 급증하였다.
• 정부가 대규모 댐 공사를 실시한 후, 주변 지역의 생태계가 파괴되었다.

① 사회·문화 현상은 가치 함축적이다.
② 사회·문화 현상은 당위 법칙의 지배를 받는다.
③ 자연 현상은 사회·문화 현상을 유발하는 요인이 될 수 있다.
④ 사회·문화 현상과 자연 현상은 밀접하게 연관되어 서로 영향을 주고받는다.
⑤ 자연 현상은 인과 관계가 분명하고, 사회·문화 현상은 인과 관계가 불분명하다.

03 밑줄 친 ⑦~@을 자연 현상 또는 사회·문화 현상으로 옳게 분류한 것은?

> 지난 1월 지독한 한파가 기승을 부렸던 제주도에는 ⑦ 3일 동안 엄청난 양의 폭설이 쏟아졌다. 한국공항공사는 ⑥ 제설 작업에 나섰지만, ⑥ 계속되는 폭설과 활주로로 몰아치는 강풍으로 인해 비행기의 이착륙이 어려워지자 @ 제주 공항의 운영 중단을 결정하였다.

	자연 현상	사회·문화 현상
①	⑦, ⑥	⑥, @
②	⑦, ⑥	⑥, @
③	⑦, @	⑥, ⑥
④	⑥, ⑥	⑦, @
⑤	⑥, @	⑦, ⑥

04 신문 기사의 밑줄 친 ⑦~ⓒ과 같은 현상의 일반적인 특징에 대한 설명으로 옳은 것은?

> ### △△신문
>
> 보건 당국은 국내 ⑦ 연평균 오존 농도가 지난 10년간 75% 증가함에 따라 이에 대한 정부 차원의 대책 마련에 나섰다. 정부 관계자는 "⑥ 대기 중 오존 농도가 높아지면 호흡기의 손상을 초래할 수 있으므로, ⓒ 오존 주의보 발령 시 되도록 외출을 자제해야 한다."라고 밝혔다.

① ⑦과 같은 현상은 가치 함축적이다.
② ⑥과 같은 현상은 특수성이 강하다.
③ ⓒ과 같은 현상은 개연성의 원리가 작용한다.
④ ⑦과 같은 현상은 ⑥과 같은 현상과 달리 엄격한 인과 법칙을 따른다.
⑤ ⑥과 같은 현상은 ⓒ과 같은 현상과 달리 인간의 가치가 반영되어 나타난다.

05 그림은 질문에 따라 A, B를 구분한 것이다. 이에 대한 설명으로 옳은 것은? (단, A, B는 각각 자연 현상과 사회·문화 현상 중 하나이다.)

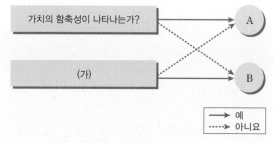

① A는 존재 법칙의 지배를 받는다.
② B는 개연성의 원리가 적용된다.
③ B의 사례로는 물이 100℃가 되면 끓는 현상을 들 수 있다.
④ A는 B와 달리 인과 관계가 분명하다.
⑤ (가)에는 '보편성보다 특수성이 강한가?'가 들어갈 수 있다.

06 (가), (나)의 연구 대상이 된 현상의 일반적인 특징에 대한 옳은 설명을 〈보기〉에서 고른 것은?

> (가) 여름철 강수량이 농작물의 수확량에 미치는 영향에 대한 연구
> (나) 광고 모델의 인지도가 소비자의 심리 변화에 미치는 영향에 대한 연구

┤ 보기 ├
ㄱ. (가)의 대상이 된 현상은 몰가치적이다.
ㄴ. (나)의 대상이 된 현상은 당위 법칙의 지배를 받는다.
ㄷ. (가)의 대상이 된 현상은 (나)의 대상이 된 현상과 달리 확률의 원리가 작용한다.
ㄹ. (나)의 대상이 된 현상은 (가)의 대상이 된 현상에 비해 보편성이 강하게 나타난다.

① ㄱ, ㄴ   ② ㄱ, ㄷ   ③ ㄴ, ㄷ
④ ㄴ, ㄹ   ⑤ ㄷ, ㄹ

2 사회·문화 현상을 보는 관점

07 사회·문화 현상을 바라보는 관점 (가), (나)에 대한 옳은 설명을 〈보기〉에서 고른 것은?

> 사회·문화 현상을 바라보는 관점은 크게 (가)와 (나)로 구분된다. 숲 전체에 초점을 두어 바라보는 관점이 (가)라면, 숲속에서 나무를 관찰하는 것은 (나)라고 할 수 있다.

> ┤ 보기 ├
> ㄱ. (가)는 사회 제도나 구조에 초점을 둔다.
> ㄴ. (나)는 개인의 능동성을 간과한다는 비판을 받는다.
> ㄷ. (나)는 개인에게 미치는 사회 구조의 거대한 힘을 강조한다.
> ㄹ. 기능론은 (가), 상징적 상호 작용론은 (나)에 해당한다.

① ㄱ, ㄴ ② ㄱ, ㄹ ③ ㄴ, ㄷ
④ ㄴ, ㄹ ⑤ ㄷ, ㄹ

★ **08** 다음 글에 나타난 사회·문화 현상을 바라보는 관점에 대한 설명으로 옳은 것은?

> 사회는 여러 가지 면에서 유기체와 매우 유사하므로 사회를 더욱 잘 이해하려면 유기체에서 볼 수 있는 질서와 발전의 논리를 사회의 발전에 적용하는 것이 바람직하다. 생물 유기체의 각 기관이 유기체의 생존을 위해 존재하는 것처럼 사회의 각 부분은 사회 전체의 질서와 통합을 위해 존재한다.

① 사회의 안정과 통합을 중시한다.
② 미시적 관점에서 사회·문화 현상을 바라본다.
③ 사회 구성원 간의 관계를 대립적으로 이해한다.
④ 사회적 희소가치를 둘러싼 집단 간 갈등 관계에 주목한다.
⑤ 행위자인 개인의 주관적인 상황 정의에 대한 이해를 중시한다.

09 밑줄 친 '이 관점'에 부합하는 진술로 옳은 것은?

> 이 관점은 한 사회에서 희소가치를 많이 가진 집단과 그렇지 않은 집단이 지배와 피지배 관계를 이루고 있다고 보는 관점이다. 이 관점에서는 희소가치가 배분되는 과정에서 집단 간의 대립이 발생한다고 본다.

① 사회는 스스로 균형을 유지하려고 한다.
② 사회 질서는 특정 집단의 합의에 근거한다.
③ 사회 변동은 균형으로 돌아가기 위한 일시적 과정이다.
④ 사회적 합의는 개인 간의 상호 작용을 통해 만들어진다.
⑤ 사회 집단 간에는 상호 의존적이고 유기적인 관계가 존재한다.

10 사회·문화 현상을 바라보는 갑, 을의 관점에 대한 설명으로 옳은 것은?

① 갑의 관점은 교육 내용이 특정 집단에게 유리하다고 본다.
② 을의 관점은 교육 제도의 사회 통합 기능을 강조한다.
③ 갑의 관점은 을과 달리 교육이 효율적인 자원 배분을 제한한다고 본다.
④ 을의 관점은 갑과 달리 교육이 불평등한 사회 구조를 재생산한다고 본다.
⑤ 갑, 을의 관점 모두 학생의 가정 배경이 학업 성취에 미치는 영향력을 간과하고 있다.

11 다음 글에 나타난 사회·문화 현상을 바라보는 관점에 대한 옳은 설명을 〈보기〉에서 고른 것은?

> 사회는 주변의 모든 것에 의미를 부여하는 개인이나 집단들에 의해 구성되며, 사회 문제는 사회 구성원이 서로 공유하는 의미가 무엇이냐에 따라 다르게 규정된다.

┤보기├
ㄱ. 사회적 행위의 동기에 대한 해석을 중시한다.
ㄴ. 개인에 외재하는 사회 구조의 강제력을 강조한다.
ㄷ. 사회 구성원이 각자의 상황 정의를 통해 행동한다고 본다.
ㄹ. 인간이 자율성을 갖는 능동적 존재임을 간과한다는 비판을 받는다.

① ㄱ, ㄴ 　② ㄱ, ㄷ 　③ ㄴ, ㄷ
④ ㄴ, ㄹ 　⑤ ㄷ, ㄹ

12 사회·문화 현상을 바라보는 관점 (가)~(다)에 부합하는 진술로 옳은 것은?

> (가)와 달리 (나)는 사회 안정과 질서를 지나치게 강조한 나머지 급진적인 사회 변동을 제대로 설명하기 어렵다는 비판을 받는다. 한편 (다)는 (가), (나)와 달리 개인들의 행위에 영향을 미치는 사회 구조의 강제력을 소홀히 여긴다는 비판을 받는다.

① (가) – 사회 구성원들은 상징을 활용하여 의사소통을 한다.
② (가) – 집단 간 갈등은 사회 전체의 이익을 해치는 사회 문제이다.
③ (나) – 사회 변동은 사회 구성원들 사이의 대립과 투쟁의 결과이다.
④ (다) – 인간은 능동적인 존재로서 대상과 상황을 규정하는 주체이다.
⑤ (다) – 사회의 각종 규범과 제도는 지배 집단 내부의 합의를 통해 형성된다.

13 다음 글에 나타난 사회·문화 현상을 바라보는 관점에 대한 비판으로 옳은 것은?

> 사회는 사회적 희소가치를 둘러싼 사회 구성원 간의 갈등과 대립의 장이다. 사회적 희소가치를 획득한 지배 집단은 부와 권력을 이용하여 기존의 지배 관계를 유지하려고 하며, 피지배 집단은 이에 도전하게 된다. 이와 같은 상황에서 갈등과 대립은 항상 존재할 수밖에 없다.

① 사회 안정과 합의를 지나치게 강조한다.
② 혁명과 같은 사회 변동을 설명하기 어렵다.
③ 현실 속에 존재하는 협동과 조화의 현상을 경시한다.
④ 기득권층의 이익을 대변하는 논리로 이용될 우려가 높다.
⑤ 개인의 행위에 영향을 미치는 사회 구조나 사회 제도의 측면을 간과한다.

14 사회·문화 현상을 바라보는 갑, 을의 관점에 대한 옳은 설명을 〈보기〉에서 고른 것은?

> 갑: 최근 노인 단독 가구가 증가하고 있는데 이는 가정이 노인을 봉양하는 역할을 제대로 하지 못해 발생한 결과야. 따라서 가정의 노인 부양 기능을 다시 회복할 수 있는 방안이 필요해.

> 을: 그것보다 현재 우리 사회에서 노인의 의미, 그리고 어른의 의미가 무엇인지 다시 생각해 보아야 해. 특히 젊은 사람들이 나이 든 부모나 노인을 어떻게 이해하는지 파악해야 해.

┤보기├
ㄱ. 갑의 관점은 사회를 유기체로 인식한다.
ㄴ. 을의 관점은 갈등과 대립을 불가피한 현상으로 인식한다.
ㄷ. 갑의 관점은 을의 관점과 달리 개인과 개인 간의 상징을 통한 상호 작용을 중시한다.
ㄹ. 을의 관점은 갑의 관점과 달리 미시적 관점이다.

① ㄱ, ㄴ 　② ㄱ, ㄹ 　③ ㄴ, ㄷ
④ ㄴ, ㄹ 　⑤ ㄷ, ㄹ

15 사회·문화 현상의 특징으로 옳은 것을 〈보기〉에서 골라 기호를 쓰시오.

> ┤ 보기 ├
> ㄱ. 존재 법칙
> ㄴ. 가치 함축성
> ㄷ. 명확한 인과 관계
> ㄹ. 개연성과 확률의 원리

16 다음은 수행 평가 문제와 학생의 답안이다. (가), (나)에 들어갈 사회·문화 현상을 바라보는 관점을 쓰시오.

〈수행 평가〉
◎문제: 법 제도를 서로 다른 관점에서 논하시오.
◎학생 답안

관점	내용
(가)	법은 사회 구성원 모두의 합의를 반영하여 제정된다. 이렇게 제정된 법에 의해 사회 구성원 모두의 권리와 이익이 보장되고, 사회 질서가 유지된다.
(나)	법은 특정 집단의 의도와 가치관을 반영하여 제정된다. 따라서 법은 특정 집단의 이익을 보장하고, 이에 대항하는 집단을 억압하고 통제하는 수단에 불과하다.

17 ㉠, ㉡에 들어갈 알맞은 용어를 쓰시오.

> 사회·문화 현상을 바라보는 여러 관점 중에서 (㉠)은/는 인간이 자율성을 갖고 사회 현상에 의미를 부여하는 존재라는 점을 강조한다. 이 관점에 따르면 인간은 능동적인 존재로 각자의 (㉡)을/를 바탕으로 행위를 선택하고, 타인과 상호 작용을 한다. (㉡)은/는 행위 주체가 자신이 처해 있는 특정 상황에 대하여 해석하고 의미를 부여하는 것을 가리킨다.

18 사회·문화 현상을 바라보는 갑, 을의 관점의 공통점과 차이점을 각각 서술하시오.

> 스포츠 경기는 일상생활에서 생기는 스트레스를 해소하는 데 도움을 줍니다. 또한, 올림픽과 같은 국제 경기는 국민적 연대감을 형성하여 사회 통합을 이끌어내는 데 기여합니다.

> 스포츠 경기는 대중을 정치에 무관심하게 만들어 지배 집단의 이익을 실현하는 데 기여합니다. 또한, 국가 대항 경기인 올림픽은 민족 감정을 이용하여 국내의 정치적 갈등을 억압하는 효과를 낳아 사회 발전을 저해합니다.

갑   을

★19 다음은 사회 수업 시간의 한 장면이다. 자료를 보고 물음에 답하시오.

> 사회·문화 현상을 바라보는 관점 A의 주요 입장입니다.

- 사회는 각기 뚜렷한 구조와 기능이 있는 체계로 구성되어 있다.
- 사회 또는 사회 체계의 각 부분들은 상호 유기적인 관계를 맺고 있으며, 각 부분은 전체 사회 체계의 통합 또는 질서를 유지하기 위해 작용한다.
- 사회 체계는 항상성, 즉 균형을 이루려는 성향이 있다.

(1) A에 해당하는 관점을 쓰시오.

(2) A의 한계를 두 가지 서술하시오.

| 평가원 기출 |

01 밑줄 친 ㉠~㉣과 같은 현상의 일반적인 특징을 고려하여 자신에게 주어진 질문에 모두 옳게 응답한 학생은?

> 최근 도심에 ㉠ 새끼 멧돼지가 먹이를 찾아 자주 출몰하고 있습니다. 이에 대한 원인과 대책을 설명해 주시기 바랍니다.

앵커

> 그 이유는 어미 멧돼지가 ㉡ 데리고 있던 새끼를 독립시키는 시기인데다, ㉢ 사람들의 주거지 개발로 서식지가 파괴되어 먹이가 부족해졌기 때문입니다. 이를 막으려면 ㉣ 야생 동물의 서식지를 보존하려는 노력이 필요합니다.

기자

학생	질문	응답 ㉠	㉡	㉢	㉣
갑	몰가치적 현상인가?	×	○	○	×
을	당위 법칙의 적용을 받는가?	○	×	○	○
병	확실성의 원리가 적용되는가?	○	○	×	×
정	보편성과 특수성이 공존하는가?	○	×	×	×
무	경험적 자료에 의해 연구할 수 있는가?	○	○	×	×

① 갑　　② 을　　③ 병　　④ 정　　⑤ 무

| 평가원 응용 |

02 〈자료 1〉의 밑줄 친 ㉠~㉣과 같은 현상을 〈자료 2〉의 질문에 따라 옳게 분류한 모둠은?

〈자료 1〉

> 엘니뇨 현상이 계속되면서 지구 온도와 ㉠ 농작물 생산에 영향을 미치고 있다. 올해 아프리카의 한 지역에서는 ㉡ 홍수로 인한 급격한 수위 상승으로 수천 채의 가옥이 파손된 반면, 또 다른 지역에서는 ㉢ 혹독한 가뭄으로 수백만 명이 ㉣ 식량 원조를 애타게 기다리는 상황이다.

〈자료 2〉

모둠	질문	예	아니요
1 모둠	몰가치적인 현상인가?	㉠, ㉡	㉢, ㉣
2 모둠	인과 관계가 확실한가?	㉠, ㉢	㉡, ㉣
3 모둠	존재 법칙의 지배를 받는가?	㉢, ㉣	㉠, ㉡
4 모둠	개연성의 원리가 적용되는가?	㉠, ㉣	㉡, ㉢
5 모둠	보편성보다 특수성이 강조되는가?	㉡, ㉢	㉠, ㉣

① 1 모둠　　② 2 모둠　　③ 3 모둠
④ 4 모둠　　⑤ 5 모둠

| 평가원 기출 |

03 밑줄 친 ㉠, ㉡과 같은 현상의 일반적 특징을 구분하기 위해 A, B에 들어갈 수 있는 질문으로 옳은 것은?

> ㉠ 감기에 걸렸을 때 감기약을 먹으면 7일 만에 낫고, 그렇지 않으면 일주일 만에 낫는다는 말이 있다. 이는 우리 몸에 ㉡ 병을 치유할 수 있는 자생력이 내재되어 있음을 의미하는 말이다. 사회에도 우리 몸과 같이 비정상적인 상태를 바로잡아 정상적인 상태로 회복시켜 주는 장치가 내재되어 있다.

질문 〉 답변	예	아니요
A	㉠	㉡
B	㉡	㉠

① A: 당위 법칙이 적용되는가?
② A: 존재 법칙이 적용되는가?
③ A: 동일 조건하에서 동일 현상이 발생하는가?
④ B: 가치 판단이 가능한가?
⑤ B: 확률의 원리가 적용되는가?

04 표는 사회·문화 현상을 바라보는 두 관점을 비교한 것이다. 이에 대한 옳은 설명을 〈보기〉에서 있는 대로 고른 것은?

질문	대답 기능론	갈등론
(가)	예	아니요
(나)	아니요	예
(다)	예	예
(라)	A	B

┤ 보기 ├

ㄱ. (가)에는 '사회 변동보다 사회 안정을 지향하는가?'가 들어갈 수 있다.
ㄴ. (나)에는 '사회 제도가 지배 집단에게 유리하게 구성되었다고 보는가?'가 들어갈 수 있다.
ㄷ. (다)에는 '개인과 개인 간의 언어와 기호를 통한 상호 작용을 중시하는가?'가 들어갈 수 있다.
ㄹ. (라)가 '사회적 행위자의 주체적 능동성을 간과하는 경향이 있는가?'이면, A, B는 모두 '예'이다.

① ㄱ, ㄴ　　② ㄱ, ㄷ　　③ ㄴ, ㄷ
④ ㄱ, ㄴ, ㄹ　　⑤ ㄴ, ㄷ, ㄹ

| 수능 응용 |

05 그림은 사회·문화 현상을 바라보는 관점 A, B를 비교한 것이다. 이에 대한 설명으로 옳은 것은? (단, A, B는 각각 기능론과 갈등론 중 하나이다.)

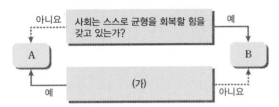

① A는 사회가 유기체와 같은 존재라고 본다.
② B는 사회가 서로 대립하는 집단들로 구성되어 있다고 본다.
③ A는 B와 달리 개인에 외재하는 사회 구조의 강제력을 간과한다.
④ B는 A와 달리 갈등을 비정상적인 현상으로 본다.
⑤ (가)에는 '사회 구조에 대한 개인의 자율성을 강조하는가?'가 들어갈 수 있다.

06 사회·문화 현상을 바라보는 을의 관점에 대한 설명으로 옳은 것은?

뉴스를 보니까 청년 실업률이 역대 최대치를 기록했대. 청년 실업 문제가 심각해.

청년 실업은 일시적인 병리 현상이야. 자신의 적성을 파악하고 이에 맞는 능력을 갖추기 위해 청년층이 스스로 노력하고, 정부의 적극적인 대책이 마련되면 청년 실업 문제는 해결될 수 있어.

갑
을

① 사회 발전을 위해서는 사회 구조적 변혁이 필수적이라고 본다.
② 사회는 각 부분들이 상호 의존적으로 잘 통합된 체계라고 본다.
③ 사회·문화 현상의 의미가 행위 주체에 따라 다르게 규정된다고 본다.
④ 사회는 자체에 내재된 구조적 모순으로 인해 불안정한 상태라고 본다.
⑤ 사회적 행위의 동기에 대한 분석을 통해 사회를 이해해야 한다고 본다.

| 수능 기출 |

07 사회·문화 현상을 바라보는 갑~병의 관점에 대한 설명으로 옳은 것은?

> 사회자 노인 소외의 원인에 대하여 말씀해 주십시오.
> 갑 급격한 사회 변동에 따라 가치관과 규범이 변화되고, 세대 간의 관계도 새롭게 정의되었습니다. 사회 변화에 노인들이 적응할 수 있도록 지원하는 정책이 미비하여 노인들이 소외되는 것입니다.
> 을 가족 구성원들이 노인을 의존적인 존재로 여기고, 노인도 이를 수용하면서 스스로 위축될 수밖에 없습니다. 그러다 보니 자녀들과 원활한 의사소통을 하지 못하여 노인들이 소외되는 것입니다.
> 병 현대 사회에서는 경제력을 가진 사람들이 주도권을 갖게 됩니다. 부와 권력의 분배를 중년층이 좌우하면서 노인들의 능력이나 노력과 상관없이 사회적 역할에서 노인들을 배제해 그들이 소외되는 것입니다.

① 갑의 관점은 상황에 대한 개인의 주관적 의미 부여를 강조한다.
② 을의 관점은 사회가 필연적으로 변화하며 집단 간 갈등이 변화의 동력이라고 본다.
③ 병의 관점은 기득권층의 이익을 대변하는 논리로 사용된다는 비판을 받는다.
④ 갑의 관점은 병의 관점과 달리 사회 구성 요소의 기능과 역할은 사회적으로 합의된 것이라고 본다.
⑤ 을, 병의 관점은 갑의 관점과 달리 사회 문제를 설명하는 데 사회 구조적 요인을 중시한다.

08 다음 자료의 (가)~(라)에 들어갈 대답으로 옳은 것은?

질문	대답	
	기능론	갈등론
사회는 본질적으로 균형을 지향하는가?	(가)	(나)
사회 구조에 대한 분석을 전제로 사회·문화 현상을 이해하고자 하는가?	(다)	(라)

	(가)	(나)	(다)	(라)
①	예	예	아니요	아니요
②	예	아니요	예	예
③	예	아니요	아니요	예
④	아니요	예	아니요	아니요
⑤	아니요	아니요	예	예

09 사회·문화 현상을 바라보는 관점 (가)~(다)에 대한 옳은 설명을 〈보기〉에서 고른 것은?

구분	(가)	(나)	(다)
전제	사회는 유기체와 유사한 특성을 지니고 있음.	사회적 관계는 지배와 피지배의 관계로 이루어짐.	인간은 자율성을 지닌 능동적 존재임.
기본 입장	사회는 본질적으로 조화와 균형을 이루는 체계임.	계급 간의 갈등과 대립은 필연적으로 발생함.	인간은 대상에 주관적인 의미를 부여하는 주체임.

┤ 보기 ├
ㄱ. (가)는 사회의 통합과 존속을 경시한다.
ㄴ. (나)는 갈등과 대립이 사회 변화의 원동력이라고 본다.
ㄷ. (다)는 혁명과 같은 급진적인 사회 변동을 설명하기 용이하다.
ㄹ. (가), (나)는 (다)와 달리 사회 제도와 구조에 초점을 둔다.

① ㄱ, ㄴ   ② ㄱ, ㄷ   ③ ㄴ, ㄷ
④ ㄴ, ㄹ   ⑤ ㄷ, ㄹ

10 다음은 토론회 내용을 사회·문화 현상을 바라보는 관점에 따라 정리한 것이다. (가)~(다)에 대한 설명으로 옳은 것은?

주제: 오늘날 자녀 교육의 어려움	
관점	원인
(가)	가족, 학교, 사회의 기능 수행 약화
(나)	자녀 양육에 필요한 사회적 자원을 기득권층이 독점하고 있는 사회 구조
(다)	자녀의 행동에 대한 부모의 잘못된 상황 정의와 부모와 자녀 간의 왜곡된 상호 작용

① (나)는 행위 주체인 인간이 상황 속에서 능동적으로 대응하는 존재라고 본다.
② (다)는 능동적 존재로서의 개인을 간과한다는 비판을 받는다.
③ (나)는 (가)에 비해 급진적인 사회 변동을 설명하기 용이하다.
④ (나)는 (가)와 달리 사회의 존속을 위한 사회 각 부분들의 기능에 주목한다.
⑤ (다)는 (나)와 달리 사회 제도 간의 상호 의존적인 관계에 주목한다.

11 그림은 사회·문화 현상을 바라보는 관점을 분류한 것이다. 이에 대한 옳은 설명을 〈보기〉에서 고른 것은? (단, A, B는 각각 기능론과 상징적 상호 작용론 중 하나이다.)

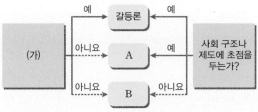

┤ 보기 ├
ㄱ. A는 사회가 스스로 균형을 유지하려는 속성이 있다고 본다.
ㄴ. B는 희소가치를 둘러싼 집단 간 이해관계의 대립을 강조한다.
ㄷ. B는 A와 달리 개인이 상황에 부여한 의미에 기초하여 행동한다고 본다.
ㄹ. (가)에는 '개인의 주체성 및 능동성을 중시하는가?'가 들어갈 수 있다.

① ㄱ, ㄴ   ② ㄱ, ㄷ   ③ ㄴ, ㄷ
④ ㄴ, ㄹ   ⑤ ㄷ, ㄹ

| 평가원 기출 |
12 사회·문화 현상을 바라보는 서로 다른 관점 (가)~(다)에 대한 설명으로 옳은 것은?

(가) 사회 규범은 대다수 구성원이 특정 행위에 규범이라는 의미를 부여함으로써 형성된다. 그들이 그 행위에 다른 의미를 부여하면 기존 규범은 역할을 상실하고 새로운 규범이 나타난다.
(나) 사회 규범은 기존 질서 유지를 위한 기득권층의 의지가 반영되어 형성된다. 그들이 사회 규범을 마치 사회 전체의 합의인 것처럼 구성원들에게 강요함으로써 사회가 유지된다.
(다) 사회 규범은 전체 구성원의 이익과 사회의 원활한 작동을 위해 형성된다. 이러한 사회 규범의 내용과 의미가 사회화를 통해 전승됨으로써 사회의 존속이 가능하다.

① (가)는 (다)와 달리 사회 갈등과 투쟁이 사회 발전의 원동력이라고 본다.
② (나)는 (가)와 달리 행위자인 개인의 주체적 능동성을 중시한다.
③ (나)는 (다)와 달리 사회 변동의 불가피성을 강조한다.
④ (다)는 (나)와 달리 주관적인 상황 정의를 중시한다.
⑤ (가), (다)는 (나)와 달리 사회 통합을 중시한다.

02 사회 · 문화 현상의 탐구 방법

1 사회·문화 현상의 연구 방법

1. 사회·문화 현상을 설명하는 과학적 지식

(1) **과학적 지식** [비교] 과학적 지식과 구분되는 상식이나 개인적인 믿음은 주관이나 편견이 개입되어 있을 가능성이 크다.

① 의미 사회·문화 현상을 엄격한 연구 절차와 방법에 따라 체계적으로 분석하여 발견한 지식

② 특징 경험적 자료를 통해 객관적으로 증명한 것이기에 신뢰할 만하고 타당하다고 인정할 수 있음.

(2) **과학적 연구 방법** 주로 양적 연구 방법과 질적 연구 방법을 사용하여 사회·문화 현상에 대한 과학적 지식을 발견함.

2. 양적 연구 방법과 질적 연구 방법

구분	양적 연구 방법	질적 연구 방법 자료02
의미	경험적 자료❶를 토대로 사회·문화 현상 속에 담긴 인과 관계를 파악하고 이를 토대로 일반화된 법칙을 발견하는 연구 방법	경험적 자료를 토대로 사회·문화 현상에 담긴 인간 행위의 동기나 목적을 심층적으로 파악하는 연구 방법
전제	• 사회·문화 현상에도 자연 현상과 같이 일정한 원리나 규칙성이 존재함. • 사회·문화 현상을 자연 현상과 동일한 방법으로 연구할 수 있음. → 방법론적 일원론 자료01	• 인간의 의지와 가치가 개입되어 있는 사회·문화 현상은 자연 현상과 본질적으로 다름. • 자연 현상과 다른 방법으로 사회·문화 현상을 연구해야 함. → 방법론적 이원론 자료03
특성	• 가설❷을 세우고 계량화된 자료를 분석하여 증명하는 것을 강조함. → 실증적 연구 방법 • 추상적인 사회·문화 현상을 측정할 수 있도록 양적으로 수치화하는 개념의 조작적 정의❸ 과정을 거침. • 수치화된 자료를 통계 기법을 활용하여 분석하고 결론을 도출함.	• 직관적 통찰❺을 통한 해석적 이해가 필요하다고 보는 연구 방법 → 해석적 연구 방법 • 연구자의 경험, 지식, 직관적 통찰을 활용하여 사회적 맥락에서 관찰 행위에 대한 의미 해석을 시도함. • 감정 이입적 이해❻를 추구함. • 계량화하지 않은 자료를 활용함.
장점	• 연구자의 주관 개입을 통제할 수 있음. • 정확하고 정밀한 연구가 가능함. • 일반화와 인과 법칙의 발견이 용이함. • 사회·문화 현상을 설명❹ 및 예측할 수 있음.	• 겉으로 드러난 행위 이면에 담긴 주관적인 의미를 심층적으로 이해하는 데 유용함. • 계량화하기 어려운 영역을 탐구할 수 있음.
단점	• 인간 행위의 주관적인 측면에 대한 깊이 있는 이해와 계량화하기 힘든 내면세계에 대한 연구가 어려움. • 사회·문화 현상을 지나치게 단순화하고 기계적으로 인식함.	• 연구자의 주관이 개입될 가능성이 큼. • 연구의 객관성에 대한 문제 제기를 받을 수 있음. • 개별 사례에 집중하기 때문에 일반화나 객관적인 법칙의 발견이 어려움.

[분석] 질적 연구 방법에서는 대화록, 관찰 일지, 개인 편지 등 인간의 행위 동기나 목적 등 주관적 세계를 담고 있는 비공식적 자료를 주로 활용한다.

3. 양적 연구 방법과 질적 연구 방법의 보완적 활용

(1) **필요성**

① 양적 연구 방법과 질적 연구 방법은 사회·문화 현상을 탐구하는 데 각각의 한계가 있음.

② 사회·문화 현상을 다층적으로 이해하려면 일반화된 법칙과 사회적 행위의 의미에 대한 이해가 모두 필요함.

(2) **방안** 양적 연구 방법을 통해서 인과 법칙을 발견한 후에 질적 연구 방법을 통해서 심층적인 이해를 보완하거나, 그 반대의 순서로 탐구를 진행할 수 있음.

고득점을 위한 셀파 Tip

• 양적 연구 방법과 질적 연구 방법

양적 연구 방법	질적 연구 방법
• 방법론적 일원론 • 계량화된 자료를 분석하여 증명하는 것을 강조함. • 현상의 일반화와 인과 법칙의 발견 이용이함.	• 방법론적 이원론 • 직관적 통찰을 통한 의미 해석을 강조함. • 행위 이면에 담긴 의미를 이해하는 데 유용함.

❶ **경험적 자료**
연구자가 어떤 현상에 대하여 직접적인 관찰이나 조사를 통해 습득한 자료이다.

❷ **가설**
어떤 현상을 경험적으로 증명하여 설명하기 위한 잠정적인 주장이다.

❸ **개념의 조작적 정의**
조작적 정의는 추상적인 개념을 측정할 수 있도록 계량화된 지표로 바꾸는 과정이다. 예를 들어 '부모와 자녀의 친밀도'라는 개념은 '일주일 동안 부모와 자녀가 대화한 시간'으로, '자녀의 학업 의욕'이라는 개념은 '일주일 동안 자녀가 스스로 학습한 시간'으로 정의하는 것이다.

❹ **설명**
사회·문화 현상을 관찰하고, 연구 대상의 내용을 잘 이해하도록 밝혀 말한다는 뜻으로, 양적 연구 방법에서 사용하는 표현이다. 반면, 질적 연구 방법에서는 상황 맥락 속에서 규정되는 현상을 이해하기 위해 서술한다는 뜻으로 '기술'이라는 표현을 주로 사용한다.

❺ **직관적 통찰**
연구자의 지식과 판단 능력에 의존하여 감각적으로 현상의 의미를 파악하는 것이다.

❻ **감정 이입적 이해**
연구자가 연구 대상자의 처지가 되어 연구 대상자가 가질 수 있는 느낌이나 의도 등에 공감대를 형성하여 대상을 이해하는 것이다.

자료 01 방법론적 일원론

콩트(Comte, A.)는 인간 정신의 발전을 세 단계로 나눈다. 첫 번째 단계는 신학적 단계이다. 이 수준에서는 인간은 자연 현상을 신이나 초자연적 힘을 빌려 설명하려고 한다. 두 번째 단계는 형이상학적 단계이다. 이 단계에서는 이성이 신앙을 대신한다. 세 번째 단계는 실증 과학의 단계이다. 이 단계에서는 인간은 경험적으로 증명할 수 있는 것만을 믿으며 어떤 현상이 반복되는지를 관찰함으로써 법칙을 끌어낸다. 콩트는 세상의 모든 것이 실증 과학의 단계에 이르러서만 제대로 설명된다고 여겼다. 따라서 종교나 정신에 기대어 설명하던 사회와 삶의 원리도 실증적으로 해명할 수 있다고 믿었다.

자료 분석 | 콩트는 프랑스의 철학자로 실증주의 사회학의 창시자로 불린다. 그는 사회 현상도 자연 현상과 마찬가지로 자연 과학의 연구 방법을 사용하여 인과 법칙을 발견할 수 있다고 보았다. 또한, 콩트는 인지의 발전 단계를 3단계로 나누고, 그중 가장 발달한 실증적 방법으로 사회 현상을 연구해야 한다고 보았다. 이처럼 자연 현상을 연구 하는 방법과 사회 현상을 연구하는 방법에 차이가 없다고 보는 주장을 방법론적 일원론이라고 한다.

자료 02 청소년 아르바이트에 대한 질적 연구

1. 연구 주제: 청소년 아르바이트의 과정과 의미
2. 연구 설계: ○○ 지역의 고등학생 15명을 대상으로 면접 조사 실시
3. 자료 수집: 학교 근처에서 2회 이상, 1회당 2시간 정도의 심층 면접
4. 자료 분석: 청소년들은 아르바이트로 주로 전단 돌리기와 패스트푸드점 근무, 주유소, 음식 배달 등을 하였다. 청소년들이 아르바이트를 하는 동기는 '용돈이 부족해서', '특별한 물건을 사고 싶어서', '하고 싶은 일이 있어서'인 경우가 많았다. 청소년들은 아르바이트를 통해 경제관념 및 성취감, 시간 관리, 대인 관계에 대한 경험, 사회적 관계망의 확장 등을 얻는 것으로 나타났다. 반면, 아르바이트를 하면서 학업에 지장을 받거나, 비행으로 연결될 위험 등이 있었던 것으로 드러났다.
5. 결론 도출: 청소년의 아르바이트 경험은 돈을 벌기 위한 수단이 아니라 살아 있는 사회 경험으로 보아야 한다.

– 한경혜, 「청소년의 아르바이트 경험: 그 과정과 의미에 대한 질적 연구」, 2000년 –

자료 분석 | 위 연구는 청소년 아르바이트의 과정과 의미를 청소년들과의 면접을 통해 심층적으로 파악하고자 하였으므로 질적 연구 방법이다. 이와 달리, 청소년 아르바이트를 주제로 양적 연구 방법으로 연구했다면 가설을 세우고 계량화된 자료를 분석하여 가설을 증명하는 과정으로 이루어졌을 것이다.

자료 03 방법론적 이원론

막스 베버(Weber, M.)는 독일의 사회학자로 19세기 후반 독일 사회학계의 주류였던 역사학적 혹은 사회 정책주의적 연구에 대한 이론적 약점을 지적하면서 사회 과학 연구의 객관성을 강조하려고 하였다. 그는 콩트와 달리 인간의 행동 이면에는 의도나 목적이 존재하기에 계량화하는 것이 어렵다고 보았다. 사회 과학의 연구 대상은 '의미 있는 사회적 행위'에 의해 이루어지는 사회 현상이기 때문이다. 따라서 사회 현상을 잘 이해하기 위해서는 자연 현상을 연구하는 방법과 다른 해석학적 연구를 사용해야 한다고 주장하였다.

자료 분석 | 베버는 사회·문화 현상은 인간의 주관적인 동기와 의미 부여, 행위에 대한 해석이 담겨 있기 때문에 자연 과학과는 다른 방법으로 탐구해야 한다는 입장을 취했는데, 이를 방법론적 이원론이라고 한다. 방법론적 이원론에서는 직관적인 통찰과 행위 이면의 의미에 대한 해석이 중요하다고 본다. 이런 연구 전통에서 나온 것이 바로 해석적 연구 방법이고, 행위의 의미에 초점을 둔다고 하여 질적 연구 방법이라고도 한다.

1 양적 연구는 질적 연구와 달리 사회·문화 현상을 과학적으로 연구할 수 있는 방법이다.
(○ , ×)

2 양적 연구는 객관적이고 정확한 연구가 어렵다는 한계점이 있다.
(○ , ×)

3 양적 연구 방법은 계량화되고 통계적 분석을 하는 연구에 적합하다.
(○ , ×)

4 양적 연구 방법에서는 연구 대상의 사회·문화적 맥락을 중시한다.
(○ , ×)

5 방법론적 일원론은 사회 현상과 자연 현상의 공통점을 강조한다.
(○ , ×)

6 양적 연구 방법은 방법론적 이원론, 질적 연구 방법은 방법론적 일원론에 기초한다.
(○ , ×)

7 질적 연구는 연구 대상자가 구성해 내는 생활 세계에 초점을 둔다.
(○ , ×)

8 질적 연구 방법에서는 계량화된 자료를 주로 활용한다.
(○ , ×)

9 질적 연구 방법은 인간의 행위를 내적 동기와 분리하여 연구한다.
(○ , ×)

10 질적 연구 방법은 직관적 통찰을 통해 사회·문화 현상을 해석한다.
(○ , ×)

11 질적 연구는 현상에 대한 기술을 중시하고, 양적 연구는 현상에 대한 설명을 중시한다.
(○ , ×)

정답 1 × 2 × 3 ○ 4 × 5 ○ 6 ×
     7 ○ 8 × 9 × 10 ○ 11 ○

2 자료[7] 수집 방법[8]

의의 자료 수집 방법을 선택할 때는 연구 성격에 맞게 선택해야 하고, 한 가지 연구 주제에 여러 가지 자료 수집 방법을 활용할 수 있다.

1. 문헌 연구법

의미	연구 보고서, 일상에 대한 기록, 통계 자료 등 기존 문헌에서 자료를 수집하는 방법
특징	기존 연구 동향을 파악하여 연구 문제나 가설을 설정할 때 많이 사용함.
장점	자료 수집 시 시간과 비용의 절약, 시·공간 제약 극복 등
단점	• 문헌 자료의 신뢰성[9]이 낮으면 연구 신뢰도[9]에도 문제가 발생함. • 문헌 분석이나 해석 과정에서 연구자의 주관이 개입될 소지가 있음.

2. 실험법 [자료 04]

왜? 독립 변수와 종속 변수 간 인과 관계를 명확하게 밝히기 위해서이다.

의미	계획적으로 실험 집단[10]에 인위적인 조작을 가한 후, 그에 따른 행동이나 태도 등의 변화를 통제 집단[11]의 것과 비교하여 자료를 수집하는 방법
특징	• 연구 대상에 인위적으로 독립 변수[12]를 처치하고, 이에 따라 종속 변수[13]가 변화하는 것을 파악함. • 독립 변수 외의 다른 변수가 종속 변수에 영향을 미치지 못하도록 통제해야 함.
장점	• 독립 변수와 종속 변수 간의 인과 관계를 파악할 수 있어 법칙 발견에 유리함. • 실증적이고 객관화된 자료를 구하는 데 활용 가능함.
단점	• 실험에 영향을 주는 외부 변수의 개입을 철저하게 통제하기 어려움. • 인간을 실험 대상으로 한다는 점에서 윤리적 문제가 발생할 수 있음. • 통제된 실험 내용을 일상생활에 그대로 적용하기 어려움.

3. 질문지법 [자료 05]

분석 구조화된 조사 도구인 질문지를 사용하므로 자료를 수집할 때 연구자의 가치 개입을 줄일 수 있다.

의미	조사 내용을 질문으로 구성한 후 연구 대상자에게 답변을 얻어 자료를 수집하는 방법
특징	• 많은 사람을 대상으로 자료를 수집할 때 주로 사용됨. • 표본[14]의 대표성이 확보되어야 분석 결과를 모집단[15]으로 일반화할 수 있음.
장점	• 짧은 시간에 다수의 대상에게서 자료를 수집할 수 있으므로 시간과 비용이 절약됨. • 수집된 자료는 대부분 수치화하므로 통계 및 비교 분석이 용이함.
단점	• 질문 구성이 잘못되거나 질문지 회수율과 응답률이 낮으면 결과가 왜곡될 수 있음. • 문맹자에게 활용하기 어려우며, 깊이 있는 정보를 얻기 어려움.

4. 면접법

왜? 자료 수집 과정에서 연구자의 유연성이 높으므로 면접 시 추가로 질문하여 연구에 필요한 응답을 자유롭게 얻을 수 있기 때문이다.

의미	연구자가 연구 대상자와 깊이 있는 대화를 통해 자료를 수집하는 방법
특징	연구 대상의 내면적이고 깊이 있는 정보를 얻고자 할 때 사용됨.
장점	문맹자에게 사용 가능하며, 심층적인 정보를 얻을 수 있음.
단점	• 연구 목적에 적합한 연구 대상자 선정이 어렵고, 시간과 비용이 많이 듦. • 자료 수집 과정에서 연구자의 주관이 개입될 소지가 있음.

5. 참여 관찰법

의미	연구자가 연구 대상과 함께 생활하면서 현상을 직접 관찰하여 자료를 수집하는 방법
장점	• 의사소통이 어려운 집단을 조사할 수 있음. • 언어나 문자로 표현할 수 없는 생동감 있고 실제성 높은 정보를 직접 얻을 수 있음.
단점	• 관찰하고자 하는 현상이 나타날 때까지 기다려야 하므로 시간과 비용이 많이 듦. • 관찰 내용을 기록하는 과정에서 연구자의 주관이 개입될 수 있음. • 연구 대상이 연구자를 의식하여 평소와 다른 행동을 하면 정확한 자료 수집이 어려움.

분석 참여 관찰법은 연구자가 연구 대상의 생활 세계에 직접 참여하므로 연구자가 예상하지 못한 상황이 발생하면 통제가 어렵고, 유연하게 대처하기 곤란하다.

고득점을 위한 셀파 Tip

· 자료 수집 방법의 일반적 특징

구분	경제성	조직화 정도	계량화 정도	주관 개입 가능성
실험법	낮음	아주 높음	높음	낮음
질문지법	높음	높음	높음	낮음
면접법	낮음	낮음	낮음	높음
참여 관찰법	낮음	아주 낮음	낮음	높음

[7] 자료
사회·문화 현상에 대한 연구 결과를 도출하기 위해 연구 과정에서 활용하는 모든 정보로, 연구 목적에 따라 연구 대상에게서 직접 구한 원자료인 1차 자료와 기존의 자료를 활용하여 연구자가 자신의 연구 목적에 따라 새롭게 구성한 자료인 2차 자료가 있다.

[8] 다양한 자료의 활용 방법

자료	주로 활용되는 연구 방법
문헌 연구법	양적 연구와 질적 연구
실험법	양적 연구
질문지법	양적 연구
면접법	질적 연구
참여 관찰법	질적 연구

[9] 신뢰도
검사 도구가 오차 없이 정확하게 측정한 정도를 의미한다.

[10] 실험 집단
실험에서 독립 변수의 효과를 측정하기 위해 실험 처리를 하는 집단이다.

[11] 통제 집단(비교 집단)
실험에서 실험 요인을 적용한 실험 집단과 비교하기 위해 실험 처리를 하지 않은 집단이다.

[12] 독립 변수
연구 대상에게 인위적으로 가한 일정한 조작을 의미한다.

[13] 종속 변수
독립 변수에 영향을 받아 그 값이 변화하는 변수이다.

[14] 표본
모집단 중에서 실제 조사를 위해 선택한 집단을 의미한다.

[15] 모집단
연구 대상이 되는 집단 전체를 의미한다.

자료 04 실험법

한 연구자가 감사함을 표현하는 활동이 사람들의 자아 존중감을 높이는 데 영향을 주는지를 연구하고자 다음과 같이 실험하였다.

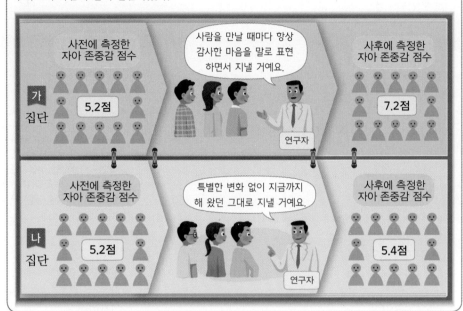

	사전에 측정한 자아 존중감 점수		사후에 측정한 자아 존중감 점수
가 집단	5.2점	사람을 만날 때마다 항상 감사한 마음을 말로 표현하면서 지낼 거예요. 연구자	7.2점
나 집단	5.2점	특별한 변화 없이 지금까지 해 왔던 그대로 지낼 거예요. 연구자	5.4점

자료 분석 | 동일한 조건의 연구 대상을 실험 집단인 (가) 집단과 통제 집단인 (나) 집단으로 나누고, 실험적 조작을 가하기 전에 자아 존중감 점수를 측정하였다. 이는 사전에 (가) 집단과 (나) 집단의 자아 존중감이 유사한지 비교하고, 조작이 가해진 후 변화가 있는지 살펴보기 위함이다. 이후 (가) 집단에 감사함을 말로 표현하게 하는 인위적인 조작을 가하여 실험하고 (나) 집단과 비교한 결과, 감사함을 표현한 집단의 자아 존중감이 그렇지 않은 집단에 비해 훨씬 높은 것으로 나타났다. 이때 감사함을 표현하는 활동이 독립 변수이며, 자아 존중감이 종속 변수이다.

자료 05 질문지 작성 시 유의 사항

번호	질문지와 답지
1	귀하는 자녀가 미래에 어떤 직업을 가지길 원하며 연봉이 어느 정도이길 희망합니까? └ 직업과 연봉 두 가지를 묻고 있다.
2	청소년의 이성 교제는 공부에 심각한 문제가 될 수 있습니다. 자녀의 이성 교제를 허락하겠습니까? └ 부정적인 응답을 유도하는 질문이다.
3	자녀와의 대화 시간은 얼마나 됩니까? └ 하루 대화 시간을 묻는 것인지 일주일 대화 시간을 묻는 것인지 질문의 내용이 명료하지 않다.
4	귀하의 종교는? 가톨릭이라면 ①번과 ③번 중에서, 개신교라면 ①번과 ②번 중에서 어떤 것을 선택해야 하는지 명료하지 않으므로 응답에 혼란을 주고 있다. ① 크리스트교 ② 개신교 ③ 가톨릭 ④ 불교 ⑤ 기타 종교 ⑥ 무교
5	귀하의 나이는? 모든 국민을 대상으로 조사한다면 51세 이상은 응답할 수 있는 선택지가 없다. ① 20세 미만 ② 20세~30세 ③ 31세~40세 ④ 41세~50세
6	귀하의 삶의 만족도를 평가하면? 만족 수준을 나타내는 선택지는 두 개인 반면, 불만족을 나타내는 선택지는 한 개뿐이므로 응답 항목 간의 균형성을 갖추지 못하고 있다. ① 매우 만족한다. ② 만족한다. ③ 보통이다. ④ 불만이다.

자료 분석 | 질문지를 만들 때는 한 문항에 한 가지만 물어야 하고, 특정한 답을 유도하는 내용을 넣어서는 안 된다. 묻는 내용을 명료하게 하고 선택지는 상호 배타적이어야 한다. 또한, 선택지는 모든 조사 대상자가 선택할 수 있도록 포괄성을 갖추어야 하며, 어느 한 방향으로 치우치지 않도록 해야 한다.

1 문헌 연구법은 다른 자료 수집 방법들보다 시·공간적 제약이 적다.

(○ , ×)

2 '행복감에 소득 수준과 물질주의 가치관이 미치는 영향'이라는 연구 주제에서 독립 변수는 행복감, 종속 변수는 소득 수준과 물질주의 가치관이다.

(○ , ×)

3 실험법에서는 인위적으로 통제된 상황에서 변수의 효과를 관찰하는 방법이 사용된다.

(○ , ×)

4 실험법이나 질문지법은 주로 양적 연구에서 사용된다.

(○ , ×)

5 질문지법에서는 연구 대상자와 연구자 간의 친밀성이 중시된다.

(○ , ×)

6 질문지법에서는 표본의 대표성 확보가 중요하다.

(○ , ×)

7 질문지법이 참여 관찰법에 비해 자료 수집 상황에 대한 통제 수준이 높다.

(○ , ×)

8 면접법은 자료 수집 과정에서 연구자의 유연성이 높다.

(○ , ×)

9 면접법은 질문지법에 비해 다수를 대상으로 자료를 수집하기가 용이하다.

(○ , ×)

10 참여 관찰법은 실제성이 높은 현장 자료를 얻기 유용한 자료 수집 방법이다.

(○ , ×)

11 참여 관찰법은 예상치 못한 변수의 통제가 어렵다.

(○ , ×)

정답 1 ○ 2 × 3 ○ 4 ○ 5 × 6 ○
7 ○ 8 ○ 9 × 10 ○ 11 ○

1 사회·문화 현상의 연구 방법

구분	양적 연구 방법	질적 연구 방법
의미	사회·문화 현상에 담긴 인과 관계를 파악하고 일반화된 법칙을 발견하는 연구 방법	사회·문화 현상에 담긴 인간 행위의 (❸)나 목적을 파악하는 연구 방법
특성	• 방법론적 일원론 • 계량화된 자료를 분석하여 증명하는 것을 강조함. • 개념의 (❶) 과정을 거침.	• 방법론적 이원론 • 연구자의 직관적 통찰을 통한 의미 해석을 강조함. • (❹)적 이해를 추구함.
장점	• 정확하고 정밀한 연구 • 사회·문화 현상의 설명 및 (❷) 가능	• 계량화 어려운 영역 탐구 • 행위 이면에 담긴 의미의 심층적 이해
단점	사회·문화 현상을 지나치게 단순화하고 기계적으로 인식함.	연구자의 (❺)이 개입될 가능성이 큼.

2 자료 수집 방법

문헌 연구법	의미	기존 문헌에서 자료를 수집하는 방법
	장점	시간과 비용 절약, 시·공간 제약 극복 가능
	단점	문헌 자료의 신뢰성 문제
(❻)	의미	실험 집단에 일정한 조작을 가하고, 처치에 따른 효과를 통제 집단의 것과 비교하는 방법
	장점	인과 관계 파악을 통한 법칙 발견에 유리함.
	단점	• 외부 변수 개입의 완벽한 통제가 어려움. • 윤리적 문제가 발생할 수 있음.
질문지법	의미	조사 내용을 질문으로 구성한 후 연구 대상자에게 답변을 얻어 자료를 수집하는 방법
	장점	• 시간과 비용 절약 • 통계 및 비교 분석이 용이함.
	단점	질문 구성이 잘못되거나 질문지 응답률이 낮으면 결과가 왜곡될 수 있음.
면접법	의미	연구자가 연구 대상자와 (❼)를 통해 자료를 수집하는 방법
	장점	심층적인 정보를 얻을 수 있음.
	단점	연구자의 주관이 개입될 소지가 있음.
참여 관찰법	의미	연구자가 연구 대상과 함께 생활하면서 현상을 직접 관찰하여 자료를 수집하는 방법
	장점	• 생동감 있고 실제성 높은 정보 수집 가능 • 의사소통이 어려운 집단 조사 가능
	단점	• 시간과 비용이 많이 듦. • 자료 수집 상황 통제의 어려움.

정답 ❶ 조작적 정의 ❷ 예측 ❸ 동기 ❹ 감정 이입 ❺ 주관 ❻ 실험법 ❼ 대화

탄탄 내신 문제

1 사회·문화 현상의 연구 방법

01 (가)~(다)는 수업 시간에 학생들이 세운 가설이다. 이에 대한 평가로 가장 적절한 것은?

> (가) 사람이라면 모름지기 착하게 살아야 한다.
> (나) 부모와 자녀의 친밀도가 높을수록 자녀의 학업 의욕이 높을 것이다.
> (다) 여성의 가사 노동 시간이 남성의 가사 노동 시간보다 많을 것이다.

① (가)는 검증의 필요성이 있다.
② (나)에는 변수들 간의 인과 관계가 나타나 있다.
③ (다)는 경험적으로 검증할 수 없는 현상을 다루고 있다.
④ (가)는 (다)와 달리 가치 중립적으로 진술되어 있다.
⑤ (다)는 (나)와 달리 계량화가 불가능한 변수로 구성되어 있다.

02 다음에서 설명하고 있는 사회·문화 현상의 연구 방법에 적합한 연구 주제를 〈보기〉에서 고른 것은?

> 이 연구 방법은 사회·문화 현상이 자연 현상과 본질적으로 다르기 때문에 다른 방법으로 연구해야 한다는 방법론적 이원론에 기초한다. 이 연구 방법에서는 경험적 자료를 토대로 사회·문화 현상에 담긴 인간 행위의 동기나 목적 파악을 중요하게 여긴다.

┤ 보기 ├
ㄱ. 50대 이상 남성의 은퇴 후 삶에 대한 생애 연구
ㄴ. 가출 청소년의 일상생활 모습에 대한 관찰 연구
ㄷ. 스마트폰 중독 정도와 학업 성취도 간의 관계 연구
ㄹ. 이성 교제 여부와 학교생활 만족도 간의 상관관계 연구

① ㄱ, ㄴ   ② ㄱ, ㄷ   ③ ㄴ, ㄷ
④ ㄴ, ㄹ   ⑤ ㄷ, ㄹ

[03~04] 다음을 읽고 물음에 답하시오.

> 이 연구 방법은 사회·문화 현상도 자연 현상과 동일한 방법으로 연구할 수 있다는 관점에 기초하였다. 이 연구 방법에서는 경험적 자료를 토대로 현상을 증명하는 것을 강조한다.

03 밑줄 친 '이 연구 방법'에 대한 설명으로 옳지 <u>않은</u> 것은?

① 방법론적 일원론에 기초한다.
② 정확하고 정밀한 연구가 가능하다.
③ 실증적 연구 방법이라고도 부른다.
④ 일반화나 인과 법칙의 발견이 용이하다.
⑤ 계량화하기 어려운 분야의 연구에 적합하다.

04 밑줄 친 '이 연구 방법'에 가장 적합한 연구 주제는?

① 범죄자의 심리와 동기에 관한 연구
② 결혼 이민자들의 문화에 대한 연구
③ 소득과 건강 간의 관계에 대한 연구
④ 청소년들의 연예인 팬덤 현상에 대한 연구
⑤ 청년 세대가 결혼에 부여하는 의미에 대한 연구

★05 다음 연구에 대한 옳은 설명을 〈보기〉에서 고른 것은?

> 본 연구는 고등학생의 힙합 동아리 활동과 그 의미를 심층적으로 이해하고자 한다. 이를 위해 힙합 동아리에 가입하여 활동하고 있는 고등학생 4명을 연구 대상자로 선정하여 3개월 동안 그들의 동아리 활동을 참여 관찰하고, 수시로 심층 면접을 진행하여 자료를 수집하였다.

┤ 보기 ├
ㄱ. 주로 계량화된 자료를 수집하였다.
ㄴ. 방법론적 일원론에 기초한 연구 방법을 활용하였다.
ㄷ. 연구 대상자의 주관적 세계에 대한 이해를 목적으로 한다.
ㄹ. 연구자의 직관적 통찰과 감정 이입이 필요한 연구를 진행하였다.

① ㄱ, ㄴ   ② ㄱ, ㄷ   ③ ㄴ, ㄷ
④ ㄴ, ㄹ   ⑤ ㄷ, ㄹ

06 표는 사회·문화 현상의 서로 다른 연구 방법 (가), (나)를 비교한 것이다. 이에 대한 분석으로 옳지 <u>않은</u> 것은?

구분	(가)	(나)
연구 대상의 규모	직장인 2,000명	직장인 3명
자료 수집 방법	질문지법	면접법
수집한 자료의 성격	㉠	㉡
자료 처리 방식	통계 처리	㉢

① (가)는 (나)보다 일반화 도출에 유리하다.
② (나)는 공식적 자료를 활용하지 않는다.
③ (나)는 (가)보다 현상에 대한 심층적 이해에 유리하다.
④ ㉠에는 '양적 자료', ㉡에는 '질적 자료'가 들어갈 수 있다.
⑤ ㉢에는 '감정 이입 및 의미 해석'이 들어갈 수 있다.

07 다음과 같은 특징을 갖는 사회·문화 현상의 연구 방법에 대한 설명으로 옳은 것은?

> • 연구자의 경험, 지식, 직관적 통찰을 활용하여 사회적 맥락에서 관찰 행위에 대한 의미 해석을 시도한다.
> • 대화록, 관찰 일지, 개인 편지와 같은 자료 등이 중요하게 활용된다.

① 가설 검증의 과정을 거쳐 법칙을 발견하고자 한다.
② 연구 대상자의 동기와 의도를 심층적으로 파악하고자 한다.
③ 자연 현상과 사회·문화 현상이 본질적으로 같다고 전제한다.
④ 연구자가 연구 대상과 분리되어 사회·문화 현상을 탐구한다.
⑤ 계량화된 자료를 이용하여 사회·문화 현상을 객관적으로 탐구한다.

2 자료 수집 방법

08 다음 대화에서 을이 활용하고자 하는 자료 수집 방법에 대한 설명으로 옳은 것은?

규칙적인 아침 식사가 학업 집중력에 어떤 영향을 미치는지 궁금해. 어떤 방법으로 알아볼 수 있을까?

우리 학교의 학생들 1,200명을 대상으로 설문을 실시해 보자.

갑   을

① 통계 분석과 비교 분석이 용이하다.
② 문맹자에게도 자료를 수집하기 용이하다.
③ 생동감 있고 깊이 있는 정보를 얻는 데 유리하다.
④ 자료 수집에 있어 시간과 공간의 제약을 적게 받는다.
⑤ 의사소통이 어려운 사람들을 대상으로 자료를 수집하기에 적절하다.

09 자료 수집 방법 (가), (나)에 대한 설명으로 옳은 것은?

(가) 조사 대상자와 대면하면서 조사 주제에 대한 질문을 통해 얻은 응답을 바탕으로 필요한 자료를 수집하는 방법
(나) 독립 변수 이외의 다른 변수를 통제한 후 연구 대상자에게 독립 변수를 처치하고 그로 인해 나타나는 종속 변수의 변화를 파악하는 자료 수집 방법

① (가)는 질문지법이다.
② (가)는 양적 연구에서 주로 사용된다.
③ (나)는 일반화 도출을 목적으로 하는 연구에서 주로 사용된다.
④ (가)는 (나)와 달리 자료 수집 상황에 대한 통제가 필수적이다.
⑤ (나)는 (가)에 비해 연구자의 주관이 개입될 가능성이 높다.

10 다음 사례에서 갑이 활용한 자료 수집 방법에 대한 옳은 설명을 〈보기〉에서 고른 것은?

연구자 갑은 일본 소설이나 일본에서 만든 전시 홍보 자료 등 일본과 관련한 기존 문헌과 문서 자료를 활용하여 일본 문화에 대한 연구를 진행하였다.

┤ 보기 ├
ㄱ. 양적 연구에서는 활용되지 않는다.
ㄴ. 다른 자료 수집 방법에 비해 시간과 공간의 제약을 적게 받는다.
ㄷ. 기존 연구의 동향을 파악하여 연구 문제나 가설을 설정할 때 주로 활용된다.
ㄹ. 가상의 상황을 만들어 인위적인 조작을 가한 후 그에 따른 결과를 관찰한다.

① ㄱ, ㄴ   ② ㄱ, ㄷ   ③ ㄴ, ㄷ
④ ㄴ, ㄹ   ⑤ ㄷ, ㄹ

11 교사의 질문에 옳게 대답한 학생을 고른 것은?

질문지법을 활용하여 의도한 자료를 수집하기 위해서는 적절한 질문을 작성하는 것이 매우 중요합니다. 질문 작성 시 유의할 점에는 무엇이 있을까요?

교사

갑   을   병   정

한 질문에 최대한 많은 내용을 물어보아야 합니다.

조사자의 가치관이 반영된 질문을 만들어야 합니다.

피조사자가 고르고자 하는 선택지가 가급적 모두 제시되어야 합니다.

하나의 질문에 해당하는 선택지 간에는 서로 중복되지 않아야 합니다.

① 갑, 을   ② 갑, 병   ③ 을, 병
④ 을, 정   ⑤ 병, 정

12 갑~병이 선택한 자료 수집 방법의 일반적인 특징에 대한 설명으로 옳은 것은?

> 교사 청소년 비행 실태에 관한 각자의 자료 수집 계획에 대해 발표해 보세요.
> 갑 청소년의 음주와 흡연 실태를 알아보기 위해 우리 학교 학생 전체를 대상으로 설문 조사를 실시할 예정입니다.
> 을 저는 청소년들이 비행 행동에 대해 어떤 의미를 부여하고, 그 행동에 대해 어떻게 반응하는지 알아보기 위해 함께 생활하며 관찰할 생각입니다.
> 병 저는 각 지역별 청소년들의 비행 행동 실태에 관한 통계 자료와 관련 논문 등을 찾아 주요 내용을 정리할 계획입니다.

① 갑의 자료 수집 방법은 대량의 구조화된 자료를 얻기 어렵다.
② 을의 자료 수집 방법은 수집한 자료의 실제성이 낮다.
③ 병의 자료 수집 방법은 시간과 장소의 제약을 크게 받는다.
④ 갑의 자료 수집 방법은 을의 자료 수집 방법에 비해 시간과 비용 측면에서 효율적이다.
⑤ 갑, 을의 자료 수집 방법은 병의 자료 수집 방법과 달리 질적 연구에서 주로 사용된다.

13 밑줄 친 '이 자료 수집 방법'에 대한 설명으로 옳은 것은?

> 이 자료 수집 방법은 현장 연구의 대표적인 방법으로서 연구자가 직접 현상이 발생하는 상황 속에 들어가야 한다. 따라서 이 자료 수집 방법을 수행하는 동안 연구자는 다양한 돌발 상황의 문제에 직면할 우려가 있다.

┤ 보기 ├
ㄱ. 시간과 비용 측면에서 효율적이다.
ㄴ. 자료의 실제성을 확보하는 데 유리하다.
ㄷ. 2차 자료의 수집용으로 활용되는 경우가 많다.
ㄹ. 의사소통이 통하지 않는 집단에게도 조사를 수행할 수 있다.

① ㄱ, ㄴ   ② ㄱ, ㄷ   ③ ㄴ, ㄷ
④ ㄴ, ㄹ   ⑤ ㄷ, ㄹ

14 표는 자료 수집 방법의 일반적 특징을 알아보기 위해 일부 항목을 비교한 것이다. ㉠~㉢에 들어갈 자료 수집 방법으로 옳은 것은? (단, ㉠~㉢은 각각 질문지법, 면접법, 참여 관찰법 중 하나이다.)

항목	특징
수집 도구의 정형화 정도	㉠이 가장 낮고, ㉡이 가장 높다.
연구자의 주관 개입 가능성	㉠과 ㉢이 ㉡보다 크다.
비언어적 자료 수집의 용이성	㉠이 가장 크다.

	㉠	㉡	㉢
①	면접법	질문지법	참여 관찰법
②	면접법	참여 관찰법	질문지법
③	질문지법	면접법	참여 관찰법
④	참여 관찰법	면접법	질문지법
⑤	참여 관찰법	질문지법	면접법

15 그림은 자료 수집 방법 (가)~(다)를 분류한 것이다. 이에 대한 설명으로 옳은 것은? (단, (가)~(다)는 각각 질문지법, 면접법, 참여 관찰법 중 하나이다.)

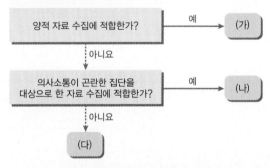

① (다)는 기존의 연구 동향을 파악하는 데 주로 사용된다.
② (가)는 (나)보다 심층적인 자료의 수집에 유리하다.
③ (가)는 (나)에 비해 연구자의 주관적 가치가 개입될 가능성이 낮다.
④ (나)는 (가)보다 다수를 대상으로 한 자료 수집에 유리하다.
⑤ (다)는 (가)와 달리 언어적 상호 작용이 필수적이다.

16 양적 연구 방법을 사용하기에 적합한 연구 주제를 〈보기〉에서 골라 기호를 쓰시오.

> ┤ 보기 ├
> ㄱ. 귀농한 사람들의 농촌 적응 과정에 대한 연구
> ㄴ. 개인의 계층과 삶의 만족도 간의 상관관계에 대한 연구
> ㄷ. 성장기의 형제자매 수가 개인의 사회성에 미치는 영향에 관한 연구
> ㄹ. 베이비붐 세대가 집을 소유하는 것에 대하여 부여하는 의미에 관한 연구

17 ㉠에 공통으로 들어갈 알맞은 용어를 쓰시오.

> (㉠)은/는 잠정적 결론으로, 흔히 양적 연구에서는 이를 설정하고 검증하는 방식으로 연구가 이루어진다. (㉠)은/는 일반적으로 검증이 가능해야 하고, 명료해야 하며, 인과 관계가 분명히 드러나는 것이 좋다. 하지만 동어 반복적인 서술이나, 너무나 당연한 일반적 서술은 좋은 (㉠)이/가 될 수 없다.

18 (가), (나)에 들어갈 알맞은 용어를 쓰시오.

> 자료 수집 방법 중 실험법을 사용할 때에는 원칙적으로 (가)와 (나), 두 집단을 구성해야 한다. (가)는 독립 변수를 처치하는 집단이고, (나)는 독립 변수를 처치하지 않고 (가)와의 비교를 위해 설정하는 집단이다.

19 다음 글을 읽고 물음에 답하시오.

> 사회·문화 현상을 연구하는 방법 중 (가)에서는 추상적인 사회·문화 현상을 측정 가능한 구체적인 지표로 바꾸는 작업인 (나)를 실시한다. (나)의 사례로는 '부모와 자녀와의 친밀감'을 '부모와 자녀의 하루 대화 시간'으로 설정하는 것을 들 수 있다.

(1) (가)와 (나)에 해당하는 용어를 쓰시오.

(2) (가)의 장점과 단점을 각각 서술하시오.

20 다음 글을 읽고 물음에 답하시오.

> 1936년 미국 대통령 선거에서 『리터러리 다이제스트』라는 잡지는 선거 전에 여론 조사를 하여 공화당 후보인 랜던이 대통령에 당선될 것으로 예측하였다. 그런데 실제로는 민주당 후보인 루스벨트가 대통령에 당선되었다. 이 잡지는 여론 조사 시 전화번호부나 자동차 등록 명부에 있는 사람들을 표본으로 선정하였다. 그런데 이들 대다수는 경제적으로 풍요로운 사람들로, 대부분 공화당을 지지하였다.

(1) 윗글에 나타난 자료 수집 방법을 쓰시오.

(2) 윗글에 나타난 자료 수집 방법의 문제점을 서술하시오.

| 평가원 응용 |

01 그림은 사회·문화 현상의 연구 방법 (가), (나)를 구분한 것이다. 이에 대한 옳은 설명을 〈보기〉에서 고른 것은?

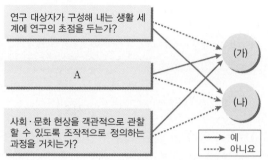

┤ 보기 ├

ㄱ. (가)는 방법론적 일원론에 근거한다.

ㄴ. (나)는 연구자의 주관적 의도가 개입된다는 비판을 받는다.

ㄷ. (가)는 (나)와 달리 연구자의 직관적 통찰과 감정 이입적 이해를 중시한다.

ㄹ. A에는 '결론의 재생 가능성이 낮은가?'가 들어갈 수 있다.

① ㄱ, ㄴ   ② ㄱ, ㄷ   ③ ㄴ, ㄷ
④ ㄴ, ㄹ   ⑤ ㄴ, ㄹ

| 수능 기출 |

03 다음은 자료 수집 방법 A~D를 분류한 것이다. 이에 대한 설명으로 옳은 것은? (단, A~D는 각각 면접법, 실험법, 질문지법, 참여 관찰법 중 하나이다.)

구분		주로 계량화된 자료를 수집하는 데 활용되는가?	
		예	아니요
(가)	예	A	B
	아니요	C	D

① (가)는 '인위적으로 통제된 상황에서 변수의 효과를 관찰하는 방법인가?'가 적절하다.

② (가)가 '언어적 상호 작용에 의한 자료 수집이 필수적인가?'라면 A는 질문지법, D는 참여 관찰법이다.

③ (가)가 '자료 수집 시 연구 대상자의 응답이 필수적인가?'라면 B는 면접법, C는 질문지법이다.

④ A가 질문지법이라면 (가)는 '다수를 대상으로 한 자료 수집에 주로 사용되는가?'가 적절하다.

⑤ B가 참여 관찰법이라면 (가)는 '연구자가 현상이 실제로 발생한 현지에 가서 연구해야 하는가?'가 적절하다.

02 표는 사회·문화 현상의 연구 방법 (가), (나)에 적합한 연구 주제를 구분한 것이다. 이에 대한 설명으로 옳은 것은?

연구 방법	연구 주제
(가)	빈곤층 홀몸노인이 느끼는 고독감에 대한 연구
(나)	부모와의 친밀도가 자녀의 성적에 미치는 영향 연구

① (가)는 일반화 도출을 목적으로 한다.

② (가)는 사회·문화 현상이 자연 현상과 본질적으로 같다고 전제한다.

③ (나)는 개념의 조작적 정의 과정을 거친다.

④ (나)는 연구자의 주관이 개입될 가능성이 높다.

⑤ (나)는 주로 면접법이나 참여 관찰법을 사용하여 자료를 수집한다.

04 표는 자료 수집 방법 A, B를 비교한 것이다. 이에 대한 옳은 설명을 〈보기〉에서 고른 것은? (단, A, B는 각각 면접법과 참여 관찰법 중 하나이다.)

구분	A	B
공통점	(가)	
차이점	(나)	의사소통이 곤란한 집단을 대상으로 활용하는 데 적합하다.

┤ 보기 ├

ㄱ. A는 연구자와 연구 대상자 간의 공감대 형성이 중요하다.

ㄴ. B는 A에 비해 예상하지 못한 상황이 발생할 경우 유연하게 대처하기 곤란하다.

ㄷ. (가)에는 '구조화되고 표준화된 도구로 자료를 수집한다.'가 들어갈 수 있다.

ㄹ. (나)에는 '1차 자료의 수집을 위해 활용된다.'가 들어갈 수 있다.

① ㄱ, ㄴ   ② ㄱ, ㄷ   ③ ㄴ, ㄷ
④ ㄴ, ㄹ   ⑤ ㄴ, ㄹ

| 수능 기출 |

05 다음 연구에 대한 옳은 설명만을 〈보기〉에서 있는 대로 고른 것은?

연구 주제	특정 지역의 문화와 그 지역 주민들의 폭력적 행동 양식 간의 관련성 연구
연구 대상	공식 통계로 확인된 폭력 범죄율이 높은 지역(A)과 낮은 지역(B) 각각에 거주하는 주민
자료 수집	각 지역에서 주민들과 함께 생활하면서 있는 그대로의 삶의 모습을 심층적으로 관찰함.
연구 결과	B 지역 주민들과 달리 A 지역 주민들이 타인으로부터 자신을 보호하고 자존감을 지키기 위해 폭력에 의존하게 되는 맥락적인 이유를 밝혀 그들만의 문화적 특징을 이해하게 됨.

┤ 보기 ├
- ㄱ. 수량화된 2차 자료를 활용하였다.
- ㄴ. 질적 자료를 활용하여 양적 연구를 수행하였다.
- ㄷ. 계량화하기 어려운 인간 행위의 의미를 직관적 통찰을 통해 파악하였다.
- ㄹ. 생생한 자료를 얻기 위해 인위적 조작의 정도가 낮은 자료 수집 방법을 활용하였다.

① ㄱ, ㄴ ② ㄴ, ㄹ ③ ㄷ, ㄹ
④ ㄱ, ㄴ, ㄷ ⑤ ㄱ, ㄷ, ㄹ

| 수능 응용 |

06 표는 자료 수집 방법을 구분한 것이다. A~D의 일반적인 특징에 대한 설명으로 옳은 것은? (단, A~D는 각각 면접법, 실험법, 질문지법, 참여 관찰법 중 하나이다.)

질문	자료 수집 방법 A	B	C	D
질적 자료를 수집하기에 용이한가?	×	○	○	×
연구 대상자와의 언어적 상호 작용이 필수적인가?	×	×	○	○

① A는 방법론적 일원론에 근거한 연구에서 주로 사용된다.
② B는 면접법, C는 참여 관찰법이다.
③ B는 A보다 연구자의 가치 개입 가능성이 작다.
④ C는 A에 비해 윤리적인 문제에 직면할 가능성이 크다.
⑤ C는 D와 달리 구조화된 자료 수집 방법이다.

| 평가원 기출 |

07 자료 수집 방법 A~C의 일반적인 특징에 대한 설명으로 옳은 것은? (단, A~C는 각각 면접법, 질문지법, 참여 관찰법 중 하나이다.)

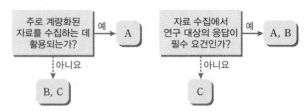

① A는 B와 달리 연구 대상의 주관적인 인식을 파악할 수 없다.
② B는 A에 비해 다수를 대상으로 자료를 수집하기가 용이하다.
③ C는 A, B와 달리 연구자의 직관적 통찰로 해석해야 하는 자료를 수집할 수 있다.
④ B, C는 A에 비해 연구 대상과 연구자 간 신뢰감 형성의 중요성이 강조된다.
⑤ 자료 수집 상황에 대한 통제 수준은 A>C>B이다.

08 질문지의 각 문항에 대한 평가로 옳지 <u>않은</u> 것은?

> 1. 귀하는 최근에 학원을 다닌 적이 있습니까?
>   ① 예　　　　　　② 아니요
> 2. 귀하가 하루 동안 사교육에 의존하는 시간은 얼마나 됩니까?
>   ① 0~2시간 ② 2~3시간 ③ 3~4시간 ④ 4시간 이상
> 3. 귀하는 학원 수강과 과외가 성적 향상에 도움이 된다고 생각하십니까?
>   ① 예　　　　　　② 아니요
> 4. 과도한 사교육비로 인해 각종 부작용이 급증하고 있습니다. 귀하는 학원 수강료에 대한 규제가 필요하다고 생각하십니까?
>   ① 예　　　　　　② 아니요
> 5. 귀하는 현재 정부의 교육 정책에 대해 어떻게 생각하십니까?
>   ① 만족　　　② 보통　　　③ 불만족

① 1번 문항 – 구체적인 시점이 불분명하다.
② 2번 문항 – 응답 항목 간 배타성이 부족하다.
③ 3번 문항 – 하나의 문항에서 두 가지 내용을 묻고 있다.
④ 4번 문항 – 조사 대상에게 특정 응답을 유도하고 있다.
⑤ 5번 문항 – 문항에 조사자의 가치가 개입되어 있다.

09 그림은 질문 (가), (나)에 따라 자료 수집 방법 A, B를 구분한 것이다. 이에 대한 설명으로 옳은 것은? (단, A, B는 각각 면접법과 질문지법 중 하나이다.)

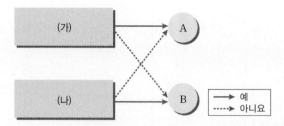

① (가)가 '수집한 자료의 통계 분석이 용이한가?'이면, A는 면접법이다.

② (가)가 '언어를 통해 자료를 수집하는가?'이면, A는 질문지법, B는 면접법이다.

③ (나)가 '자료 분석 과정에서 연구자의 가치 개입의 우려가 큰가?'이면, A는 B에 비해 다수를 대상으로 한 자료 수집에 유리하다.

④ (나)가 '주로 질적 연구에서 활용되는가?'이면, B는 A에 비해 시간과 비용 측면에서 효율적이다.

⑤ (나)가 '구조화된 자료 수집 방법인가?'이면, (가)에는 '표본의 대표성 확보가 중요한가?'가 들어갈 수 있다.

| 평가원 응용 |
10 표에 제시된 자료 수집 방법 A~D의 일반적 특징에 대한 옳은 설명을 〈보기〉에서 고른 것은? (단, A~D는 각각 면접법, 실험법, 질문지법, 참여 관찰법 중 하나이다.)

연구 조건	적합한 자료 수집 방법
대면 대화를 통해 깊이 있는 정보를 수집한다.	A
연구 대상의 일상생활 모습에서 나타나는 행동을 관찰한다.	B
구조화된 질문지를 활용하여 계량화된 자료를 수집한다.	C
연구자에 의해 통제된 상황에서 변수의 효과를 관찰한다.	D

┤ 보기 ├
ㄱ. A는 D보다 연구자의 주관이 개입될 가능성이 낮다.
ㄴ. C는 B보다 시간과 비용 측면에서 효율적이다.
ㄷ. B, C는 A와 달리 언어적 상호 작용이 필수적이다.
ㄹ. A, B는 질적 연구, C, D는 양적 연구에서 주로 사용된다.

① ㄱ, ㄴ ② ㄱ, ㄷ ③ ㄴ, ㄷ
④ ㄴ, ㄹ ⑤ ㄷ, ㄹ

| 평가원 응용 |
11 다음 대화에 나타난 자료 수집 방법 A~C의 일반적인 특징에 대한 옳은 설명을 〈보기〉에서 고른 것은?

교사 청소년들의 팬덤 문화를 주제로 각자의 연구 계획을 발표해 보세요.

갑 저는 청소년들의 팬덤 문화와 소비 양식의 관계를 분석해 보기 위해 우리 학교 학생들을 대상으로 설문 조사를 하려고 합니다.

을 저는 청소년들의 팬덤 문화가 그들에게 어떤 의미인지 알아보기 위해 팬클럽에 가입하고 공연장과 팬미팅 현장에 가서 직접 느끼고 확인해 볼 생각입니다.

병 저는 청소년들의 팬덤 문화 실태를 살펴보기 위해 최근의 언론 자료와 주요 연구 논문 등을 찾아 정리해 보겠습니다.

교사 갑은 A, 을은 B, 병은 C를 통해 자료를 수집하겠군요.

┤ 보기 ├
ㄱ. A는 B에 비해 대규모 집단을 대상으로 한 자료 수집에 적합하다.
ㄴ. B는 C에 비해 접근이 어려운 지역을 조사하기에 용이하다.
ㄷ. C는 A에 비해 공간의 제약을 적게 받는다.
ㄹ. C는 B에 비해 수집한 자료의 실제성이 높다.

① ㄱ, ㄴ ② ㄱ, ㄷ ③ ㄴ, ㄷ
④ ㄴ, ㄹ ⑤ ㄷ, ㄹ

| 평가원 기출 |
12 A~D에 해당하는 자료 수집 방법의 일반적인 특징에 대한 설명으로 옳은 것은? (단, A~D는 각각 면접법, 실험법, 질문지법, 참여 관찰법 중 하나이다.)

• A와 달리 B에서는 언어적 상호 작용이 필수적이다.
• B와 달리 D에서는 연구 변수에 대한 인위적인 처치와 조작을 강조한다.
• C와 달리 A는 ___(가)___(이)라는 장점이 있다.
• C, D는 모두 양적 연구에서 흔히 사용된다.

① A는 문맹자에게 사용하기 어렵다.
② B는 기존 연구의 경향성 파악에 용이하다.
③ C는 일상생활을 심층적으로 파악하기에 용이하다.
④ 자료 수집 상황에 대한 통제 수준은 D>C>B>A 순서이다.
⑤ (가)에는 "다수를 대상으로 자료를 수집하기에 용이하다."가 적절하다.

03 사회·문화 현상의 탐구 절차와 태도

1 사회·문화 현상의 탐구 절차 자료01

1. 양적 연구 방법의 탐구 절차 자료02

(1) **연구 문제 인식** 관심 있는 사회·문화 현상, 해결하고 싶은 문제, 기존 이론에 대한 새로운 주장 등 연구하고자 하는 문제를 인식함.

(2) **가설[1] 설정** 기존 연구 결과를 참조하여 변수들 간의 인과 관계에 대한 잠정적인 결론인 가설을 설정함.

(3) **연구 설계**
① 계량화하여 측정할 수 있도록 연구 대상과 변수 설정, 조작적 정의 등이 이루어짐.
② 자료 수집 방법과 자료 분석 방법을 정하는 연구 설계를 함.

(4) **자료 수집** 연구 설계에 따라 경험적 자료를 수집함.

(5) **자료 분석** 적합한 통계 방법을 적용하여 수집된 자료를 분석함.

(6) **가설 검증 및 결론 도출**
① 자료 분석 결과가 설정한 가설과 일치하면 가설을 채택하고, 그렇지 않으면 가설을 기각[2]하여 사회·문화 현상의 결론을 도출함.
② 가설이 수용될 경우 가설을 모집단 전체에 적용하는 일반화를 시도함.

2. 질적 연구 방법의 탐구 절차

(1) **연구 문제 인식**
왜? 질적 연구 특성상 가설 설정은 현상을 있는 그대로 이해하는 데 방해가 되어 연구의 폭을 제한할 수 있기 때문이다.
① 심층적인 이해가 필요한 사회·문화 현상에 대한 연구 문제를 인식함.
② 양적 연구와 달리 가설을 설정하지 않고 연구 주제와 관련된 대략적인 가정을 세움.

(2) **연구 설계** 연구 대상을 선정하고, 자료 수집 방법과 분석 방법을 정하는 연구 설계를 함.

(3) **자료 수집 및 분석**
① 자료 수집과 분석이 구분되지 않고 거의 동시에 이루어짐.
② 연구자의 직관적 통찰과 감정 이입적 이해를 통해 수집된 자료를 분석함.
③ 자료를 수집하고 분석하는 과정에서 연구 문제나 연구 설계를 조정하기도 함.

(4) **결론 도출**
① 자료 분석 결과를 바탕으로 관찰한 행위의 이면에 담긴 심층적인 의미를 해석함.
② 자료 해석을 통해 발견한 의미를 중심으로 결론을 도출함.
주의! 질적 연구의 결론은 특정한 상황에 대한 것이므로 이를 다른 상황에 일반화하여 그대로 적용하기는 어렵다.

2 사회·문화 현상의 탐구 태도와 윤리

1. 사회·문화 현상을 탐구할 때 필요한 연구 태도

객관적 태도[3]	연구 과정에서 자신의 주관이나 가치, 이해관계를 떠나 제삼자의 관점에서 있는 그대로 현상을 관찰하려는 태도
개방적 태도[4]	연구를 진행하면서 편협한 주장이나 이론에 빠지지 않고, 연구 결과에 대하여 다른 연구자의 비판을 허용하는 태도 **왜?** 사회·문화 현상은 관점에 따라 서로 다르게 인식될 수 있으며, 어떤 사회 과학의 연구도 그 결론이 완벽할 수 없기 때문이다.
상대주의적 태도	사회·문화 현상이 지닌 고유한 의미와 가치를 해당 사회 집단의 맥락이나 환경을 고려하여 이해하려는 태도
성찰적 태도 자료03	사회·문화 현상을 있는 그대로 받아들이기보다는 그 이면의 의미를 살펴보거나, 연구 진행 과정을 제대로 수행하고 있는지 되짚어 보려는 태도

고득점을 위한 셀파 Tip

• 사회·문화 현상의 탐구 절차

양적 연구 방법	질적 연구 방법
연구 문제 인식	
↓	연구 문제 인식
가설 설정	↓
↓	연구 설계
연구 설계	↓
↓	자료 수집 및 분석
자료 수집 및 분석	↓
↓	결론 도출
가설 검증 및 결론 도출	

[1] 좋은 가설의 조건
변수 간의 관계가 명확해야 하고, 구체적인 내용으로 진술되어야 한다. 또한, 경험적으로 검증할 수 있어야 하고, 참이나 거짓이 당연한 것은 안 된다.

[2] 기각
관찰된 표본에 근거하여 규정된 가설을 부정할 경우 그 가설을 기각한다고 한다.

[3] 객관적 태도
연구자가 탐구 과정에서 객관적 태도를 상실하면 사회·문화 현상을 정확히 인식할 수 없으며, 연구 결과가 왜곡될 수 있다.

[4] 개방적 태도
개방적 태도를 지향하는 것은 모든 주장을 무조건 수용하는 것이 아니라, 경험적 증거로 확인되기 전까지 하나의 가설로 받아들여야 한다는 뜻이다.

고득점을 위한 셀파 Tip

• 사회·문화 현상의 탐구 태도
• 객관적 태도
• 개방적 태도
• 상대주의적 태도
• 성찰적 태도

자료 01 사회 과학적 탐구 과정에서 연역법과 귀납법

문제 또는 가설에서 자료 수집, 경
험적 일반화, 결론 혹은 이론으로 돌아
가는 사회 과학적 탐구 과정에서 연역
과 귀납의 과정이 순환된다. 연역법은
주어진 전제인 가설을 검증하기 위해
개별적 사례를 조사하는 일이고, 귀납
법은 구체적 사례들을 종합하여 일반
적인 원리를 도출하는 추론 방식이다.

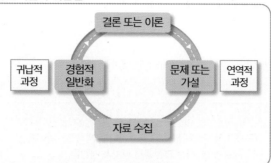

자료 분석 | 양적 연구는 전체적인 흐름상 연역적 연구에 해당하지만, 구체적인 자료를 수집하고 분석하여 결론을 도
출하는 귀납적 과정도 거친다. 반면, 질적 연구는 일반적으로 구체적인 사례를 바탕으로 자료를 수집하여
결론을 도출하는 귀납적 과정을 거친다.

자료 02 양적 연구 방법의 실제

연구 문제 인식	청소년이 스마트폰 게임 중독에 빠지는 원인으로 가정 환경에 주목하고 그 관련성을 파악하기로 하였다.
가설 설정	부모와 자녀 간의 유대가 약할수록 자녀의 스마트폰 게임 중독 정도가 높을 것으로 추정하였다.
연구 설계	· 스마트폰 게임 중독 정도는 스마트폰 게임 빈도와 시간으로, 부모와 자녀의 유대는 부모와 자녀 간 말다툼 빈도 및 부모와의 동일시 정도로 측정하기로 하였다. · 연구 대상자는 300명으로, 전국 고등학교 1학년 남녀 학생 중에서 무작위로 선정되었다.
자료 수집	연구 대상자와의 대면 접촉을 통해 구조화된 질문지로 자료를 수집하였다.
자료 분석	스마트폰 게임 빈도 및 시간은 부모와 자녀 간 말다툼 빈도와는 정(+)의 관계, 부모와의 동일 정도와는 부(−)의 관계에 있음을 확인하였다.
결론 도출	이 연구를 통해 부모와의 유대가 약한 청소년일수록 스마트폰 게임 중독에 빠질 가능성이 높아진다는 사실을 확인하였다.

자료 분석 | 연구자가 문제를 인식한 후, 가설을 설정하는데 가설은 주로 독립 변수와 종속 변수의 관계로 진술한다. 이
연구에서 독립 변수는 '부모와 자녀 간 유대'이고, 종속 변수는 '스마트폰 게임 중독 정도'이다. 이후 연구
설계 단계에서 '스마트폰 게임 중독 정도'와 '부모와 자녀의 유대'를 조작적으로 정의하였다. 또한, 모집단
인 청소년을 모두 조사할 수 없으므로, 무작위로 선정된 연구 대상자 300명을 표본 집단으로 선정하였다.
이들을 대상으로 질문지로 자료를 수집하고 분석하여 부모와의 유대가 약한 청소년일수록 스마트폰 게임
중독에 빠질 가능성이 높아진다는 결론을 도출하였다.

자료 03 성찰적 태도

미국의 사회학자 밀즈(Mills, C.)는 사회·문화 현상을 연구할 때 성찰적 태도를 갖기 위해서 사
회학적 상상력을 동원해야 한다고 하였다. 사회학적 상상력은 어떤 사회 현상을 단선적으로 이해
하는 것이 아니라, 관련 주제를 확대하면서 특정 현상에 대하여 다양한 연구 질문을 통해 이해하
는 것이다. 예를 들어 일상적으로 커피를 마시는 행위에 대해서 커피를 윤리적으로 소비한다는 것
의 의미, 커피가 사회적 관계 맺기에 미치는 영향, 중독 물질인 카페인이 들어간 커피를 허용하는
문화, 커피 생산국 대부분이 빈곤한 까닭 등으로 확장하여 생각해 보는 것이다.

자료 분석 | 아무런 의문이나 반성 없이 사회·문화 현상을 받아들이고, 연구 과정을 무조건 수용하면 그 발생 원인이
나 의미를 제대로 파악하기 어려우므로 사회·문화 현상 탐구 시 성찰적 태도가 필요하다.

---

1 일반적으로 양적 연구는 연역적 과정, 질적
연구는 귀납적 과정을 통해 결론을 도출한다.
(○ , ×)

2 양적 연구 과정은 연구 문제 인식 → 연구
설계 → 자료 수집 → 자료 분석 → 결론 도
출 순서로 진행된다.
(○ , ×)

3 '어머니의 긍정적인 정서 표현이 많을수록
자녀의 사회성이 높을 것이다.'는 변수 간의
관계가 명확히 설정된 가설이다.
(○ , ×)

4 자료 수집과 가설 검증 단계 사이에 조작적
정의가 이루어진다.
(○ , ×)

5 양적 연구의 가설 검증 단계에서는 관련 이
론에 대한 문헌 연구가 주로 이루어진다.
(○ , ×)

6 표본이 모집단을 대표하지 못할 경우에는
가설을 일반화하여 적용하기 어렵다.
(○ , ×)

7 사회·문화 현상을 연구할 때 현상이 가진
사실에만 근거하여 파악하는 것은 객관적
인 태도에 해당한다.
(○ , ×)

8 자신의 연구 결과에 대한 다른 연구자의 반
증 가능성을 인정하는 것은 성찰적 태도에
해당한다.
(○ , ×)

9 사회·문화 현상을 보는 관점이 다양할 수
있음을 인정하는 것은 상대주의적 태도에
해당한다.
(○ , ×)

10 사회·문화 현상의 복잡성을 인정하고 이면
의 원인 파악을 위해 노력하는 것은 개방적
태도에 해당한다.
(○ , ×)

정답 1 ○ 2 × 3 ○ 4 × 5 × 6 ○
7 ○ 8 × 9 × 10 ×

2. 가치 중립과 가치 개입 ^{자료}04

(1) 가치 중립⑤

① 사회·문화 현상을 탐구할 때 연구자가 주관적 가치와 이해관계를 배제하는 태도

② 연구자가 가치를 가져서는 안 된다는 것이 아니라, 주관적 가치 때문에 연구 과정이나 결과가 왜곡되어서는 안 된다는 것을 의미함.

(2) 가치 개입 연구자가 자신의 주관적 가치를 연구 과정에 대입시켜 연구하는 태도

(3) 연구 단계에 따른 가치 중립과 가치 개입

연구 단계	가치 개입 여부	내용
문제 인식 및 가설 설정	가치 개입	연구자가 자신이 관심 있고 중요하다고 생각하는 문제를 연구 주제로 선정⑥하는 과정에서 가치가 개입됨.
연구 설계	가치 개입	연구 주제에 적합하다고 판단되는 연구 대상을 상대로 어떤 자료 수집 방법을 사용할지 결정하는 과정에서 연구자의 가치가 개입됨.
자료 수집 및 자료 분석	가치 중립	연구자의 이해관계에 따라 자료를 왜곡해서 수집하고 해석하지 않도록 철저하게 가치 중립을 유지해야 함.
가설 검증 및 결론 도출	가치 중립	연구의 결론을 내리는 과정에서 연구자의 이해관계나 가치를 배제하지 않으면 연구 결과를 신뢰하기 어려움.
연구 결과 활용	가치 개입	연구 결과를 토대로 사회 문제의 해결 방안을 모색하거나 정책을 제안하는 등 연구 결론을 활용하는 과정에서는 연구자의 가치가 개입됨.

3. 연구 윤리

(1) 사회·문화 현상 탐구에서 연구 윤리의 필요성

① 사회·문화 현상 탐구의 특성 사회·문화 현상의 탐구는 인간의 행위를 탐구하기 때문에 자연과학보다 윤리적 원칙에 충실해야 함.

② 인간의 존엄성 문제 연구자의 의도와 연구 결과가 사회 발전에 유익하더라도 연구 과정에서 연구 대상자의 인권이 침해된다면 연구 결과를 정당화하기 어려움.

(2) 연구 대상자와 관련한 윤리 ^{자료}05

① 연구 대상자에게 해로운 영향을 미치거나 수치심을 주는 등 인권을 침해하면 안 됨.

② 연구 대상자 선정 시 자발적인 참여를 위해서 사전에 허락을 받아야 함.

③ 연구 대상자에게 사전에 연구 목적⑦과 방법을 알리고 동의를 얻어야 함. ^{자료}06

④ 연구 대상자의 개인 정보와 사생활 관련 정보에 대한 비밀 보장⑧ → 익명을 보장하고, 연구 이외의 목적에 자료를 사용해서는 안 됨.

(3) 연구 과정과 관련한 윤리

① 자료 수집 과정에서 자료를 편파적으로 수집하거나 의도적으로 조작해서는 안 됨.

② 연구 자료를 사실과 다르게 왜곡해서 해석하면 안 됨.

(4) 연구 결과의 발표와 활용에서의 윤리

① 연구 결과 발표 과정에서 연구 결과를 확대하거나 축소하여 결과를 왜곡해서는 안 됨.

② 연구 결과를 보고할 때 타인의 연구 결과를 표절⑨하거나 저작권을 침해해서는 안 됨.

③ 연구 결과에 따라 정책을 제안할 경우, 그 내용이 사회 다수에게 악영향을 미치거나 비윤리적으로 사용되지 않도록 유의해야 함.

고득점을 위한 셀파 Tip

· 연구 단계에서 가치 중립과 가치 개입

단계	가치 개입 여부
문제 인식 및 가설 설정	가치 개입
연구 설계	가치 개입
자료 수집 및 자료 분석	가치 중립
가설 검증 및 결론 도출	가치 중립
연구 결과 활용	가치 개입

⑤ 사실과 가치의 분리

사실은 인간의 가치 판단과 무관하게 존재하는 그 자체이며, 가치는 인간이 바람직하다고 여겨 추구하는 목표이다. 사회·문화 현상에는 사실과 가치가 복잡하게 얽혀 있으므로 연구자가 사회·문화 현상을 탐구할 때 사실과 가치를 분리하여 다루는 것이 가치 중립의 태도이다.

⑥ 연구 주제 선정 시 가치 판단

연구 문제를 인식하고 주제를 설정할 때 연구자의 가치 판단은 불가피하다. 예를 들어 빈곤의 원인을 설명하고자 할 때 사회 구조에서 원인을 찾는 연구 주제를 선정한다면, 이는 개인적 요인보다 사회 구조적 요인이 빈곤에 더 큰 영향을 미친다는 연구자의 가치 판단이 반영된 것이다.

⑦ 연구 목적의 사전 고지

사전에 연구 대상자가 연구 목적이나 내용을 알면 이들의 행동에 영향을 주어 정확한 자료 수집이 어려울 수 있으므로, 이럴 때는 자료 수집 이후라도 그 사실을 알려서 동의를 얻어야 한다. 만약 연구 대상자가 허락하지 않을 경우에는 자료를 사용하지 말아야 한다.

⑧ 통계법 제33조(비밀의 보호)

① 통계의 작성 과정에서 알려진 사항으로서 개인이나 법인 또는 단체 등의 비밀에 속하는 사항은 보호되어야 한다.

② 통계의 작성을 위하여 수집된 개인이나 법인 또는 단체 등의 비밀에 속하는 자료는 통계 작성 외의 목적으로 사용되어서는 아니 된다.

⑨ 표절

표절은 일반적인 지식이 아닌 타인의 독창적인 아이디어 또는 창작물을 적절한 출처 표시 없이 활용함으로써, 제삼자에게 자신의 창작물인 것처럼 인식하게 하는 행위를 의미한다.

셀파 자료 탐구

자료 04 베버의 가치 중립

베버(Weber, M)는 저서인 『사회 과학 방법론』에서 사회 과학적 탐구 행위를 '대상의 선택'과 '연구 방법'으로 나누고, 전자인 '대상의 선택'에는 연구자의 가치 판단이 필수적이지만, 후자인 '연구 방법'에서는 연구자의 가치 중립이 필요하다고 주장하였다. 연구자가 연구 문제를 선정하는 단계에서는 자신의 주관적 가치에 따르지만 이것은 합리적이고 인과적인 연구 방법에 따라 객관성을 획득할 수 있다고 보았다.

자료 분석 | 베버는 연구자도 사회 속의 행위자이므로 연구 과정에서 연구자의 가치나 감정이 개입될 가능성이 크다고 보았다. 그러나 가치나 감정이 개입되면 과학적 지식을 얻을 수 없으므로 가치 중립이 중요하다고 주장하였다.

자료 05 연구 대상자와 관련한 윤리

1. 조사자는 조사 대상자에게 응답을 강요하지 않고, 그들을 기만하는 행위를 하지 않으며, 그들을 모욕하여 수치심을 유발하는 수단과 방법을 사용하지 않는다.
2. 조사자는 조사 대상자의 사생활을 존중하고 익명성을 보장해 주어야 한다. 단, 조사 대상자가 허용하는 경우 대상자의 이름을 사용하거나 밝힐 수 있다.
3. 조사자는 조사 대상자가 자유의사로 조사를 거절하거나 도중에 중단할 수 있는 권리를 존중한다.
4. 조사자는 연구를 가장해서 판매나 정치적 선거 운동 등과 같은 다른 행위를 하거나 자신들의 연구를 거짓으로 기술해서는 안 된다.
5. 조사자는 적법한 절차에 의한 조사 결과를 사용할 때도 조사 대상자의 비밀을 보호하는 윤리적 의무를 준수해야 한다.

자료 분석 | 위 자료는 한국조사연구학회가 제정한 「조사 윤리 강령」에서 '조사 대상자에 대한 책임'에 대한 부분이다. 조사 윤리 강령은 연구자가 조사 과제 수행 시 높은 수준의 전문성과 정직성을 유지하도록 제정되었다.

자료 06 밀그램 실험

밀그램(Milgram, S.)은 유리창 너머 학습실에 한 사람을 앉히고, 공개적으로 모집한 연구 대상에게 실험을 실시하였다. 학습실 안에 있는 사람이 틀린 반응을 하면 연구 대상이 연구자의 명령에 따라 전기 장치를 눌러 상대방에게 고통을 주도록 하는 것이었다. 연구 대상자에게는 '벌에 의한 학습 효과'를 실험한다고 했지만, 실제로는 '권위에 대한 무조건적인 복종'을 알아보는 실험이었다. 실제로는 전기 장치가 없었고, 학습실 안에 있는 사람은 고통스러운 척 연기를 하였다. 수십 년 후 이 사실을 안 연구 대상 중에는 실험을 거부하지 못했다는 죄책감에 시달리는 사람도 있었다.

― 로런 슬레이터, 『스키너의 심리 상자 열기』 ―

자료 분석 | 밀그램 실험은 실험 내용이 연구 대상자에게 심리적으로 고통을 줄 여지가 있음에도 연구 대상자에게 알리고 양해를 구하지 않았다는 점에서 문제가 있다. 즉, 실험이 연구 대상자에게 미칠 해로운 영향을 고려하지 않았으므로 연구 윤리에 어긋난다고 볼 수 있다.

1 연구자는 학문의 객관성을 위해 가급적 가치 중립을 지켜야 한다.
(O , ×)

2 개념의 조작적 정의 과정에서는 가치 중립을 지켜야 한다.
(O , ×)

3 연구 결과 작성 과정에서 가치 개입이 이루어진다.
(O , ×)

4 연구 과정에서 어떠한 가치 판단도 전제하지 않아야 한다.
(O , ×)

5 공동 연구 성과를 단독 연구 성과로 발표하는 것은 연구 윤리에 어긋난다.
(O , ×)

6 연구 대상자에게 연구 참여에 대한 동의를 받지 않는 것은 연구 윤리에 어긋난다.
(O , ×)

7 연구 의뢰자의 이익을 위해 자료를 조작하여 분석하는 것은 연구 윤리에 어긋난다.
(O , ×)

8 연구 결과를 보고할 때 연구 대상의 익명성을 보장하지 않아도 된다.
(O , ×)

9 연구자는 연구 대상자와 그가 제공한 정보를 분리해야 하는데, 이는 연구 결과가 공개되더라도 연구 대상자가 누구인가를 확인할 수 없게 하려는 것이다.
(O , ×)

10 연구자는 잠정적 연구 대상자에게 연구 목적과 연구에 참여했을 때 나타날 수 있는 피해를 미리 알려 준 후 연구에 참여할 것인가 아닌가를 결정하게 해야 한다.
(O , ×)

정답 1 O 2 × 3 × 4 × 5 O 6 O
7 O 8 × 9 O 10 O

1 사회·문화 현상의 탐구 절차

구분	탐구 절차
양적 연구 방법	연구 문제 인식 → (①　　　　) → 연구 설계 → 자료 수집 → 자료 분석 → 가설 검증 및 결론 도출
질적 연구 방법	연구 문제 인식 → 연구 설계 → 자료 수집 및 분석 → 결론 도출

2 사회·문화 현상의 탐구 태도

객관적 태도	연구 과정에서 주관이나 가치, 이해관계를 떠나 제삼자의 관점에서 있는 그대로 현상을 관찰하려는 태도
(②　　　　)	연구를 진행하면서 편협한 주장이나 이론에 빠지지 않고, 연구 결과에 대하여 다른 연구자의 비판을 허용하는 태도
상대주의적 태도	사회·문화 현상이 지닌 고유한 의미와 가치를 해당 사회 집단의 맥락이나 환경을 고려하여 이해하려는 태도
(③　　　　)	사회·문화 현상의 이면의 의미를 살펴보거나 연구 진행 과정을 제대로 수행하고 있는지 되짚어 보려는 태도

3 가치 중립과 가치 개입

(④　　　)	의미	사회·문화 현상을 탐구할 때 연구자가 주관적 가치와 이해관계를 배제하는 태도
	연구 단계	자료 수집, (⑤　　　　　), 가설 검증 및 결론 도출
가치 개입	의미	연구자가 자신의 주관적 가치를 연구 과정에 대입시켜 연구하는 태도
	연구 단계	문제 인식 및 가설 설정, 연구 설계, 연구 결과 활용

4 연구 윤리

연구 대상자	(⑥　　　) 보장, 연구 목적과 방법의 사전 고지, 개인 정보 보호, 사생활 보호 등
연구 과정 및 결과 활용	자료 수집·분석 과정과 결과 발표 과정에서의 진실성, 표절 및 저작권 침해 금지, 연구 결과의 윤리적 활용 등

정답 ❶ 가설 설정 ❷ 개방적 태도 ❸ 성찰적 태도 ❹ 가치 중립 ❺ 자료 분석 ❻ 인권

1 사회·문화 현상의 탐구 절차

01 다음 자료에 대한 설명으로 옳지 <u>않은</u> 것은?

> 사회·문화 현상을 탐구하는 방법 중 A는 일반적으로 연구 문제 인식 → ㉠ 가설 설정 → ㉡ 연구 설계 → 자료 수집 → ㉢ 자료 분석 → 가설 검증 및 결론 도출의 과정으로 진행된다.

① A는 양적 연구 방법이다.
② A는 사회·문화 현상과 자연 현상이 본질적으로 같다는 관점에 기초한다.
③ ㉠ 단계에서 가설은 주로 인과 법칙의 형태로 서술한다.
④ 자료 수집 방법의 선정은 ㉡ 단계 이전에 실시한다.
⑤ ㉢ 단계에서 연구자는 철저하게 가치 중립을 지켜야 한다.

★02 다음 판서 내용에 대한 옳은 설명을 〈보기〉에서 고른 것은? (단, (가), (나)는 각각 연역법, 귀납법 중 하나이다.)

> ### 사회 과학적 탐구 과정
> - 사회 과학적 탐구의 순환 과정에서 (가) 또는 (나)가 적용됨.
> - (가)는 일반적인 원리와 법칙이 개별적 사례에 적용되는 것을 관찰하는 과정
> - (나)는 특수한 사실로부터 공통적인 것을 모아서 일반적인 원리를 도출하는 과정

┤ 보기 ├
ㄱ. (가)는 귀납법, (나)는 연역법이다.
ㄴ. 양적 연구에서는 (가)만 사용한다.
ㄷ. 질적 연구에서는 주로 (나)를 사용한다.
ㄹ. 자료를 수집하여 경험적 일반화를 거쳐 결론을 도출하는 과정은 (나)에 해당한다.

① ㄱ, ㄴ　　② ㄱ, ㄷ　　③ ㄴ, ㄷ
④ ㄴ, ㄹ　　⑤ ㄷ, ㄹ

03 (가)~(마)는 질적 연구의 단계를 순서 없이 나열한 것이다. 이에 대한 설명으로 옳은 것은?

> (가) 연구 설계　　　　(나) 결론 도출
> (다) 자료 분석　　　　(라) 자료 수집
> (마) 연구 문제 인식

① (가)에서는 개념의 조작적 정의가 필수적이다.
② (나)에서 도출된 결론은 일반화가 용이하다.
③ (마)에서는 주로 질문지법과 실험법이 사용된다.
④ (라)에서 (나)로 이어지는 과정은 귀납적이다.
⑤ 연구는 일반적으로 (가)-(마)-(라)-(다)-(나) 순서로 진행된다.

04 다음 연구에 대한 옳은 설명을 〈보기〉에서 고른 것은?

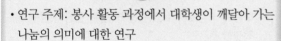

> • 연구 주제: 봉사 활동 과정에서 대학생이 깨달아 가는 나눔의 의미에 대한 연구
> • 연구 설계
> 　- 연구 대상: 사회 복지 시설에서 지속적으로 봉사 활동을 하고 있는 대학생 2명
> 　- 자료 수집 방법: 연구 대상 학생들의 봉사 활동 모습을 관찰하고, 해당 학생들과 개별 면담을 진행한다.

┤ 보기 ├
ㄱ. 일반적으로 가설을 설정한다.
ㄴ. 연구 결과에 대한 일반화를 시도한다.
ㄷ. 자료 수집과 분석이 구분되지 않고 거의 동시에 이루어지기도 한다.
ㄹ. 자료를 수집하고 분석하는 과정에서 연구 문제나 연구 설계를 조정하기도 한다.

① ㄱ, ㄴ　　　② ㄱ, ㄷ　　　③ ㄴ, ㄷ
④ ㄴ, ㄹ　　　⑤ ㄷ, ㄹ

[05~07] 다음은 어떤 연구 과정을 순서 없이 나열한 것이다. 이를 보고 물음에 답하시오.

> (가) 고등학생의 아르바이트 경험과 소비 의식과의 관계에 대해 연구해 보기로 하였다.
> (나) 수집된 자료를 바탕으로 아르바이트 경험이 있는 고등학생일수록 소비 지향성이 높다는 결론을 도출하였다.
> (다) 전국의 고등학생 중 무작위로 선정한 5,000명을 대상으로 질문지를 통해 자료를 수집하였다.
> (라) 아르바이트 경험이 있는 고등학생이 그렇지 않은 고등학생에 비해 소비 지향성이 더 높을 것이라는 잠정적 결론을 내렸다.

05 위 연구에 대한 설명으로 옳지 <u>않은</u> 것은?

① 실증적 연구이다.
② 일반화 도출을 목적으로 한 연구이다.
③ 통계적 기법을 활용하여 자료를 분석하였다.
④ 독립 변수와 종속 변수 간의 인과 관계를 분석하였다.
⑤ 연구자의 감정 이입과 직관적 통찰을 통해 현상을 분석하였다.

06 연구 단계 (가)~(라)에 대한 옳은 설명을 〈보기〉에서 고른 것은?

┤ 보기 ├
ㄱ. (가) 단계에서 연구자의 가치는 철저히 배제되어야 한다.
ㄴ. (나) 단계에서 연구자의 가설은 채택되었다.
ㄷ. 개념의 조작적 정의는 (다) 단계 이전에서 진행된다.
ㄹ. (라) 단계에서 '아르바이트 경험 여부'는 종속 변수이다.

① ㄱ, ㄴ　　　② ㄱ, ㄷ　　　③ ㄴ, ㄷ
④ ㄴ, ㄹ　　　⑤ ㄷ, ㄹ

07 위 연구의 일반적인 순서로 옳은 것은?

① (가)-(나)-(다)-(라)
② (가)-(라)-(다)-(나)
③ (나)-(가)-(라)-(다)
④ (나)-(라)-(다)-(가)
⑤ (다)-(라)-(가)-(나)

2 사회·문화 현상의 탐구 태도와 윤리

★08 (가), (나)에 들어갈 내용으로 옳은 것은?

> 연구자는 사회·문화 현상의 연구 과정에서 가치 개입과 가치 중립의 문제에 직면한다. 연구자는 학문적 객관성을 위해 　　(가)　　 단계에서는 가치 중립을 지켜야 한다. 하지만 연구 과정에서 어떠한 가치 판단도 전제하지 않는 연구는 사회 과학에서 불가능하다. 따라서 　　(나)　　 단계에서는 가치 개입이 일부 용인된다.

	(가)	(나)
①	자료 분석	결론 도출
②	가설 설정	가설 검증
③	연구 설계	자료 수집
④	자료 수집	연구 문제 인식
⑤	연구 문제 인식	자료 수집

09 다음은 A에 대한 검색 결과이다. A와 관련 있는 진술을 〈보기〉에서 고른 것은?

> 사회·문화 현상을 있는 그대로 받아들이기보다는 그 이면의 의미를 살펴보거나, 연구 진행 과정을 제대로 수행하고 있는지 되짚어 보려는 태도이다. 이는 아무런 의문이나 반성 없이 사회·문화 현상이나 연구 과정을 무조건 수용하면 그 발생 원인이나 의미를 제대로 파악하기 어렵다는 점을 고려한 것이다.

┤ 보기 ├
ㄱ. 사실과 가치를 엄격하게 구별한다.
ㄴ. 연구에 대한 타인의 비판을 받아들인다.
ㄷ. 하나의 사회 현상을 다양한 측면으로 바라본다.
ㄹ. 많은 사람들이 당연하다고 생각하는 상식에 의문을 제기한다.

① ㄱ, ㄴ　　② ㄱ, ㄷ　　③ ㄴ, ㄷ
④ ㄴ, ㄹ　　⑤ ㄷ, ㄹ

10 다음 대화에서 을이 갑에게 강조하는 사회·문화 현상의 탐구 태도로 가장 적절한 것은?

> 제가 오랫동안 연구한 결과, 큰 두개골을 가진 유럽인의 지능이 가장 높습니다.

> 당신은 유럽인의 두개골 크기를 측정할 때는 성인의 두개골을 사용하고, 다른 인종의 두개골 크기를 측정할 때는 아이의 두개골을 사용하더군요. 그러므로 당신의 연구는 신뢰할 수 없습니다.

갑　　을

① 개방적 태도　　② 객관적 태도
③ 성찰적 태도　　④ 상대주의적 태도
⑤ 조화를 추구하는 태도

11 다음에서 강조하고 있는 사회·문화 현상의 탐구 태도로 가장 적절한 것은?

> 과학은 경험적 근거를 들어 반증할 수 있다. 이를 통해 기존의 이론이 폐기되거나 수정되어 더 발전된 이론으로 나아간다. 따라서 과학에서 가장 중요한 것은 반증을 통해 처음에 제시되었던 이론이 뒤집힐 수 있음을 인정하는 것이다. 반증이 타당하다면 이를 받아들여 기존의 이론을 수정하거나 폐기하고, 반증이 타당하지 않다면 다시 근거를 들어 합리적으로 토론할 수 있다.

① 사실과 가치를 엄격하게 구분해야 한다.
② 연구 결과가 사회에 미칠 영향을 고려해야 한다.
③ 다른 결론의 가능성이 존재할 수 있음을 인정해야 한다.
④ 현상의 이면에 담긴 의미를 능동적으로 살펴보아야 한다.
⑤ 사회적 맥락이나 배경을 바탕으로 현상을 이해해야 한다.

12 (가), (나)에서 강조하고 있는 사회·문화 현상의 탐구 태도로 가장 적절한 것은?

> (가) 같은 사회·문화 현상이라도 시대와 사회에 따라 그 현상이 갖는 의미가 달라질 수 있으므로 사회·문화 현상의 의미를 사회적 맥락을 고려하여 이해해야 한다.
>
> (나) 사회 과학자는 사적인 견해가 연구의 결론에 영향을 끼치지 않도록 조심하며 연구해야 한다. 사회 과학자는 사실을 있는 그대로 판단하기 위해 노력해야 한다.

	(가)	(나)
①	객관적 태도	개방적 태도
②	개방적 태도	성찰적 태도
③	성찰적 태도	상대주의적 태도
④	상대주의적 태도	개방적 태도
⑤	상대주의적 태도	객관적 태도

13 밑줄 친 '이 태도'로 가장 적절한 것은?

> 사회·문화 현상에 대한 연구에서는 존재하는 것을 당연하게 여기는 사고에서 벗어나기 위해 이 태도가 필요하다. 이 태도를 갖기 위해서는 미국의 사회학자 밀즈가 말한 '사회학적 상상력'을 동원할 필요가 있다. 사회학적 상상력은 어떤 사회 현상을 단선적으로 이해하는 것이 아니라, 관련 주제를 확대하면서 특정 현상에 대하여 다양한 연구 질문을 통해 이해하는 것이다.

① 개별 사회의 특수성을 인정하는 태도
② 사회 현상을 성찰적으로 바라보는 태도
③ 개인과 공동체의 조화를 중시하는 태도
④ 사회 현상을 경험적으로 이해하는 태도
⑤ 타인의 주장을 편견 없이 받아들이는 태도

14 교사의 질문에 대한 학생의 대답으로 옳지 않은 것은?

사회·문화 현상의 탐구에서 연구 대상을 대할 때는 윤리적 문제가 발생하지 않도록 주의해야 합니다. 사회·문화 현상을 탐구할 때 지켜야 할 연구 윤리에는 어떤 것이 있을까요? — 교사

연구 대상자의 안전과 이익을 최대한 고려해야 합니다. — 갑

연구 결과를 은폐하거나 왜곡, 축소, 과장해서는 안 됩니다. — 을

연구 대상자의 사생활 관련 정보 및 개인 정보를 연구 목적 이외의 용도로 활용해서는 안 됩니다. — 병

연구에 참여하는 것이 연구 대상자에게 어떤 영향을 미치는지 정확하고 자세하게 설명해 주어야 합니다. — 정

연구 결과에 영향을 미칠 수 있다면 연구가 끝난 후에도 연구 대상자에게 연구 내용을 비밀로 해야 합니다. — 무

① 갑 ② 을 ③ 병 ④ 정 ⑤ 무

15 신문 기사에 나타난 갑의 연구에 대한 비판으로 가장 적절한 것은?

> **△△신문**
>
> 연구자 갑은 전국 고등학교 청소년 흡연 실태를 연구하면서 자신의 자녀가 다니고 있는 학교의 흡연율이 상당히 높게 나오자 해당 학교를 보고서에서 삭제하고, 결과를 발표한 것으로 드러났다.

① 연구 결과를 사회적으로 악용하였다.
② 자료 수집 과정에서 자료를 조작하였다.
③ 개인적인 이해관계를 연구에 개입시켰다.
④ 연구 대상자의 사생활을 보호하지 않았다.
⑤ 연구 주제 선정 과정에서 개인의 가치를 개입시켰다.

16 (가)~(라)는 공부 시간이 성적에 미치는 영향에 대한 연구 과정을 순서 없이 나열한 것이다. 이를 순서대로 나열하시오.

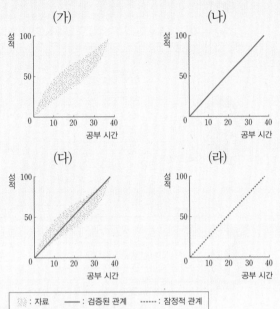

: 자료   ——— : 검증된 관계   ┄┄┄ : 잠정적 관계

17 ㉠, ㉡에 들어갈 알맞은 용어를 쓰시오.

사회·문화 현상을 탐구하는 양적 연구 방법의 탐구 절차 중 (㉠) 단계에서는 가설을 증명하기 위해 연구 대상 및 변수 등을 정하고, 자료 수집 방법과 분석 방법을 정한다. 이때 자료 수집 방법으로는 주로 질문지법 또는 (㉡)이/가 사용된다.

18 다음은 사회·문화 현상의 탐구 시 필요한 태도에 대한 학생의 필기 내용이다. (가), (나)에 들어갈 개념을 쓰시오.

• ___(가)___ 의 필요성: 연구자도 인간으로서 주관적인 가치를 가지므로, 주관적 가치가 연구에 개입되는 것을 방지해야 함.
• ___(나)___ 의 필요성: 과학적 연구의 결론이라고 하더라도 반증에 의해 얼마든지 진리가 아님이 밝혀질 가능성이 있는 잠정적인 진리이므로 새로운 주장의 가능성을 허용해야 함.

19 다음 대화를 읽고 물음에 답하시오.

학생 교수님은 평소 사회 과학의 연구에서 연구자의 (㉠)을/를 강조하시는데, 그 이유는 무엇인가요?
교수 연구자도 사회 속의 행위자이므로 연구 과정에서 연구자의 가치나 감정이 개입될 가능성이 높습니다. 가치나 감정이 개입되면 과학적 지식을 얻을 수 없으므로 (㉠)을/를 지키는 것이 중요합니다.

(1) ㉠에 해당하는 용어를 쓰시오.

(2) 양적 연구 방법의 과정에서 ㉠을 지켜야 하는 단계를 서술하시오.

⎯⎯⎯⎯⎯⎯⎯⎯⎯⎯⎯⎯⎯⎯⎯⎯⎯⎯⎯⎯⎯
⎯⎯⎯⎯⎯⎯⎯⎯⎯⎯⎯⎯⎯⎯⎯⎯⎯⎯⎯⎯⎯

★20 다음 연구 사례에 나타난 연구 윤리상의 문제점을 세 가지 서술하시오.

연구자 갑은 학술 대회 논문 발표를 위해 교도소 재소자의 수감 기간과 가족 유대감 간의 관계를 연구하기로 하였다. 이를 위해 ○○ 교도소장에게 허락을 구하고 해당 교도소 재소자를 대상으로 설문 조사와 면접을 실시하였다. 면접 중에 피로나 정서적 불안을 호소하는 재소자의 경우 면접을 중단하고 미리 대기하고 있던 의료진의 관리를 받도록 하였다. 그 대신 본인에게는 알리지 않고 가족으로부터 해당 재소자의 편지, 일기 등을 확보하였다. 수집한 자료 중 가설을 뒷받침하지 않는 자료는 의도적으로 제외하고 분석하였다. 그리고 논문 발표 시 자료의 실제성을 보여 주기 위해 면접에 참여한 재소자의 이름 및 관련 정보를 공개하였다.

⎯⎯⎯⎯⎯⎯⎯⎯⎯⎯⎯⎯⎯⎯⎯⎯⎯⎯⎯⎯⎯
⎯⎯⎯⎯⎯⎯⎯⎯⎯⎯⎯⎯⎯⎯⎯⎯⎯⎯⎯⎯⎯

01
| 수능 기출 |

다음 연구에 대한 설명으로 옳은 것은? (단, (가)~(라)는 연구 과정을 순서 없이 나열한 것이다.)

> • 연구 주제 설정: 정보 격차 문제를 파악하기 위해 A 지역 고등학생의 인터넷 이용 형태에 부모의 경제 수준 및 부모의 인터넷 이용 형태가 미치는 영향을 탐구하기로 하였다.
>
> (가) ㉠ 부모의 경제 수준이 높을수록 자녀의 정보 지향적 인터넷 이용 정도가 높아지고, ㉡ 부모의 정보 지향적 인터넷 이용 정도가 높을수록 자녀의 정보 지향적 인터넷 이용 정도가 높아질 것이라고 가설을 설정하였다.
>
> (나) A 지역에서 선정된 6개 ㉢ 고등학교 학생 1,000명 중 ㉣ 부모도 응답 가능한 300명을 대상으로 구조화된 질문지를 통해 자료를 수집하였다.
>
> (다) 경제 수준은 ㉤ 월평균 소득으로, 정보 지향적 인터넷 이용 정도는 ㉥ 인터넷 이용 시간 중 정보 검색 시간 비중으로 측정하기로 하였다.
>
> (라) 부모의 월평균 소득에 따라 자녀의 정보 검색 시간 비중은 통계적으로 유의미한 차이가 나타나지 않았다. 반면 부모의 정보 검색 시간 비중이 높을수록 자녀의 정보 검색 시간 비중은 통계적으로 유의미하게 높아지는 것으로 나타났다.

① ㉠은 독립 변수, ㉡은 종속 변수이다.
② ㉢은 모집단, ㉣은 표본이다.
③ ㉤은 ㉠의, ㉥은 ㉡의 조작적 정의에 해당한다.
④ (라)로 보아 가설은 검증되었다.
⑤ (다)-(나)-(가)-(라) 순서로 연구가 진행되었다.

02
갑에게 필요한 탐구 태도로 가장 적절한 것은?

> 사회·문화 현상을 탐구할 때 다수의 사람들이 상식이라고 여기는 것은 그대로 받아들이고, 연구를 효율적으로 진행해야 한다고 생각합니다.
>
> 갑

① 주관적인 가치관을 배제하고 탐구하는 태도
② 다양한 결론이 가능할 수 있음을 인정하는 태도
③ 자신의 주장에 대한 다른 사람의 비판을 허용하는 태도
④ 해당 사회의 입장에서 사회·문화 현상을 탐구하는 태도
⑤ 현상의 이면에 존재하는 원리를 능동적으로 탐구하는 태도

03
| 평가원 기출 |

밑줄 친 ㉠~◎에 대한 설명으로 옳은 것은?

> 갑은 자동차가 스스로 운전하는 자율 주행차의 설계와 관련된 두 가지 주제를 연구하기 위해, 자발적으로 참여한 1,000명을 500명씩 ㉠ A, B 두 집단으로 나누어 ㉡ 온라인 설문 조사를 실시하였다. 먼저 자율 주행차의 설계 기준에 대한 ㉢ 사람들의 인식이 상황에 따라서 어떻게 달라지는지 알아보고자 하였다. 이를 위해 A 집단을 대상으로 차량과 보행자의 충돌 상황에서 탑승자와 보행자가 1:1인 경우와 1:100인 경우로 나누어 ㉣ 1차 조사를 하였다. ㉤ 보행자보다 탑승자가 보호되어야 한다고 생각하는가에 대해, 전자의 경우 '예'라는 응답이 75%였지만, 후자의 경우에는 20%로 낮아졌다. 다음으로 그러한 설계에 대한 인식이 구매로 연결될지를 알아보기 위해 B 집단을 대상으로 ㉥ 2차 조사를 실시하였다. 피해를 입는 보행자의 수를 최소화하도록 설계해야 한다는 데에는 70%가 동의했지만, 이런 차를 구매하겠다는 응답은 30%에 불과했다. 이를 통해 갑은 ㉦ 사람들의 인식과 선택 간의 불일치가 있다는 것을 발견하였고, 이 결과가 ◎ 자율 주행차의 보급 시기를 늦추는 데 영향을 미칠 수 있을 것이라고 해석하였다.

① ㉠에서 A 집단은 실험 집단, B 집단은 통제 집단이다.
② ㉣은 사전 조사, ㉥은 사후 조사이다.
③ ㉤은 ㉢을 조작적으로 정의한 것이다.
④ ㉦은 모집단에 대해 일반화할 수 있다.
⑤ ◎은 ㉡에서 연역적으로 도출되었다.

04
| 평가원 응용 |

밑줄 친 ㉠~㉦에 대한 설명으로 옳은 것은?

> 갑은 다문화 가정 자녀들의 ㉠ 학교생활 만족도에 ㉡ 차별 경험 정도가 미치는 영향에 대한 ㉢ 연구를 하였다. 이를 위해 ㉣ ○○지역 고등학교 다문화 가정 자녀들 중 ㉤ 설문에 자발적으로 참여한 100명을 대상으로 설문 조사를 실시하였다. ㉥ 수집한 자료를 분석한 결과, 차별 경험이 적을수록 학교생활 만족도가 높다는 유의미한 ㉦ 결론을 도출하였다.

① ㉠은 종속 변수, ㉡은 독립 변수이다.
② ㉢은 해석적 연구 방법에 기초하였다.
③ ㉣은 모집단, ㉤은 표본이다.
④ ㉥에서 독립 변수와 종속 변수는 양의 관계이다.
⑤ ㉥에서 ㉦을 도출하는 과정은 연역적이다.

05 | 교육청 기출 |
그림은 사회·문화 현상의 연구 방법 A의 과정을 나타낸다. 이에 대한 옳은 설명을 〈보기〉에서 고른 것은?

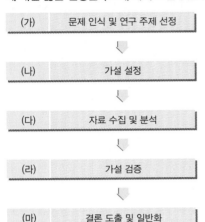

(가)	문제 인식 및 연구 주제 선정
(나)	가설 설정
(다)	자료 수집 및 분석
(라)	가설 검증
(마)	결론 도출 및 일반화

┤ 보기 ├
ㄱ. A는 자연 현상과 사회·문화 현상이 본질적으로 다르다는 관점에 기초한다.
ㄴ. 개념의 조작적 정의는 (다) 이후에 실시한다.
ㄷ. (가), (나)에서는 연구자의 가치 개입이 허용된다.
ㄹ. (나)부터 (마)까지는 연역적 추론이 이루어진다.

① ㄱ, ㄷ ② ㄱ, ㄷ ③ ㄴ, ㄷ
④ ㄴ, ㄹ ⑤ ㄷ, ㄹ

06 | 수능 응용 |
밑줄 친 ㉠~㉣에 대한 옳은 설명을 〈보기〉에서 고른 것은?

갑은 고등학생의 ㉠ 건전한 인성 형성과 ㉡ 봉사 활동의 관계를 연구하기로 하였다. 이에 따라 가설을 세우고 이를 검증하기 위해 고등학생 1,000명을 무작위로 추출한 후, ㉢ 타인 배려 정도, 관용 정신 정도를 지수화하여 조사하였다. 그리고 조사 대상자를 봉사 활동 시간이 많은 A 집단과 적은 B 집단으로 나누어 ㉣ 응답을 분석해 보았다. 그 결과, 봉사 활동 시간이 타인 배려 정도에는 유의미한 영향을 미치는 것으로, 관용 정신 정도에는 거의 영향을 미치지 않는 것으로 나타났다.

┤ 보기 ├
ㄱ. ㉠은 독립 변수, ㉡은 종속 변수이다.
ㄴ. A 집단은 실험 집단, B 집단은 통제 집단이다.
ㄷ. ㉢에서 종속 변수에 대한 개념의 조작적 정의가 이루어졌다.
ㄹ. ㉣에서는 연구자의 가치 중립이 요구된다.

① ㄱ, ㄷ ② ㄱ, ㄷ ③ ㄴ, ㄷ
④ ㄴ, ㄹ ⑤ ㄷ, ㄹ

07 (가)에 들어갈 내용으로 가장 적절한 것은?

사회 과학자도 인간이기에 자칫 자신이 중요하다고 여기는 가치에 따라 현상을 판단하기 쉽다. 그 결과 사회·문화 현상의 본질을 파악하지 못하는 경우가 발생할 수 있다. 이 문제를 해결하기 위해서는 철저히 자료에 의해 검증할 수 있는 것만을 연구해야 한다. 사회 과학자는 사회·문화 현상에서 사실과 가치의 영역을 구별하는 능력을 키워야 하며, 사실로부터 도출되는 진리를 발견하려는 학문적 의무에 충실해야 한다. 그러므로 사회 과학자는 _____ (가) _____

① 각 사회가 지닌 고유한 가치를 인정해야 한다.
② 다른 주장에 대해 개방적인 자세를 가져야 한다.
③ 과학적 근거를 통해 사회 현상을 판단해야 한다.
④ 보편적인 가치를 기준으로 사회 현상을 평가해야 한다.
⑤ 역사적 배경이나 맥락에서 사회 현상을 이해해야 한다.

08 | 수능 기출 |
갑, 을이 강조하는 연구 윤리에 대한 옳은 설명을 〈보기〉에서 고른 것은?

연구자는 연구 목적과 절차, 연구가 미칠 수 있는 영향 등을 연구 대상자에게 공지하고 자료 수집에 대하여 허락을 받아야 합니다.

연구자는 정직한 방법으로 자료를 수집해야 하며, 의도한 결론을 이끌어 내기 위해 자료를 왜곡하여 분석해서는 안 됩니다.

갑   을

┤ 보기 ├
ㄱ. 공동 연구 성과를 단독 연구 성과로 발표하는 것은 갑이 강조하는 연구 윤리에 어긋난다.
ㄴ. 연구 대상자에게 연구 참여에 대한 동의를 받지 않는 것은 갑이 강조하는 연구 윤리에 어긋난다.
ㄷ. 연구 의뢰자의 이익을 위해 자료를 조작하여 분석하는 것은 을이 강조하는 연구 윤리에 어긋난다.
ㄹ. 갑은 자료 분석 단계에서, 을은 연구 결과 발표 단계에서 지켜야 할 연구 윤리를 강조하고 있다.

① ㄱ, ㄴ ② ㄱ, ㄷ ③ ㄴ, ㄷ
④ ㄴ, ㄹ ⑤ ㄷ, ㄹ

09 다음에서 공통적으로 나타나는 사회·문화 현상의 탐구 태도에 대한 진술로 가장 적절한 것은?

> • 사회학자의 임무는 어떤 사회·문화 현상에 대해 정확하게 보고하는 것이다. 사회학자의 보고에는 그의 취향이나 선호가 반영되지 않아야 한다.
> • 사회학의 연구 대상은 경험한 것이나 경험할 수 있는 것에 한정되어야 한다. 또한 사회학자는 인간의 삶과 행위의 관찰 과정에서 제삼자의 관점을 취해야 한다.

① 사회·문화 현상을 보는 관점이 다양할 수 있음을 인정해야 한다.
② 사회·문화 현상의 탐구 시 주관적 가치와 이해관계를 배제해야 한다.
③ 사회·문화 현상의 탐구 시 해당 사회의 문화적 맥락을 고려해야 한다.
④ 사회·문화 현상의 복잡성을 인정하고 이면의 원인 파악을 위해 노력해야 한다.
⑤ 사회·문화 현상에 대한 연구 결과가 사회에 미칠 수 있는 영향을 고려해야 한다.

10 다음 연구 사례를 연구 윤리 측면에서 평가한 것으로 가장 적절한 것은?

> 독신세 부과를 주장하는 갑은 독신세 도입에 대한 미혼자의 인식을 연구하였다. 결혼에 호의적인 미혼자를 대상으로 조사하여, 해당 자료를 엄격하게 분석한 후 75%가 독신세 부과에 찬성한다는 결과를 발표하고 독신세 도입을 촉구하였다. 이후 결혼 정보 회사를 운영하는 친구의 요청으로 연구 결과와 함께 연구 대상의 개인 정보를 제공하였다.

① 수집한 자료를 연구 외의 목적으로 유출하지 않았다.
② 연구 대상자의 자발적 참여 기회를 보장하지 않았다.
③ 자료 분석 단계에서 고의로 자료를 선별하여 분석하였다.
④ 자료 수집 단계에서 의도적으로 왜곡된 자료를 수집하였다.
⑤ 자신의 금전적 이익을 추구하기 위해 분석 결과의 일부를 은폐하여 발표하였다.

11 다음 대화의 (가)에 해당하는 사례를 〈보기〉에서 고른 것은?

> 연구자는 연구 대상자의 사생활이 노출되지 않도록 개인 정보와 응답 결과에 대한 비밀을 보장해야 합니다.

교사

> 그렇다면 ___(가)___ 의 사례는 선생님께서 말씀하신 연구 윤리를 위반한 것이 되겠네요.

학생

┤ 보기 ├
ㄱ. 입사 시험을 보러 온 지원자에게 기업 관계자가 그 기업의 이미지 연구를 위한 설문 조사에 반드시 응답하도록 한 경우
ㄴ. 자신의 강의를 수강한 학생들에게 특정 연구 프로젝트에 연구 대상자로 참여하지 않으면 학점을 받을 수 없다고 공지한 후 연구에 참여시킨 경우
ㄷ. 학생의 가족생활에 대해 면접 조사한 연구자에게 학교 당국이 학생 상담에 필요하다며 특정 학생의 응답 자료를 달라고 요구하자 연구자가 이에 응한 경우
ㄹ. 연구자가 청소년 약물 남용 실태 조사 과정에서 특정 문항에 응답한 대상자와 그렇지 않은 대상자의 신원을 제삼자가 파악할 수 있도록 보고서를 작성한 경우

① ㄱ, ㄴ　　② ㄱ, ㄷ　　③ ㄴ, ㄷ
④ ㄴ, ㄹ　　⑤ ㄷ, ㄹ

12 다음 사례에 나타난 연구 윤리상의 문제점을 〈보기〉에서 고른 것은?

> 한부모 가정 학생의 학교생활에 대한 연구를 하기 위해 갑은 담임 교사에게만 허락을 구한 후 학생과 면담을 하였다. 학생과의 신뢰감 형성을 위해 면담 과정에서 갑은 학생의 이야기에 공감하는 태도를 유지하였다. 연구가 끝난 뒤 해당 학교가 관련 자료를 요청하자 갑은 대가를 받지 않고 자료 전부를 학교 측에 전달하였다.

┤ 보기 ├
ㄱ. 상업적 목적으로 연구 결과를 활용하였다.
ㄴ. 연구 대상자의 사생활이 노출될 위험이 높다.
ㄷ. 연구 대상자로부터 특정한 응답을 유도하였다.
ㄹ. 연구 대상자의 자발적 참여를 보장하지 않았다.

① ㄱ, ㄴ　　② ㄱ, ㄷ　　③ ㄴ, ㄷ
④ ㄴ, ㄹ　　⑤ ㄷ, ㄹ

1 # 사회·문화 현상의 이해

\# 사회·문화 현상 \# 가치 함축성
\# 개연성과 확률의 원리 \# 보편성과 특수성
\# 당위 법칙 \# 기능론 \# 갈등론
\# 상징적 상호 작용론 \# 상황 정의

사회·문화 현상 사회적 관계를 맺고 사회적 상호 작용을 한 결과로 나타나는 인간의 모든 사회 활동 및 이와 관련된 현상

가치 함축성 인간의 의지와 가치가 개입되어 나타나는 사회·문화 현상의 특성

개연성과 확률의 원리 원인과 결과가 어느 정도 관련되어 있지만 필연적이지 않은 사회·문화 현상에 적용되는 원리

보편성과 특수성 보편적인 현상이 존재하지만 시대나 사회적 상황에 따라 양상에 차이가 나타나는 사회·문화 현상의 특성

당위 법칙 인간이라면 마땅히 따라야 한다고 여기는 규범적 요구가 적용되는 사회·문화 현상의 특성

기능론 ❶ _____

❷ [_____] 한 사회에서 희소가치를 많이 가진 집단과 그렇지 않은 집단이 지배와 피지배 관계를 이루고 있다고 보는 관점

상징적 상호 작용론 ❸ _____

상황 정의 사회 구성원이 자신의 상황에 대해 각자의 의미를 부여하고 해석하는 것

2 # 사회·문화 현상의 탐구 방법

\# 과학적 지식
\# 양적 연구 방법 \# 실증적 연구 방법
\# 질적 연구 방법 \# 해석적 연구 방법
\# 문헌 연구법 \# 실험법 \# 질문지법
\# 면접법 \# 참여 관찰법
\# 독립 변수 \# 종속 변수

과학적 지식 사회·문화 현상을 엄격한 연구 절차와 방법에 따라 체계적으로 분석하여 발견한 지식

[④   ] 사회·문화 현상을 자연 현상 연구와 동일한 방법으로 연구할 수 있다는 방법론적 일원론에 기초한 연구 방법

실증적 연구 방법 가설을 세우고 계량화된 자료를 분석하여 증명하는 과정을 강조하는 연구 방법

질적 연구 방법 ⑤

해석적 연구 방법 연구 과정에서 직관적 통찰을 통한 해석적 이해가 필요하다고 보는 연구 방법

문헌 연구법 기존 문헌에서 자료를 수집하는 방법

[⑥   ] 계획적으로 어떤 조건을 만들어 변화를 주고 그에 따른 변화를 관찰하여 자료를 수집하는 방법

질문지법 조사 내용을 질문으로 구성한 후 연구 대상자에게 답변을 얻어 자료를 수집하는 방법

면접법 연구자가 연구 대상자와 깊이 있는 대화를 통해 자료를 수집하는 방법

[⑦   ] 연구자가 연구 대상과 함께 생활하거나 연구 대상의 활동에 참여하면서 현상을 직접 관찰하여 자료를 수집하는 방법

독립 변수 연구 대상에게 인위적으로 가한 일정한 조작

종속 변수 독립 변수에 영향을 받아 그 값이 변화하는 변수

3 # 사회·문화 현상의 탐구 절차와 태도

\# 양적 연구의 탐구 절차   # 질적 연구의 탐구 절차
\# 객관적 태도   # 개방적 태도
\# 상대주의적 태도   # 성찰적 태도
\# 가치 개입   # 가치 중립   # 연구 윤리

양적 연구의 탐구 절차 ⑧

질적 연구의 탐구 절차 연구 문제 인식 → 연구 설계 → 자료 수집 및 분석 → 결론 도출

객관적 태도 연구 과정에서 자신의 주관이나 가치, 이해관계를 떠나 제삼자의 관점에서 있는 그대로 현상을 관찰하려는 태도

[⑨   ] 연구를 진행하면서 편협한 주장이나 이론에 빠지지 않고, 연구 결과에 대하여 다른 연구자의 비판을 허용하는 태도

상대주의적 태도 사회·문화 현상이 지닌 고유한 의미와 가치를 해당 사회 집단의 맥락이나 환경을 고려하여 이해하려는 태도

[⑩   ] 사회·문화 현상을 있는 그대로 받아들이기보다는 그 이면의 의미를 살펴보거나, 연구 진행 과정을 제대로 수행하고 있는지 되짚어 보려는 태도

가치 개입 연구 과정에서 연구 문제와 목적을 정할 때 연구자의 주관이나 가치가 고려되는 것

[⑪   ] 사회·문화 현상을 탐구할 때 연구자가 주관적 가치와 이해관계를 배제하는 태도

연구 윤리 사회 문화 현상을 탐구할 때 연구 대상자의 인권 및 사생활을 보호하고, 연구 과정과 결과의 활용에서도 왜곡이나 표절 등을 하지 않는 연구자의 태도

정답 ❶ 사회를 하나의 유기적 통합 체계로 보고, 사회를 이루는 사회 제도나 집단 등이 상호 연관성을 갖고 일정한 기능을 수행하면서 사회가 유지된다고 보는 관점 ❷ 갈등론 ❸ 개인들이 일상적으로 상호 작용하는 과정에서 나타나는 행위의 주관적인 동기와 의미의 해석에 초점을 두어 현상을 보는 관점 ❹ 양적 연구 방법 ❺ 사회·문화 현상은 자연 현상과 본질적으로 다르기 때문에 다른 방법으로 연구해야 한다는 방법론적 이원론에 기초한 연구 방법 ❻ 실험법 ❼ 참여 관찰법 ❽ 연구 문제 인식 → 가설 설정 → 연구 설계 → 자료 수집 → 자료 분석 → 가설 검증 및 결론 도출 ❾ 개방적 태도 ❿ 성찰적 태도 ⓫ 가치 중립

II.

개인과 사회 구조

이 단원의 핵심 포인트

중단원	핵심 포인트	학습일
01 인간의 사회화	• 개인과 사회의 관계 • 인간의 사회화 과정 • 사회적 지위와 역할	월 일 ~ 월 일
02 사회 집단과 사회 조직	• 사회 집단의 의미와 유형 • 사회 조직의 의미와 유형	월 일 ~ 월 일
03 일탈 행동의 원인과 대책	• 일탈 행동의 의미와 영향 • 일탈 행동의 원인과 해결 방안	월 일 ~ 월 일

셀파와 내 교과서 단원 비교

셀파	천재교육	지학사	미래엔	비상교육
01 인간의 사회화	01 인간의 사회화	01 개인과 사회, 사회화 02 지위와 역할	01 개인과 사회의 관계 02 인간의 사회화	01 사회적 존재로서의 인간
02 사회 집단과 사회 조직	02 사회 집단과 사회 조직	03 사회 집단과 사회 조직	03 사회 집단과 사회 조직	02 사회 집단과 사회 조직
03 일탈 행동의 원인과 대책	03 일탈 행동의 원인과 대책	04 일탈 행동	04 일탈 행동의 이해	03 사회 구조와 일탈 행동

01 인간의 사회화

1 개인과 사회의 관계

1. 사회 구조와 개인의 행위

(1) **사회 구조의 의미** 한 사회의 개인과 집단이 사회적 관계를 맺는 방식이 상대적으로 정형화되어 안정된 틀을 이룬 상태

> **의미** 사회적 상호 작용이 지속해서 반복되어 형성된 일정한 행위의 방식을 말한다. 예 학생과 교사의 관계, 사용자와 노동자의 관계, 직장 상사와 부하 직원의 관계 등

(2) **사회 구조의 특성**

① 지속성 사회를 구성하는 구성원이 바뀌어도 계속 유지됨.

② 안정성 개인들이 구조화된 행동[1]을 함으로써 사회적 관계가 안정적으로 유지됨.

③ 변동성 사회 구성원의 행동, 가치 등이 변할 때 사회 구조의 성격이 달라질 수 있음.

④ 강제성 사회 구성원들의 사고와 행동을 제약할 수 있음.

(3) **사회 구조와 개인 행위의 관계[2]**

① 사회 구조가 개인에 미치는 영향 사회 구조는 개인의 행동 양식에 영향을 미치며, 각기 다른 사회에서 태어나 성장한 사람들의 행동 방식이 다르게 나타나게 함.

② 개인이 사회 구조에 미치는 영향 개인이나 집단의 행동은 사회 구조를 변화시키기도 함.

2. 개인과 사회의 관계를 바라보는 관점: 사회 실재론과 사회 명목론

> **의의** 두 관점의 장점과 한계를 이해하고 균형 있게 접근하려는 노력이 필요하다.

구분	사회 실재론 자료 01	사회 명목론
기본 입장	사회는 개인의 속성과는 구별되는 독립적인 실체이며, 개인의 외부에 실제로 존재한다고 보는 관점	사회는 개인의 합에 이름을 붙인 것으로 실제로 존재하지 않는다는 관점
특징	• 사회는 개인의 사고와 행위의 한계를 정하고 구속함. • 개인은 독자적인 판단이나 사고에 따라 행동하는 것이 아니라 사회의 영향을 받아 행동함.	• 실제로 존재하는 것은 사회가 아니라 자유 의지에 따라 행동하는 개인뿐임. • 개인의 특성과 행동 양식에 초점을 맞춰 사회·문화 현상을 파악하려고 함.
관련 사상	사회를 하나의 생명 유기체와 같다고 보는 사회 유기체설[3]과 같은 맥락	개인들이 자신의 권리 보장을 위해 국가를 만들었다는 사회 계약설과 같은 맥락 자료 02
장점	개인이 사회의 영향을 받아 사고하고 행동한다는 점을 잘 설명함.	개인이 자유 의지를 가진 능동적인 존재이며 사회를 변화시키는 원동력이 될 수 있다는 점을 인정함.
단점	• 개인이 사회의 구속으로부터 자율성을 갖고 사회를 변화시킬 수 있는 존재라는 점을 간과할 수 있음. • 전체를 위한 개인의 희생을 정당화할 우려가 있음.	• 사회가 개인에게 미치는 영향을 간과할 수 있음. • 개인의 이익만이 강조되어 극단적 이기주의를 초래할 우려가 있음.

> **분석** 지나칠 경우 전체주의(개인의 모든 활동은 민족·국가와 같은 전체의 존립과 발전을 위하여서만 존재한다는 이념 아래 개인의 자유를 억압하는 사상)로 흐를 수 있다.

2 인간의 사회화 과정

1. 사회화 자료 03

(1) **의미** 사회 속에서 성장하면서 자신이 속한 사회의 행동 방식과 사고방식을 학습하는 과정

(2) **중요성**

① 개인적 차원 사회생활에 필요한 규칙과 규범 학습, 사회적 존재로서 생존하는 데 필요한 지식과 기술 학습, 자아 정체성[4] 및 인성 형성

② 사회적 차원 기존 사회의 가치 및 규범 등을 학습함으로써 한 사회의 지속성을 유지함.

고득점을 위한 셀파 Tip

• **사회 구조의 형성 과정**

사회적 상호 작용
↓
사회적 관계
↓
사회 구조

[1] 구조화된 행동
사회가 정해 놓은 규범 등의 틀 안에서 이루어지는 개인과 집단의 행동을 의미한다.

[2] 개인과 사회 구조의 관계
개인은 사회 구조의 지배를 받으면서 동시에 사회 구조를 변화시키는 원동력으로, 둘 사이에는 꾸준한 상호 작용이 이루어진다.

고득점을 위한 셀파 Tip

• **개인과 사회를 바라보는 관점**

사회 실재론	사회>개인+개인
사회 명목론	사회=개인+개인

[3] 사회 유기체설
사회를 생물 유기체에 비유하고, 사회 구성원으로서의 개인을 생물 유기체의 기관에 비유한 사회학설이다.

고득점을 위한 셀파 Tip

• **사회화의 유형**

재사회화	사회 변화나 새로운 환경에 적응하기 위해 이전과는 다른 규범, 가치 및 행동 양식을 학습하는 것 예 직장 내 재교육, 대중 매체를 통한 사회 교육, 노인이나 주부를 대상으로 한 평생 교육
예기 사회화	미래의 어떤 변화에 따라 새로 갖게 될 지위에 따른 역할을 미리 배우고 준비하는 것 예 신입생 예비 교육, 신입 사원 연수
탈사회화	기존에 습득한 규범이나 생활 방식을 버리는 과정 예 북한 이탈 주민이 북한에서 배웠던 사회화 내용을 버리는 것

[4] 자아 정체성
자신의 성격, 취향, 가치관, 능력 등에 대해 명료하게 이해하고 있으며, 그러한 이해가 지속성과 통합성을 지니고 있는 상태를 말한다.

자료 01 사회 실재론

내가 형제로서, 아버지로서 또는 시민으로서 나의 의무를 행하고 나에게 맡겨진 일을 할 때, 나는 법과 관습으로 규정되어 있는, 그리고 나와 나의 행위에 외재하는 의무를 수행하는 것이다. 내가 내 생각을 표현하기 위해 사용하는 기호 체계, 빚을 갚기 위해 사용하는 화폐 제도, 상업적 관계에서 사용하는 신용 도구, 나의 직업에서 행하는 일 등이 모두 내가 사용하는 것과는 독립적으로 기능한다.

– 에밀 뒤르켐, 「사회학적 방법의 규칙들」 –

자료 분석 | 사회 구조를 사회관계의 틀이면서 일정한 규칙을 지닌 사회 체계로 이해하는 것은, 개인들의 행위가 전적으로 자율적일 수 없으며 행위의 의도가 그대로 실현되지는 않는다는 점을 암시하고 있다. 즉, 개인 행위가 개인의 힘으로는 좌지우지할 수 없는 특정한 사회관계의 틀이나 작동 규칙에 의해 강하게 규정되고 있다는 것이다. 프랑스의 사회학자인 뒤르켐은 사회 실재론의 관점에서 개인과 사회의 관계를 파악하고 있다. 위 자료는 뒤르켐의 '사회적 사실(social fact)'에 대한 설명으로, 사회 구조, 사회 제도 등과 같은 사회적 사실은 개인에 외재하면서 개인을 강제하는 성격을 지닌 객관적 실재라는 점을 강조하고 있다.

자료 02 사회 계약설

• 국가는 인간의 노력으로 만들어지는 인위적인 산물이다. 사람들은 자연 상태에서 일어날 수 있는 분쟁을 해결하고 자신의 생명과 자유와 재산을 더 안전하게 지키고 누리기 위해, 각자가 스스로 동의한 계약에 따라 국가를 형성한다. 이때 사회 구성원 각자가 국가에 양도하는 권력은 국가가 그 역할을 수행할 정도에서 그쳐야 한다.

– 로크, 「시민 정부」 –

• 개인과 개인은 연합하여 각 개인의 생명과 재산을 방어하고 보존하는 일종의 연합체를 만든다. 그 후 개인은 이러한 연합체에 결합하지만 종전처럼 자기 자신에게만 복종하고 전처럼 자유를 잃지 않은 형태로 연합체가 유지되도록 해야 한다. 이것이 사회 계약으로 이루어져야 할 근본 문제이다.

– 루소, 「사회 계약론」 –

자료 분석 | 위 자료는 사회 계약설을 설명하고 있다. 사회 계약설은 사회를 자유로운 개인의 계약의 산물로 보는 관점으로 사회 명목론과 같은 맥락이다. 사회 계약설에서는 인간은 태어나면서부터 자유와 평등의 권리를 가지며, 이 권리를 보다 잘 보장하기 위하여 서로 계약을 맺어 국가를 구성할 필요가 있다고 보고, 사회보다는 개인을 중시한다.

자료 03 사회화 과정

▲ 유아기　　　▲ 청소년기　　　▲ 성인기　　　▲ 노년기

자료 분석 | 인간의 사회화 과정은 평생에 걸쳐 이루어진다. 영·유아 시기에는 가족과 같은 가까운 사람들과 상호 작용을 하면서 기본적인 욕구를 충족하는 방법과 의사소통 방식 등을 습득한다. 특히 이때 이루어지는 사회화는 중요하다. 왜냐하면 개인의 자아 정체성과 인성 형성에 큰 영향을 줄 뿐만 아니라, 개인이 사회적 존재로 성장하고 생활하는 데 필요한 가장 기초적이고 중요한 것을 습득하도록 하기 때문이다. 청소년기에는 또래 집단과의 상호 작용이 늘어나고 학교에서 다양한 지식과 가치, 기술 등을 배운다. 성인이 된 후에는 직장에서 새로운 지식을 익히고, 노년기에는 변화하는 사회에 맞는 생활 양식을 배우며 생애 마지막 시간을 의미 있게 보내기 위해 노력한다.

2. 사회화 기관

(1) **의미** 개인의 사회화에 영향을 미치는 기관

(2) **종류**

> **주의!** 의도적으로 전달되는 부분도 있고, 자연스럽게 습득되는 부분도 있다.

가족	유아기와 아동기에 가장 중요한 사회화 기관으로, 가족 구성원과의 상호 작용을 통해 언어, 예절 및 의식주 습관 등 기본적인 생활 양식을 습득함.
또래 집단	또래 집단과의 상호 작용을 통해 집단생활의 규칙을 습득하고 또래 문화를 공유하며, 자아 정체성 형성에 큰 영향을 미침. — **중요** 또래 집단과의 결속력은 청소년의 자아 정체성 형성에 영향을 미친다.
학교[5]	학생들의 발달 단계에 맞추어 사회 구성원으로 살아가는 데 필요한 내용을 선별하여 가르치며, 학생 및 교사와의 상호 작용을 통해 자아 정체성을 확립함.
직장 자료 **04**	개인은 직업 활동을 수행하는 데 필요한 지식, 가치, 태도 등을 형성해 나가며, 직장에서 새로운 기기, 업무 방식 등의 변화에 적응하기 위한 사회화가 계속 이루어짐.
대중 매체	새로운 정보를 제공하고 변화된 삶의 방식을 소개함으로써 사회 구성원들이 사회 공통의 행동 양식과 사고방식을 배움. — **중요** 현대 사회에서는 대중 매체의 역할이 더욱 중요해지고 있다.

(3) **유형**

① 형성 목적에 따른 분류

- 공식적 사회화 기관: 사회화 자체를 목적으로 형성된 기관 **예** 학교, 직업 훈련소 등
- 비공식적 사회화 기관: 사회화를 목적으로 형성된 것은 아니지만 사회화가 이루어지는 기관 **예** 가족, 직장 등

② 사회화의 내용에 따른 분류 ── **주의!** 개인의 인성 형성에 미치는 영향의 정도에 따라 1차적 사회화 기관, 2차적 사회화 기관으로 나누기도 한다.

- 1차적 사회화 기관[6]: 어린 시절 자아와 인성의 기본 틀을 형성하고 사회생활의 기초적인 행동 양식을 습득하는 데 많은 영향을 미치는 기관 **예** 가족, 또래 집단 등
- 2차적 사회화 기관: 전문적인 지식과 정보 등을 사회화하는 기관 **예** 학교, 직장, 대중 매체 등

3 사회적 지위와 역할

1. 사회적 지위[7]

(1) **의미** 개인이 사회 속에서 차지하는 위치

(2) **종류** ── **중요** 전통적 신분 사회에서는 귀속 지위가 중요하였으나, 현대 사회에서는 성취 지위의 비중과 중요성이 커지고 있다.

① 귀속 지위 개인의 의지나 노력과 상관없이 선천적으로 주어진 것 **예** 남자, 여자, 장녀, 막내아들 등

② 성취 지위 개인의 의지와 노력을 통해 후천적으로 획득한 것 **예** 어머니, 아버지, 대학생, 운동선수 등

2. 역할과 역할 행동

(1) **역할**[8] 지위에 따라 사회적으로 기대하는 행동 양식

(2) **역할 행동**[9] 개인이 사회적 역할을 실제로 수행하는 방식

── **주의!** '역할 수행'이라고도 한다.

3. 역할 갈등[10] 자료 **05**

(1) **의미** 한 개인이 동시에 두 가지 이상의 서로 다른 지위에 따른 역할을 수행하고자 할 때, 역할 간에 충돌이 발생하는 것 ── **예시** 직장인이 자녀의 학교 행사에 참여해야 할 경우, 직장인으로서 해야 할 역할과 부모로서 해야 할 역할 간에 충돌이 발생할 수 있다.

(2) **해결 방안** 자료 **06**

① 개인적 해결 역할의 우선순위를 정하여 더 중요한 역할을 선택함.

② 사회적 해결 사회적으로 사회 구성원들이 역할 갈등을 겪지 않도록 예방하고 지원하는 제도나 시설을 마련해야 함. ── **분석** 역할의 우선순위를 정하고 지위와 역할을 분석하여 타협점을 찾기 위해서는 합리적 의사 결정 능력이 필요하다.

고득점을 위한 셀파 Tip

· 사회화 기관

의미	개인의 사회화에 영향을 미치는 기관
종류	가족, 또래 집단, 학교, 직장, 대중 매체
유형	· 형성 목적: 공식적 사회화 기관, 비공식적 사회화 기관 · 사회화의 내용: 1차적 사회화 기관, 2차적 사회화 기관

⑤ 학교에서의 사회화

학생들은 학교가 의도적으로 가르치는 지식, 태도, 기능 외에도 학교생활을 통해 사회적 관계나 집단생활의 규칙 등을 자연스럽게 습득한다.

⑥ 1차적 사회화 기관

개인의 인성 형성에 가장 중요한 시기는 유아기와 아동기이다. 이 시기에 가장 큰 영향을 미치는 대표적인 사회화 기관으로는 가족, 친지, 이웃, 또래 집단이 있다. 특히 가족은 가장 중요하고 기초적인 사회화 기관이다.

고득점을 위한 셀파 Tip

· 지위와 역할

지위	한 개인이 집단이나 사회 속에서 차지하는 위치
역할	일정한 지위에 대해 사회적으로 기대하는 행동 양식
역할 행동	개인이 자신에게 주어진 역할을 수행하는 구체적인 방식
역할 갈등	여러 가지 역할 수행 사이에 발생하는 역할 간의 충돌

⑦ 사회적 지위

사람들은 동시에 여러 가지 지위를 가진다. 이는 개인이 속한 집단 및 다른 사람들과의 사회적 관계 속에서 다양한 사회적 지위가 설정되기 때문이다. 또한, 사회적 지위는 개인의 사회적 정체성을 형성하고 다른 사람들과의 상호 작용에 영향을 미친다.

⑧ 역할

한 사람이 가지는 지위가 다양하므로 기대되는 역할이 다양하며, 개인은 사회화를 통해 각 지위에 상응하는 역할을 학습한다.

⑨ 역할 행동에 따른 보상과 제재

역할 행동이 잘 이루어졌을 때는 보상이 주어지지만, 기대하는 바를 수행하지 못한 경우에는 제재가 가해진다.

⑩ 역할 갈등의 또 다른 모습

일반적인 역할 갈등의 모습과 다르게 하나의 지위에서 서로 다른 역할이 기대될 때 이들 사이에서 충돌이 발생하기도 한다. 이를 역할 긴장이라고 한다.

셀파 자료 탐구

자료 04 사회화 기관으로서의 직장

- 회사가 자체적으로 사내 대학을 운영할 경우, 사원들은 직장 생활 중에도 학업을 지속하면서 학위를 취득할 수 있다.

- 직장 내에 구성된 취미 활동 모임 등의 동호회나 친목회도 사회화 기관의 역할을 한다. 예를 들어, 스포츠 동아리에서는 스포츠 기능을 향상시키고, 학습 동아리에서는 교양이나 전문 지식을 높일 수 있다.

- 직장 내에서 동료들을 통한 사회화가 제도화되기도 한다. 예를 들어, '멘토링' 제도의 경우 멘토링 선배와 멘티인 후배를 하나의 그룹으로 묶어 선배의 업무 노하우가 후배에게 전달될 수 있도록 도움을 준다.

자료 분석 | 사람들은 직장에 근무하면서 다양한 경험을 하게 된다. 직장 생활에 적응하고 주어진 업무를 수행하면서 새로운 지식이나 가치, 규범 등을 습득한다. 또한, 직장에 존재하는 개인이나 다양한 조직을 통해 사회화가 이루어지기도 한다.

자료 05 역할 갈등과 역할 긴장

〈사례 1〉

한 청년이 집에서는 아버지의 아들이라는 지위를 가지고 있고, 사회에서는 경찰이라는 지위를 가지고 있다. 어느 날 이 청년이 교통 법규 위반자를 단속하는 과정에서 신호 위반을 한 아버지를 직접 적발하게 된다. 이런 경우 청년은 자녀의 역할과 경찰의 역할 사이에서 고민하게 된다.

〈사례 2〉

한 학급을 담당하는 교사라는 지위에는 상반된 역할이 기대되기도 한다. 교사에게는 학생들이 올바로 성장할 수 있도록 엄격한 역할이 기대되는 동시에 학생들을 따뜻하게 보살펴야 하는 역할도 기대된다. 이런 상황에서 교사는 역할 긴장을 경험할 수 있다.

자료 분석 | 〈사례 1〉에서는 한 사람이 가진 여러 가지 지위에 대해서 각각의 역할이 동시에 요구되는 역할 모순 상황에서 역할 갈등이 발생하고 있다. 〈사례 2〉에서는 하나의 지위에서 서로 상반되는 역할이 요구되어 역할 긴장이 발생하고 있다.

자료 06 여성의 역할 갈등 해결

신학기를 맞은 일하는 엄마들의 하소연이 이어지고 있다. 학교 설명회나 공개 수업 등의 참석을 하려면 직장에서 눈치를 봐야 하고 행사에 참석을 못 하면 아이와 학교의 눈치를 봐야 하는 이중고를 겪고 있는 것이다.

일하는 엄마들은 학기 초 학부모 상담 등의 일정으로 한 달에 한두 번씩 일하는 시간에 외출을 해야 한다. 또한, 초등학교에 입학한 아이를 둔 일하는 엄마들은 입학 초기에는 적응 기간이라 4교시만 진행해 오후 시간 아이를 맡길 곳이 마땅치 않아 곤욕을 치르는 상황이다.

이런 사정 때문에 일하는 엄마들이 직장을 그만두면서 경력 단절 여성이 되는 경우가 많이 생기는 때가 출산 다음으로 초등학교 입학 때라는 조사 결과도 있다고 한다. 아이가 적응하지 못해서 그만두는 엄마, 회사에 눈치 보여서 그만두는 엄마, 숙제와 준비물 등을 매일 놓치는 아이에게 미안해서 그만두는 엄마 등 초등학교 1학년을 기점으로 직장을 그만두는 엄마들이 수두룩하다.

– 「경남도민신문」, 2018. 4. 2. –

자료 분석 | 직장과 육아의 병행이라는 여성들의 역할 갈등으로 인해 많은 여성들이 경력 단절이 되고 있다. 이러한 역할 갈등을 해결하기 위해 개인적으로는 역할의 우선순위를 정하여 중요한 것부터 시행할 수 있다. 예를 들어, 직장 생활과 아이 양육을 병행하는 것이 어려운 경우 일정 기간 동안 휴직을 하여 육아에 집중할 수 있다. 하지만 일하는 모든 엄마들이 자유롭게 휴직을 할 수는 없으므로 사회적으로 이러한 역할 갈등을 겪지 않도록 예방하고 지원하는 제도나 시설을 마련해야 한다. 현재 「남녀 고용 평등과 일·가정 양립 지원에 관한 법률」에 따라 육아 휴직, 육아기 근로 시간 단축, 직장 어린이집 설치 등이 시행되고 있다.

기출 선택지 O, ×로 정리하기

1 고등학교는 공식적 사회화 기관이자 2차적 사회화 기관이다.

(O , ×)

2 가족은 비공식적 사회화 기관이자 1차적 사회화 기관이다.

(O , ×)

3 공식적 사회화 기관은 비공식적 사회화 기관과 달리 성인기의 재사회화를 담당한다.

(O , ×)

4 비공식적 사회화 기관은 공식적 사회화 기관과 달리 전문적 사회화를 담당한다.

(O , ×)

5 유명 연예인인 어머니를 둔 배우 갑은 연예인 2세이다. 이때 연예인 2세는 귀속 지위에 해당한다.

(O , ×)

6 집안의 장남인 갑은 대학 졸업 후 창업을 하여 프랜차이즈 사업가가 되었다. 이때 장남은 귀속 지위에, 사업가는 성취 지위에 해당한다.

(O , ×)

7 학생의 지위에 대해 기대되는 행동을 역할 행동이라고 한다.

(O , ×)

8 축구 선수 갑은 수년 간 해외 구단에서 주전 공격수로 활동하다가 부진으로 인해 계약 해지를 통보받았다. 이는 역할 수행에 대한 제재에 해당한다.

(O , ×)

9 아나운서인 갑은 방송사를 그만두고 더 큰 무대로 진출할 것인지, 안정된 직장에서 계속 있을지 고민하는 역할 갈등을 겪고 있다.

(O , ×)

10 독립 영화제 집행 위원장을 맡은 영화배우 갑은 독립 영화제의 홍보에 힘쓸지, 자신이 출연한 영화의 홍보에 힘쓸지 고민하는 역할 갈등 상황에 직면했다.

(O , ×)

정답 1 O 2 O 3 × 4 × 5 O 6 O
7 × 8 O 9 × 10 O

1 개인과 사회의 관계

(❶)	• 개인은 사회를 구성하는 하나의 단위이며 독립된 실체임. • 사회 유기체설과 같은 맥락임. • 개인행동에 대한 사회의 영향을 잘 설명할 수 있으나, 개인을 사회에 종속된 존재로 여길 수 있음.
사회 명목론	• 사회는 개인의 집합에 불과함. • (❷)과 같은 맥락임. • 사회를 구성하는 능동적인 존재로 개인을 인정하지만, 사회가 개인에게 미치는 영향력을 간과할 수 있음.

2 인간의 사회화 과정

사회화		사회 속에서 성장하면서 자신이 속한 사회의 행동방식과 사고방식을 학습하는 과정	
사회화 기관	의미	개인의 사회화에 영향을 미치는 기관	
	유형	(❸)	• 공식적 사회화 기관: 사회화 자체를 목적으로 형성된 기관 예 학교, 직업 훈련소 등 • 비공식적 사회화 기관: 사회화를 목적으로 형성된 것은 아니지만 사회화가 이루어지는 기관 예 가족, 직장 등
		사회화의 내용	• 1차적 사회화 기관: 어린 시절 자아와 인성의 기본 틀을 형성하고 사회생활의 기초적인 행동 양식을 습득하는 데 많은 영향을 미치는 기관 예 가족, 또래 집단 등 • (❹) 사회화 기관: 전문적인 지식과 정보 등을 사회화하는 기관 예 학교, 직장, 대중 매체 등

3 사회적 지위와 역할

사회적 지위	의미	개인이 사회 속에서 차지하는 위치	
	종류	(❺) 지위	개인의 의지나 노력과 상관없이 선천적으로 주어진 것
		(❻) 지위	개인의 의지와 노력을 통해 후천적으로 획득한 것
역할		지위에 따라 사회적으로 기대하는 행동 양식	
역할 행동		개인이 사회적 역할을 실제로 수행하는 방식	
역할 갈등		한 개인이 동시에 두 가지 이상의 서로 다른 (❼)에 따른 역할을 수행하고자 할 때, 역할 간에 충돌이 발생하는 것	

정답 ❶ 사회 실재론 ❷ 사회 계약설 ❸ 형성 목적 ❹ 2차적 ❺ 귀속 ❻ 성취 ❼ 지위

---

1 개인과 사회의 관계

01 빈칸에 들어갈 개념에 대한 특징으로 옳지 않은 것은?

> 사회는 마치 하나의 건축물과 같이 그 안에서 살아가는 개인이나 집단이 상호 작용하는 방식에 영향을 미친다. 이처럼 한 사회의 개인과 집단이 사회적 관계를 맺는 방식이 상대적으로 정형화되어 안정된 틀을 이룬 상태를 (   )(이)라고 한다.

① 사회 구성원들의 행동을 예측 가능하게 해 준다.
② 개인의 행동을 제약하고 자유를 구속하기도 한다.
③ 사회를 구성하는 구성원이 바뀌면 유지되지 않는다.
④ 사회 구성원 간의 지속적인 상호 작용을 통해 형성된다.
⑤ 사회 구성원들이 안정된 사회적 관계를 유지할 수 있게 한다.

02 다음 일기의 밑줄 친 부분에 나타난 사회 구조의 특징으로 가장 적절한 것은?

> ○월 ○일
> 어제 친구와 함께 조선 시대 하층민들의 비참한 생활상과 그들의 반란을 그린 영화를 보았다. 그들은 태어날 때부터 어깨에 지워진 신분의 무게에 억눌려 힘겹게 살아오다 이런 불합리한 구조를 타파하기 위해 힘을 모아 지배층에 항거하게 된다. 오늘날 우리는 과거와 달리 모두 똑같은 존엄한 인간과 시민의 구성원으로 존중받으며 살고 있는 것이 다행이라고 생각되었다.

① 지속성   ② 안정성   ③ 변동성
④ 강제성   ⑤ 경직성

03 다음 글에 나타난 개인과 사회의 관계를 바라보는 관점에 대한 옳은 설명을 <보기>에서 고른 것은?

> '웰니스(wellness)'라는 말은 신체와 정신은 물론 사회적으로도 건강한 상태를 의미한다. 하나의 생활 양식으로 자리 잡은 이 말이 하나의 생각과 신념으로 포장됨에 따라, 사람들이 추구할 만한 가치가 있는 매혹적인 것으로 받아들여지게 되었고, 오늘날 현대인을 사로잡는 도덕적 요구가 되었다. 이로 인해 많은 현대인들은 자신의 가치관이나 의지가 아닌, 사회적으로 요구하는 '웰니스'의 방식대로 살아가게 되었다.

┤ 보기 ├
ㄱ. 사회는 개인의 단순한 총합 이상이다.
ㄴ. 개인의 행동은 사회 구조에 의해 결정된다.
ㄷ. 개인의 의지와 자율성이 사회 구조보다 중요하다.
ㄹ. 개인은 사회에 대해 독립적이고 개별적인 존재이다.

① ㄱ, ㄴ ② ㄱ, ㄷ ③ ㄴ, ㄷ
④ ㄴ, ㄹ ⑤ ㄷ, ㄹ

04 대화에 나타난 개인과 사회의 관계를 바라보는 관점에 대한 설명으로 옳은 것은?

> 갑 현재 우리 사회에서 학력을 중시하는 현상은 학생들의 선택 의지와 무관합니다. 학생들을 비롯한 사회 구성원의 행동은 학력을 중시하는 우리 사회의 고유한 특성으로 인해 발생한 것입니다.
> 을 개인을 초월하여 고유한 특성을 갖는 사회가 존재하는 것은 아닙니다. 학력을 중시하는 현상은 학생을 비롯하여 사회 구성원 대다수가 그것이 필요하다고 생각하기 때문에 나타난 것입니다.

① 갑의 관점은 사회 현상이 인간의 자율적 의지에 의해 나타난다고 본다.
② 을의 관점은 개인의 속성이 사회의 속성과 다르다고 본다.
③ 갑의 관점과 달리 을의 관점은 사회 현상을 분석함에 있어 사회 구조적 요인을 중시한다.
④ 갑의 관점과 달리 을의 관점은 사회 문제의 해결 방안으로 개인의 의식 개선을 중시한다.
⑤ 갑의 관점은 사회 계약설, 을의 관점은 사회 유기체설과 맥락이 유사하다.

[05~06] 다음 대화를 읽고 물음에 답하시오.

> 사회자 개인과 사회의 관계에 대해 어떻게 생각하십니까?
> 갑 사회는 개인의 외부에 존재하는 사물과 같은 것이 아닙니다. 사회는 여러 개인으로 구성되어 있으며, 개인은 상호 의존적으로 결합해 있을 뿐입니다.
> 을 과학적 태도로 사회를 보면 사회가 개인들로만 구성되어 있다고 생각하지 않게 됩니다. 사회 구조는 개인들의 속성으로 환원되어 설명될 수 없습니다. 사회 전체의 구조는 여러 구조로 구성되어 있으며, 이들의 속성과 관계에 따라서만 이해할 수 있습니다.
> 사회자 그렇다면 　　(가)　　의 질문에 대해 갑은 '예', 을은 '아니요'의 답을, 　　(나)　　의 질문에 대해 갑은 '아니요', 을은 '예'의 답을 하시겠군요.
> 갑, 을 네, 그렇습니다.

05 개인과 사회의 관계를 바라보는 을의 관점에 대한 옳은 설명을 <보기>에서 고른 것은?

┤ 보기 ├
ㄱ. 실제로 존재하는 것은 개인일 뿐이다.
ㄴ. 공익보다 개인의 이익이나 권리 보장이 우선이다.
ㄷ. 사회 문제의 원인은 잘못된 사회 구조나 제도에 있다.
ㄹ. 개인의 사고나 행위는 사회의 영향에서 벗어날 수 없다.

① ㄱ, ㄴ ② ㄱ, ㄷ ③ ㄴ, ㄷ
④ ㄴ, ㄹ ⑤ ㄷ, ㄹ

06 (가), (나)에 들어갈 질문으로 옳은 것은?

	(가)	(나)
①	개인들은 자유 의지에 따라 행동하는가?	사회보다 개인이 우선하는가?
②	집합적 속성은 개인적 속성의 총합과 다른가?	개인의 행동은 사회에 의해 구속되는가?
③	사회는 개인들의 집합체에 붙여진 이름에 불과한가?	개인은 전체를 구성하는 부분에 불과한가?
④	사회는 개인보다 우위에 있는 독자적인 존재인가?	사회는 개인 속성의 총합과는 다른 속성을 갖는가?
⑤	개인은 사회라는 유기체의 한 부분으로 사회를 떠나서는 존재할 수 없는가?	개인은 사회의 존속과 발전을 위해 존재한다고 보는가?

2 인간의 사회화 과정

07 밑줄 친 '이것'에 대한 옳은 설명을 〈보기〉에서 고른 것은?

> 인간이 한 사회의 구성원으로 살아가기 위해서는 이것을 거쳐야 한다. 이것은 인간이 사회 구성원과의 상호작용을 통해 사회생활에 필요한 지식, 기술, 규범, 가치 등을 학습하는 과정을 의미한다.

┤ 보기 ├
ㄱ. 일생 중 특정 시기에만 이루어진다.
ㄴ. 한 사회의 지속성을 유지해 주는 역할을 한다.
ㄷ. 시대나 사회에 상관없이 내용과 방식은 동일하다.
ㄹ. 자아 정체성을 형성하고, 사회 구성원으로서 소속감을 갖게 한다.

① ㄱ, ㄴ   ② ㄱ, ㄷ   ③ ㄴ, ㄷ
④ ㄴ, ㄹ   ⑤ ㄷ, ㄹ

08 밑줄 친 ㉠~㉤에 대한 설명으로 옳은 것은?

> 개인의 사회화에 영향을 미치는 기관을 사회화 기관이라고 한다. 우리 주변에서 볼 수 있는 대표적인 사회화 기관에는 ㉠ 가족, ㉡ 또래 집단, ㉢ 학교, ㉣ 직장, ㉤ 대중 매체 등이 있다.

① ㉠은 재사회화를 주로 담당한다.
② ㉡은 청소년기보다 성인기에 더 큰 영향을 미친다.
③ ㉢은 ㉣과 달리 공식적 통제가 일반적이다.
④ ㉣은 ㉡과 달리 2차적 사회화 기관이다.
⑤ ㉤은 ㉠과 달리 공식적 사회화 기관이다.

09 A~D에 해당하는 사회화 기관의 유형으로 옳은 것은?

- 사회화 기관의 유형에는 A~D가 있다.
- A와 B는 사회화의 내용에 따라 분류되며, 가족은 A에 해당한다.
- C와 D는 형성 목적에 따라 분류되며, 회사는 D에 해당한다.

	A	B	C	D
①	공식적 사회화 기관	비공식적 사회화 기관	1차적 사회화 기관	2차적 사회화 기관
②	비공식적 사회화 기관	공식적 사회화 기관	2차적 사회화 기관	1차적 사회화 기관
③	1차적 사회화 기관	2차적 사회화 기관	공식적 사회화 기관	비공식적 사회화 기관
④	1차적 사회화 기관	2차적 사회화 기관	비공식적 사회화 기관	공식적 사회화 기관
⑤	2차적 사회화 기관	1차적 사회화 기관	공식적 사회화 기관	비공식적 사회화 기관

10 표는 사회화 기관의 유형을 분류한 것이다. 이에 대한 옳은 설명을 〈보기〉에서 고른 것은?

구분	공식적 사회화 기관	비공식적 사회화 기관
1차적 사회화 기관	(가)	(나)
2차적 사회화 기관	(다)	(라)

┤ 보기 ├
ㄱ. (가)는 지식과 기능의 습득을 강조한다.
ㄴ. (나)에서는 전문적인 사회화가 진행된다.
ㄷ. 학교나 직업 훈련소는 (다)에 해당한다.
ㄹ. 재사회화는 (다), (라) 모두에서 진행될 수 있다.

① ㄱ, ㄴ   ② ㄱ, ㄷ   ③ ㄴ, ㄷ
④ ㄴ, ㄹ   ⑤ ㄷ, ㄹ

3 사회적 지위와 역할

11 밑줄 친 ㉠~㉑에 대한 설명으로 옳지 <u>않은</u> 것은?

> ㉠ 직업 군인이었던 갑은 지난 1월 정년퇴직을 하였다. 갑은 군 생활 동안의 노고를 인정받아 국가로부터 ㉡ ○○훈장을 받았다. 퇴직 후 갑은 ㉢ 지역 문화 센터에서 평소 관심이 있었던 드럼을 배우며, 인터넷을 통해 만난 사람들과 ㉣ 음악 봉사 동아리를 만들어 정기적으로 ㉤ 다양한 곳에서 봉사 활동을 하고 있다. 또한, ㉥ 자녀들과 함께 여행을 다니면서 추억을 쌓고 있다.

① ㉡은 갑의 역할에 대한 보상이다.
② ㉢은 2차적 사회화 기관이다.
③ ㉣은 비공식적 사회화 기관이다.
④ ㉤은 갑의 역할 행동이다.
⑤ ㉥은 ㉠과 달리 귀속 지위이다.

12 (가)~(다)에 해당하는 사회학적 개념으로 옳은 것은?

> <u>(가)</u> (이)란 자신이 갖고 있는 위치에 따라 사회적으로 기대하는 행동 양식을 의미한다. 그런데 개인에 따라 <u>(가)</u> 을/를 인식하고 행동으로 옮기는 방식이 다를 수 있다. 이처럼 개인이 <u>(가)</u> 을/를 실제로 수행하는 방식을 <u>(나)</u> (이)라고 한다. 개인은 자신의 <u>(나)</u> 에 따라 보상 또는 제재를 받게 되는데, 한 개인이 동시에 두 가지 이상의 서로 다른 지위에 따른 <u>(가)</u> 을/를 수행하고자 할 때 <u>(가)</u> 간에 충돌이 발생할 수 있다. 이것을 <u>(다)</u> (이)라고 한다.

	(가)	(나)	(다)
①	지위	역할 행동	역할 갈등
②	역할	역할 행동	역할 갈등
③	역할	역할 행동	역할 긴장
④	역할	역할 갈등	역할 행동
⑤	역할 행동	지위	역할

13 다음 두 사례에 대한 옳은 분석을 〈보기〉에서 고른 것은?

> • 평범한 집의 차남으로 태어난 갑은 공무원 시험을 준비할지 회사를 창업할지 고민하다가 모바일 앱 개발 회사를 창업하였다. 갑은 회사를 큰 규모로 성장시켰고, 정부로부터 기업인상을 받았다.
> • 의사인 을은 병원을 그만두고 남편, 딸과 함께 아프리카로 떠나 난민을 위한 구호 활동에 전념하였다. 난민에 대한 헌신을 인정한 국제기구는 을에게 평화상을 제안했으나, 을은 자신은 상을 받을 만한 자격이 없다며 수상을 거부하였다.

┤ 보기 ├
ㄱ. 갑은 을과 달리 역할 갈등을 경험하였다.
ㄴ. 갑은 2차적 사회화 기관이자 비공식적 사회화 기관의 구성원이다.
ㄷ. 을은 역할에 대한 보상을 거부하였다.
ㄹ. 갑, 을 모두 성취 지위를 가지고 있다.

① ㄱ, ㄴ ② ㄱ, ㄷ ③ ㄴ, ㄷ
④ ㄴ, ㄹ ⑤ ㄷ, ㄹ

14 밑줄 친 ㉠~㉥에 대한 설명으로 옳은 것은?

> 갑은 고등학교 ㉠ 교사이다. 갑의 ㉡ 아들은 올해 갑이 재직 중인 고등학교에 ㉢ 신입생으로 입학하게 되었다. 갑의 아들은 집에서는 갑에게 편하게 대하지만, 학교에서는 ㉣ 공손하게 인사를 하고 높임말을 사용한다. 하루는 갑의 아들이 학교에 ㉤ 지각을 하게 되었고, 갑은 아들에게 ㉥ 벌점을 부과하였다.

① ㉠과 ㉡은 선천적으로 주어지는 귀속 지위에 해당한다.
② ㉡은 ㉢과 달리 후천적 노력에 의해 주어지는 성취 지위에 해당한다.
③ ㉣은 ㉢이라는 지위에 따른 역할 행동에 해당한다.
④ ㉥은 갑의 아들이 제대로 역할을 수행하지 못해 받은 제재에 해당한다.
⑤ ㉥은 갑이 가진 하나의 지위에 서로 다른 역할이 요구되는 역할 긴장이다.

15 다음 글을 통해 알 수 있는 사회 구조의 특성을 쓰시오.

> 우리나라에서는 식사할 때 어른이 먼저 숟가락을 든 후 식사를 하는 것이 예의에 어긋나지 않는 행동이다. 또한, 전화를 끊을 때도 어른이 먼저 끊을 때까지 기다리는 것이 예의 바른 행동이다. 이러한 기본적 예의에 어긋나는 행동을 하면 주변 사람들에게 좋지 못한 평가를 들을 수 있다.

16 다음 글을 읽고 물음에 답하시오.

> 한 개인이 그가 속한 사회에서 요구하는 행동 양식과 지식, 기능, 가치, 규범 등을 배우는 과정을 사회화라고 한다. 사회화의 유형 중 ____(가)____ 은/는 사회 변화에 적응하기 위해 새롭게 등장한 정보나 가치 등을 습득하는 과정을 의미하며, ____(나)____ 은/는 미래에 속하게 될 집단에서 요구되는 행동 양식을 미리 학습하는 과정을 의미한다.

(1) (가), (나)에 해당하는 사회학적 개념을 쓰시오.

(2) (가), (나)의 사례를 각각 서술하시오.

17 (가), (나)에 해당하는 사회학적 개념을 쓰시오.

> ____(가)____ 은/는 사회적 신분을 구성하는 중요한 요소로서, 개인의 자질이나 재능의 차이와 상관없이 태어나면서부터 또는 일정 연령에 도달한 때부터 결정되는 지위를 의미한다. 반면, ____(나)____ 은/는 개인의 노력이나 경쟁을 통해 얻어진 사회적 지위를 의미하는데, 오늘날 현대 사회에서는 ____(가)____ 보다 ____(나)____ 의 중요성이 크다.

18 다음 글을 읽고 물음에 답하시오.

개인과 사회의 관계를 바라보는 관점	
(가)	(나)
개인의 사고를 가능하게 하는 것은 결코 그 사람 자신이 아니라 사회적 공동체이다. 개인이 사고하는 원천은 개인 안에 있지 않고, 그가 살아가는 사회적 환경과 분위기의 영향을 크게 받는다.	사회는 서로 일정한 상호 작용을 하는 개인들 간의 복합적인 관계망으로 구성된다. 모든 사회 현상에 관한 참다운 이론은 개인의 본성과 그들 간의 상호 작용 형식을 밝힘으로써 가능해진다.

(1) (가)의 특징을 두 가지 서술하시오.

(2) (나)의 특징을 두 가지 서술하시오.

(3) (가), (나)의 한계점을 각각 서술하시오.

19 빈칸에 들어갈 사회적 개념을 쓰고, 그 해결 방안을 개인적 차원과 사회적 차원으로 구분하여 서술하시오.

> 둘 이상의 지위에 대해 각각의 역할이 동시에 요구되어 역할들 사이에 충돌이 발생하는 경우 어떤 역할을 우선해야 할지를 두고 심리적 갈등을 겪게 되는데, 이를 (   )(이)라고 한다.

| 수능 기출 |

01 개인과 사회의 관계를 바라보는 관점 (가), (나)에 대한 옳은 설명을 〈보기〉에서 고른 것은?

> ┌─ (가) ─┐ 에 따르면 결혼, 가족, 종교의 본질은 해당 제도에 대응되는 개인적 욕구인 성적 욕구, 부모의 애정, 종교적 본능 등으로 구성된 것이다. 이 경우 개인의 정신 상태가 유일하게 관찰 가능한 대상이 된다. 그러나 제도란 그 자체로 다양하고 복합적인 역사적 맥락을 가지며 개인의 의식 외부에 실체로서 존재하는 것이다. 실체가 존재하지 않는다면 사회학은 그 자체의 연구 대상을 가질 수가 없기에, ┌─ (나) ─┐ 을 바탕으로 할 때 사회학이 연구 대상을 가지게 된다.

┤ 보기 ├
ㄱ. (가)는 사회가 개인들의 속성으로 환원될 수 없다고 본다.
ㄴ. (가)는 사회가 개인의 자율적인 의지에 의해 형성된다고 본다.
ㄷ. (나)는 개인이 사회 속에서만 존재 의미를 갖는다고 본다.
ㄹ. (나)는 개인들이 옳다고 믿기 때문에 사회 규범이 존재한다고 본다.

① ㄱ, ㄴ ② ㄱ, ㄷ ③ ㄴ, ㄷ
④ ㄴ, ㄹ ⑤ ㄷ, ㄹ

02 다음 글에 나타난 개인과 사회의 관계를 바라보는 관점에 대한 설명으로 옳은 것은?

> 사회 이전의 자연 상태에서 각 개인은 평등하게 소유의 권리를 누린다. 그러면 왜 사람들은 사회를 형성하는가? 자연 상태에서는 자연법의 집행권, 곧 자연법의 위반자를 처벌할 수 있는 권리가 각 개인의 손에 위임된다. 그래서 자연 상태에서는 소유권의 보호는 매우 불확실하고 타인의 침해를 받을 우려가 있다. 이 때문에 사람들은 소유권의 보존을 위해 서로 결합하여 사회와 국가를 형성하게 된다.

① 사회는 외재성과 독자성을 지닌다.
② 사회 전체의 이익이 사적 이익에 우선한다.
③ 개인은 사회 유기체를 떠나서는 존재할 수 없다.
④ 사회 현상은 결국 개인의 심리 현상으로 환원된다.
⑤ 사회 현상을 분석할 때는 사회 구조나 제도를 우선적으로 이해해야 한다.

| 평가원 응용 |

03 (가), (나)에 나타난 개인과 사회의 관계를 바라보는 관점에 대한 옳은 설명을 〈보기〉에서 고른 것은?

> (가) 대학의 강의는 참여하는 구성원 개인의 특성에 따라 결정된다. 강의의 질은 교수의 능력에 따라 결정되며, 강의에 대한 평가도 학생들의 개인적 반응에 근거하여 이루어진다.
> (나) 대학의 강의에는 교수와 학생 간에 권력 구조가 존재하며, 교수가 학생들의 학업 정도에 따라 성적을 부여하는 평가 시스템이 존재한다. 또한, 강의실에는 수업 시간 준수와 같이 교수와 학생이 따라야 하는 행동 규칙이 작용한다.

┤ 보기 ├
ㄱ. (가) - 개인의 속성이 사회의 속성을 결정한다.
ㄴ. (가) - 사회는 개인의 삶을 규제하고 구속한다.
ㄷ. (나) - 사회는 개인과 달리 영속성을 가진 존재이다.
ㄹ. (나) - 행위 주체인 개인의 이익이 사회 전체의 이익이다.

① ㄱ, ㄴ ② ㄱ, ㄷ ③ ㄴ, ㄷ
④ ㄴ, ㄹ ⑤ ㄷ, ㄹ

04 개인과 사회의 관계를 바라보는 갑, 을의 관점에 대한 설명으로 옳은 것은?

> 사장 회사 실적을 높이기 위해 어떤 변화가 필요할까요?
> 갑 무엇보다 직원 개개인의 능력을 높여야 합니다. 또한, 변화가 필요한 곳에 능력이 뛰어난 사람을 우선적으로 배치한다면 좋은 성과를 낼 수 있습니다.
> 을 아무리 능력이 뛰어난 직원도 현재의 조직 문화 속에서는 좋은 성과를 낼 수 없습니다. 모두가 좋은 성과를 내고자 하는 동기를 부여하는 조직 문화를 되살리는 것이 더 시급합니다.

① 갑의 관점은 개인의 주체적·능동적 측면을 중시한다.
② 을의 관점은 사회 발전은 개개인의 발전을 가리키는 개념에 불과하다고 본다.
③ 갑의 관점은 을의 관점과 달리 사회를 개인의 단순한 집합체 그 이상으로 본다.
④ 을의 관점은 갑의 관점과 달리 사회 구조보다 개인에 초점을 두고 사회 현상을 이해한다.
⑤ 갑은 거시적 관점에서, 을은 미시적 관점에서 개인과 사회의 관계를 바라본다.

05 〈자료 2〉는 〈자료 1〉에 나타난 개인과 사회의 관계를 바라보는 관점에 대해 정리한 것이다. (가)~(라)에 들어갈 수 있는 내용으로 옳지 <u>않은</u> 것은?

〈자료 1〉
사회학의 중요한 관심은 사회적 사실을 연구하는 것이어야 한다. 이때 사회적 사실은 경제 상황이나 종교 규범과 같이 개별적인 인간 행위를 구속하는 사회적 측면들이다.

〈자료 2〉

구분	내용
기본 입장	(가)
관련 사례	(나)
장점	(다)
한계	(라)

① (가)-사회는 개인의 외부에 실제로 존재한다.

② (나)-좋은 국가에서는 나쁜 사람도 좋은 국민이 된다.

③ (나)-각자가 일회용품 소비를 조금씩 줄이면, 환경 파괴는 그만큼 줄어든다.

④ (다)-사회가 개인의 행동에 어떠한 영향을 미치는지 잘 설명할 수 있다.

⑤ (라)-능동적인 존재로서의 개인을 간과한다는 비판을 받는다.

06 그림은 사회화 기관 A~C를 질문에 따라 구분한 것이다. A~C에 해당하는 사례로 옳은 것은?

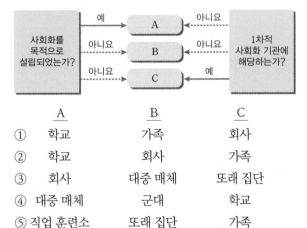

	A	B	C
①	학교	가족	회사
②	학교	회사	가족
③	회사	대중 매체	또래 집단
④	대중 매체	군대	학교
⑤	직업 훈련소	또래 집단	가족

| 수능 기출 |

07 ㉠, ㉡에 해당하는 사회화 기관에 대한 설명으로 옳은 것은?

인간이 개인적 존재에서 사회적 존재로 성장하는 데 영향을 주는 사회적 관계 또는 장소를 사회화 기관이라고 한다. 사회화 기관을 목적에 따라 분류할 때, ㉠ 은 사회화를 목적으로 설립하여 체계적으로 사회화를 수행하는 기관을 의미하고, ㉡ 은 본연의 목적이 따로 있으나 부수적으로 사회화 기능을 담당하는 기관을 의미한다.

① ㉠은 1차적 사회화 기관이다.

② ㉡에는 또래 집단과 대중 매체가 해당된다.

③ ㉠은 ㉡과 달리 성인기의 재사회화를 담당한다.

④ ㉠은 ㉡과 달리 정서적인 부분의 사회화를 담당한다.

⑤ ㉡은 ㉠과 달리 전문적 사회화를 담당한다.

| 수능 응용 |

08 사회화 기관 A~C에 대한 옳은 설명을 〈보기〉에서 고른 것은?

전통 사회에서는 한 개인이 출생을 통해 소속되는 A 이/가 개인의 사회적 신분을 결정하고 그에 따른 역할과 규범을 학습시켰다. 현대 사회에서도 A 이/가 위치한 사회적 계층에 따라 사회화의 차이가 존재한다. 아동은 비슷한 연령의 타인과 B 을/를 이루고, 상호 작용을 통해 자신들만의 사회적 규칙을 만드는 등 교환과 협동의 경험을 한다. 한편 C 은/는 공식적 사회화를 통해 아동에게 지식과 기술, 가치와 태도 등을 가르쳐 그들을 더 큰 사회로 인도한다.

| 보기 |

ㄱ. A는 B와 달리 비공식적 사회화 기관이다.

ㄴ. B에서는 주로 전문적인 내용의 사회화가 이루어진다.

ㄷ. 직업 훈련소와 C는 공식적 사회화 기관에 해당한다.

ㄹ. A, B는 1차적 사회화 기관, C는 2차적 사회화 기관이다.

① ㄱ, ㄴ   ② ㄱ, ㄷ   ③ ㄴ, ㄷ

④ ㄴ, ㄹ   ⑤ ㄷ, ㄹ

| 수능 기출 |

09 밑줄 친 ⑤~◉에 대한 설명으로 옳은 것은?

유명 연예인인 어머니의 반대에도 불구하고, 배우가 되고 싶었던 갑은 ⑤ 연예인 2세라는 것을 숨기고 ⑥ A 인터넷 쇼핑몰에서 모델로 일하며 ⑥ 연기 학원에서 연기와 노래를 배우고 있었다. 갑은 스스로 인지도를 높이기 위해 ② 시청자 평가단의 투표 결과에 따라 ⑩ 가수 데뷔가 결정되는 ⑥ TV 프로그램에 지원하여 치열한 경쟁 과정을 통해 가수로 데뷔하였다. 인기가 높아지자 갑은 가수로 계속 활동해야 할지 가수를 그만두고 원래 계획했던 대로 배우로 전향해야 할지 ◉ 고민이다.

① ⑤, ⑩ 모두 개인의 능력과 노력에 의해 획득한 지위이다.

② ⑥은 비공식적 사회화 기관, ⑥은 2차적 사회화 기관이다.

③ ②은 갑의 외집단이자 준거 집단이다.

④ ⑥은 재사회화에 해당한다.

⑤ ◉은 갑의 역할 갈등에 해당한다.

| 평가원 기출 |

10 밑줄 친 ⑤~⑩에 대한 설명으로 옳은 것은?

최근 아나운서 출신 갑이 언론의 주목을 받고 있다. 갑은 어린 시절부터 꿈꾸어 왔던 아나운서가 되기 위해 ⑤ ○○방송사에 입사한 후 다양한 프로그램에서 종횡무진으로 활동하였다. 이후 갑은 ⑥ 더 큰 무대로 진출할 것인지 안정된 직장을 선택할 것인지 고민하다가 ○○방송사를 그만두며 프리랜서를 선언하고 ⑥ 연기자가 되었다. 이후 비교적 짧은 기간에 여러 편의 드라마에 출연하는 등 ② 대중의 인기를 얻었으나, 해외에서 어려운 아이들을 돕는 프로그램에 참여한 것을 계기로 △△국의 빈민 지역으로 이주하여 현재 ⑩ 자원봉사자로 활동하고 있다.

① ⑤은 갑의 내집단이자 준거 집단이다.

② ⑥은 갑이 겪었던 역할 갈등이다.

③ ⑥이 되기 위해 갑은 ⑤에서 재사회화를 경험하였다.

④ ②은 ⑥으로서의 갑의 역할에 대한 보상이다.

⑤ ⑩은 갑의 성취 지위이다.

| 평가원 응용 |

11 밑줄 친 ⑤~⑥에 대한 옳은 설명을 〈보기〉에서 고른 것은?

가난한 집안의 ⑤ 장남인 갑은 원하던 ⑥ 회사에 합격해 입사 전 ⑥ 신입 사원 연수를 받았다. 입사 이후 회사 생활에 회의를 느낀 갑은 회사를 계속 다닐지 창업을 할지 ② 고민하다가, 동료와 함께 창업 후 ⑩ 경영인상을 수상하는 등 기업의 ⑥ 대표로서 승승장구하고 있다.

| 보기 |

ㄱ. ⑤, ⑥은 모두 갑의 후천적 노력에 의해 획득한 지위이다.

ㄴ. ⑥은 ⑩과 달리 갑의 역할 행동에 대한 보상이다.

ㄷ. ⑥은 갑의 예기 사회화에 해당한다.

ㄹ. ②은 갑의 역할 갈등으로 볼 수 없다.

① ㄱ, ㄴ   ② ㄱ, ㄷ   ③ ㄴ, ㄷ

④ ㄴ, ㄹ   ⑤ ㄷ, ㄹ

| 평가원 응용 |

12 밑줄 친 ⑤~◉에 대한 설명으로 옳은 것은?

갑은 ⑤ 아버지의 권유로 ⑥ 직업 훈련소에서 기술을 배웠다. ⑥ 회사에 입사한 후, ② 야간 대학에서 만난 ⑩ 아내와 결혼하여 맞벌이를 하고 있다. 갑은 해외 지사 근무를 꿈꾸며 외국어 공부를 하였다. 최근 갑은 다른 회사로부터 ⑥ 해외 지사 근무를 조건으로 한 영입을 제안 받았다. 갑은 국내에 남으라는 어머니와 해외로 떠나라는 아버지 사이에서 누구의 의견을 따라야 할지 ◉ 고민에 빠져 있다.

① ⑤은 ⑩과 달리 귀속 지위이다.

② ⑥은 ⑥과 달리 2차적 사회화 기관이다.

③ ⑥, ②은 공식적 사회화 기관, ⑥은 비공식적 사회화 기관이다.

④ ⑥은 갑의 역할 행동이다.

⑤ ◉은 갑의 서로 다른 지위 사이에서 발생하는 역할 갈등이다.

02 사회 집단과 사회 조직

1 사회 집단의 의미와 유형

1. 사회 집단의 의미

(1) **사회 집단** 같은 집단의 구성원이라는 정체성을 가지고 지속적으로 상호 작용하는 사람들의 무리

(2) **사회 집단의 성립 요건** 둘 이상의 사람, 구성원들의 지속적인 상호 작용, 집단에 대한 소속감

(3) **사회 집단의 기능[1]** — 중요 개인의 자아 정체성 형성에 큰 영향을 미친다.

① 자신이 속한 집단이 지향하는 가치와 규범을 습득하고 내면화하도록 함.

② 다른 구성원과 사회적 관계를 맺으면서 사회적 존재로 성장하게 함.

2. 사회 집단의 유형

(1) **1차 집단과 2차 집단** 구성원 간의 접촉 방식과 친밀도에 따른 분류 자료01

구분	1차 집단[2]	2차 집단[3]
의미	구성원들이 장기간 직접 접촉하며 친밀한 관계를 형성하는 전인격적인 집단	구성원들이 간접적이고 부분적으로 접촉하며 상호 친밀감이 약한 집단
특징	• 규모가 작고, 개인의 자아 및 정체성 형성에 큰 영향을 줌. • 구성원 간의 인간관계 그 자체를 목적으로 함.	• 규모가 크고, 특정 이익이나 목적을 달성하기 위해 형성됨. • 구성원 간의 인간관계가 수단적이고 형식적임.
사례	가족, 또래 집단 등	회사, 학교, 정당 등

(2) **공동 사회와 이익 사회[4]** 구성원의 결합 의지에 따른 분류 자료02

구분	공동 사회(공동체)	이익 사회(결사체)
의미	본질적이고 자연적인 의지에 따라 자연 발생적으로 형성된 집단	합리적이고 선택적인 의지에 따라 특정 목적을 위해 의도적으로 만들어진 사회 집단
특징	• 결합 자체가 목적임. • 구성원 간의 관계가 친밀하고 정서적임. • 상호 신뢰와 협동심이 강함.	• 결합은 특정 목적을 달성하기 위한 수단임. • 공식적인 계약과 규칙에 따라 운영됨. • 타산적·목표 지향적 인간관계가 나타남.
사례	가족, 친족, 전통적인 촌락 공동체 등	회사, 학교, 정당 등

(3) **내집단과 외집단[5]** 구성원의 소속감에 따른 분류 — 주의! 내집단과 외집단의 경계와 범위는 상황에 따라 달라질 수 있다.

구분	내집단[6]	외집단
의미	개인이 소속되어 있으며 소속감을 느끼고 있는 집단	개인이 소속되어 있지 않으면서 소속감을 느끼지 못하는 집단
특징	• '우리'라는 강한 동질감을 갖고 서로에 대해 동료애와 유대감을 느낌. • '우리 집단'으로 불림. • 자아 정체성 형성, 사회생활과 관련된 판단과 행동의 기준을 학습	• 우리와는 다른 타자들의 집단으로 여겨지며 이질감을 넘어 경쟁이나 적대감의 대상이 됨. • '그들 집단'으로 불림.

(4) **준거 집단[7]** 자료03

① **의미** 다양한 사회 집단 중에서 한 개인이 자신의 행동과 판단의 기준으로 삼는 집단

② **영향** 개인에게 생각이나 행동의 옳고 그름을 판단하는 지침 제공 → 개인의 인생관과 행복감 형성에 매우 커다란 영향을 미침.

③ **특징** 준거 집단과 소속 집단이 일치하면 만족감이 높아지지만, 일치하지 않으면 불만을 갖거나 상대적 박탈감을 느낄 수 있음.[8]

주의! 소속 집단과 준거 집단이 불일치할 경우 부정적인 기능만 수행하는 것은 아니다. 준거 집단의 일원이 되기 위하여 열심히 노력하는 동기를 부여하기도 한다.

고득점을 위한 셀파 Tip

• **사회 집단의 유형 분류**

접촉 방식과 친밀도	1차 집단, 2차 집단
결합 의지	공동 사회, 이익 사회
소속감	내집단, 외집단

[1] 사회 집단이 미치는 영향
개인이 어떤 사회 집단과 어떠한 관계를 맺느냐에 따라 자아와 인성이 다르게 형성될 수 있고, 사회 집단 내에서 개인 간, 사회 집단 간의 상호 작용은 개인의 삶은 물론 사회를 움직이는 힘으로 작용할 수 있다.

[2] 1차 집단
개인의 정체성과 인격 형성에 원초적인 역할을 하여 원초 집단이라고도 한다.

[3] 2차 집단
현대 사회가 전문화되고 복잡해지면서 2차 집단의 수가 증가하고 있으며, 개인 생활에 미치는 영향력도 커지고 있다.

[4] 공동 사회와 이익 사회
전통적인 농촌 지역 사회는 공동 사회적 성격이 강하고, 도시 지역 사회는 이익 사회적 성격이 강하다.
오늘날 산업화와 도시화로 공동 사회보다 이익 사회의 비중이나 역할이 증대되고 있다.

[5] 내집단과 외집단의 구분
내집단과 외집단은 상황에 따라 달라질 수 있다. 학급별 경기를 할 때 다른 학급은 외집단이 되지만, 학교 대항별 경기를 할 때에는 다른 학급을 모두 포함하는 우리 학교가 내집단이 되기도 한다.

[6] 내집단 의식
내집단에 대한 강한 정체감은 집단이 발전하고 위기를 극복하는 원천이 될 수 있다. 하지만 외집단에 대한 부정적이고 배타적인 태도로 이어질 경우, 사회 통합을 저해할 수 있다.

[7] 준거 집단의 개수
한 사람에게는 여러 개의 준거 집단이 동시에 존재할 수 있다.

[8] 소속 집단과 준거 집단
소속 집단과 준거 집단이 같으면 개인은 만족감과 안정감을 얻고, 적극적인 공동체 의식이 형성된다. 그러나 소속감과 준거 집단이 다를 경우 상대적 박탈감을 느끼기도 하고, 소속 집단에 대한 불만과 비협조적인 태도를 보이기도 한다. 더 나아가 소속 집단을 변경하여 준거 집단과의 일치를 추구하기도 한다.

자료 01 1차 집단 같은 2차 집단

무역 회사에 다니는 갑은 업무를 모두 마친 후 같은 회사에 다니는 사람들끼리 모여 밴드 음악 연습을 한다. 이들은 회사 내에서 밴드 동아리를 결성하여 점심시간이나 퇴근 후에 만나서 각자의 악기를 연습한다. 하지만 만나면 악기 연습만 하는 것이 아니라 일에 대한 담소도 나누고, 한 달에 한 번씩은 동아리 회원들끼리 등산을 하러 가기도 한다. 회원에게 경조사가 생기면 모두 모여 자기 일처럼 도와준다.

자료 분석 | 사회 집단 중에는 원래 2차 집단으로 형성되었지만, 점차 1차 집단의 성격을 갖게 되는 경우가 있다. 직장인 밴드 동아리는 밴드 음악 연습을 위해 결성한 것이므로 2차 집단에 해당하지만, 동아리 활동을 하면서 서로에 대한 이해와 신뢰가 높아져 구성원들 간에 친밀한 감정과 유대감이 형성되어 1차 집단과 유사한 관계가 나타나게 된다.

자료 02 사회 집단의 구분

〈사례 1〉

우리 동네 상가 번영회의 회원들은 상가 문을 닫으면 매일 저녁 회원 중 한 사람의 가게에 모여 일과에 대해 담소를 나누고 상가 발전을 위한 협의를 한다. 한 달에 한 번 상가가 쉬는 날이면 회원들끼리 등산이나 여행을 가기도 하고, 회원에게 경조사가 생기면 모두 모여 자기 일처럼 열심히 도와준다.

〈사례 2〉

국내에서 연예인으로 활동하는 을은 재미 교포 3세로 법적으로는 미국인이다. 그러나 한민족으로서의 자부심을 품고 있으며, 병역 의무도 이행하고자 한다. 을은 미국 국적을 포기하고 한국 국적을 취득한 후 자원입대할 예정이다.

자료 분석 | 〈사례 1〉의 상가 번영회는 후천적이고 인위적인 결합으로 이익 사회에 해당한다. 반면, 〈사례 2〉의 한민족은 본질적이고 자연적인 의지로 형성된 공동 사회에 해당한다. 상가 번영회는 일반적인 이익 사회와 달리 구성원들 사이가 친밀하고, 정서적 인간관계를 공유하고 있으나, 결합 의지의 측면에서 이익 사회에 해당한다. 이익 사회와 공동 사회의 구분 기준은 결합 의지라는 점을 명심해야 한다.

자료 03 준거 집단이 미치는 영향

〈사례 1〉

의과 대학에 진학하고 싶었던 병은 수능 시험 점수가 좋지 못해 의학 전문 대학원에 진학하기 위해 생물학과에 진학하였다. 대학 생활 내내 학과 공부를 열심히 하고, 과 내 스터디 모임도 만들어서 대학원 준비를 하였다. 하지만 대학원 시험에 번번이 합격하지 못하여 회사에 취업했다. 병은 대학원에 진학한 다른 친구들과 자신의 모습이 비교되면서 회사 생활에 만족하지 못하고 있다.

〈사례 2〉

학년 초가 되면 각 지역의 고등학교에서는 3학년 학생들 중 희망자를 모아 대학 탐방을 실시한다. 3학년 학생들이 자신이 일 년 뒤에 가고자 하는 대학을 직접 가보는 것이다. 이들은 교정에서 접하는 대학 선배들의 모습을 보고 자신과 동일시하며, 진학에 대한 결의를 다진다.

자료 분석 | 준거 집단은 개인이 행동의 지침 혹은 기준으로 삼는 집단으로서, 자신의 소속 집단과 일치하는 경우도 있으나 그렇지 않을 수도 있다. 〈사례 1〉에서는 준거 집단이 소속 집단이 아닌 경우, 심리적 긴장이나 불만을 유발하는 부정적인 기능을 보여 주고 있다. 하지만 준거 집단이 소속 집단이 아닌 경우에, 준거 집단은 개인에게 적극적인 의지나 만족감을 심어주는 긍정적인 기능을 하기도 한다. 〈사례 2〉와 같이 해당 준거 집단에 속하기 위하여 노력하는 계기로 작용할 수 있다.

기출 선택지 ○, ×로 정리하기

1 공동 사회는 구성원의 의도와 무관하게 형성된 집단이다.
(○ , ×)

2 사회 집단의 유형은 선택적 의지에 바탕을 둔 공동 사회와 본질적 의지에 바탕을 둔 이익 사회로 구분할 수 있다.
(○ , ×)

3 갑의 소속 집단은 대학, 동문회, 스터디 모임이다. 이는 모두 공동 사회에 해당한다.
(○ , ×)

4 가족은 1차 집단이자 공동 사회에 해당한다.
(○ , ×)

5 사회 집단의 유형은 소속감을 기준으로 소속감이 있는 1차 집단과 그렇지 않은 2차 집단으로 구분할 수 있다.
(○ , ×)

6 2차 집단에서는 1차 집단과 달리 구성원에 대한 공식적 통제가 일반적이다.
(○ , ×)

7 2차 집단에 해당하는 집단은 모두 이익 사회에 해당한다.
(○ , ×)

8 자신이 소속된 집단은 모두 내집단이다.
(○ , ×)

9 소속된 기획사의 봉사 동아리와 ○○방송국은 연예인 갑의 내집단이다.
(○ , ×)

10 내집단과 외집단 간의 갈등은 내집단 안에서의 결속을 강화시킬 수 있다.
(○ , ×)

11 을은 직장 생활에 만족하지 못하고 요리사의 꿈을 실현하고자 퇴근 후 요리 학원을 다닌다. 을은 소속 집단과 준거 집단이 일치하지 않고 있다.
(○ , ×)

정답 1 ○ 2 × 3 × 4 ○ 5 × 6 ○
7 ○ 8 × 9 × 10 ○ 11 ○

2 사회 조직의 의미와 유형

1. 사회 조직 ^⑨ 자료 **04**

(1) **의미** 특정 **목적**을 달성하기 위해 비교적 분명한 **위계와 절차**에 따라 소속감을 느끼고 집합적인 활동에 참여하는 사람들의 결합

(2) **특성** 분명한 목적, 엄격한 규칙과 규범, 다른 사회 조직과의 뚜렷한 경계, 전문화 및 체계화된 구성원의 지위와 역할, 조직 내 개인은 구조화된 상호 작용을 하며 형식적이고 수단적인 관계를 맺음.

┌ **주의!** 일반적으로 사회 조직은 공식 조직을 의미한다.

중요 비공식 조직의 목표를 공식 조직의 목표보다 우선시하면 공식 조직의 업무 수행의 효율성 저해, 개인적 친분이 공식 조직의 업무나 인사에 부정적 영향을 미칠 수 있다.

2. 공식 조직과 비공식 조직

구분	공식 조직	비공식 조직^⑩
의미	특정 목적을 달성하기 위해 의도적으로 만들어진 조직	공식 조직 내에서 구성원들이 **친밀한 인간관계**를 바탕으로 서로 상호 작용을 하며 형성된 조직
특징	• 명확한 규칙 및 절차를 가지고 있음. • 수단적이며 공식적인 관계 형성	• 공식 조직에서의 긴장감을 줄임. • 공식 업무와 관련된 문제를 수월하게 해결
사례	학교, 병원, 회사 등	회사 내에 만들어진 동창회, 향우회, 동호회 등

3. 자발적 결사체^⑪
중요 현대 사회가 다원화되어 직업, 계층, 관심 등이 다양해지고 사회 참여 욕구가 증대되면서 자발적 결사체의 역할이 커지고 있다.

의미	공동의 관심사나 이해관계를 가진 사람들이 공동의 목표를 달성하기 위하여 자발적으로 형성한 조직
특징	자발적 참여를 통한 운영, 자유로운 가입과 탈퇴, 유연하고 융통성 있는 조직 운영, 조직 목표에 대한 구성원들의 신념이 뚜렷하고 조직 활동에 적극적으로 참여함.
장점	사회의 다원화에 기여, 구성원에게 정서적 만족감을 줌. 자아실현의 기회 제공
단점	배타적이거나 자기 집단의 이익만을 추구할 경우 사회 통합을 저해할 수 있음.
종류	친목 집단, 이익 집단, 시민 단체 등

4. 관료제 조직^⑫ 자료 **05**
분석 관료제는 수직적으로는 계층화, 수평적으로는 기능상 분업 체계를 이루고 있는 조직 운영 방식이다.

의미	특정 목표를 달성하기 위해 구성원의 역할을 명확하게 구분하고 공식적인 규칙과 규정에 따라 운영하는 대규모 위계 조직
특징	분화되고 전문화된 업무, 권한과 책임에 따른 지위의 위계 서열화, 규칙과 절차에 따른 업무 수행, 전문성을 기준으로 구성원 선발, 연공서열^⑬에 따른 보상과 승진
문제점	인간 소외 현상, 자율성과 창의성 저해, 목적 전치 현상, 권력의 독점과 남용, 무사안일주의^⑭

5. 탈관료제 조직
분석 관료제 조직은 대규모 조직에는 적합하지만, 빠른 변화에 창의적이고 신속하게 대응하기 어렵다.

의미	관료제의 전형적인 문제점을 극복하기 위해 대안적으로 나타난 새로운 조직 형태
특징	조직의 수평화 및 네트워크화 **분석** 하의상달식(상향적) 의사소통이 활성화되며, 중간 관리층의 역할 비중이 감소한다.
유형	팀제 조직, 네트워크형 조직, 아메바형 조직 등 자료 **06**
장점	환경 변화에 유연한 대응, 효율적인 조직의 목표 달성, 개인의 **자율성과 창의성** 존중, 개인의 성취동기와 사기를 높일 수 있음.
단점	책임과 권한이 명확하게 구분되지 않음. 조직의 안정성 유지의 어려움.

---

⑨ 사회 집단과 사회 조직의 관계

모든 사회 조직은 사회 집단에 속하지만, 모든 사회 집단이 사회 조직인 것은 아니다.

⑩ 비공식 조직

비공식 조직은 공식 조직과 다른 목표를 지닌다. 또한, 비공식 조직에 속하는 사람들은 공식 조직에서와는 다른 지위와 역할을 지닐 수 있다. 예를 들어, 공식 조직에서 사원이더라도 비공식 조직에서는 회장일 수 있다.

⑪ 자발적 결사체의 형태

자발적 결사체는 공식 조직의 형태를 띨 수도 있고, 비공식 조직의 형태를 띨 수도 있다. 시민 단체나 이익 집단은 공식 조직이면서 자발적 결사체이고, 회사 내의 동호회는 비공식 조직이면서 자발적 결사체이다.

고득점을 위한 셀파 Tip

• 자발적 결사체의 종류

친목 집단	• 구성원의 취미나 친목에 관심을 두는 집단 • 동호회, 향우회 등
이익 집단	• 특정 집단의 이익을 증진하고자 하는 집단 • 노동조합, 각종 직능 단체(의사회, 변호사회, 약사회) 등
시민 단체	• 사회 문제 해결이나 사회 정의 등에 관심을 두는 집단 • 환경 단체, 소비자 단체 등

⑫ 관료제 조직의 병폐

• 피터의 원리: 조직 내에서 일하는 모든 사람은 스스로가 무능력해지는 수준에 도달할 때까지 승진하려고 하기 때문에 시간이 지남에 따라 조직은 임무를 제대로 수행하지 못하는 무능한 사람들로 채워지게 된다.

• 레드 테이프 현상: 업무를 일정한 양식과 절차에 따라 서면으로 처리하다 보면 결국 절차가 복잡하고 서류가 많아져 사무 처리가 지연된다.

• 파킨슨의 법칙: 공무원의 수는 업무의 양에 상관없이 증가하며, 출세와 승진을 위해서는 부하의 수가 많아야 하기 때문에 일자리 수가 늘어난다.

⑬ 연공서열

근속 연수나 나이가 늘어 감에 따라 지위나 임금이 올라가는 체계를 말한다.

⑭ 무사안일주의

창의적·능동적 업무 수행을 피하고, 피동적·소극적으로 현상을 유지하려는 행동 성향을 의미한다.

자료 04 사회 조직의 형성

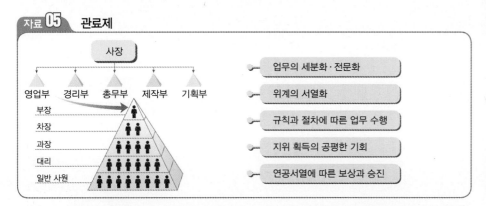

왼쪽에 제시된 자료는 어느 환경 보호 단체의 조직도이다. 이 단체는 사회 집단일까, 사회 조직일까? 답은 둘 다 맞다. 모든 사회 조직은 사회 집단이기도 하다. 사회 집단은 느슨한 형태나 혹은 복잡하고 정교한 형태의 사회 조직을 가질 수 있다. 사회 조직은 사회 집단을 바탕으로 형성되며, 뚜렷한 목표를 중심으로 지위와 역할이 구분된다. 제시된 환경 보호 단체는 단순한 동호회나 취미 활동 단체보다 복잡한 형태의 사회 조직이다.

자료 분석 | 사회 조직은 사회 집단이 좀 더 발전된 형태로 '조직화된 집단'이라고도 한다. 사회 조직은 공식적인 목표와 과업을 수행하기 위해 구성원들의 지위와 역할이 명백히 구분되고 전문화되어 있다. 또한, 사회 집단과는 달리 공식적인 규범이 확립되어 있어 구성원의 행동이 엄격히 제한된다.

자료 05 관료제

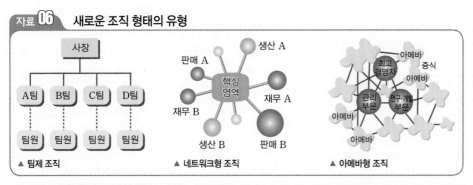

- 업무의 세분화 · 전문화
- 위계의 서열화
- 규칙과 절차에 따른 업무 수행
- 지위 획득의 공평한 기회
- 연공서열에 따른 보상과 승진

자료 분석 | 산업화, 도시화와 더불어 전문적인 분업화를 통해 조직 내의 활동을 합리적으로 조정하도록 고안된 조직 형태를 관료제라 한다. 이러한 관료제 조직은 현대 사회의 기업이나 정부 조직 등 사회 전체에 일반적인 조직 형태로 자리 잡게 되었다. 관료제 조직의 특징을 살펴보면 첫째, 업무가 세분화 · 전문화되어 부서별로 하는 일이 뚜렷하게 구별되어 있다. 이에 따라 업무 수행의 효율성을 높일 수 있다. 둘째, 위계 서열화로 지위에 따라 권한과 책임이 명확하게 규정되어 있다. 셋째, 규칙과 절차에 따라 업무가 수행된다. 특정 직위에 따른 업무와 업무 수행 절차가 문서로 표준화되어 구성원이 바뀌어도 조직의 안정성을 유지할 수 있다. 또한, 자의적 의사 결정을 방지하고 업무 처리의 공정성을 확보할 수 있다. 넷째, 전문성을 기준으로 구성원을 선발하여 지위를 획득하는 데 공평한 기회가 주어진다. 다섯째, 연공서열에 따라 보상과 승진이 제공되어 구성원이 안정적으로 일할 수 있는 기반이 된다.

자료 06 새로운 조직 형태의 유형

▲ 팀제 조직 ▲ 네트워크형 조직 ▲ 아메바형 조직

자료 분석 | 팀제 조직은 특정한 과업을 수행하기 위해 전문가로 팀을 조직하여 과업을 수행하는 임시적인 조직 형태이다. 네트워크형 조직은 독립성과 자율성을 가진 부서나 업무 단위체가 상호 유기적인 관계를 유지하면서 수평적 의사소통 관계로 형성된 조직이다. 아메바형 조직은 외부 환경에 능동적으로 대처하기 위해 조직의 형태를 특정하게 고정하지 않고 과업이나 목표에 따라 수시로 바꾸는 유연한 조직 형태이다.

1 시민 단체는 자발적 결사체이자 공식 조직에 해당한다.
(○ , ×)

2 대학 내 야구 동아리는 비공식 조직에 해당한다.
(○ , ×)

3 프로야구 팬클럽은 비공식 조직이자 자발적 결사체에 해당한다.
(○ , ×)

4 비공식 조직은 공식 조직을 전제로 하는 자발적 결사체이다.
(○ , ×)

5 자발적 결사체는 공통의 이해관계와 관심을 가진 사람들이 자발적으로 만든 집단이다.
(○ , ×)

6 자발적 결사체는 가입과 탈퇴가 비교적 자유롭다.
(○ , ×)

7 자발적 결사체는 조직의 목표보다는 규칙과 절차가 중시된다.
(○ , ×)

8 관료제는 피라미드 모양처럼 짜여 있으며, 위에서 아래로 명령이 연쇄적으로 전달된다.
(○ , ×)

9 관료제는 탈관료제에 비해 업적에 따른 보상을 더 중시한다.
(○ , ×)

10 관료제와 탈관료제 모두 조직 운영의 효율성을 추구한다.
(○ , ×)

11 관료제는 외부 환경 변화에 유연하게 대처하기가 용이하다.
(○ , ×)

12 탈관료제 조직은 관료제 조직에 비해 업무 담당자가 제시하는 의견을 의사 결정에 반영하기 쉬울 것이다.
(○ , ×)

정답 1 ○ 2 ○ 3 × 4 ○ 5 ○ 6 ○
7 × 8 ○ 9 × 10 ○ 11 × 12 ○

1 사회 집단의 의미와 유형

의미	같은 집단의 구성원이라는 정체성을 가지고 지속적으로 상호 작용하는 사람들의 무리		
성립 요건	둘 이상의 사람, 구성원들의 지속적인 상호 작용, 집단에 대한 소속감		
유형	접촉 방식과 친밀도	1차 집단	구성원들이 장기간 직접 접촉하며 친밀한 관계를 형성하는 전인격적인 집단 예 가족, 또래 집단 등
		(❶)	구성원들이 간접적이고 부분적으로 접촉하며 상호 친밀감이 약한 집단 예 회사, 학교, 정당 등
	결합 의지	공동 사회	본질적이고 (❷)인 의지에 따라 자연 발생적으로 형성된 집단 예 가족, 친족, 전통적인 촌락 공동체 등
		이익 사회	합리적이고 (❸)인 의지에 따라 특정 목적을 위해 의도적으로 만들어진 사회 집단 예 회사, 학교, 정당 등
	(❹)	내집단	개인이 소속되어 있으며 소속감을 느끼고 있는 집단
		외집단	개인이 소속되어 있지 않으면서 소속감을 느끼지 못하는 집단
	(❺)		한 개인이 자신의 행동과 판단의 기준으로 삼는 집단

2 사회 조직의 의미와 유형

의미	특정 목적을 달성하기 위해 비교적 분명한 위계와 절차에 따라 소속감을 느끼고 집합적인 활동에 참여하는 사람들의 결합	
유형	공식 조직	특정 목적을 달성하기 위해 의도적으로 만들어진 조직
	(❻)	공식 조직 내에서 구성원들이 친밀한 인간관계를 바탕으로 서로 상호 작용을 하며 형성된 조직
	자발적 결사체	공동의 관심사나 이해관계를 가진 사람들이 공동의 목표를 달성하기 위하여 (❼)으로 형성한 조직
	(❽) 조직	특정 목표를 달성하기 위해 구성원의 역할을 명확하게 구분하고 공식적인 규칙과 규정에 따라 운영하는 대규모 위계 조직
	탈관료제 조직	관료제의 전형적인 문제점을 극복하기 위해 대안적으로 나타난 새로운 조직 형태

정답 ❶ 2차 집단 ❷ 자연적 ❸ 선택적 ❹ 소속감 ❺ 준거 집단 ❻ 비공식 조직 ❼ 자발적 ❽ 관료제

탄탄 내신 문제

1 사회 집단의 의미와 유형

01 밑줄 친 '사회 집단'에 해당하는 사례를 〈보기〉에서 있는 대로 고른 것은?

> 사람은 태어나면서부터 크고 작은 사회 집단에 속하여 다른 사람 또는 집단과 다양한 사회적 관계를 맺으며 살아간다. 이러한 사회 집단은 개인과 더불어 사회의 중요한 구성 요소로서, 개인의 정체성 형성에도 큰 영향을 미친다.

┤ 보기 ├
ㄱ. 가족
ㄴ. □□역의 승객들
ㄷ. 야구 경기장의 관중들
ㄹ. ○○시 배드민턴 동호회

① ㄱ, ㄴ ② ㄱ, ㄹ ③ ㄷ, ㄹ
④ ㄱ, ㄴ, ㄷ ⑤ ㄴ, ㄷ, ㄹ

★02 다음 사례를 통해 설명할 수 있는 사회학적 개념으로 가장 적절한 것은?

> 교내 피구 대회 결승전에 진출한 5반 학생들은 강력한 우승 후보인 8반을 의식해서인지 몹시 예민해져 있었다. 5반 학생들은 8반이 지길 바랐지만 결국 교내 피구 대회 우승은 8반이 하게 되었고, 5반 학생들은 크게 아쉬워했다. 그러나 8반이 학교 대표로 전국 피구 대회에 나가게 되자, 5반 학생들은 언제 그랬냐는 듯이 8반을 응원하였다. 8반이 전국 피구 대회에서 우승하게 되자, 5반 학생들은 자기 일처럼 기뻐하며 소리를 질렀다.

① 내집단과 외집단
② 1차 집단과 2차 집단
③ 소속 집단과 준거 집단
④ 공동 사회와 이익 사회
⑤ 공식 조직과 비공식 조직

03 다음 (가)~(다)에 대한 설명으로 옳은 것은?

> 사회 집단은 구성원 간의 　(가)　에 따라 　(나)　와/과 　(다)　(으)로 구분할 수 있다. 　(나)　은/는 구성원 간의 친밀한 대면 접촉을 바탕으로 한 집단이며, 　(다)　은/는 구성원 간의 간접적 접촉을 바탕으로 한 집단이다.

① (가)에는 '소속감'이 들어갈 수 있다.
② (나)는 전인격적인 인간관계가 나타난다.
③ (나)는 공동 사회로 가족이나 친족, 전통적인 촌락 공동체가 이에 해당한다.
④ (다)는 이익 사회로 집단에 대한 가입과 탈퇴가 자유롭지 않고 폐쇄적인 성격을 가진다.
⑤ 오늘날에는 (다)보다 (나)의 비중과 영향력이 강화되고 있다.

04 밑줄 친 '이 집단'에 대한 옳은 설명을 〈보기〉에서 고른 것은?

> 이 집단은 다양한 사회 집단 중에서 한 개인이 자신의 행동과 판단의 기준으로 삼는 집단을 의미한다. 이 집단은 개인이 자신이 처한 상황에 대해 평가하거나, 특정 행동을 할 때 판단의 기준을 제공한다.

┤ 보기 ├
ㄱ. 개인이 이질감 또는 적대감을 느끼는 집단이다.
ㄴ. 개인이 소속되어 있으며 소속감을 느끼고 있는 집단이다.
ㄷ. 소속 집단과 일치하지 않을 경우 상대적 박탈감을 느낄 수 있다.
ㄹ. 소속 집단과 일치할 경우 소속 집단에 대한 만족감이 높아질 수 있다.

① ㄱ, ㄴ 　② ㄱ, ㄷ 　③ ㄴ, ㄷ
④ ㄴ, ㄹ 　⑤ ㄷ, ㄹ

2 사회 조직의 의미와 유형

05 다음 (가)~(라)에 대한 설명으로 옳은 것은?

> 일반적으로 사회 조직은 　(가)　을/를 의미한다. 　(가)　은/는 특정 목적을 달성하기 위해 의도적으로 만들어진 조직으로, 　(나)　을/를 사례로 들 수 있다. 이와 달리 　(다)　은/는 　(가)　 내에서 구성원들이 친밀한 인간관계를 바탕으로 형성한 조직으로, 　(라)　을/를 사례로 들 수 있다.

① (가)는 2차 집단, (다)는 1차 집단이다.
② (나)에는 '학교'나 '군대'가 들어갈 수 있다.
③ (다)이면서 이익 사회인 경우는 없다.
④ (다)는 (가)와 달리 조직의 목적이 분명하고 규칙과 규범이 엄격하다.
⑤ (라)에는 '고등학교 동문회'가 들어갈 수 있다.

★**06** 밑줄 친 ㉠~㉣에 대한 옳은 설명을 〈보기〉에서 고른 것은?

> 오늘 하루도 정신없이 지나갔다. ㉠ 교내 영어 토론 자율 동아리 자료는 깜빡 잊고 집에 놓고 왔고, ㉡ 학생회가 주관하는 캠페인에도 늦을 뻔했다. 아침을 먹고 가라는 어머니의 말씀에 괜히 짜증을 냈다. ㉢ 가족이 함께 모여 아침밥을 먹어 본 게 언제인지 모르겠다. 내일은 ㉣ 군대에 간 오빠가 휴가를 받아 집으로 오는 날이니 온 가족이 모여 저녁을 먹었으면 좋겠다.

┤ 보기 ├
ㄱ. '결합 의지'를 기준으로 분류할 때, ㉠과 ㉢은 서로 다른 집단에 해당한다.
ㄴ. ㉡은 1차 집단이다.
ㄷ. ㉡은 ㉠과 달리 비공식 조직이다.
ㄹ. ㉣은 공식 조직이다.

① ㄱ, ㄴ 　② ㄱ, ㄹ 　③ ㄴ, ㄷ
④ ㄴ, ㄹ 　⑤ ㄷ, ㄹ

07 표의 (가)~(라)에 대한 설명으로 옳지 <u>않은</u> 것은?

사회 조직 중 (가)에 대한 이해	
의미	공통의 관심사나 이해관계를 가진 사람들이 공동의 목표를 달성하기 위하여 자발적으로 형성한 조직
등장 배경	(나)
사례	(다)
특징	(라)

① (가)는 자발적 결사체이다.

② 모든 비공식 조직은 (가)에 포함된다.

③ (나)에는 '개인들의 관심사와 사회적 욕구의 증대'가 들어갈 수 있다.

④ (다)에는 '학교, 회사 등'이 들어갈 수 있다.

⑤ (라)에는 '조직 목표에 대한 구성원들의 신념이 뚜렷함.'이 들어갈 수 있다.

★08 A~C에 해당하는 사회 조직의 유형으로 옳은 것은? (단, A~C는 각각 자발적 결사체, 공식 조직, 비공식 조직 중 하나이다.)

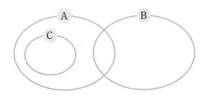

	A	B	C
①	공식 조직	비공식 조직	자발적 결사체
②	공식 조직	자발적 결사체	비공식 조직
③	비공식 조직	공식 조직	자발적 결사체
④	자발적 결사체	비공식 조직	공식 조직
⑤	자발적 결사체	공식 조직	비공식 조직

09 그림은 사회 집단 A, B를 질문 (가)에 따라 구분한 것이다. (가)에 따른 A, B의 사례로 옳은 것은?

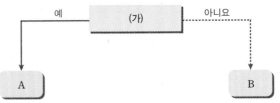

	(가)	A	B
①	구성원의 의도와 무관하게 형성된 집단인가?	종친회	군대
②	구성원들의 의지와 선택에 따라 형성된 집단인가?	시민 단체	가족
③	구성원 간의 전인격적 인간관계가 형성되는 집단인가?	군대	정당
④	공통의 이해관계와 관심을 가진 사람들이 자발적으로 만든 집단인가?	가족	회사
⑤	공식 조직 내에서 친밀감과 공통의 관심사를 중심으로 생겨난 집단인가?	고등학교 동문회	테니스 동호회

10 밑줄 친 ㉠~㉣에 대한 옳은 설명을 〈보기〉에서 고른 것은?

- 하천 보호에 관심이 많은 갑은 ㉠○○ 환경 단체 회원으로 가입하여 활동하고 있으며, 인터넷으로 만난 사람들과 ㉡□□시 컬링 동호회를 결성하여 모임을 즐기고 있다.
- ㉢△△군청에 근무하는 을은 직장 동료들과 함께 ㉣ 사내 인라인 스케이트 동호회를 만들어 매주 정기적인 모임을 즐기고 있다.

┤ 보기 ├

ㄱ. 갑은 을과 달리 공동 사회에 속해 있다.

ㄴ. ㉠, ㉡, ㉣은 ㉢과 달리 자발적 결사체이다.

ㄷ. ㉢은 ㉠과 달리 공식 조직이다.

ㄹ. ㉣은 ㉡과 달리 비공식 조직이다.

① ㄱ, ㄴ ② ㄱ, ㄷ ③ ㄴ, ㄷ

④ ㄴ, ㄹ ⑤ ㄷ, ㄹ

11 그림은 가족과 회사를 (가)~(다)에 따라 분류한 것이다. (가)~(다)에 들어갈 적절한 질문을 〈보기〉에서 고른 것은?

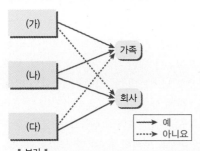

┌─ 보기 ─────────────────────────────┐
│ ㄱ. 1차 집단인가?   ㄴ. 사회 집단인가? │
│ ㄷ. 공식 조직인가?   ㄹ. 자발적 결사체인가? │
└─────────────────────────────────┘

	(가)	(나)	(다)		(가)	(나)	(다)
①	ㄱ	ㄴ	ㄷ	②	ㄱ	ㄷ	ㄹ
③	ㄴ	ㄷ	ㄹ	④	ㄷ	ㄴ	ㄹ
⑤	ㄹ	ㄷ	ㄱ				

12 다음 자료의 빈칸에 들어갈 내용으로 가장 적절한 것은?

> 학습 주제: ☐
> • 과두제의 법칙: 조직 내의 의사 결정권이 소수의 상층부에게 집중되는 현상
> • 피터의 원리: 능력보다는 경력에 따라 조직 내 지위가 결정되기 때문에 지위가 올라갈수록 무능함이 드러나는 현상
> • 레드 테이프 현상: 관리들이 형식과 절차만을 중시하여 서류를 복잡하게 갖추도록 하면서 일 처리가 지연되는 비능률적 현상

① 사회 집단의 특징
② 관료제 조직의 역기능
③ 비공식 조직의 역기능
④ 자발적 결사체의 특징
⑤ 탈관료제 조직의 부작용

13 표의 (가)~(다)에 대한 설명으로 옳은 것은? (단, A, B는 각각 관료제 조직과 탈관료제 조직 중 하나이다.)

항목	특성
무사안일주의가 나타날 가능성	A>B
(가)	B>A
(나)	(다)

① A는 B에 비해 구성원들의 창의성이 발휘될 가능성이 높다.
② B는 A에 비해 업무 수행의 유연성이 낮다.
③ B는 A와 달리 조직의 위계가 분명하고, 책임 소재가 명확하다.
④ (가)에는 '연공서열을 중시하는 정도'가 들어갈 수 있다.
⑤ (나)에 '표준화된 절차와 규약을 중시하는 정도'가 들어가면, (다)는 'A>B'이다.

★14 다음 (가)~(다)에 들어갈 수 있는 질문으로 옳은 것은?

> A, B는 각각 관료제 조직과 탈관료제 조직 중 하나이며, A는 B에 비해 외부 환경 변화에 유연하게 대처하기가 용이하다. 표는 질문 (가)~(다)에 따라 A, B를 구분한 것이다.

질문	답변	
	예	아니요
(가)	A	B
(나)	B	A
(다)	A, B	

① (가) – 의사 결정 권한의 분산보다 집중을 지향하는가?
② (나) – 업무 담당자의 재량권이 중시되는가?
③ (나) – 창의적 과업 수행보다 규약에 따른 과업 수행을 중시하는가?
④ (다) – 업무 처리의 효율성을 지향하는가?
⑤ (다) – 비공식적 통제보다 공식적 통제가 일반적인가?

15 다음 ㉠~㉢에 들어갈 알맞은 말을 쓰시오.

(㉠) 이상의 사람들이 지속적이고 반복적인 (㉡)을/를 하며, 그 집단에 대한 (㉢)(이)나 공동체 의식을 가지고 있는 모임을 사회 집단이라고 한다. 이런 점에서 가족은 사회 집단이지만, 출근길에 우연히 버스를 같이 탄 승객들은 사회 집단이라고 보기 어렵다.

16 다음 (가)~(다)에 해당하는 사회 집단을 쓰시오.

(가) 구성원의 의지에 의해 선택된 집단
(나) 소속감과 공동체 의식으로 결합한 집단
(다) 직접적 접촉에 의한 친밀감과 연대감을 바탕으로 형성된 집단

17 자발적 결사체와 공식 조직 모두에 해당하는 사례를 〈보기〉에서 골라 기호를 쓰시오.

┃ 보기 ┃
ㄱ. 학교   ㄴ. 노동조합
ㄷ. 시민 단체   ㄹ. 사내 동호회

18 다음 사례를 통해 파악할 수 있는 비공식 조직의 순기능과 역기능을 각각 서술하시오.

• A호텔의 조리사를 포함한 직원들로 구성된 '맛사랑 동호회'는 매달 2~3번 유명 맛집 탐방에 나선다. 방문 후 요리에 대한 각종 정보와 평가를 꼼꼼하게 기록으로 남기는데, 이 기록은 A호텔의 메뉴 개발에 유용하게 사용된다.
• B주식회사에는 ○○ 지역 출신들로 구성된 향우회가 큰 영향력을 행사한다. 이 향우회의 회원인 직원들은 매년 인사 발령 시 서로 밀고 당겨 줌으로써 회사의 주요 요직을 맡고 있다.

★19 다음 글을 읽고 물음에 답하시오.

A는 근대 이후 가장 보편화한 조직 형태이다. 본래 A는 정부 조직체에 사용하였으나, 대량 생산 체제가 자리 잡은 근대 이후부터는 대규모로 업무를 처리하는 모든 근대적인 조직 체계를 가리킨다. A는 효율적인 업무 수행을 위해 전문화된 과업을 수행하는 분화된 조직으로 구성된다.

(1) A에 해당하는 사회학적 개념을 쓰고, 특징을 두 가지 서술하시오.

(2) A의 문제점을 두 가지 서술하시오.

(3) A의 문제점을 극복하기 위해 등장한 조직 체계의 특징을 두 가지 서술하시오.

01 | 수능 기출 |
다음은 어느 가족의 주간 일정표이다. 이에 대한 옳은 설명만을 〈보기〉에서 있는 대로 고른 것은?

우리 가족 주간 일정		
갑(교사)	**을(회사원)**	**병(중학생)**
화: 교육청출장	월: 사내 야구 동호회 경기 참가	수: 청소년봉사 단체 정기 모임 참석
수: 대학원 수업 참석	수: 노동조합 조합원 총회 참석	금: ㉡학급 소풍 참가
금: 지역 ㉠시민 단체 대표자 회의 참석	토: 가족 외식	토: 가족 외식
토: 가족 외식		

┤ 보기 ├
ㄱ. ㉠, ㉡은 선택적 의지에 의해 형성되는 이익 사회이다.
ㄴ. 갑, 을은 병과 달리 자발적 결사체에 소속되어 있다.
ㄷ. 을, 병은 갑과 달리 비공식 조직에 소속되어 있다.
ㄹ. 갑~병 모두 공동 사회와 공식 조직에 소속되어 있다.

① ㄱ, ㄴ   ② ㄱ, ㄹ   ③ ㄴ, ㄷ
④ ㄱ, ㄷ, ㄹ   ⑤ ㄴ, ㄷ, ㄹ

02 | 평가원 응용 |
다음은 연예인 갑의 주간 일정표이다. 밑줄 친 ㉠~㉤에 대한 설명으로 옳은 것은?

월: ㉠ 소속된 기획사의 봉사 동아리 회원들과 봉사 활동 참가
화: ㉡ ○○방송국의 예능 프로그램 녹화
수: ㉢ 국세청의 모범 납세자 시상식 참여
목: 어머니 생신 축하를 위한 ㉣ 가족 모임 참석
금: ㉤ △△대학교 총학생회 주관 축제 행사 공연
토: ㉥ 연예인 야구단 시합 참가

① ㉠과 ㉤은 비공식 조직이다.
② ㉠~㉥ 중 이익 사회는 5개이다.
③ ㉣과 ㉤은 1차 집단이다.
④ ㉤은 ㉡, ㉢과 달리 공식 조직이다.
⑤ ㉥은 자발적 결사체이면서 공동 사회이다.

03 | 평가원 기출 |
밑줄 친 ㉠~㉙에 대한 설명으로 옳은 것은?

㉠ 아이돌 그룹의 멤버가 되기를 꿈꾸어 왔던 갑은 신인 아이돌 그룹 ㉡ ☆☆☆☆의 팬클럽을 결성하여 회장으로 활동하였다. 학교 친구들과 ㉢ 댄스 모임을 만들어 꾸준히 연습하던 갑은 방송사의 음악 경연 프로그램에 참가하였지만 ㉣ 예선 탈락의 아픔을 맛보았다. 이에 좌절하지 않고 더욱 분발한 갑은 마침내 ㉤ △△ 기획사에서 개최한 ㉥ 공개 오디션에 합격하였고, 솔로 가수로 데뷔하여 큰 인기를 얻었다. 최근 갑은 무의탁 노인을 대상으로 봉사하는 ㉙ ◇◇ 단체의 홍보 대사로 위촉되어 공연을 하는 등 재능 기부로 나눔을 실천하는 데 앞장서고 있다.

① ㉠은 갑의 준거 집단이자 내집단이다.
② ㉡은 자발적 결사체이자 이익 사회이다.
③ ㉙은 전인격적인 인간관계를 바탕으로 한다.
④ ㉢과 ㉤은 모두 2차 집단이자 공식 조직이다.
⑤ ㉣과 ㉥은 각각 갑의 역할에 대한 제재와 보상이다.

04 | 수능 응용 |
사회 집단과 사회 조직의 유형 (가)~(라)에 대한 옳은 설명을 〈보기〉에서 고른 것은?

(가)	구성원의 의지와 무관하게 자연 발생적으로 형성된 집단
(나)	공식적인 목표와 과업을 효율적으로 달성하기 위해 형성된 조직
(다)	결합 의지에 따라 구분할 때, 특정한 목적을 위해 인위적으로 형성된 집단
(라)	공식 조직 내에서 친밀한 인간관계를 바탕으로 취미, 관심사 등에 의해 형성된 조직

┤ 보기 ├
ㄱ. 비공식적 사회화 기관이면서 (가)에 해당하는 사례는 존재하지 않는다.
ㄴ. 2차적 사회화 기관이면서 (나)에 해당하는 사례는 존재하지 않는다.
ㄷ. (가)와 (라) 모두에 해당하는 사례는 존재하지 않는다.
ㄹ. (라)의 구성원은 모두 (다)의 구성원이다.

① ㄱ, ㄴ   ② ㄱ, ㄷ   ③ ㄴ, ㄷ
④ ㄴ, ㄹ   ⑤ ㄷ, ㄹ

05 사회 집단과 사회 조직의 유형 (가)~(마)에 대한 옳은 설명을 〈보기〉에서 고른 것은?

> (가) 구성원의 선택 의지에 따라 인위적으로 형성된 집단
> (나) 구성원의 선택과 무관하게 본질 의지에 따라 자연적으로 형성된 집단
> (다) 공통의 이익이나 목표를 추구하는 사람들이 모여 자발적으로 형성한 조직
> (라) 공식 조직 내에서 구성원 간의 친밀한 인간관계를 바탕으로 서로 상호 작용을 하며 형성된 조직
> (마) 구성원의 지위와 역할이 명확하게 규정되고, 정해진 절차에 의해 특정 목적을 달성하기 위한 조직

┨ 보기 ┠
ㄱ. 시민 단체와 이익 집단은 모두 (가)이면서 (다)에 속한다.
ㄴ. (나)에서는 (다)와 달리 구성원의 가입과 탈퇴가 자유롭다.
ㄷ. (라)는 (나)와 달리 전인격적 인간관계를 중시한다.
ㄹ. (마)에는 공식적인 규칙과 절차가 적용된다.

① ㄱ, ㄴ   ② ㄱ, ㄹ   ③ ㄴ, ㄷ
④ ㄴ, ㄹ   ⑤ ㄷ, ㄹ

06 그림은 사회 집단 A, B를 질문 (가), (나)에 따라 구분한 것이다. 이에 대한 옳은 설명을 〈보기〉에서 고른 것은?

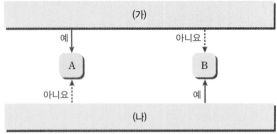

┨ 보기 ┠
ㄱ. (가)가 '구성원의 본질 의지에 의해 형성된 집단인가?'이면, A는 1차 집단이다.
ㄴ. (나)가 '구성원의 지위와 책임이 명확하게 정해져 있는가?'이면, B의 사례로는 시민 단체를 들 수 있다.
ㄷ. 학교가 A에 해당하면, (가)에는 '공통의 관심사에 따라 자발적으로 결성한 집단인가?'가 들어갈 수 있다.
ㄹ. 회사가 B에 해당하면, (나)에는 '구성원 간 형식적 관계가 지배적인가?'가 들어갈 수 있다.

① ㄱ, ㄴ   ② ㄱ, ㄷ   ③ ㄴ, ㄷ
④ ㄴ, ㄹ   ⑤ ㄷ, ㄹ

07 (가), (나)의 일반적인 특징에 대한 설명으로 옳지 <u>않은</u> 것은?

> A 기업의 조직 운영 방식은 [(가)]의 대표적 사례이다. 부장급 이상 임원만 100명이며, 직위에 따라 권한과 책임이 다르다. 출퇴근 시간과 업무 절차는 회사가 정한 규정을 따라야 한다. 승진과 보수는 경력과 직급에 따라 결정된다. 반면 B 기업의 조직 운영 방식은 [(나)]의 대표적 사례이다. 업무의 성격이나 상황에 따라 여러 팀을 구성하여 운영한다. 팀 내 구성원의 관계는 수평적이며 세부적인 업무 절차와 내용도 자체적으로 결정할 수 있다. 승진과 보수는 개인별 능력과 업적에 따라 결정된다.

① (가)는 무사안일주의로 인한 비효율성이 나타날 가능성이 크다는 비판을 받는다.
② (나)는 외부 환경 변화에 유연하게 대처하기가 용이하다.
③ (가)에서는 (나)와 달리 공식적 통제 방식으로 갈등을 해결한다.
④ (나)에서는 (가)에 비해 상향식 의사 결정과 수평적 의사소통이 더 중시된다.
⑤ (나)에서는 (가)에 비해 업무 결정권이 분산되며 구성원의 창의성이 발휘되기가 더 용이하다.

08 그림은 관료제 조직과 탈관료제 조직의 특징을 도식화한 것이다. 이에 대한 설명으로 옳은 것은?

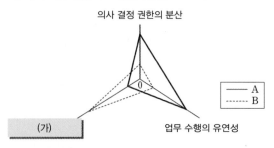

* 0에서 멀어질수록 그 정도가 높거나 강함.

① A는 B에 비해 하향식 의사 결정 방식이 일반적이다.
② A는 B에 비해 능력과 성과에 따른 보상을 중시한다.
③ B는 A에 비해 부서 간의 경계가 느슨하다.
④ B는 A와 달리 정보 사회의 특성을 반영하고 있다.
⑤ (가)에는 '업무 담당자에게 재량권이 부여되는 정도'가 들어갈 수 있다.

| 수능 응용 |

09 표는 사회 조직의 유형 (가), (나)를 비교한 것이다. 이에 대한 설명으로 옳은 것은? (단, (가)와 (나)는 각각 관료제 조직과 탈관료제 조직 중 하나이다.)

질문	사회 조직 유형	
	(가)	(나)
경력보다 업무 성과를 고려한 차등적 보상을 중시하는가?	아니요	예
A	예	아니요
B	아니요	예

① (가)는 자유롭고 평등한 분위기 속에서의 의사소통을 추구한다.

② (나)는 규약에 따른 과업 수행보다 창의적 과업 수행을 중시한다.

③ (나)는 (가)에 비해 목적 전치 현상이 발생할 가능성이 높다.

④ A에는 '구성원 간 2차적 관계가 지배적인가?'가 들어갈 수 있다.

⑤ B에는 '소수에 의한 의사 결정 권한의 독점과 남용이 발생할 가능성이 높은가?'가 들어갈 수 있다.

| 평가원 기출 |

10 (가), (나)는 관료제에서 나타날 수 있는 현상이다. 이에 대한 옳은 설명을 〈보기〉에서 고른 것은?

(가) 조직 운영에서 근무 기간을 중시하여 직원을 승진시키기 때문에 무능한 사람이 능력 이상의 자리를 차지하게 된다.

(나) 형식과 절차만을 중시하여 서류를 복잡하게 갖추도록 하기 때문에 본연의 임무 처리가 지연되는 현상이 나타난다.

┤ 보기 ├

ㄱ. (가), (나) 모두 관료제가 추구하는 효율성을 저해하는 역기능에 해당한다.

ㄴ. (가)는 연공서열제, (나)는 목적 전치 현상과 관련된다.

ㄷ. (가)는 지위 획득에서의 경쟁 원리 강화, (나)는 조직의 안정성 추구가 일차적 원인이다.

ㄹ. (가)는 성과급 제도의 실시, (나)는 회사 내 비공식 조직의 활성화를 통해 해결할 수 있다.

① ㄱ, ㄴ   ② ㄱ, ㄷ   ③ ㄴ, ㄷ

④ ㄴ, ㄹ   ⑤ ㄷ, ㄹ

11 표는 사회 조직 A, B의 일반적인 특징을 나타낸 것이다. 이에 대한 옳은 설명을 〈보기〉에서 고른 것은? (단, A, B는 각각 관료제 조직과 탈관료제 조직 중 하나이다.)

업무의 세분화 정도	A < B
(가)	A > B
중간 관리층의 역할 비중	(나)

┤ 보기 ├

ㄱ. A는 B에 비해 업적보다 경력에 따른 보상을 중시한다.

ㄴ. B는 A에 비해 무사안일주의가 나타날 가능성이 높다.

ㄷ. (가)에는 '권한과 책임의 분명성'이 들어갈 수 있다.

ㄹ. (나)는 'A < B'이다.

① ㄱ, ㄴ   ② ㄱ, ㄷ   ③ ㄴ, ㄷ

④ ㄴ, ㄹ   ⑤ ㄷ, ㄹ

12 그림은 A, B 두 조직의 특징을 도식화한 것이다. 이에 대한 설명으로 옳은 것은? (단, A, B는 각각 관료제 조직과 탈관료제 조직 중 하나이다.)

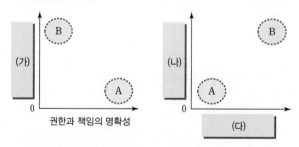

* 0에서 멀수록 빠름 또는 높음.

① A는 B에 비해 상향식 의사 결정을 중시한다.

② B는 A에 비해 조직 운영의 유연성이 낮다.

③ (가)에는 '성과에 따른 보상을 중시하는 정도'가 들어갈 수 있다.

④ (나)에는 '조직 운영의 효율성 추구 정도'가 들어갈 수 있다.

⑤ (다)에는 '업무의 표준화 정도'가 들어갈 수 있다.

03 일탈 행동의 원인과 대책

1 일탈 행동의 의미와 영향

1. 일탈 행동의 의미

예시 친구와의 약속을 어기는 행위나 거짓말을 하는 것부터 절도나 살인 등과 같은 범죄에 이르기까지 다양하다.

(1) **일탈 행동❶** 한 사회에서 일반적으로 받아들여지는 사회 규범에 어긋나는 행동

(2) **일탈 행동의 상대성❷** 일탈 행동은 행동이 이루어지는 상황 및 문화, 시대에 따라 다르게 판단될 수 있음. **자료01**

2. 일탈 행동의 영향

긍정적 영향	개인적 차원	개인의 창의성 발휘, 사회 구성원이 느끼는 심리적 긴장에서 벗어나는 기회 제공
	사회적 차원	사회의 다양성 증진, 사회 질서나 규범을 변화시키는 계기 마련
부정적 영향	개인적 차원	사회 부적응
	사회적 차원	사회 질서 혼란, 사회 불안 초래

2 일탈 행동의 원인과 해결 방안

의의 생물학적·심리학적 이론들은 유전적으로 결함이 있거나 타고난 성격이 나쁜 사람들이 일탈 행동을 저지른다고 보았다. 그런데 이러한 이론들의 한계가 드러나면서 후천적·사회적 요인에서 일탈 행동의 발생 원인을 찾는 사회학적 이론들이 생겨났다. 사회학적 이론들의 대표적인 예로 아노미 이론, 차별 교제 이론, 낙인 이론이 있다.

1. 아노미❸ 이론

원인	• 뒤르켐(Durkheim, E.): 사회 규범이 부재하거나 불분명할 때 발생 • 머튼(Merton, R. K.): 문화적 목표를 달성할 수 있는 합법적 수단을 갖지 못한 집단에 속한 사람들이 비합법적인 수단을 활용할 때 발생
해결 방안	사회적 합의에 바탕을 둔 지배적 규범 확립, 사회적 목표 달성을 위한 공정한 기회 제공
의의	기회 구조가 차단된 집단의 범죄 설명에 유용, 사회 구조적 관점에서 일탈 행동의 원인을 찾음.
한계	중상류층의 범죄나 문화적 목표에 상관없이 발생하는 일시적 범죄 등을 설명하기 어려움. 개인들 간의 상호 작용이 일탈 행동 발생에 미치는 영향력을 소홀히 함.

2. 차별 교제 이론❹ **자료02**

주의 이 이론에 의하면, 개인의 일탈 행동 여부는 어떤 사람들과 주로 상호 작용하느냐에 달려 있다.

원인	일탈 행동을 하는 개인이나 집단과 지속적으로 접촉함으로써 일탈 행동 발생
해결 방안	일탈 집단 구성원과의 접촉 및 교류 차단
의의	일탈 행동이 발생하는 과정을 설명하는 데 유용함.
한계	일탈 행동을 하는 집단과 접촉하는 사람이 모두 일탈자가 되지 않는다는 점을 설명하지 못함. 우연적이고 충동적인 범죄를 설명하지 못함.

3. 낙인 이론❺ **자료03**

원인	사회적으로 힘 있는 집단이 자신들과 다른 행동 양식이나 태도를 보인 집단이나 사람을 일탈자로 규정한 결과(1차적 일탈 → 낙인 → 2차적 일탈) ─ **주의** 일탈 행동 자체보다 낙인 여부가 후속 일탈 행동에 더 큰 영향을 미친다.
해결 방안	불필요한 낙인 줄이기, 일탈 행동을 신중하게 규정하려는 사회적 합의 필요, 구성원이 올바른 정체성을 회복할 수 있도록 도와주는 프로그램 시행
의의	같은 일탈 행동을 한 경우에도 어떤 사람은 일탈자가 되는 데 비해, 다른 사람은 그렇지 않은지에 대한 설명이 가능함. 일탈 행동의 본질을 그 자체의 속성이 아닌 그와 상호 작용하는 주변 사람들에 의한 낙인에서 찾음. ─ **중요** 일탈을 규정하는 객관적 기준이 존재하지 않는다고 본다.
한계	일탈 행동의 합리화 가능, 최초의 일탈이나 범죄의 원인을 설명하지 못함. 낙인찍지 않았음에도 반복적으로 일탈 행동을 하는 경우나 낙인이 있었음에도 일탈이 일어나지 않는 경우를 설명하지 못함.

---

❶ **일탈 행동과 범죄의 차이**
범죄는 법을 위반하는 행위를 의미한다. 범죄는 일탈 행동에 속하지만, 모든 일탈 행동이 범죄인 것은 아니다.

❷ **일탈 행동의 상대성**
사회 규범의 내용은 시대와 지역 등에 따라 다르기 때문에 동일한 행동이라도 일탈 행동으로 판단할 수도 있고, 아닐 수도 있다. 예를 들어, 화려한 의상과 진한 분장은 무대 위에서는 자연스럽지만, 학교나 사무실에서는 일탈로 여겨질 수 있다.

❸ **아노미(anomie)**
프랑스의 사회학자 뒤르켐은 기존의 사회 규범이 약화되거나 부재하지만 이를 대체할 새로운 규범과 기준이 없는 상태를 아노미라고 하였다. 미국의 사회학자 머튼은 한 사회의 문화적 목표와 그 목표를 달성하기 위해 제도적으로 인정하는 수단 간의 괴리 상태를 아노미라고 보았다.

❹ **차별 교제 이론**
개인이 일탈자가 되느냐 안 되느냐 여부는 일탈 행동을 하는 집단과 얼마나 긴밀한 접촉을 하고 있느냐에 달려 있다. 우범 지역에서 성장한 사람들은 성장하면서 가족 구성원이나 이웃의 일탈 행동에 대해 우호적인 생각을 자주 접하게 된다. 그 과정에서 일탈 행동을 배우거나 일탈에 대한 긍정적 가치를 내면화하여 일탈 행동을 하게 되는 것이다.

고득점을 위한 셀파 Tip

• **낙인 이론의 일탈 행동**

일탈자로 낙인 찍힘.
↓
스스로를 일탈자로 인정
(일탈적 정체성 형성)
↓
반복적인 일탈 행동

❺ **낙인 이론**
낙인 이론은 일탈의 상대성을 강조한다. 일탈 행동은 보편적인 일탈 행동 개념으로 존재하는 것이 아니라, 그 행위가 발생하는 상황과 여건에 따라 규정되는 것이라고 본다.

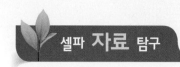

자료 01 일탈 행동의 상대성

우리나라에서 대마초는 마약류로 분류되며, 「마약류 관리에 관한 법률」이 적용된다. 이 법에 따르면 법에 허가받은 마약류 취급자가 아니면 대마초를 재배, 소지, 운반, 보관, 사용해서는 안 된다. 하지만 네덜란드에서는 대마초가 합법이다. 네덜란드에서 '커피숍'이란 합법적으로 대마초를 피울 수 있는 '마리화나 카페'를 의미한다. 커피를 마시고 싶다면 '카페'라고 쓴 간판을 찾아야 한다.

자료 분석 | 우리나라에서는 대마초를 마약류로 분류하여 일반인이 자유롭게 사용하는 것을 금하고 있다. 이에 비해 네덜란드에서는 대마초를 자유롭게 피우는 것이 허용된다. 이 사례에서 볼 수 있듯이, 일탈 행동은 행동 그 자체의 특성이라기보다 사회가 그 행동을 어떻게 규정하는가에 따라 달라진다.

일탈 행동은 시대에 따라서도 달라질 수 있다. 1970년대 우리나라에서는 경찰이 장발 머리와 미니스커트를 단속했지만, 지금은 개인의 개성으로 취급하고 있다.

또한, 상황에 따라서도 달라질 수 있다. 수영복을 수영장에서 입는다면 아무 문제 없지만, 다른 장소에서 입는다면 일탈로 받아들여질 것이다.

자료 02 구조보다 과정에 초점을 둔 서덜랜드의 차별적 교제 이론

일탈 행동이 하위 계층의 부적응에서 기인하거나 사회의 차별적 반응의 결과라는 주장에는 문제가 있다. 일탈 행동은 반사회적 행동 성향을 가진 타인들과 지속적으로 대면 접촉한 결과이다. 일탈에 동조하는 가치, 태도, 행위에 노출된 결과로 인해 일탈을 위한 동기 부여와 기술 습득이 이루어진다.

자료 분석 | 서덜랜드(Sutherland, E.)는 범죄 행위를 연구하며 차별적 교제 이론을 정립하였다. 그의 차별적 교제 이론은 구조주의적이라기보다는 과정주의적인 이론이다. 사회 구조를 부정하지 않고 사회적으로 합의된 규범에 대한 인정을 했음에도 불구하고, 그의 이론에서 최종적 구상의 초점은 범죄자가 되어 가는 과정에 맞추어져 있기 때문이다.

서덜랜드는 일탈 행동은 일탈적인 사회적 환경 속에서 일탈자들과 접촉하면서 그들의 문화와 행동을 자연스럽게 학습한 결과라고 주장하였다. 이러한 관점에서 보면 일탈 행동은 보편적인 사회 규범을 충분히 내면화하지 못한 결과, 즉 '사회화 실패의 산물'이 아니라 특정한 규범이나 태도를 자연스럽게 학습한 결과, 즉 '사회화의 산물'이 된다. 일탈 행동 경험이 있는 사람들과 교제하면서 그들로부터 반사회적인 행동과 문화, 일탈을 정당화하는 논리, 그리고 범죄와 일탈 행동에 필요한 기술 등을 학습할 기회가 많기 때문에 일탈 행동이나 범죄를 저지를 가능성이 커진다는 것이다.

자료 03 1차적 일탈과 2차적 일탈

같은 행동이라도 아무 일 없으면 그냥 '일상'이 되고, 문제가 생기면 '일탈'이 된다. 누구나 살면서 잘못을 저지르지만 적발되지 않으면 대부분 별 문제없이 지나간다. 하지만 그것이 다른 사람들에게 적발되고 세상에 알려지면 상황은 급격히 변화한다. 자신을 대하는 사회적 시선이 예전과 달라졌음을 인식하게 되면서 일탈을 점점 내면화하고 정상적인 사회 규범과 멀어진다.

자료 분석 | 누구나 때로는 일탈적 행동을 할 수 있지만, 대부분 가볍고 일시적이며 쉽게 감추어질 수 있다. 이를 가리켜 '1차적 일탈'이라고 한다. 1차적 일탈은 모르는 채 지나가는 것이 대부분이며, 당사자도 자신을 일탈자로 생각하지 않는 경우가 많다.

그러나 이러한 일탈 행동이 발견이 되고 세상에 알려지면 그 개인은 일탈자로 낙인찍히고, 다른 사람은 그를 일탈자로 대하기 시작한다. 결과적으로 일탈자로 낙인찍힌 사람들은 그 낙인을 받아들이게 된다. 그리고 이에 따라 일탈자로서의 새로운 자아 개념을 발전시켜 그에 따라 행동하기 시작한다. 결국, 일탈이 습관화될 수 있다. 이를 '2차적 일탈'이라 일컫는다. 예를 들어, 범죄를 저질러 교도소에 수감되었다가 형을 마치고 전과자로 낙인찍혀 나온 사람은 공식적이든 비공식적이든 취업과 같은 중요한 사회적 기회 획득에서 차별을 받곤 한다. 이럴 경우, 그들은 자신을 전과자로 인식하고, 재범의 길로 빠져들 가능성이 있다.

1 아노미 이론은 일탈자가 되어가는 내면적 과정보다 일탈 행동의 구조적 원인에 초점을 맞춘다.　　　　　　　(○ , ×)

2 아노미 이론은 일탈 행동을 일탈자와의 상호 작용을 통한 학습의 결과로 본다.　　　　　　　(○ , ×)

3 아노미 이론은 일탈 행동의 해결 방안으로 일탈자에 대한 사회 통제와 규제 강화 방안의 마련을 강조한다.　　　　　　　(○ , ×)

4 차별 교제 이론은 타인들과의 상호 작용이 일탈 발생 과정에 미치는 영향을 중시한다.　　　　　　　(○ , ×)

5 차별 교제 이론은 무규범 상태를 일탈 행동의 원인으로 강조한다.　　　　　　　(○ , ×)

6 차별 교제 이론은 일탈 행동 자체보다 일탈 행동에 대한 사회적 반응을 중시한다.　　　　　　　(○ , ×)

7 차별 교제 이론은 일탈 행동의 해결 방안으로 정상 집단과의 교류 촉진을 중시한다.　　　　　　　(○ , ×)

8 낙인 이론은 일탈을 규정하는 객관적 기준이 존재한다고 본다.　　　　　　　(○ , ×)

9 낙인 이론은 부정적 자아가 형성되어 일탈 행동이 반복된다고 본다.　　　　　　　(○ , ×)

10 낙인 이론은 차별적인 제재가 일탈 행동의 원인이라고 본다.　　　　　　　(○ , ×)

11 낙인 이론은 일탈 행동이 규정되는 상황 맥락을 배제해야 일탈 행동을 객관적으로 이해할 수 있다고 본다.　　　　　　　(○ , ×)

정답 1 ○ 2 × 3 ○ 4 ○ 5 × 6 ×
7 ○ 8 × 9 ○ 10 ○ 11 ×

1 일탈 행동의 의미와 영향

일탈 행동	한 사회에서 일반적으로 받아들여지는 (❶　　　　) 에 어긋나는 행동
일탈 행동의 (❷　　)	일탈 행동은 행동이 이루어지는 상황 및 문화, 시대에 따라 다르게 판단될 수 있음. 예 1970년대에는 미니스커트나 장발을 경찰이 단속했지만, 지금은 이를 개인의 취향으로 여김.

긍정적 영향	개인적 차원	개인의 (❸　　　　) 발휘, 사회 구성원이 느끼는 심리적 긴장에서 벗어나는 기회 제공
	사회적 차원	사회의 다양성 증진, 사회 질서나 규범을 변화시키는 계기 마련
부정적 영향	개인적 차원	사회 부적응
	사회적 차원	사회 질서 혼란, 사회 불안 초래

2 일탈 행동의 원인과 해결 방안

아노미 이론	원인	• 뒤르켐: 사회 규범이 부재하거나 불분명할 때 발생 • 머튼: 문화적 (❹　　　　)를 달성할 수 있는 합법적 수단을 갖지 못한 집단에 속한 사람들이 비합법적인 수단을 활용할 때 발생
	해결 방안	사회적 합의에 바탕을 둔 지배적 규범 확립, 사회적 목표 달성을 위한 공정한 기회 제공
차별 교제 이론	원인	개인이 일탈에 우호적인 (❺　　　　)와 접촉하면서 그들의 문화와 행동을 학습하여 사회화한 결과로 일탈 행동 발생
	특징	• 대개 개인과 친밀한 집단 내에서 일탈 행동에 대한 사회화가 이루어진다고 봄. • 일탈자와의 접촉 과정에서 일탈적 가치관과 행동 양식을 수용한다고 설명함.
	해결 방안	일탈 집단 구성원과의 접촉 및 교류 차단
낙인 이론	원인	특정 행동을 일탈 행동으로 규정한 후, 그러한 행동을 한 사람들을 일탈자로 (❻　　　　)찍었기 때문에 일탈 행동 발생
	특징	• 보편적인 일탈 행동 개념이 존재하지 않는다고 봄. • 일탈자로 낙인찍힘으로써 일탈적 정체성을 형성하고, 이후 일탈 행동을 반복할 가능성이 높아진다고 설명함.
	해결 방안	불필요한 낙인 줄이기, 일탈 행동을 신중하게 규정하려는 사회적 합의 필요, 구성원이 올바른 정체성을 회복할 수 있도록 도와주는 프로그램 시행

정답 ❶ 사회 규범 ❷ 상대성 ❸ 창의성 ❹ 목표 ❺ 일탈자 ❻ 낙인

---

1 일탈 행동의 의미와 영향

01 교사의 질문에 대한 학생의 옳은 대답을 〈보기〉에서 고른 것은?

> (가)는 한 사회에서 일반적으로 받아들여지는 사회 규범에 어긋나는 행동을 의미합니다. (가)의 특징에 대해 말해 볼까요?

보기

ㄱ. (가)는 범죄입니다.
ㄴ. (가)에 대한 규정은 시대나 장소에 상관없이 동일합니다.
ㄷ. (가)를 통해 기존 사회 질서나 규범의 모순이 드러나기도 합니다.
ㄹ. 가치관의 변화에 따라 (가)의 판단 기준은 다르게 나타날 수 있습니다.

① ㄱ, ㄴ　　　② ㄱ, ㄷ　　　③ ㄴ, ㄷ
④ ㄴ, ㄹ　　　⑤ ㄷ, ㄹ

★02 다음 두 사례를 통해 공통적으로 도출할 수 있는 결론으로 가장 적절한 것은?

> • 지금도 어떤 나라에서는 여성이 교통수단으로 자전거를 이용할 수 없다. 만약 이 나라에서 여성이 교통수단으로 자전거를 탈 경우에는 처벌을 받는다.
> • 상대방이 거절하는데도 끈질기게 구애하는 것이 사랑을 얻기 위한 의지의 표현이라고 생각했던 때도 있었다. 하지만 지금은 상대방 의사에 반하여 지속적으로 접근을 시도해 교제를 요구하면 처벌을 받을 수 있다.

① 일탈 행동은 사회 변화의 원동력으로 작용한다.
② 일탈 행동은 불평등한 사회 구조로 인해 발생한다.
③ 사회 규범의 통제력 약화는 일탈 행동을 증가시킨다.
④ 일탈 행동은 사회 구성원의 인식에 상관없이 결정된다.
⑤ 일탈 행동에 대한 규정은 사회적 상황에 따라 달라진다.

03 일탈 행동의 여부를 판단하는 기준으로 옳은 것을 〈보기〉에서 있는 대로 고른 것은?

┤ 보기 ├
ㄱ. 사회 규범에 어긋나는 행동인가?
ㄴ. 뚜렷한 목적을 가지고 있는 행동인가?
ㄷ. 주변인 다수가 일탈 행동이라고 규정하였는가?
ㄹ. 다수의 사회 구성원들이 동의하기 힘든 행동인가?

① ㄱ, ㄴ   ② ㄱ, ㄷ   ③ ㄴ, ㄹ
④ ㄱ, ㄴ, ㄹ   ⑤ ㄱ, ㄷ, ㄹ

04 일탈 행동이 개인과 사회에 미치는 영향으로 옳지 <u>않은</u> 것은?
① 일탈적 사고와 행동이 사회의 다양성을 증진할 수 있다.
② 사회 규범이 붕괴되어 사회가 무질서 상태에 빠질 수 있다.
③ 개인이 일탈 행동을 반복적으로 행할 경우 사회에 쉽게 적응할 수 있다.
④ 사회 구성원이 느끼는 심리적 긴장에서 벗어나는 기회를 제공하기도 한다.
⑤ 집단적 일탈 행동으로 인해 기존 사회 질서나 규범의 모순이 드러나기도 한다.

2 일탈 행동의 원인과 해결 방안

05 밑줄 친 ㉠~㉢에 대한 옳은 설명을 〈보기〉에서 고른 것은?

㉠ 일탈 행동은 개인, 집단, 사회 구조의 관계 속에서 발생한다. 일탈 행동에 대한 이론적 관점은 크게 ㉡ 일탈 행동을 판단하는 절대적 기준이 있다는 관점과 ㉢ 그렇지 않다는 관점으로 나눌 수 있다.

┤ 보기 ├
ㄱ. 법을 어기는 행위와 달리 규범을 어기는 행위는 ㉠에 해당하지 않는다.
ㄴ. 아노미 이론은 ㉡에 해당한다.
ㄷ. ㉢은 주로 한 사회에서 특정 행동이 일탈 행동으로 규정되는 과정에 대해 관심을 갖는다.
ㄹ. ㉡은 미시적 관점, ㉢은 거시적 관점이다.

① ㄱ, ㄴ   ② ㄱ, ㄷ   ③ ㄴ, ㄷ
④ ㄴ, ㄹ   ⑤ ㄷ, ㄹ

06 다음 글에 나타난 일탈 이론에 대한 설명으로 옳은 것은?

급격한 사회 변동기에는 새로운 사회 규범 체계가 아직 자리 잡지 못해 가치와 규범의 혼란이 초래되고 그 결과 범죄가 많이 일어나게 된다. 또한, 사회 제도의 기능이 약화되면서 개인에 대한 사회 통제가 약화되고 사람들의 열망이 제한을 받지 않게 되면서 일탈과 범죄가 증가하게 된다.

① 차별적인 제재가 2차적 일탈을 유발한다고 본다.
② 일탈의 대책으로 사회 규범의 통제력 회복을 강조한다.
③ 일탈 행동을 규정하는 기준은 존재하지 않는다고 본다.
④ 일탈의 기준은 사회 지배층 집단의 가치를 반영한다고 본다.
⑤ 일탈이 발생하는 요인을 개인적 차원에서 찾아야 한다고 본다.

07 다음 글에 나타난 일탈 이론에 대한 옳은 설명을 〈보기〉에서 고른 것은?

> 사회학자 A는 범죄 통계에서 하층 노동 계급 청년들의 재산 범죄가 차지하는 비율이 다른 집단에 비해 과도하게 높은 것은 사회 자체의 특성 때문이라고 보았다. 그에 따르면 문화적 목표를 달성할 수 있는 합법적 수단을 갖지 못한 집단에 속한 사람들이 비합법적인 수단을 활용하려고 할 때 일탈 행동이 발생한다.

┤ 보기 ├
ㄱ. 뒤르켐의 아노미 이론이다.
ㄴ. 거시적 관점에서 일탈 행동에 주목한다.
ㄷ. 일탈 행동은 사회화의 산물이라고 본다.
ㄹ. 기회 구조가 차단된 집단의 범죄를 설명하는 데 유용하다.

① ㄱ, ㄴ   ② ㄱ, ㄷ   ③ ㄴ, ㄷ
④ ㄴ, ㄹ   ⑤ ㄷ, ㄹ

★08 (가), (나)에 해당하는 일탈 이론으로 옳은 것은?

> (가) 우연히 작은 잘못을 저지른 사람에게 '범죄자'라는 딱지를 붙이면, 행위자는 스스로를 범죄자로 규정하고 또 다른 범죄 행위를 하게 된다.
> (나) 범죄는 다른 사회적 행위와 마찬가지로 학습의 결과로 나타나는 행동이다. 범죄자 또는 범죄 집단과의 교류를 통해 범죄에 필요한 기술과 그것을 정당화하는 태도를 내면화하여 범죄를 저지르게 되는 것이다.

	(가)	(나)
①	낙인 이론	차별 교제 이론
②	낙인 이론	뒤르켐의 아노미 이론
③	차별 교제 이론	머튼의 아노미 이론
④	머튼의 아노미 이론	차별 교제 이론
⑤	뒤르켐의 아노미 이론	낙인 이론

09 다음 속담 또는 사자성어와 관련된 일탈 이론에 대한 옳은 설명을 〈보기〉에서 고른 것은?

> • 친구 따라 강남 간다.
> • 까마귀 노는 곳에 백로야 가지 마라.
> • 근묵자흑(近墨者黑): 검은 먹을 가까이 하면 검어진다.

┤ 보기 ├
ㄱ. 사회적 낙인의 신중한 접근을 강조한다.
ㄴ. 일탈 행동은 타인과의 상호 작용으로 학습된다고 본다.
ㄷ. 일탈 행동에 대한 보편적인 기준이 존재하지 않는다고 본다.
ㄹ. 일탈 행동을 하는 집단과 접촉했음에도 일탈 행동을 하지 않는 경우를 설명하기 어렵다는 한계가 있다.

① ㄱ, ㄴ   ② ㄱ, ㄷ   ③ ㄴ, ㄷ
④ ㄴ, ㄹ   ⑤ ㄷ, ㄹ

10 일탈 행동을 바라보는 을의 이론에 대한 설명으로 옳은 것은?

> 갑 일탈 행동을 하는 이유는 무엇입니까?
> 을 '바늘 도둑이 소도둑 된다.'는 말이 있습니다. 작은 잘못을 저질렀던 사람이 주위의 반응 때문에 부정적 자아를 형성하고, 더 큰 잘못을 저지르게 되는 것입니다.

① 일탈 행동은 후천적 사회화의 결과라고 본다.
② 일탈 행동보다 그에 대한 사회적 반응을 중시한다.
③ 일탈에 대한 보편적인 판단 기준이 존재한다고 본다.
④ 사회적 기회가 차단된 집단의 일탈을 설명하기 용이하다.
⑤ 자신이 일탈자라는 정체성을 형성해도 일탈 행동을 하지 않는다고 본다.

11 일탈 이론 (가), (나)에 대한 옳은 설명을 〈보기〉에서 고른 것은?

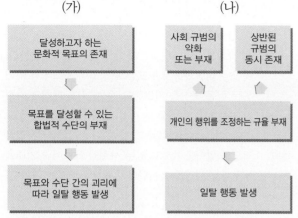

(가)　　　　　　　　(나)

| 달성하고자 하는 문화적 목표의 존재 |

↓

| 목표를 달성할 수 있는 합법적 수단의 부재 |

↓

| 목표와 수단 간의 괴리에 따라 일탈 행동 발생 |

| 사회 규범의 약화 또는 부재 | 상반된 규범의 동시 존재 |

⬇

| 개인의 행위를 조정하는 규율 부재 |

⬇

| 일탈 행동 발생 |

┤ 보기 ├
ㄱ. (가)는 머튼의 아노미 이론, (나)는 낙인 이론이다.
ㄴ. (가)는 (나)와 달리 거시적 관점에서 일탈 행동을 바라본다.
ㄷ. (가)로 설명할 수 있는 사례로는 파산한 사람이 물질적 풍요를 누리기 위해 절도와 같은 비합법적 수단을 사용하는 경우를 들 수 있다.
ㄹ. (나)는 일탈 행동의 해결 방안으로 일탈자에 대한 사회 통제와 규제 강화 방안의 마련을 강조한다.

① ㄱ, ㄴ　　　② ㄱ, ㄷ　　　③ ㄴ, ㄷ
④ ㄴ, ㄹ　　　⑤ ㄷ, ㄹ

12 그림에 나타난 일탈 이론에 대한 설명으로 옳은 것은?

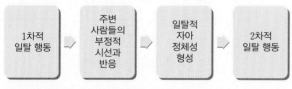

| 1차적 일탈 행동 | → | 주변 사람들의 부정적 시선과 반응 | → | 일탈적 자아 정체성 형성 | → | 2차적 일탈 행동 |

① 차별 교제 이론을 도식화한 것이다.
② 거시적 차원에서 일탈 행동의 원인을 분석한다.
③ 일탈을 규정하는 객관적 규범은 존재하지 않는다고 본다.
④ 일탈 행동의 해결 방안으로 일탈자와의 접촉 차단을 제시한다.
⑤ 급격한 사회 변동 과정에서 해당 사회의 규범이 미처 정립되지 못할 때 일탈이 발생한다고 본다.

13 다음에 나타난 일탈 이론에 대한 설명으로 옳은 것은?

• 범죄 행동은 타인과의 상호 작용 속에서 의사소통 과정을 통해 학습된다.
• 범죄 행동을 학습한다는 것은 두 가지를 뜻한다. 하나는 범죄 행동의 기법을 배운다는 것이고, 또 하나는 범죄자에게 독특한 합리화, 핑계 및 태도를 습득한다는 것이다.

① 급격한 사회 변동으로 인해 일탈 행동이 증가한다고 본다.
② 일탈 행동의 해결 방안으로 개인의 의식 개선을 강조한다.
③ 일탈 집단과의 교류를 차단해야 일탈 행동이 줄어든다고 본다.
④ 부정적 자아의 내면화로 반복적인 일탈 행동이 일어난다고 본다.
⑤ 사회적 합의에 바탕을 둔 지배적 규범의 부재에서 일탈 행동이 발생한다고 본다.

★14 표는 일탈 이론 A, B를 비교한 것이다. 이에 대한 옳은 설명을 〈보기〉에서 고른 것은? (단, A, B는 각각 낙인 이론과 차별 교제 이론 중 하나이다.)

구분	A	B
2차적 일탈이 발생하는 과정에 주목하는가?	예	아니요
일탈 행동의 대책으로 새로운 가치관의 확립을 강조하는가?	㉠	㉡
일탈은 그 행위가 발생하는 상황과 여건에 따라 규정되는 것이라고 보는가?	㉢	㉣

┤ 보기 ├
ㄱ. A는 일탈 행동을 합리화할 수 있다는 한계가 있다.
ㄴ. B는 무규범 상태로 인해 일탈 행동이 발생한다고 본다.
ㄷ. ㉠, ㉡ 모두 '아니요'이다.
ㄹ. ㉢은 '아니요', ㉣은 '예'이다.

① ㄱ, ㄴ　　　② ㄱ, ㄷ　　　③ ㄴ, ㄷ
④ ㄴ, ㄹ　　　⑤ ㄷ, ㄹ

15 다음 사례를 통해 알 수 있는 일탈 행동의 특성을 쓰시오.

• 화려한 의상과 진한 분장은 무대 위에서는 자연스럽지만, 학교나 사무실에서는 일탈로 여겨질 수 있다.
• 여성이 남성과 같이 교육을 받는 것이 우리나라에서는 아무런 문제가 되지 않지만, 일부 이슬람 국가에서는 일탈 행동이 되기도 한다.

16 다음 글의 ㉠, ㉡에 들어갈 알맞은 말을 쓰시오.

누구나 때로는 일탈적 행동을 할 수 있지만, 대부분 가볍고 일시적이며 쉽게 감추어질 수 있다. 이를 가리켜 (㉠)(이)라 한다. (㉠)은/는 모르는 채 지나가는 것이 대부분이며, 당사자 자신도 자신을 일탈자로 생각하지 않는 경우가 많다. 그러나 이러한 일탈 행동이 일단 발견되고 세상에 알려지면 그 개인은 일탈자로 낙인찍히고, 다른 사람들은 그를 일탈자로 대하기 시작한다. 결과적으로 일탈자로 낙인찍힌 사람들은 그 낙인을 받아들이게 된다. 그리고 이에 따라 일탈자로서의 새로운 자아 개념을 발전시켜 행동하면서 일탈이 습관화될 수 있는데, 이를 (㉡)(이)라 한다.

17 다음 빈칸에 이어질 문장을 서술하시오.

아노미 이론에서는 아노미 상태에서 일탈 행동이 일어난다고 설명한다. 뒤르켐은 기존의 사회 규범이 약화하였음에도 이를 대체할 새로운 규범과 기준이 없는 상태를 아노미로 정의하였다. 한편, 머튼은 아노미를 _____

18 다음 글을 읽고 물음에 답하시오.

모든 사회에서는 규범 체계를 통해 사회 구성원에게 사회가 기대하는 행동을 하도록 요구한다. 개인은 사회화 과정을 통해 사회 규범과 사회 구성원의 역할을 내면화하지만 모든 구성원이 사회에서 기대하는 행동 방식을 따르는 것은 아니다. 때때로 사회적으로 허용된 행동 범위를 벗어난 행동을 하게 되어 (㉠)이/가 발생하는데, (㉠)은/는 일반적으로 받아들여지고 있는 사회적 규범이나 기대에 어긋나는 행위를 의미한다.

(1) ㉠에 들어갈 알맞은 말을 쓰시오.

(2) ㉠의 긍정적 영향과 부정적 영향을 각각 서술하시오.

★19 그림은 일탈 이론 (가)~(다)를 도식화한 것이다. 이를 보고 물음에 답하시오.

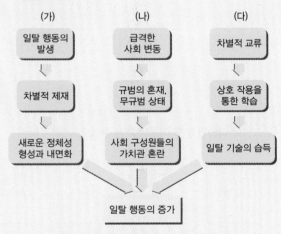

(1) (가)~(다)에 해당하는 일탈 이론을 쓰시오.

(2) (가)~(다)에 해당하는 일탈 이론이 제시하는 일탈 행동의 해결 방안을 각각 서술하시오.

01 다음 글에 대한 학생들의 설명으로 옳은 것은?

> 간통, 시위, 파업 등은 사회에 따라 범죄로 규정되기도 하고 그렇지 않기도 하며, 또는 강력한 범죄로 취급하기도 하고 사소한 범죄로 취급하기도 한다. 동성애나 신체 노출과 같은 행위도 사회적 규범에 따라 일탈로 취급되기도 하지만 그렇지 않기도 하다. 한편, 사회에 따라 기존의 사회 질서나 가치관을 유지하기 위해 특정한 행동을 일탈 또는 범죄로 규정하여 특정한 집단이나 개인들을 사회적으로 억압하거나 배제하기도 한다.

① 갑: 일탈 행동의 규정은 보편성을 지니고 있어.
② 을: 일탈은 목표와 수단 간의 괴리 때문에 발생해.
③ 병: 일탈의 기준은 시대나 지역에 따라 달라질 수 있어.
④ 정: 일탈을 해결하는 과정에서 사회 발전을 도모할 수 있어.
⑤ 무: 일탈은 개인의 문제에서 사회 문제로 그 인식이 변화하고 있어.

02 다음 두 사례를 종합하여 도출할 수 있는 결론으로 가장 적절한 것은?

> • 갑국에서 청년 세대는 갑국의 주류 문화에 반기를 들고 비판적인 태도를 취해 일탈 행동을 일삼는 집단으로 여겨졌다. 그러나 그들의 일탈 행동이 계속되면서 갑국의 구조적 모순점이 드러나게 되었고, 그로 인해 갑국 사회는 변화하게 되었다.
> • 을국에서는 여성에 대한 차별이 당연시되었고, 참정권 보장 등을 요구하는 여성들에 대해서는 불법적 집단으로 규정하여 제재를 가하였다. 그러나 여성들의 권리 투쟁 운동이 계속되면서 을국 내 여성의 권리는 차츰 확대되었다.

① 일탈 행동은 사회 혼란을 초래한다.
② 일탈 행동을 규정하는 기준은 상대적이다.
③ 일탈 행동은 사회적 소수자에 의해 발생한다.
④ 일탈 행동은 사회의 모순을 해결하는 계기를 마련하기도 한다.
⑤ 일탈 행동을 규정하는 기준은 사회 구성원 전체의 합의에 의해 결정된다.

03 일탈 이론 (가)~(다)에 대한 설명으로 옳은 것은?

> (가) 공식적으로 일탈자라고 규정되면 성공을 위한 합법적 수단으로부터 배제되고 일탈자라는 자아 개념을 가지게 되어, 미래의 일탈 가능성이 증가하게 된다. 결국 일탈자라고 규정짓는 것은 사회적 지위를 부여하는 것과 같다.
> (나) 경제적 성공을 강조하는 문화를 구성원 모두가 공유하는 사회에서, 제도화된 수단이 부족한 특정 계층은 성공에 어려움을 겪게 된다. 따라서 이들은 불법적인 방법을 통해서라도 성공하려고 시도함으로써 일탈 행동을 하게 된다.
> (다) 하층에 속한 사람들이 일탈 행동을 많이 한다는 주장이 있지만, 하층에서도 일부만 일탈 행동을 한다. 이들이 일탈 행동을 하는 것은 일탈자와의 상호 작용을 통해 일탈적 가치와 태도를 수용하기 때문이다.

① (가)는 (다)와 달리 사회의 지배적 가치와 규범을 사회화하지 못함으로써 일탈 행동이 발생한다고 본다.
② (나)는 (가)와 달리 일탈 행동의 발생에 있어 타인과의 상호 작용을 통한 학습 과정을 강조한다.
③ (다)는 (나)와 달리 일탈 행동을 초래하는 사회 구조의 영향력을 강조한다.
④ (가)는 (나), (다)와 달리 일탈이 행동의 속성에 의해서가 아니라 그에 대한 사회적 반응에 의해 규정된다고 본다.
⑤ (나)는 (가), (다)와 달리 지배 집단의 기득권 보호를 위한 사회 제도 때문에 일탈 행동이 발생한다고 본다.

04 밑줄 친 '이 이론'에서 제시하는 일탈 행동의 해결 방안으로 가장 적절한 것은?

> 최근 급증하는 청소년 비행은 이 이론으로 설명할 수 있다. 이 이론에서는 비행 친구와 어울린 이후에 최초의 비행을 저지른다고 주장한다. 비행 친구와 어울리면서 그들의 가치와 태도를 배워 비행을 저지르게 되는 것이다.

① 일탈 집단과의 교류 차단
② 사회 규범의 통제력 회복
③ 사회적 낙인의 신중한 부여
④ 일탈을 규정하는 객관적인 규범 마련
⑤ 문화적 목표를 달성할 수 있는 제도적 수단의 제공

| 수능 기출 |

05 다음 대화에 나타난 갑, 을의 일탈 이론에 대한 설명으로 옳은 것은?

통계에 따르면, 범죄자의 다수는 하류 계층 출신인 것으로 나타났습니다. 이에 대한 의견을 말씀해 주십시오.

사회자

누구나 물질적 풍요를 원하지만 하류 계층 사람들은 상류 계층에 비해서 제도적 수단이 부족하여 불법적 수단을 더 많이 선택하기 때문입니다.

갑

하류 계층 사람들의 행동에 대한 부정적 인식과 그에 따른 사회적 반응의 결과라고 생각합니다. 하류 계층의 행동을 더 위험하게 생각하여 범죄로 규정할 가능성이 크기 때문입니다.

을

① 갑의 이론은 일탈 행동이 타인과의 상호 작용에서 비롯된다고 본다.
② 을의 이론은 부정적 자아가 형성되어 일탈 행동이 반복된다고 본다.
③ 갑의 이론은 을의 이론과 달리 일탈 행동을 미시적 관점에서 바라보고 있다.
④ 을의 이론은 갑의 이론과 달리 일탈을 규정하는 객관적 기준이 존재한다고 본다.
⑤ 갑, 을의 이론 모두 일탈 행동에 대한 대책으로 강력한 사회 통제를 강조한다.

06 밑줄 친 부분에 들어갈 내용으로 가장 적절한 것은?

〈청소년 일탈 문제를 보는 A이론〉

• 분석: 청소년은 아직 미성숙하기에 자신의 정체성을 형성하는 과정에서 롤모델을 필요로 한다. 이때 가장 큰 역할을 하는 부모나 주변 기성세대가 청소년기의 특징을 제대로 이해하거나 공감하지 못하고 일부 청소년의 행동을 잘못된 것이라고 여길 경우 그들은 낮은 자아 존중감을 갖게 되어 문제 행동을 일으키게 된다.
• 결론: 청소년 일탈 문제는 ＿＿＿＿＿＿＿＿

① 지배적 규범의 부재로 인해 발생한다.
② 세대 갈등에서 비롯된 보편적 현상이다.
③ 가정 교육과 학교 교육의 약화에서 비롯된다.
④ 문화적 목표와 제도적 수단 간의 괴리에서 발생한다.
⑤ 자신의 행위에 대한 타인의 부정적 시선을 내면화한 결과이다.

| 평가원 기출 |

07 그림의 일탈 이론 (가)~(다)에 대한 설명으로 옳은 것은? (단, (가)~(다)는 각각 낙인 이론, 아노미 이론, 차별 교제 이론 중 하나이다.)

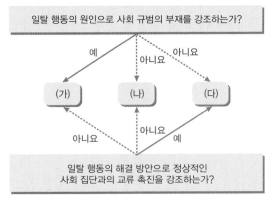
일탈 행동의 원인으로 사회 규범의 부재를 강조하는가?
예 / 아니요 / 아니요
(가) / (나) / (다)
아니요 / 아니요 / 예
일탈 행동의 해결 방안으로 정상적인 사회 집단과의 교류 촉진을 강조하는가?

① (가)는 일탈 행동이 급격한 사회 변동으로 인해 촉발된다고 본다.
② (나)는 일탈을 규정하는 객관적 기준이 존재한다고 본다.
③ (다)는 일탈 행동 자체보다 일탈 행동에 대한 사회적 반응을 중시한다.
④ (가)는 (나)와 달리 일탈 행동의 해결 방안으로 불평등 구조의 근본적 변화를 강조한다.
⑤ (다)는 (나)와 달리 일탈 행동이 문화적 목표와 제도적 수단 간의 괴리에서 비롯된다고 본다.

| 평가원 응용 |

08 일탈 이론 A~C에 대한 옳은 설명을 〈보기〉에서 고른 것은? (단, A~C는 각각 낙인 이론, 아노미 이론, 차별 교제 이론 중 하나이다.)

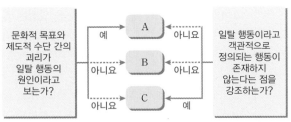
문화적 목표와 제도적 수단 간의 괴리가 일탈 행동의 원인이라고 보는가?
예 / 아니요 / 아니요
A / B / C
아니요 / 아니요 / 예
일탈 행동이라고 객관적으로 정의되는 행동이 존재하지 않는다는 점을 강조하는가?

┤ 보기 ├
ㄱ. A는 일탈 행동의 원인을 개인적 차원에서 파악하고 있다.
ㄴ. B에 해당하는 속담으로 "세 살 버릇 여든까지 간다."가 적절하다.
ㄷ. B는 법 위반에 대한 우호적 가치의 습득을 일탈 행동의 원인으로 본다.
ㄹ. C는 일탈 행동에 대한 규정을 신중하게 할 필요가 있음을 강조한다.

① ㄱ, ㄴ   ② ㄱ, ㄷ   ③ ㄴ, ㄷ
④ ㄴ, ㄹ   ⑤ ㄷ, ㄹ

| 평가원 기출 |

09 표는 일탈 이론 A~C를 질문에 따라 구분한 것이다. 이에 대한 옳은 설명만을 〈보기〉에서 있는 대로 고른 것은? (단, A~C는 각각 낙인 이론, 아노미 이론, 차별 교제 이론 중 하나이다.)

질문 이론	(가)	(나)	(다)
A	예	아니요	아니요
B	아니요	아니요	예
C	아니요	예	아니요

┤ 보기 ├

ㄱ. A가 아노미 이론, B가 차별 교제 이론이라면, "타인들과의 상호 작용이 일탈 발생 과정에 미치는 영향을 중시하는가?"는 (다)에 적절하다.

ㄴ. B가 낙인 이론, C가 아노미 이론이라면, "일탈자와의 접촉 차단을 일탈에 대한 대책으로 보는가?"는 (가)에 적절하다.

ㄷ. (가)가 "사회 규범의 통제력 회복을 일탈에 대한 대책으로 보는가?"라면, "일탈의 원인으로 구조적인 요인을 강조하는가?"는 (나)에 적절하다.

ㄹ. (가)가 "일탈 행동에 대한 부정적 반응을 일탈의 원인으로 보는가?"이고 (다)가 "문화적 목표에 도달할 기회 제공을 일탈에 대한 대책으로 보는가?"라면, C는 차별 교제 이론이다.

① ㄱ, ㄷ   ② ㄴ, ㄷ   ③ ㄴ, ㄹ
④ ㄱ, ㄴ, ㄹ   ⑤ ㄱ, ㄷ, ㄹ

10 다음 글에 나타난 일탈 이론에 대한 설명으로 옳은 것은?

> 누군가는 일탈 행동이 타인에 의해 상대적으로 규정되는 것이라고 주장한다. 그러나 일탈 행동은 학습의 결과이다. 다른 일탈자 또는 일탈 집단과의 지속적인 교제를 하는 과정에서 일탈의 방법뿐만 아니라 일탈 행동을 합리화하는 태도와 가치를 습득하여 일탈 행동을 하게 되는 것이다.

① 차별적인 제재가 일탈 행동의 원인이라고 본다.
② 일탈자가 되어 가는 내면적 과정에 초점을 둔다.
③ 일탈 행동을 규정하는 객관적 기준이 없다고 본다.
④ 사회화를 통한 일탈 행동의 발생 과정에 초점을 둔다.
⑤ 불평등한 사회 구조와 계급 간 갈등을 일탈 행동의 근본 원인으로 인식한다.

| 수능 응용 |

11 〈자료 1〉에 나타난 일탈 이론 A~C를 〈자료 2〉와 같이 분류할 때, (가)~(다)에 들어갈 대답으로 옳은 것은?

〈자료 1〉

A: 사회가 누군가를 일탈자라고 규정하면 그 사람은 이를 동일시하여 내면화 과정을 거치면서 규정된 것과 같은 특성을 보이게 된다. 일탈은 행위 자체의 속성에 있는 것이 아니라 행위에 대한 사회적 반응의 결과이다.

B: 산업화 단계로 접어들면서 대도시로의 인구 유입, 분업, 개인의 고립 등을 특징으로 하는 변화가 나타난다. 이 과정에서 사람들은 규범과 역할의 혼란을 겪게 되고 욕구를 통제하지 못하게 되면서 일탈을 저지른다.

C: 개인이 법 위반에 우호적인 태도를 가진 사람들과 밀접한 관계를 맺으면서 일탈을 저지를 수 있다. 일탈은 개인이나 사회의 특성에서 비롯되는 것이 아니라 개인이 경험한 학습 과정의 결과로 나타난다.

〈자료 2〉

구분	A	B	C
상호 작용을 통한 일탈의 발생에 초점을 두는가?	(가)	(나)	(다)

	(가)	(나)	(다)
①	예	예	아니요
②	예	아니요	예
③	예	아니요	아니요
④	아니요	예	예
⑤	아니요	아니요	예

1 **# 인간의 사회화**

사회 구조   # 사회 실재론   # 사회 명목론
사회화   # 사회화 기관
사회적 지위   # 역할
역할 행동   # 역할 갈등

사회 구조 한 사회의 개인과 집단이 사회적 관계를 맺는 방식이 상대적으로 정형화되어 안정된 틀을 이룬 상태

[①　　　　] 사회는 개인의 속성과는 구별되는 독립적인 실체이며, 개인의 외부에 실제로 존재한다고 보는 관점

사회 명목론 사회는 개인의 합에 이름을 붙인 것으로 실제로 존재하지 않는다는 관점

사회화 ②

사회화 기관 개인의 사회화에 영향을 미치는 기관

사회적 지위 개인이 사회 속에서 차지하는 위치

역할 지위에 따라 사회적으로 기대하는 행동 양식

[③　　　　] (역할 수행) 개인이 사회적 역할을 실제로 수행하는 방식

역할 갈등 ④

2 **# 사회 집단과 사회 조직**

사회 집단   # 1차 집단   # 2차 집단
공동 사회   # 이익 사회
내집단   # 외집단   # 준거 집단
사회 조직   # 공식 조직   # 비공식 조직
자발적 결사체
관료제 조직   # 탈관료제 조직

[⑤　　　　] 같은 집단의 구성원이라는 정체성을 가지고 지속적으로 상호 작용하는 사람들의 무리

1차 집단 구성원들이 대체로 장기간 직접 접촉하며 친밀한 관계를 형성하는 전인격적인 집단

2차 집단 구성원들이 간접적이고 부분적으로 접촉하며 상호 친밀감이 약한 집단

공동 사회 인간의 본질적이고 자연적인 의지에 따라 자연 발생적으로 형성된 집단

이익 사회 인간의 합리적이고 선택적인 의지에 따라 특정 목적을 위해 의도적으로 만들어진 사회 집단

내집단 개인이 소속되어 있으며 소속감을 느끼고 있는 집단

외집단 개인이 소속되어 있지 않으면서 소속감을 느끼지 못하는 집단

준거 집단 ⑥ _____

⑦ [　　　　] 특정 목적을 달성하기 위해 비교적 분명한 위계와 절차에 따라 소속감을 느끼고 집합적인 활동에 참여하는 사람들의 결합

공식 조직 특정 목적을 달성하기 위해 의도적으로 만들어진 조직

비공식 조직 공식 조직 내에서 구성원들이 친밀한 인간관계를 바탕으로 서로 상호 작용을 하며 형성된 조직

자발적 결사체 공동의 관심사나 이해관계를 가진 사람들이 공동의 목표를 달성하기 위하여 자발적으로 형성한 조직

관료제 조직 ⑧ _____

탈관료제 조직 관료제의 전형적인 문제점을 극복하기 위해 대안적으로 나타난 새로운 조직 형태

3 # 일탈 행동의 원인과 대책

\# 사회 규범　\# 일탈 행동
\# 아노미 이론　\# 차별 교제 이론　\# 낙인 이론
\# 1차적 일탈　\# 2차적 이탈
\# 사회 통제

⑨ [　　　　] 사회에서 공동생활을 해 나가기 위해 사회 구성원이 지켜야 할 행위의 기준이나 규칙

일탈 행동 ⑩ _____

아노미 이론 사회 규범이 약화되거나 부재하지만 이를 대체할 새로운 규범과 기준이 없을 때 일탈 행동이 일어난다고 설명하는 이론

차별 교제 이론 개인이 일탈에 우호적인 일탈자와 접촉하면서 그들의 문화와 행동을 학습하여 사회화한 결과 일탈 행동이 일어난다고 설명하는 이론

낙인 이론 특정 행동을 일탈 행동으로 규정한 후, 그러한 행동을 한 사람들을 일탈자로 낙인찍었기 때문에 일탈 행동이 발생한다고 보는 이론

1차적 일탈 사람들에 의해 저질러진 최초의 일탈 행동

⑪ [　　　　] 1차적 일탈을 한 사람이 낙인으로 인해 반복적으로 저지르게 된 일탈 행동

사회 통제 사회가 질서를 유지하고 존속하도록 구성원에게 강제력을 가하는 것

정답 ❶ 사회 실재론 ❷ 사회 속에서 성장하면서 자신이 속한 사회의 행동 방식과 사고방식을 학습하는 과정 ❸ 역할 행동 ❹ 한 개인이 동시에 두 가지 이상의 서로 다른 지위에 따른 역할을 수행하고자 할 때, 역할 간에 충돌이 발생하는 것 ❺ 사회 집단 ❻ 다양한 사회 집단 중에서 한 개인이 자신의 행동과 판단의 기준으로 삼는 집단 ❼ 사회 조직 ❽ 특정 목표를 달성하기 위해 구성원의 역할을 명확하게 구분하고 공식적인 규칙과 규정에 따라 운영하는 대규모 위계 조직 ❾ 사회 규범 ❿ 한 사회에서 일반적으로 받아들여지는 사회 규범에 어긋나는 행동 ⓫ 2차적 일탈

Ⅲ

문화와 일상생활

이 단원의 핵심 포인트

중단원	핵심 포인트	학습일
01 문화의 이해	• 문화의 의미와 속성 • 문화를 바라보는 관점과 문화 이해 태도	월 일 ~ 월 일
02 하위문화와 대중문화	• 하위문화의 의미와 특징 • 대중문화의 이해와 비판적 수용	월 일 ~ 월 일
03 문화의 변동	• 문화 변동의 요인과 양상 • 문화 변동에 따른 문제점과 대처 방안	월 일 ~ 월 일

셀파와 내 교과서 단원 비교

셀파	천재교육	지학사	미래엔	비상교육
01 문화의 이해	01 문화의 이해	01 문화의 이해	01 문화의 이해	01 문화의 이해
02 하위문화와 대중문화	02 하위문화와 대중문화	02 하위문화 03 대중문화	02 현대 사회의 다양한 문화 양상	02 현대 사회의 문화 양상
03 문화의 변동	03 문화의 변동	04 문화 변동	03 문화 변동의 이해	03 문화 변동의 양상과 대응

01 문화의 이해

1 문화의 의미와 속성

1. 문화의 의미 [자료 01]

주의 인간의 모든 행위가 문화에 속하는 것은 아니다. 인간의 본능적 행위, 개인적인 취향이나 습관 등은 문화라고 볼 수 없다.

(1) 좁은 의미의 문화

① 의미 인간의 사회적이고 후천적인 생활 양식 중에서 예술적이고 교양 있거나 세련된 것

② 사례 문화인, 문화생활, 신문의 '문화면', 문화 행사 등

(2) 넓은 의미의 문화

① 의미 한 사회의 구성원들이 만들어 낸 **공통의 생활 양식**

② 사례 한국 문화, 청소년 문화, 주거 문화, 음식 문화 등

2. 문화의 특성 [자료 02]

(1) 보편성

① 의미 어느 사회에서나 공통적으로 존재하는 생활 양식

② 사례 언어, 결혼, 종교, 의복 등

(2) 특수성

왜? 각 사회는 독특한 자연환경과 역사적 배경 속에서 고유한 문화를 발전시키기 때문이다.

① 의미 다른 사회와 구분되는 고유한 특징

② 사례 사회에 따라 장례를 치르는 형식과 방식이 다름.

3. 문화의 속성 [자료 03]

(1) 학습성

① 의미 문화는 타고나는 것이 아니라 **후천적으로 습득됨.**

② 특징 인간이 문화를 학습하는 과정에서 그 사회의 언어, 규범, 가치 등을 익힘으로써 사회에 적응하고, 그와 함께 **사회가 유지되고 존속됨.** 개인이 어떤 사회에서 사회화되는지에 따라 향유하는 문화가 달라짐.

③ 사례 우리나라에서 태어나도 외국에서 성장한 교포는 한국어보다 외국어에 능통함.

(2) 공유성

의의 구성원 간에 사고와 행동의 동질성을 형성하게 해 주고, 문화가 구성원의 사고와 행동을 구속한다는 것을 보여 준다.

① 의미 문화는 **한 사회의 구성원들이 공통**으로 가지고 있는 생활 양식임.

② 특징 **사회 구성원 간 행동을 예측할 수 있게** 함으로써 원활한 사회적 상호 작용이 가능해짐.

③ 사례 우리나라 사람은 생일에 미역국을 먹는 것을 알지만 외국인은 알지 못함.

(3) 변동성

① 의미 문화는 **시간이 흐르면서 그 모습이나 내용, 의미** 등이 변화함.

② 특징 문화에 새로운 문화 요소[2]가 추가되거나 소멸하기도 함.

③ 사례 주거 양식이 한옥에서 아파트로 바뀜.

(4) 축적성[3]

① 의미 문화는 **다음 세대로 전승**되면서 기존의 문화에 새로운 문화 요소가 추가됨.

② 특징 문화가 풍부해지고 다양해짐. **의의** 문화 발전의 원동력이 된다.

③ 사례 현재의 수학적 지식은 고대부터 그 내용이 쌓여 형성된 것임.

(5) 총체성(전체성)

① 의미 문화는 여러 구성 요소가 상호 유기적인 관련을 맺으며, 부분이 아닌 **하나의 전체로서** 존재함.

② 특징 문화의 한 부분이 변화하면 다른 부분에도 연쇄적으로 영향을 줌.

③ 사례 과학 기술의 발달은 공업화와 도시화, 가족과 친족 기능의 약화 등 사회 다른 분야에도 영향을 미침.

고득점을 위한 셀파 Tip

· 문화의 의미

좁은 의미	예술적이고 교양 있거나 세련된 것
넓은 의미	사회의 구성원들이 만들어 낸 공통의 생활 양식

❶ 문화의 어원

문화(culture)는 경작이나 재배를 의미하는 라틴어 'cultus'에서 유래하였다. 문화는 인간이 자연에 인위적인 힘을 가해 필요한 자원을 확보하려는 행위로부터 발달하였음을 알 수 있다.

고득점을 위한 셀파 Tip

· 문화의 속성

학습성	사회화를 통해 후천적으로 학습함.
공유성	구성원 공통의 생활 양식
변동성	시간이 흐르면서 변화함.
축적성	다음 세대로 전승되면서 문화 요소가 축적됨.
총체성	각 문화 요소는 유기적으로 연결되어 하나로 존재함.

❷ 문화 요소

총체적으로 형성되어 있는 문화를 구성하는 개별 요소를 가리킨다. 기술, 언어, 상징, 예술, 규범, 가치 등이 있다.

기술	환경을 인간에게 유용하게 바꾸는 능력이나 수단
언어	생각, 느낌 등을 표현하거나 전달하기 위해 사용하는 사회적으로 관습화된 음성이나 문자
상징	사물이나 기호, 행동 등이 자연적으로 가진 속성과는 다른 새로운 의미가 부여된 것
예술	아름다움을 표현하고 창조하는 활동과 그에 따른 결과물
규범	사회 구성원들이 공유하는 행동의 기준이나 규칙
가치	옳고 그름, 좋고 나쁨, 아름다움과 추함에 대한 사람들의 신념과 감정 체계

❸ 문화의 축적성

인간이 가지고 있는 학습 능력과 상징체계를 통해 문화의 축적이 이루어진다. 일부 동물들이 학습 능력이 뛰어남에도 문화가 형성되지 않는 것은 축적을 통해 문화를 발전시키지 못했기 때문이다.

자료 01 문화의 의미

(가)

▲ 사람들이 문화생활을 즐기고 있다.

(나)

▲ 학생들이 세배를 통해 전통문화를 체험하고 있다.

자료 분석 | 우리는 일상생활에서 문화라는 말을 많이 사용하는데, 그 의미는 맥락에 따라 조금씩 다르다. 좁은 의미의 문화는 예술 활동이나 작품을 가리키기도 하고, 세련된 것, 교양을 갖춘 것을 의미하기도 한다. 넓은 의미의 문화는 한 사회의 구성원들이 만들어 낸 공통의 생활 양식을 의미한다. (가)의 '문화생활'의 문화는 좁은 의미의 문화이고, (나)의 '전통문화'의 문화는 넓은 의미의 문화이다.

자료 02 새해맞이 문화로 알아보는 문화의 보편성과 특수성

덴마크 사람들은 친척 집이나 이웃집 문 앞에서 접시와 컵을 깨뜨리면서 새해를 맞이하는데, 접시와 컵이 깨지는 소리가 나쁜 기운을 물리치고 행운을 불러온다고 믿기 때문이다. 에스파냐와 멕시코에서는 새해를 알리는 종이 울릴 때 포도 12알을 먹으며 소원을 빈다. 새해 12달 동안 나쁜 일이 생기지 않고, 바라는 일이 이루어지기를 기원하는 마음을 담고 있다. 또한, 중국 사람들은 집과 거리를 붉은색으로 꾸미고 폭죽을 터뜨리면서 새해를 맞이한다. 붉은색과 폭죽 소리가 불행을 쫓는다고 믿기 때문이다.

자료 분석 | 세계 여러 나라의 사람들이 새해에 좋은 일이 생기기를 기원하며 새해를 맞이한다는 점에서 문화의 보편성을 찾을 수 있다. 반면, 새해에 복을 비는 방식이 각 나라마다 다르다는 점에서 문화의 특수성을 찾을 수 있다.

자료 03 문화의 속성

(가)

"시원하다!"

(나)

자료 분석 | (가)에서 뜨거운 국을 먹고 "시원하다!"라고 하는 말의 뜻을 외국인은 이해하지 못하지만, 우리나라 사람은 "뜨거운 국물이 속을 후련하게 한다."라는 뜻으로 받아들인다. 이를 통해 한 사회의 구성원들이 문화를 공유함으로써 서로의 행동을 예측하고 이해한다는 것을 알 수 있다. 만약 외국인이 "시원하다!"라는 말의 뜻을 이해하고 사용하면, 이는 문화의 학습성에 해당한다.

(나)는 휴대 전화로 통화나 문자뿐만 아니라 촬영, 쇼핑, 독서 등 다양한 기능을 사용하는 모습이다. 이동 통신 기술의 발달로 경제·사회·문화 등 생활 전반에 변화가 일어난 것은 문화의 총체성에 해당한다. 휴대 전화가 발명된 이후 최근까지 새로운 기술이 쌓이면서 휴대 전화의 기능이 다양해진 것은 문화의 축적성이며, 과거와 달리 오늘날 휴대 전화로 간편하게 독서를 할 수 있는 모습은 문화의 변동성에 해당한다.

1 '지역 문화'의 문화는 '노인 문화'의 문화와 동일한 의미이다.
(○ , ×)

2 '차 문화'와 '문화생활'에서 문화는 모두 좁은 의미로 사용되었다.
(○ , ×)

3 좁은 의미의 문화는 평가적 의미를 내포하고 있다.
(○ , ×)

4 '문화인'의 문화는 생활 양식의 총체를 의미한다.
(○ , ×)

5 대부분의 사회에서 장례 의식이 치러진다는 사실은 문화가 개별 사회마다 고유한 특수성을 지니고 있음을 보여 준다.
(○ , ×)

6 문화의 학습성은 문화가 후천적으로 습득된다는 것을 보여 준다.
(○ , ×)

7 문화의 공유성으로 인해 사회 구성원 간의 행동을 이해하고 예측할 수 있다.
(○ , ×)

8 문화의 공유성을 통해 문화가 구성원의 사고와 행동을 구속한다는 것을 알 수 있다.
(○ , ×)

9 문화의 변동성은 문화의 각 요소가 상호 연관되어 있음을 보여 준다.
(○ , ×)

10 문화의 축적성은 인류 문명의 발달을 가능하게 하는 바탕이 된다.
(○ , ×)

11 문화는 부분이 아닌 전체로서 의미를 갖기 때문에 문화 요소 간에 서로 영향을 미친다.
(○ , ×)

정답 1 ○ 2 × 3 ○ 4 × 5 × 6 ○ 7 ○ 8 ○ 9 × 10 ○ 11 ○

2 문화를 바라보는 관점과 문화 이해 태도

1. 문화를 바라보는 관점

(1) 총체론적 관점
① 의미 어떤 문화 현상의 의미를 다른 문화 요소나 전체의 맥락 속에서 이해하는 관점
② 필요성 개별 문화 요소만 분리해서 보면 해당 문화가 지닌 의미를 제대로 이해할 수 없음.

(2) 비교론적 관점 [자료 04]
> **주의!** 비교론적 관점에서 말하는 비교는 문화의 우열을 평가하기 위함이 아니라, 자기 문화를 이해하기 위한 방법론이다.

① 의미 서로 다른 문화에 나타나는 유사성과 차이점을 비교하여 문화의 보편성과 특수성을 파악하는 관점
② 필요성 자기 문화를 객관적으로 이해할 수 있으며, 다른 문화에 대한 이해의 폭을 넓힐 수 있음.

(3) 상대론적 관점
① 의미 한 사회의 문화를 그 사회의 자연환경이나 사회적 상황, 역사적 맥락 등을 고려하여 파악하는 관점
② 필요성 다른 문화를 편견이나 선입견 없이 이해할 수 있음.

> **중요!** 자문화 중심주의와 문화 사대주의는 문화 간에 우열이 있다고 보는 태도이고, 문화 상대주의는 문화 간에 우열이 없다고 보는 태도이다.

2. 문화를 이해하는 태도

(1) 자문화 중심주의 [자료 05]
① 의미 자기 문화를 가장 우수한 것으로 여기면서, 그것을 기준으로 다른 문화를 수준이 낮거나 미개하다고 판단하는 태도
② 사례 이슬람교도가 돼지고기를 먹지 않는 것을 이상하게 생각하는 것
③ 장점
  • 자기 문화에 대한 자부심을 높임.
  • 집단 내 결속력을 강화할 수 있음.
④ 문제점
  • 다른 문화에 대한 이해와 수용을 어렵게 함.
  • 문화 간 갈등과 국제적 고립을 초래할 수 있음.
  • 다문화 사회의 경우 사회 통합을 저해할 수 있음.
  • 국수주의④나 문화 제국주의⑤로 변질될 수 있음.

(2) 문화 사대주의
① 의미 다른 사회의 문화를 우월한 것으로 여기고 추종하면서, 자기 문화를 열등하다고 생각하는 태도
② 사례 조선 시대에 그려진 세계 지도인 '천하도'에는 중국을 세상의 중심에 두고 있음.
③ 장점 다른 문화의 좋은 점을 받아들여 자기 문화를 발전시키는 계기가 됨.
④ 문제점
  • 다른 사회의 문화를 무분별하게 수용하면 문화의 주체성을 상실할 수 있음.
  • 전통문화 및 고유문화의 발전을 저해할 수 있음.

(3) 문화 상대주의 [자료 06]
① 의미 어떤 사회의 특수한 자연환경, 역사적 전통, 사회적 맥락 등을 고려하여 그 사회의 문화를 이해하는 태도
② 특징 문화 다양성 보존, 문화 간 갈등 및 분쟁 예방
③ 유의점 인류의 보편적 가치⑥를 부정하는 문화까지 인정하려는 극단적 문화 상대주의⑦를 경계해야 함.

고득점을 위한 셀파 Tip

• **문화를 바라보는 관점**

총체론적 관점	다른 문화 요소나 전체와의 맥락 속에서 이해하는 관점
비교론적 관점	다른 문화와 유사성과 차이점을 비교하여 이해하는 관점
상대론적 관점	그 사회의 자연환경이나 사회적 상황 등을 고려하여 이해하는 관점

고득점을 위한 셀파 Tip

• **문화를 이해하는 태도**

자문화 중심주의	자기 문화를 기준으로 다른 문화를 열등한 것으로 평가하는 태도
문화 사대주의	다른 문화를 우월하게 여겨 자기 문화를 낮게 평가하는 태도
문화 상대주의	문화의 우열을 평가하지 않고, 문화가 발생한 맥락과 환경을 이해하려는 태도

④ 국수주의
자기 나라의 역사나 문화에 대한 우월감을 바탕으로 다른 나라의 역사와 문화 등을 배척하는 것을 가리킨다.

⑤ 문화 제국주의
정치, 경제 등에서 지배적 위치에 있는 나라가 다른 나라를 문화적으로도 지배하는 것을 가리킨다. 오늘날에는 주로 대중 매체와 상품 수출을 통하여 다른 나라의 고유문화를 잠식하고 지배하는 경우가 많다.

⑥ 보편적 가치
인간의 존엄성, 자유, 평등, 평화, 정의 등 인류 사회에서 바람직하다고 인정되는 가치를 말한다.

⑦ 극단적 문화 상대주의
일부 이슬람 지역에서 집단의 명예를 더럽혔다는 이유로 가족 구성원을 죽이는 '명예 살인'이라는 관습이 있다. 이 관습의 피해자는 대부분 여성이다. 명예 살인은 여성 인권에 대한 침해로, 인간의 존엄성을 훼손하는 문화까지 인정하는 극단적인 문화 상대주의는 경계해야 한다.

자료 04 총체론적 관점과 비교론적 관점

1920년대 중반 미국의 문화 인류학자 미드(Mead, M.)는 남태평양에 있는 사모아의 청소년 문화와 미국 청소년 문화를 비교하였다. 그 결과, 사모아의 청소년은 미국의 청소년과 달리 사춘기 스트레스를 거의 겪지 않는 것으로 나타났다. 물론 사모아의 청소년도 사춘기를 경험하지만, 그로 인한 부적응이나 불만 표출 등은 보이지 않는다는 것이다.

미드는 이 문제를 이해하기 위해 사모아의 문화 전반을 살펴보았다. 먼저, 미국과 사모아는 사회 규범의 제재 정도에서 차이가 있었다. 당시 미국은 청교도의 영향으로 사회 규범이 매우 강하고, 그러한 규범의 제재는 청년에게도 엄격하게 적용되었다. 반면, 사모아는 사회 규범이 다소 느슨한 편이었으며, 청소년에 대한 규제도 거의 없었다.

또한, 청소년기 경쟁의 정도에서도 차이가 있었다. 학업에 대한 경쟁이 심한 미국과 달리, 사모아에서는 성인이 되었을 때 사회적 역할이 대략 정해져 있었기 때문에 청소년 시기에 경쟁할 필요가 없었다. 미드는 미국과 사모아의 이러한 사회적 환경 차이가 두 사회의 청소년이 받는 사춘기 스트레스의 차이를 가져왔다고 보았다.

— 마거릿 미드, 「사모아의 청소년」 —

자료 분석 | 문화 인류학자 미드(Mead, M.)가 사모아의 청소년들이 스트레스를 적게 받는 이유를 밝히기 위해 사모아의 사회 규범의 제재 및 경쟁의 정도 등 여러 문화적 요인을 살펴본 것은 총체론적 관점에 해당한다. 또한, 미국과 사모아 사회의 문화 전반의 유사성과 차이점을 비교하여 각 사회의 문화 차이가 청소년기 스트레스에 어떤 영향을 미치는지 연구한 것은 비교론적 관점에 해당한다.

자료 05 문화 제국주의

창씨개명(創氏改名)은 1940년 2월부터 1945년 8월 광복 직전까지 일본 제국이 조선인에게 일본식 성씨를 정하여 쓰도록 강요한 것을 말한다. 1939년 11월 조선 총독부는 조선에서도 일본식 씨명제(氏名制)를 따르도록 규정하고, 1940년 2월부터 8월까지 '씨(氏)'를 정해서 제출할 것을 명령하였다. 일부 친일파들은 자발적으로 일본식 성명 강요에 응하기도 하였다. 그러나 1940년 5월까지 창씨개명 비율이 7.6%에 불과하자, 조선 총독부는 권력 기구를 동원하여 강제로 창씨개명을 실시함으로써 그 비율을 79.3%로 끌어올렸다.

자료 분석 | 일제 강점기에 일제의 강요로 한국인들은 일본식으로 성을 만들고 이름을 바꾸어야 했다. 일제 강점기 때 일본이 우리 고유의 문화를 무시하면서 일본식 성명 사용을 강요한 것은 자문화 중심주의에 따른 문화 제국주의의 사례이다.

자료 06 문화 상대주의

▲ 낮잠을 자는 에스파냐 사람들

남부 아시아, 동남아시아, 남부 유럽 등지에서는 한창 일할 시간에 낮잠을 자는 사람들을 쉽게 볼 수 있다. 낮잠 자는 시간에 상점은 아예 문을 닫기도 하고, 상당수의 회사에서는 직원들에게 낮잠 자는 시간을 따로 주기도 한다.

이런 모습을 볼 수 있는 지역들은 대개 기온이 높은 지역으로, 사람들은 더운 날씨를 이겨내기 위해 많은 양의 음식을 먹는데, 이는 식후 졸음을 가져온다. 또한, 가장 기온이 높은 시간 대에는 무더위로 일의 효율성이 떨어지기 때문에 전통적으로 한낮에 잠깐 낮잠을 자는 풍습이 있다.

자료 분석 | 위의 글에는 일부 지역에서 볼 수 있는 낮잠 풍습을 그 사회의 자연환경과 사회적 배경의 맥락 속에서 이해하려는 문화 상대주의적 태도가 나타나 있다. 문화 상대주의적 태도는 각 사회의 문화는 서로 다른 자연환경과 사회적 상황에 적응해 가면서 발달해 온 것으로, 그 나름대로의 의미와 가치가 있다고 보는 태도이다.

---

1 총체론적 관점은 문화가 부분이 아닌 전체로서의 의미를 갖는다고 본다.

(O , ×)

2 비교론적 관점은 여러 문화를 비교하면서 공유되는 보편성을 파악한다.

(O , ×)

3 총체론적 관점은 비교론적 관점과 달리 자문화를 객관적으로 인식하는 데 효과적이다.

(O , ×)

4 비교론적 관점은 자문화의 특징을 타문화와 비교하여 파악하는 데 유용하다.

(O , ×)

5 상대론적 관점은 특정한 기준을 바탕으로 다른 사회의 문화를 파악한다.

(O , ×)

6 문화 사대주의는 자문화 중심주의와 달리 선진 문물의 수용은 용이하나 문화의 정체성을 상실할 우려가 있다.

(O , ×)

7 자문화 중심주의는 문화 사대주의와 달리 문화의 우열을 정하는 기준이 존재한다고 본다.

(O , ×)

8 문화 사대주의는 타문화의 장점을 객관적으로 인식하는 데 기여한다.

(O , ×)

9 문화 상대주의는 문화 다양성 유지를 용이하게 한다.

(O , ×)

10 한 사회의 문화를 그 자체의 의미와 가치에 따라 이해하려는 태도는 문화 제국주의로 변질될 가능성이 높다.

(O , ×)

정답 1 ○ 2 ○ 3 × 4 ○ 5 × 6 ○
　　　 7 × 8 × 9 ○ 10 ×

1 문화

의미	좁은 의미	인간의 사회적이고 후천적인 생활 양식 중에서 예술적이고 교양 있거나 세련된 것
	넓은 의미	한 사회의 구성원들이 만들어 낸 공통의 (❶)
특성	보편성	어느 사회에서나 공통적으로 존재하는 생활 양식
	특수성	다른 사회와 구분되는 고유한 특징
속성	학습성	문화는 (❷)으로 습득됨.
	공유성	문화는 한 사회의 구성원들이 공통으로 가지고 있는 생활 양식임.
	변동성	문화는 시간이 흐르면서 그 모습이나 내용, 의미 등이 변화함.
	(❸)	문화는 다음 세대로 전승되면서 기존의 문화에 새로운 문화 요소가 추가됨.
	총체성	문화는 여러 구성 요소가 상호 유기적인 관련을 맺으며, 부분이 아닌 하나의 전체로서 존재함.

2 문화를 바라보는 관점

(❹)	어떤 문화 현상의 의미를 다른 문화 요소나 전체의 맥락 속에서 이해하는 관점
비교론적 관점	문화 간에 나타나는 유사성과 차이점을 비교하여 문화의 (❺)을 파악하는 관점
상대론적 관점	그 사회의 자연환경이나 사회적 상황, 역사적 맥락 등을 고려하여 파악하는 관점

3 문화를 이해하는 태도

자문화 중심주의	의미	자기 문화를 가장 우수한 것으로 여기면서, 그것을 기준으로 다른 문화를 수준이 낮거나 미개하다고 판단하는 태도
	문제점	국수주의나 (❻)로 변질될 수 있음.
문화 사대주의	의미	다른 사회의 문화를 우월한 것으로 여기고 추종하면서, 자기 문화를 (❼)하다고 생각하는 태도
	문제점	문화의 주체성과 정체성을 상실할 수 있음.
(❽)	의미	어떤 사회의 특수한 자연환경, 역사적 전통, 사회적 맥락 등을 고려하여 그 사회의 문화를 이해하는 태도
	유의점	극단적 문화 상대주의를 경계해야 함.

정답 ❶ 생활 양식 ❷ 후천적 ❸ 축적성 ❹ 총체론적 관점 ❺ 보편성과 특수성 ❻ 문화 제국주의 ❼ 열등 ❽ 문화 상대주의

1 문화의 의미와 속성

01 밑줄 친 ㉠~㉤에 대한 설명으로 옳은 것은?

> ㉠ '문화인', ㉡ '한국 문화' 등과 같이 우리는 일상생활에서 ㉢ 문화라는 말을 자주 사용하는데, 그 의미는 ㉣ 좁은 의미의 문화와 ㉤ 넓은 의미의 문화로 나눌 수 있다.

① ㉠의 문화는 생활 양식의 총체를 의미한다.
② ㉡의 문화는 고급스러운 것을 의미한다.
③ ㉢에는 선천적이고 본능적인 행위가 포함된다.
④ ㉣의 사례로 신문 '문화면'의 문화가 해당한다.
⑤ ㉤에는 예술적인 것이 포함되지 않는다.

02 ㉠~㉢에 대한 옳은 설명을 〈보기〉에서 고른 것은?

> ㉠ 새해를 맞이하는 문화는 나라마다 조금씩 다르다. 덴마크 사람들은 접시와 컵이 깨지는 소리가 나쁜 기운을 물리치고 행운을 불러온다고 믿어 친척 집이나 이웃집 문 앞에서 접시와 컵을 깨뜨린다. 에스파냐와 멕시코에서는 새해를 알리는 종이 울릴 때 포도 12알을 먹으며 소원을 빈다.
>   이처럼 세계 여러 나라에서 새해에는 더 좋은 일이 생기기를 기원하며 새해를 맞이한다는 점에서 ㉡ 을/를 찾을 수 있고, 나라마다 새해를 맞이하는 모습이 조금씩 다르다는 점에서 ㉢ 을/를 찾을 수 있다.

┤ 보기 ├
ㄱ. ㉠에서의 문화는 넓은 의미로 사용되었다.
ㄴ. 다른 사회와 구분되는 고유한 문화적 특징은 ㉡에 해당한다.
ㄷ. ㉡은 문화의 보편성, ㉢은 문화의 특수성이다.
ㄹ. ㉡과 달리 ㉢에서의 문화는 좁은 의미로 사용되었다.

① ㄱ, ㄴ   ② ㄱ, ㄷ   ③ ㄴ, ㄷ
④ ㄴ, ㄹ   ⑤ ㄷ, ㄹ

03 문화의 의미를 바르게 분류한 것은?

이번 주말에 뭐 할 거니?

오랜만에 ㉠ 문화생활을 즐길 겸 연극을 보러 가려고. 넌?

갑

난 베트남 친구가 ㉡ 우리나라 전통문화 체험 행사에 가 보고 싶다고 해서 같이 간 다음에 ㉢ 사회·문화 수행 평가를 준비할 생각이야.

갑

을

바쁘겠다. 다음 주 수요일은 ㉣ '문화가 있는 날'이라서 문화 공연 할인이 되니까 같이 영화 보러 가자.

을

	좁은 의미의 문화	넓은 의미의 문화
①	㉠, ㉡	㉢, ㉣
②	㉠, ㉢	㉡, ㉣
③	㉠, ㉣	㉡, ㉢
④	㉡, ㉢	㉠, ㉣
⑤	㉡, ㉣	㉠, ㉢

04 밑줄 친 '이것'에 관한 설명으로 가장 적절한 것은?

인간과 달리 원숭이는 문자나 기호와 같은 상징을 사용하는 능력이 없기 때문에 시간이 지나도 생활 방식이 거의 변하지 않는다. 이와 달리 상징체계를 사용하는 인간은 생활 양식이 점차 풍부해지고 다양해진다. 따라서 인간과 달리 원숭이의 생활 양식에는 문화의 속성 중 이것이 없다고 볼 수 있다.

① 타인의 행동을 예측할 수 있다.
② 문화는 시간이 흐르면서 변화한다.
③ 세대 간 전승을 통해 새로운 요소가 추가된다.
④ 원활한 사회생활을 위한 상호 작용의 밑바탕이 된다.
⑤ 문화의 각 구성 요소들은 서로 밀접하게 연관되어 있다.

05 다음 글에 나타난 문화의 속성에 대한 설명으로 가장 적절한 것은?

우리나라에서는 겨울이 오기 전에, 주변의 사람들이 함께 모여 김치를 담그는 김장 문화가 있다. 우리의 김장 문화는 사계절 중 겨울에 채소를 구하기 어려운 환경적 특징, 장기간 저장을 통해 음식을 발효시키는 기술, 이웃과 일을 나누어서 하는 품앗이 전통 등과 밀접하게 연관되어 있다.

① 서로 다른 사회를 구분하는 기준이 된다.
② 구성원의 사고와 행동의 동질성을 형성한다.
③ 시간이 흐르면서 그 형태나 의미가 변화한다.
④ 전승된 문화에 새로운 요소가 추가되어 풍부해진다.
⑤ 다른 요소들과 관련을 맺으며 하나의 체계를 형성한다.

06 다음 글에 나타난 문화의 속성에 대한 옳은 설명을 〈보기〉에서 고른 것은?

필리핀에서는 우리나라와 달리 임신했을 때 사진을 찍으면 아기의 혼이 빠져나온다고 생각하는 풍습이 있다. 따라서 우리나라 국적의 남편이 추억을 남기려고 임신한 필리핀 출신의 부인에게 만삭 사진을 찍자고 하면 부인은 당황해할 수 있다.

┤ 보기 ├
ㄱ. 구성원의 사고와 행동을 구속한다.
ㄴ. 문화의 각 부분은 상호 연관되어 있다.
ㄷ. 특정 상황에서 상대방의 행동을 예측하게 한다.
ㄹ. 문화 요소의 의미와 형태는 시간의 흐름에 따라 변화한다.

① ㄱ, ㄴ   ② ㄱ, ㄷ   ③ ㄴ, ㄷ
④ ㄴ, ㄹ   ⑤ ㄷ, ㄹ

07 (가), (나)에 해당하는 문화의 속성으로 옳은 것은?

문화의 속성	사례
(가)	축의금을 낼 때 우리나라에서는 흰 봉투를 사용하지만, 중국에서는 붉은색이 악한 기운을 물리치고 행운을 가져다준다고 믿기 때문에 붉은 봉투를 사용한다.
(나)	쌍둥이라고 하더라도 서로 다른 사회에서 자라면서 해당 사회의 문화를 익히면 다른 사고방식과 행동 양식을 보인다.

	(가)	(나)
①	학습성	변동성
②	공유성	축적성
③	공유성	학습성
④	총체성	변동성
⑤	변동성	축적성

2 문화를 바라보는 관점과 문화 이해 태도

08 갑과 을이 말하고 있는 문화를 바라보는 관점에 대한 옳은 설명을 〈보기〉에서 고른 것은?

우리 학교의 규칙이 엄격함에도 잘 지켜지는 현상을 이해하기 위해 우리 학교의 전통, 지역 사회에서의 평판, 규칙 제정의 절차, 학생회의 노력 등을 종합하여 살펴볼 계획입니다.

'우리 학교의 문화'에 대한 조사 계획을 발표해 볼까요?

우리 학교와 라이벌 관계인 ○○고의 문화를 비교하여 공통점과 차이점을 파악한 뒤 우리 학교 문화의 특징을 정리할 계획입니다.

┤ 보기 ├
ㄱ. 갑의 관점은 특정 문화 요소를 그 사회의 전체적 맥락에서 이해하는 데 유용하다.
ㄴ. 을의 관점은 특정 지역 문화 요소 간의 유기적 관련성에 초점을 둔다.
ㄷ. 을의 관점은 다른 문화를 거울로 삼아 자기 문화를 파악하는 데 유용하다.
ㄹ. 갑의 관점은 비교론적 관점, 을의 관점은 총체론적 관점이다.

① ㄱ, ㄴ   ② ㄱ, ㄷ   ③ ㄴ, ㄷ
④ ㄴ, ㄹ   ⑤ ㄷ, ㄹ

09 다음 글에 나타난 문화를 바라보는 관점에 대한 옳은 설명을 한 학생은?

베이징에서는 추위에 견딜 수 있도록 기름기가 많은 고열량 식품이 발달하였다. 상하이에서는 양쯔강 유역에서 나오는 풍부한 해산물과 쌀을 사용하여 요리한다. 또한, 광저우는 전통 요리에 서양의 요리법이 결합한 요리가 발달하였다.

특정한 기준을 바탕으로 문화를 평가하는 관점이야.

자문화를 객관적으로 이해할 수 있어.

문화의 특수성보다 보편성을 찾는 것에 초점을 두고 있어.

서로 다른 문화 간에 나타나는 공통점과 차이점을 살펴볼 수 있어.

연지   준형   선아   용환

① 연지, 준형   ② 연지, 선아   ③ 준형, 선아
④ 준형, 용환   ⑤ 선아, 용환

10 다음은 교사가 문화를 바라보는 어떤 관점을 수업 시간에 설명하는 장면이다. 이 관점에 대한 설명으로 가장 적절한 것은?

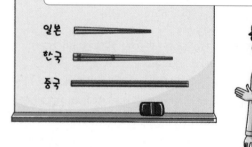

중국과 일본의 젓가락은 주로 나무로 만들어졌어요. 하지만 중국의 젓가락은 가늘고 길이가 긴 반면, 일본 젓가락은 길이가 짧고 끝이 뾰족해요. 한국의 젓가락은 주로 쇠로 만들어졌어요. 길이는 일본 것보다 길고 중국 것보다는 짧아요.

일본
한국
중국

① 문화를 부분이 아닌 전체로 파악해야 한다.
② 자문화의 장단점을 주관적으로 파악해야 한다.
③ 사회적 맥락을 고려하여 문화를 이해해야 한다.
④ 특정 문화 요소의 의미를 전체와의 관련 속에서 파악해야 한다.
⑤ 문화 간 비교를 통해 문화의 보편성과 특수성을 이해해야 한다.

11 다음은 질문 (가)~(다)에 따라 문화 이해의 태도를 구분한 것이다. (가)~(다)에 들어갈 옳은 질문을 〈보기〉에서 고른 것은?

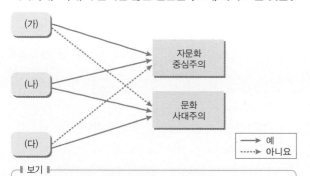

━━▶ 예
┈┈▶ 아니요

┤ 보기 ├
ㄱ. 문화 제국주의로 변질될 수 있는가?
ㄴ. 문화를 평가의 대상으로 인식하는가?
ㄷ. 자문화의 정체성을 상실할 수 있는가?
ㄹ. 문화의 사회적 맥락과 의미를 중시하는가?

	(가)	(나)	(다)		(가)	(나)	(다)
①	ㄱ	ㄴ	ㄷ	②	ㄱ	ㄷ	ㄹ
③	ㄴ	ㄷ	ㄹ	④	ㄷ	ㄴ	ㄹ
⑤	ㄹ	ㄷ	ㄱ				

12 교사가 설명하는 문화 이해의 태도에 대한 설명으로 옳지 않은 것은?

이 지도는 조선 시대에 그려진 '천하도'라는 세계 지도입니다. 중국을 세상의 중심에 두고 있는 지도로, 당시 조선이 중국을 어떻게 인식하고 있었는지 알 수 있습니다.

① 문화 간 우열의 차이를 인정한다.
② 문화적 주체성을 상실할 우려가 있다.
③ 집단 내의 일체감과 자부심을 높일 수 있다.
④ 다른 사회의 문화에 대한 비판적 수용을 어렵게 한다.
⑤ 선진 문물의 수용으로 자기 문화를 발전시키는 데 기여할 수 있다.

13 문화 이해의 태도와 관련한 옳은 설명에만 'V'를 표시한 학생은?

설명＼학생	갑	을	병	정	무
자문화 중심주의는 다른 문화 수용에 적극적이다.	V				V
문화 사대주의는 집단 내의 일체감과 자부심을 강화시킨다.		V			
문화 사대주의는 국수주의를 초래할 우려가 있다.	V		V		
문화 상대주의는 문화에는 우열이 존재하지 않는다고 본다.			V	V	V

① 갑   ② 을   ③ 병   ④ 정   ⑤ 무

14 다음은 자문화 중심주의에 대한 검색 내용이다. (가), (나)에 들어갈 수 있는 옳은 내용을 〈보기〉에서 고른 것은?

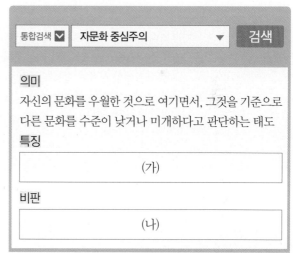

통합검색 ☑   자문화 중심주의   ▼   검색

의미
자신의 문화를 우월한 것으로 여기면서, 그것을 기준으로 다른 문화를 수준이 낮거나 미개하다고 판단하는 태도

특징
(가)

비판
(나)

┤ 보기 ├
ㄱ. (가) – 자문화의 우수성을 내세워 다른 문화를 일정 수준 이하로 평가한다.
ㄴ. (가) – 각 문화의 가치를 해당 사회의 환경이나 역사적 맥락을 바탕으로 이해한다.
ㄷ. (나) – 국수주의를 초래하여 국제적 고립을 초래할 가능성이 높다.
ㄹ. (나) – 문화의 상대성을 지나치게 강조한 나머지 인류의 보편적 가치를 경시한다.

① ㄱ, ㄴ   ② ㄱ, ㄷ   ③ ㄴ, ㄷ
④ ㄴ, ㄹ   ⑤ ㄷ, ㄹ

15 넓은 의미의 문화가 사용된 사례를 〈보기〉에서 있는 대로 고르시오.

〈보기〉
ㄱ. 전통 악기를 만드는 ○○ 씨는 유명한 인간문화재이다.
ㄴ. 에스파냐에는 '시에스타'라고 불리는 낮잠 문화가 있다.
ㄷ. 김홍도의 그림에는 조선 시대의 서민 문화가 사실적으로 묘사되어 있다.
ㄹ. △△지역을 처음 방문하는 사람들은 그 지역 특유의 음식 문화에 당황하게 되는 경우가 많다.

16 (가), (나)에 해당하는 문화의 속성을 쓰시오.

문화의 속성	사례
(가)	우리나라에서는 설날에 웃어른께 세배하고 세뱃돈을 받는 것을 자연스럽게 받아들인다.
(나)	절인 음식에서 시작된 김치는 구전을 통해 혹은 음식과 관련한 문헌을 통해 지역별로 다양하게 전승되었다.

17 (가), (나)에 해당하는 문화 이해의 태도를 쓰시오.

문화를 이해하는 태도 중 [　(가)　]은/는 고유한 전통문화의 계승과 발전에는 유리하지만, 국수주의에 빠져 국제적 고립을 초래할 수 있다. 그러므로 우리는 각 사회의 문화를 해당 사회의 역사적 배경과 사회적 맥락을 고려하는 [　(나)　] 태도로 이해해야 한다.

18 다음 글을 읽고 물음에 답하시오.

문화를 바라보는 관점 중 [　(가)　]은/는 문화의 여러 요소가 상호 유기적인 관계를 맺으면서 전체로서 하나의 문화를 이루고 있다는 점을 강조한다. 이와 달리 [　(나)　]은/는 모든 문화가 보편성과 특수성을 갖고 있다는 점에 주목한다.

(1) (가), (나)에 해당하는 문화를 바라보는 관점을 쓰시오.

(2) (나)의 의의를 한 가지 서술하시오.

★19 표는 문화 이해의 태도 A~C를 구분한 것이다. 이를 보고 물음에 답하시오. (단, A~C는 각각 자문화 중심주의, 문화 상대주의, 문화 사대주의 중 하나이다.)

질문 　　　문화 이해 태도	A	B	C
문화 간 우열을 가릴 수 있다고 보는가?	예	예	아니요
자기 사회의 문화를 가장 우수한 문화로 여기는가?	예	㉠	㉡

(1) A~C에 해당하는 문화 이해의 태도를 쓰시오.

(2) ㉠, ㉡에 들어갈 대답을 쓰시오.

(3) A, B의 순기능을 각각 서술하시오.

(4) A, B의 역기능을 각각 서술하시오.

| 평가원 기출 |

01 다음 글에서 공통적으로 부각되는 문화의 속성에 대한 옳은 진술을 〈보기〉에서 고른 것은?

> • 주니족은 절제의 미덕을 중시한다. 이들은 남에게 해를 끼치지 않기 위해 어릴 때부터 집단의 행동 규범을 따라야 하고 개인적인 권위나 카리스마를 내세울 수 없다. 아이들은 일상생활 속에서 원한, 억눌림, 야심, 야망 등이 없이 자라난다. 어른이 되어도 그들은 권력을 쥐고 무언가 해 보겠다는 식의 권력 의지가 없다.
> • 야노마모족에게 근본적이고 중요한 관심사는 "누가 진짜 인간인가?"라는 것이다. 그들은 스스로 '진짜로 문명화된' 유일한 존재라고 생각하며, 외부인들을 '야만적' 존재로 간주한다. 선조들로부터 구전되어 오는 그들의 기원 신화에 따르면, 최초로 창조된 사람은 야노마모족이며 그 외의 다른 사람들은 모두 열등한 존재이다.

| 보기 |

ㄱ. 문화는 타고나는 것이 아니라 습득되는 것이다.
ㄴ. 문화는 정적인 상태로 머물지 않고 발전하거나 퇴보한다.
ㄷ. 문화는 사회 구성원 간 원활한 상호 작용의 토대가 된다.
ㄹ. 문화는 새로운 문화 요소가 추가되어 점점 더 풍부해진다.

① ㄱ, ㄴ   ② ㄱ, ㄷ   ③ ㄴ, ㄷ
④ ㄴ, ㄹ   ⑤ ㄷ, ㄹ

02 (가)~(라)에 대한 옳은 설명을 〈보기〉에서 고른 것은?

문화의 속성	사례
(가)	우리나라 사람들은 명절에 가족들이 모이면 자연스레 윷놀이를 한다.
(나)	윷놀이는 세대를 이어 전해지고, 놀이법은 시간이 지나면서 새로운 방식이 추가되기도 한다.
(다)	윷은 과거에는 나무토막으로 만들었지만 요즘에는 플라스틱으로 만들기도 한다.
(라)	윷놀이에서 윷판은 농지를, 윷말이 윷판을 한 바퀴 돌아 나오는 것은 계절의 변화를 상징한다. 이는 풍년을 기원하는 소망을 담은 것이다.

| 보기 |

ㄱ. (가)-서로 다른 문화 체계를 구분하는 기준이 된다.
ㄴ. (나)-문화는 전승되면서 풍부해지고 다양해진다.
ㄷ. (다)-문화는 사회화의 산물이다.
ㄹ. (라)-문화의 구성 요소들이 독립적으로 존재한다.

① ㄱ, ㄴ   ② ㄱ, ㄷ   ③ ㄴ, ㄷ
④ ㄴ, ㄹ   ⑤ ㄷ, ㄹ

| 수능 기출 |

03 밑줄 친 ㉠~㉣에 나타난 문화의 속성에 대한 옳은 설명을 〈보기〉에서 고른 것은?

> 갑국의 ○○는 면발을 물에 끓여 먹던 △△에서 유래한 것이다. ○○는 ㉠ 기름에 튀겨 면발을 가공하는 기술이 △△에 접목되어 새롭게 만들어진 것이다. ㉡ 쌀 위주의 식생활을 하는 갑국에서 밀가루 음식인 ○○가 처음에는 국민들의 관심을 끌지 못했다. 그러나 국민들은 ○○를 ㉢ 간편하게 먹을 수 있다는 것을 알게 되었고, 각국 정부는 쌀 부족으로 인한 식량 문제를 해결하기 위해 분식을 장려하였다. 이제 ○○는 ㉣ 국민 대다수가 즐겨 먹는 음식이 되었다.

| 보기 |

ㄱ. ㉡은 전승된 문화를 바탕으로 새로운 문화가 창출된다는 것을 보여 준다.
ㄴ. ㉢은 문화가 후천적으로 습득된다는 것을 보여 준다.
ㄷ. ㉣은 ㉠과 달리 문화 현상이 고정된 것이 아니라 지속적으로 변화함을 보여 준다.
ㄹ. ㉡, ㉣은 모두 문화가 구성원의 사고와 행동을 구속한다는 것을 보여 준다.

① ㄱ, ㄴ   ② ㄱ, ㄷ   ③ ㄴ, ㄷ
④ ㄴ, ㄹ   ⑤ ㄷ, ㄹ

| 평가원 응용 |

04 밑줄 친 ㉠~㉣에 대한 옳은 설명을 〈보기〉에서 고른 것은?

> 갑국에는 다양한 ㉠ 이민자 집단의 문화가 존재한다. 그 중 일부는 갑국의 보편적 문화로 자리 잡았다. 그 대표적인 사례를 음식과 음악에서 찾을 수 있다. 한 때 토마토소스는 '마녀의 피'라고 불리며 ㉡ 문화인이라면 먹어서는 안 되는 식재료로 간주되었으나, 오늘날 ㉢ 갑국에서 토마토소스를 사용한 요리는 누구나 즐겨 먹는 음식이 되었다. 하층 계급 이민자들의 정서를 표현하고 있어 ㉣ 과거 대다수 사람들이 저속하다고 여기던 재즈(Jazz)와 블루스(Blues)도 주류 음악과 융합하여 변형되면서 갑국의 대중음악으로 자리 잡았다.

| 보기 |

ㄱ. ㉠의 문화는 평가적 의미를 내포하고 있다.
ㄴ. ㉡의 문화는 넓은 의미로 사용되었다.
ㄷ. ㉢에서 부각된 문화의 속성은 공유성이다.
ㄹ. ㉣은 문화가 변화할 수 있음을 보여 준다.

① ㄱ, ㄴ   ② ㄱ, ㄷ   ③ ㄴ, ㄷ
④ ㄴ, ㄹ   ⑤ ㄷ, ㄹ

| 평가원 기출 |

05 갑과 을이 가진 문화 이해의 관점에 대한 옳은 설명을 〈보기〉에서 고른 것은?

> • 갑은 경제적 측면에 치우친 주택에 대한 연구 경향을 비판하며, 주택의 문화적 의미에 대해 연구하였다. 그 결과 갑은 주택이 경제적 의미뿐만 아니라 사회적 성향, 자연 조건, 자원의 영향과 밀접하게 관련되어 있다는 사실을 규명하였다.
> • 을은 남태평양의 여러 섬에서 나타나는 선물 문화를 연구한 결과, 선물의 형태가 각 지역의 특성에 따라 다양하지만 선물을 주고받는 것은 어느 사회에서나 사회를 유지하는 데 중요한 기능을 한다는 결론을 내렸다.

> ┤ 보기 ├
> ㄱ. 갑의 관점은 문화가 부분이 아닌 전체로서의 의미를 갖는다고 본다.
> ㄴ. 을의 관점은 여러 문화를 비교하면서 공유되는 보편성을 파악한다.
> ㄷ. 갑의 관점은 을의 관점과 달리 자문화를 객관적으로 파악해야 한다고 본다.
> ㄹ. 을의 관점은 갑의 관점과 달리 모든 문화는 고유한 가치를 지닌다고 본다.

① ㄱ, ㄴ   ② ㄱ, ㄷ   ③ ㄴ, ㄷ
④ ㄴ, ㄹ   ⑤ ㄷ, ㄹ

| 평가원 응용 |

06 (가), (나)에 나타난 문화 이해의 관점에 대한 설명으로 옳은 것은?

> (가) 세계 각지에 존재하는 매장(埋葬), 화장(火葬), 수목장(樹木葬), 조장(鳥葬) 등 다양한 유형의 장례 문화를 조사하여 공통점과 차이점을 연구하였다.
> (나) 고산 지대에 사는 ○○족의 장례 문화가 그들의 종교, 경제, 가족 제도 등 다른 문화 요소들과 어떻게 연관되어 있는지 연구하였다.

① (가)의 관점은 자기 문화에 대한 객관적 이해를 가능하게 한다.
② (나)의 관점은 문화가 전체가 아닌 부분으로서의 의미를 갖는 생활 양식임을 강조한다.
③ (가)의 관점은 (나)의 관점과 달리 특정 문화를 기준으로 다른 문화를 평가한다.
④ (가), (나) 관점 모두 다른 사회의 문화 요소를 우리 사회의 문화로 수용해야 함을 강조한다.
⑤ (나)의 관점은 (가)의 관점과 달리 다양한 문화에 대한 이해를 통해 문화 간의 유사성과 차이점을 파악한다.

| 수능 기출 |

07 갑, 을의 문화 이해 태도에 대한 설명으로 가장 적절한 것은?

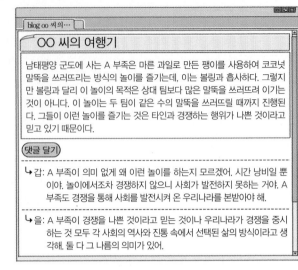

> blog oo 씨의…
> ○○ 씨의 여행기
> 남태평양 군도에 사는 A 부족은 마른 과일로 만든 팽이를 사용하여 코코넛 말뚝을 쓰러뜨리는 방식의 놀이를 즐기는데, 이는 볼링과 흡사하다. 그렇지만 볼링과 달리 이 놀이의 목적은 상대 팀보다 많은 말뚝을 쓰러뜨려 이기는 것이 아니다. 이 놀이는 두 팀이 같은 수의 말뚝을 쓰러뜨릴 때까지 진행된다. 그들이 이런 놀이를 즐기는 것은 타인과 경쟁하는 행위가 나쁜 것이라고 믿고 있기 때문이다.
>
> [댓글 달기]
> ↳ 갑: A 부족이 의미 없게 왜 이런 놀이를 하는지 모르겠어. 시간 낭비일 뿐이야. 놀이에서조차 경쟁하지 않으니 사회가 발전하지 못하는 거야. A 부족도 경쟁을 통해 사회를 발전시켜 온 우리나라를 본받아야 해.
> ↳ 을: A 부족이 경쟁을 나쁜 것이라고 믿는 것이나 우리나라가 경쟁을 중시하는 것 모두 각 사회의 역사와 전통 속에서 선택된 삶의 방식이라고 생각해. 둘 다 그 나름의 의미가 있어.

① 갑의 태도는 모든 문화가 동등한 가치를 지닌다고 본다.
② 을의 태도는 자문화 정체성을 상실할 우려가 있다는 비판을 받는다.
③ 갑의 태도는 을의 태도와 달리 특정 사회의 문화를 기준으로 타문화를 평가할 수 있다고 본다.
④ 을의 태도는 갑의 태도와 달리 국수주의로 변질될 수 있다는 비판을 받는다.
⑤ 갑, 을의 태도는 모두 문화의 다양성 보존에 기여한다.

| 평가원 응용 |

08 다음 글에 대한 설명으로 옳은 것은? (단, A~C는 각각 문화 사대주의, 문화 상대주의, 자문화 중심주의 중 하나이다.)

> 타문화를 받아들임에 있어서 A는 B에 비해 수용적이지만, 자기 문화의 정체성을 보존하는 데는 B가 A보다 유리하다. 이런 A에 대해서는 ⊙ (이)라는 비판이, B에 대해서는 ⊙ (이)라는 비판이 제기된다. 한편, 문화의 다양성 신장을 위해서는 A, B보다 C가 필요하다.

① A는 타문화의 고유한 가치를 존중한다.
② C는 A와 달리 자문화의 정체성을 상실할 우려가 있다.
③ B는 문화 다양성을 유지하는 데 기여한다.
④ ⊙에는 '극단적 상대주의에 빠질 가능성이 높다.'가 들어갈 수 있다.
⑤ ⊙에는 '타문화와의 문화적 마찰을 초래할 가능성이 높다.'가 들어갈 수 있다.

| 평가원 응용 |

09 갑, 을, 병의 문화 이해의 태도에 대한 설명으로 옳은 것은?

외국에 여행을 갔을 때 그 나라 사람들이 음식을 손으로 집어 먹는 모습을 보고 깜짝 놀랐어. 우리처럼 도구를 사용하여 음식을 먹는 것이 더 문명화된 모습이 아닐까?

갑

예전에 한국에 처음 방문했을 때 여러 사람들이 둘러앉아 자기 입에 넣었던 숟가락으로 찌개를 함께 떠먹는 모습을 보고 무척 당혹스러웠어. 음식은 당연히 각자 개인 그릇에 덜어 먹어야 하는 것 아니야?

을

식사 자리에서 대화를 즐기는 나라가 있는 반면, 조용히 식사에만 집중하는 나라도 있잖아. 이렇듯 식사 문화는 나라마다 고유한 특성을 가지고 있어. 이방인이 자기 시선으로 다른 나라의 식사 문화에 대해 우열을 따지는 것은 옳지 않아.

병

① 갑의 태도는 자문화의 주체성을 상실할 가능성이 높다.
② 을의 태도는 다른 사회의 선진 문물 수용에 유리하다.
③ 병의 태도는 인류 문화의 문화적 다양성을 보존하는 데 유리하다.
④ 을의 태도는 갑의 태도와 달리 특정 문화를 기준으로 다른 문화를 평가한다.
⑤ 병의 태도는 을의 태도와 달리 문화를 이해가 아닌 평가의 대상으로 본다.

10 문화 이해의 태도 A, B에 대한 질문의 대답으로 옳은 것은? (단, A, B는 각각 문화 사대주의, 자문화 중심주의 중 하나이다.)

A와 B는 서로 다른 문화를 우열 관계로 파악한다는 공통점이 있다. 그러나 A는 그러한 우열 관계에서 우수성을 파악하는 기준이 자기 문화이고, B는 외부의 문화이다.

	질문	대답	
		A	B
①	외래문화를 수용함에 있어 부정적인가?	예	예
②	절대적 기준에 비추어 문화를 평가하는가?	예	아니요
③	자기 문화의 정체성을 약화시킬 가능성이 높은가?	아니요	예
④	다문화 사회에서 문화 다양성을 보존하는 데 기여하는가?	아니요	예
⑤	외부 사회와의 접촉 과정에서 문화적 마찰이 발생 가능성이 높은가?	아니요	아니요

11 다음은 질문 (가)에 따라 문화 이해의 태도 A~C를 구분한 것이다. (가)에 들어갈 수 있는 질문을 〈보기〉에서 고른 것은? (단, A~C는 각각 문화 상대주의, 문화 사대주의, 자문화 중심주의 중 하나이다.)

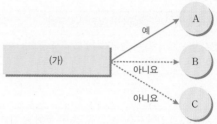

┤ 보기 ├
ㄱ. 특정 문화의 우수성을 내세워서 문화를 평가하는가?
ㄴ. 문화를 이해의 대상이 아닌 평가의 대상으로 보는가?
ㄷ. 문화 제국주의를 정당화하는 근거가 되어 문화적 마찰을 발생시킬 수 있는가?
ㄹ. 타문화를 올바르게 이해함으로써 문화적 다양성을 보존하는 데 기여할 수 있는가?

① ㄱ, ㄴ　　② ㄱ, ㄷ　　③ ㄴ, ㄷ
④ ㄴ, ㄹ　　⑤ ㄷ, ㄹ

12 다음은 문화 이해의 태도 A~C를 구분한 것이다. 이에 대한 설명으로 옳은 것은? (단, A~C는 각각 문화 상대주의, 자문화 중심주의, 문화 사대주의 중 하나이다.)

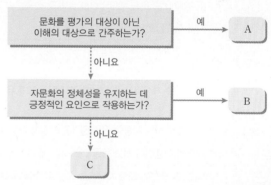

① A가 국수주의적 태도로 이어지면 발전이 지체될 수 있다.
② C는 문화 제국주의로 변질될 수 있다.
③ C는 자문화보다 앞선 선진 문화를 배워야 자국의 발전이 가능하다고 본다.
④ A는 B, C와 달리 문화 다양성을 저해하는 요인이 된다.
⑤ '자문화에 대한 자부심으로 타문화를 낮게 바라보는가?'의 질문에 대해 A, B는 '아니요', C는 '예'로 답을 한다.

02 하위문화와 대중문화

1 하위문화의 의미와 특징

주의 하위문화의 총합이 주류 문화는 아니다. 예를 들어, 지역마다 다르게 사용하는 사투리를 모두 합한 것이 주류 문화로서의 언어문화는 아니다.

1. 주류 문화와 하위문화

(1) 주류 문화(전체 문화)[1]

의미	한 사회의 구성원 대다수가 공유하는 문화
사례	쌀로 밥을 지어 먹는 것(우리나라의 주류 문화), 손을 합장하듯이 모으면서 고개 숙이는 인사법 (타이의 주류 문화)

(2) 하위문화

의미	한 사회 내의 일부 구성원들이 공유하는 문화 예 지역 문화, 세대 문화, 반문화
특징	• 주류 문화와 하위문화의 범주는 상대적으로 결정됨. • 사회가 다원화되고 복잡해지면서 하위문화는 다양해지고, 세분화되고 있음.
순기능	• 개인의 정체성을 형성하게 함. • 주류 문화에서 얻을 수 없는 다양한 욕구를 충족시킴. • 같은 하위문화를 공유하는 사람들에게 유대감과 소속감 형성에 도움을 줌. • 문화의 획일화를 방지하고, 문화적 다양성에 기여함.
역기능	• 서로 다른 하위문화를 가진 집단 간 문화적 갈등이나 충돌이 발생할 수 있음. • 사회의 지배적 문화와 하위문화의 성격이 달라서 갈등이 발생할 수 있음.

2. 다양한 하위문화

(1) 지역 문화[3] 자료 01

의미	한 나라를 구성하는 여러 지역 사회에서 각각 나타나는 고유한 생활 양식
형성 배경	주민들이 지역마다 다른 자연환경, 역사적 배경, 사회적 상황 등에 각기 다른 방식으로 적응하면서 생활 양식의 차이가 발생하였음.
순기능	• 지역 주민의 동질감과 유대감을 높여 지역 사회 통합에 기여함. • 국가 전체적으로 문화적 다양성을 높이고, 전통문화 발전에 기여함.
역기능	다른 지역 주민들과의 갈등을 유발할 수 있음.

(2) 세대 문화 자료 02

사회 변동이 느리고 평균 수명이 짧았던 과거에는 세대 문화가 뚜렷하게 나타나지 않았지만, 현대 사회에서는 세대를 구분하는 나이 범위가 좁아지면서 세대 문화가 다양해지고 있다.

의미	공통의 의식을 가진 비슷한 연령대의 사람들이 공유하는 문화 예 청소년 문화, 장년 문화, 노년 문화 등
순기능	같은 세대에 속하는 사람들 간의 일체감과 정체성 형성에 기여함.
역기능	다른 세대의 경험이나 사고 등을 이해하는 데 한계로 작용해 세대 갈등[4]을 유발함.
청소년 문화	• 기성세대의 문화에 비해 자유롭고 새로운 것을 추구함. → 기존 문화에 대해 비판적, 저항적인 특징을 나타내기도 함. • 생산 활동보다 소비 활동의 비중이 더 큼. • 또래 집단의 영향이 강함. • 대중 매체의 영향으로 충동적, 모방적, 소비 지향적인 성향을 띠기도 함.

(3) 반문화[5] 자료 03

의미	한 사회의 주류 문화를 거부하거나 저항하는 사람들이 공유하는 문화 예 히피 문화, 비행 청소년 집단의 문화, 급진적인 종교 집단의 문화 등
순기능	기존 문화의 보수성과 문제점을 노출시켜 사회 발전의 계기를 제공함.
역기능	주류 문화에 적대적인 경우가 많아 사회 갈등의 원인이 됨.

---

[1] 주류 문화
한 사회의 주류 문화는 여러 개 존재할 수 있다. 예를 들어, 베트남에서 베트남어, 불교, 쌀국수 등은 각각 언어, 종교, 음식 측면에서 주류 문화에 해당한다.

[2] 하위문화의 상대성
한국 문화라는 범위에서 보면 청소년 문화는 하위문화이지만, 청소년 문화 안에는 중학생 문화, 고등학생 문화 등과 같은 하위문화가 존재하여 이들 관계에서 보면 청소년 문화는 주류 문화가 된다.

고득점을 위한 셀파 Tip

• 다양한 하위문화

지역 문화	한 나라를 구성하는 여러 지역 사회에서 각각 나타나는 고유한 생활 양식
세대 문화	공통의 경험을 한 비슷한 연령대의 사람들이 공유하는 의식이나 생활 양식
반문화	한 사회의 주류 문화에 저항하는 사람들이 공유하는 문화

[3] 지역 문화의 쇠퇴
최근 교통·통신과 대중 매체의 발달로 지역 간 문화 차이가 줄어들고 지역의 문화적 특성이 약화되고 있다. 또한, 경제적 이익을 중시하여 지역 문화가 지나치게 상품화되는 경향이 나타나고 있다.

[4] 세대 갈등
현대 사회에서는 급격한 사회 변동에 따라 세대 문화의 차이가 발생하여 세대 갈등이 심해지고 있다.

[5] 반문화의 상대성
반문화에 대한 규정은 시대나 사회에 따라 달라질 수 있다. 조선 시대에는 천주교가 반문화적 성격을 가졌다고 규정했지만 오늘날에는 그렇지 않다.

자료 01 김치로 보는 지역 문화

지역의 자연조건, 사회적 환경 등에 영향을 받아 발달한 김치는 지역마다 서로 다른 맛을 내고 있다. 산악과 해안을 접하고 있는 강원도는 배추김치에 생오징어 채나 말려서 잘게 썬 생태 살을 넣는다. 전라도는 겨울에도 날씨가 따뜻하여 김치 저장이 어려워, 멸치젓과 고춧가루를 많이 넣어 짜고 맵게 김치를 담근다. 경상도는 남해와 동해를 끼고 있어 풍부한 해산물과 낙동강 주위 기름진 농토에 농산물도 넉넉하다. 김치에는 마늘과 고춧가루를 많이 사용해 맵고 간을 세게 해 김치가 일찍 쉬는 것을 방지한다.

– 「농촌여성신문」, 2017. 11. 8. –

자료 분석 | 우리나라는 남북으로 길게 뻗어 있어 겨울에 기온 차이가 크다. 북쪽으로 올라갈수록 겨울이 길어 김장철에 김치를 담글 때 사용하는 소금 사용량, 젓갈 종류와 젓갈 분량, 고추 사용의 형태와 분량 등이 달라진다. 한 나라 안에서도 지역마다 기후가 달라 지역마다 특색 있는 김치가 발달하였다.

자료 02 세대 차이

최근 2030세대는 이전의 젊은 세대에 비해 현재를 중시하는 삶의 방식을 보인다. 이들은 내일보다 오늘을 중시하는 욜로(YOLO)족이고, '소확행(소소하지만 확실한 행복)'을 추구한다. 어렵게 구한 직장을 다니다가 그만두고 몇 달간 외국 여행을 가기도 하고, 월급을 저축해서 본인이 사고 싶었던 고가의 물품을 구매하기도 한다. 2030세대에게는 의아할 일이 아니지만 '내일을 위해 허리띠를 졸라맸던' 기성세대들은 이해하지 못할 일이다.

자료 분석 | 세대란 공통의 의식을 가진 비슷한 연령대의 사람들을 말한다. 같은 세대는 같은 시대의 사회·문화적 환경, 중요한 사건을 함께 경험하여 일반적으로 공통의 가치관과 행동 양식을 가지게 된다. 이에 따라 세대 문화가 다르게 나타나는 것이다. 세대 차이는 세대 갈등을 유발할 수 있으므로 다른 세대 문화를 이해하고 존중하는 자세가 필요하다.

자료 03 반문화의 상징인 히피 문화

1960년대에는 베트남 전쟁이 발발하였고, 미국 내에서는 케네디 대통령의 암살, LA 흑인 폭동 등의 사건이 일어났다. 이 모습을 보면서 미국의 청년들은 사회에 대한 절망과 분노를 느꼈고, 당시 사회에서 통용되던 규범과 가치 등 주류 문화를 비판하였다. 이런 시대적 배경 속에서 등장한 히피(hippie) 문화는 1960년대 미국의 대표적인 반문화 사례이다. 히피들은 긴 머리에 샌들을 신거나 맨발로 다니고, 다양한 색깔의 천으로 옷을 직접 만들어 입으면서 자신들의 저항 의식과 개성을 표현하였다.

자료 분석 | 히피는 기존의 사회 통념, 제도, 가치관 등을 부정하면서 전쟁과 폭력 반대, 인간성의 회복, 자연으로의 복귀 등을 주장하였다. 그들은 극단적인 자유주의를 추구하며 기존 사회 질서에 대한 비판을 시도하였다.

1 주류 문화는 하위문화의 총합으로 설명할 수 없다.

(○ , ✕)

2 주류 문화는 사회 변동에 따라 하위문화가 되기도 한다.

(○ , ✕)

3 사회가 다원화될수록 하위문화는 주류 문화로 수렴되는 경향을 보인다.

(○ , ✕)

4 하위문화는 한 사회에서 문화 갈등의 원인이 되기도 한다.

(○ , ✕)

5 반문화는 전체 문화와 공통 요소를 가지고 있다.

(○ , ✕)

6 반문화와 하위문화는 모두 일부 구성원들에 의해 공유되는 문화에 해당한다.

(○ , ✕)

7 반문화는 하위문화와 달리 전체 사회에 문화 다양성을 제공한다.

(○ , ✕)

8 한 사회에서 반문화는 주류 문화와 공존이 불가능하다.

(○ , ✕)

9 반문화나 하위문화에 속하는 것을 구분하는 기준은 상대적이다.

(○ , ✕)

10 반문화는 사회 통합에, 하위문화는 사회 변동에 기여한다.

(○ , ✕)

정답 1 ○ 2 ○ 3 ✕ 4 ○ 5 ○ 6 ○
　　　 7 ✕ 8 ✕ 9 ○ 10 ✕

2 대중문화의 이해와 비판적 수용

1. 대중문화

(1) **의미** 대중[6]이 즐기고 누리는 문화

(2) **등장 배경**

전통 사회	소수의 지배 계층이 누리는 문화와 일반 사람들이 누리는 문화가 구분됨.

↓

산업화	• 산업화와 도시화 → 대량 생산 체제가 형성되면서 대중문화가 퍼지기 시작함. • 국민 소득 증대 → 물질적 여유와 여가 시간 증대 • 의무 교육 확대 및 보통 선거 확립 → 대중의 지위 상승, 문화적 욕구 증대 • 기술 발달 → 대중 매체가 보급되어 문화 상품이 생산됨.

└ 대중문화 등장의 가장 중요한 요인은 대중 매체의 발달이다.

↓

현대 사회	대중이 문화의 생산과 소비에 직접 참여하는 대중문화가 형성됨.

(3) **기능**

순기능	• 계층 간 문화적 차이를 줄임. • 오락이나 여가의 기회를 제공함으로써 대중의 삶에 활력을 줌. • 사회에 대한 관심이나 비판적 욕구를 표출하고 공유하는 기회를 제공하여 사회의 민주화에 기여함. • 새로운 지식, 정보, 가치, 문화 등을 전달함으로써 기존의 문화를 혁신하거나 새로운 여가 문화나 놀이 문화가 확산할 수 있는 기회를 제공함.
역기능	• 사람들의 생활 양식이나 가치관이 획일화될 수 있음. • 지나친 상업성 추구로 문화의 질이 낮아질 수 있음. 자료 **04** • 오락 기능이 강조되면 정치적 무관심을 조장할 수 있음. • 특정 세력이 대중 매체의 소유나 통제를 독점하면 대중문화의 생산과 전파가 정보 왜곡과 여론 조작에 이용될 수 있음.

왜? 기업은 이윤 추구라는 목적에 따라 대중의 주목을 받기 위해 저질 문화를 양산할 수 있다.

2. 대중문화와 대중 매체

(1) **대중 매체** 대량의 정보를 많은 사람에게 전달하는 수단

(2) **대중 매체의 종류** 자료 **05**

인쇄 매체	활자를 통해 정보를 전달하는 매체 예 신문, 잡지
음성 매체	소리를 통해 정보를 전달하는 매체 예 라디오
영상 매체	소리와 영상을 통해 정보를 전달하는 매체 예 텔레비전, 영화
뉴 미디어	인터넷, 이동 통신 기술 등을 활용하여 소리, 사진, 영상, 문자 등 다양한 수단으로 정보를 공유하고 소통하는 매체 예 누리 소통망(SNS)[7], 맞춤형 누리 방송(IPTV)[8]

(3) **대중문화와 대중 매체의 관계**

① 대중 매체는 대중문화를 학습하고 공유할 수 있게 함. → 동시대의 사람들에게서 비슷한 대중문화가 나타남.

② 대중 매체는 대중문화의 전파, 소비, 변화 등에 영향을 줌. → 대중문화의 국가 간 경계 약화, 기존의 문화 대체 및 새로운 대중문화 창조

예시 우리나라의 노래나 드라마를 외국에서 접하고, 외국의 영화나 소설을 우리나라에서 소비할 수 있다.

③ 사회 구성원의 필요와 대중문화의 변화에 따라 새로운 대중 매체가 나타남. → 뉴 미디어의 등장으로 대중이 문화의 소비자와 생산자 역할을 겸하게 됨.

3. 대중문화를 수용하는 바람직한 자세 자료 **06**

(1) 대중 매체를 통해 주어지는 정보와 지식을 비판적으로 인식하고 수용해야 함.

(2) 대중문화의 지나친 상업성은 경계하고, 생활에 유익한 방향으로 활용해야 함.

(3) 건전한 대중문화를 생산하는 역할을 해야 함.

---

6 대중

신분이나 계급, 지위 등에 따라 구분되지 않는 다수의 사람을 가리키는 말이다.

고득점을 위한 셀파 Tip

• **대중문화의 기능**

순기능	역기능
• 계층 간 문화 격차 축소 • 오락과 여가의 기회 제공 • 사회의 민주화에 기여 • 새로운 여가 문화나 놀이 문화 확산에 기여	• 생활 양식 및 가치관의 획일화 • 문화의 질 저하 • 정치적 무관심 조장 • 정보 왜곡 및 여론 조작

7 누리 소통망(SNS)

특정 관심이나 활동을 공유하는 사람들 사이의 관계망 서비스를 말한다.

8 맞춤형 누리 방송(IPTV)

초고속 인터넷망을 이용하여 제공되는 양방향 텔레비전 서비스이다.

고득점을 위한 셀파 Tip

• **다양한 대중 매체의 순기능과 역기능**

인쇄 매체	순기능	복잡하고 깊이 있는 정보를 전달하는 데 유용함.
	역기능	정보 전달 속도가 상대적으로 느림.
음성 매체	순기능	적은 비용으로 정보 전달이 가능함.
	역기능	시각정보를 다루기 어려움.
영상 매체	순기능	다수의 사람에게 동시에 빠른 속도로 공감각적인 정보 전달이 가능함.
	역기능	상대적으로 깊이 있는 정보 전달에 한계가 있음.
뉴 미디어	순기능	• 정보의 생산자와 소비자 간 쌍방향 의사소통이 가능함. • 기존 매체보다 신속하게 정보 전달이 이루어짐. • 정보의 재가공이 편리함.
	역기능	무책임하고 왜곡된 정보를 양산하고 전파할 수 있음.

자료 04 대중문화의 상업성

최근 등장한 '스낵 컬처(snack culture)'라는 용어는 출퇴근이나 휴식 시간 등 자투리 시간을 이용하여 인터넷 만화, 스포츠 하이라이트 영상, 블로그 등 인터넷 콘텐츠를 즐기는 것을 가리킨다. 스낵 컬처는 휴대용 스마트 기기의 대량 보급과 함께 시간적으로나 경제적으로 부담 없이 소박하게 문화를 즐기고자 하는 성향의 소비자들이 증가하면서 나타난 현상이다.

자료 분석 | 스낵 컬처는 대체로 짧고 가벼운 내용으로 되어 있으며, 무료 혹은 매우 저렴한 비용으로 이용할 수 있어 경제적 부담이 적다. 또한, 사람들이 자신이 관심을 가지고 있는 분야의 다양한 콘텐츠를 직접 골라 보면서 정서적 안정을 취하거나 휴식과 여가, 오락 등을 자유롭게 즐길 수 있다. 그러나 상업주의와 결합하여 즉흥적이고 자극적인 소비를 조장할 수 있다는 비판을 받기도 한다.

자료 05 대중 매체의 발달 과정

인쇄 매체 ➡ 음성 매체 ➡ 영상 매체 ➡ 뉴 미디어

자료 분석 | 인쇄 매체를 시작으로 발달한 대중 매체는 음성 매체를 거쳐 영상 매체로 발달하였다. 이러한 매체들은 전통적인 대중 매체로, 생산된 정보가 대중에게 일방적으로 전달된다는 특징이 있다. 반면, 오늘날에는 뉴 미디어가 등장하였다. 뉴 미디어는 인터넷, 이동 통신을 활용한 매체로 대중이 정보 생산에 능동적으로 참여한다는 특징이 있다.

자료 06 대중문화를 수용하는 자세

누리 소통망(SNS)의 이용 시간이 줄고 있다. 스마트폰을 이용한 SNS의 하루 평균 이용 시간을 보면, 2017년에 42.9분이었지만, 2018년에는 35.5분으로 줄었다. 이는 지나치게 많은 게시물, 공감가지 않는 기업의 광고, 가짜 뉴스 등이 신뢰도 하락으로 이어져 사용자들이 SNS에 대한 거부감을 느끼는 것으로 풀이된다.

– 『중앙일보』, 2018. 8. 7. –

자료 분석 | 텔레비전, 신문, 라디오 등과 같은 전통적 대중 매체는 일방향적으로 정보 전달이 이루어져 대중은 정보 생산자가 제공하는 정보를 수동적으로 받아들였다. 그러나 최근에는 뉴 미디어의 등장으로 대중이 스스로 정보를 찾을 수 있게 되었고, 문화 생산자 역할도 하게 되었다. 하지만 뉴 미디어는 무책임하고 왜곡된 정보가 생산되고 전파되기 쉬우므로 정보에 대한 신뢰성 확인이 필요하다.

1 대중문화는 대중의 행동을 획일화하는 문제를 낳기도 한다.

(O , ×)

2 대중문화는 대중의 정치적 무관심을 조장할 수 있다.

(O , ×)

3 대중문화는 이윤을 추구하는 자본의 영향을 받아 상업주의에 빠질 수 있다.

(O , ×)

4 인쇄 매체는 뉴 미디어에 비해 정보 전달 속도가 느리다.

(O , ×)

5 정보 수용자의 정보 생산 참여 가능성은 영상 매체가 뉴 미디어보다 높다.

(O , ×)

6 뉴 미디어는 정보 수용자에 의한 정보 수정 및 재가공이 용이하다.

(O , ×)

7 전통적인 대중 매체에서는 뉴 미디어와 달리 수용자별 정보 획득의 비동시성이 나타난다.

(O , ×)

8 스마트폰과 누리 소통망(SNS)은 뉴 미디어에, 신문과 라디오는 전통적인 대중 매체에 해당한다.

(O , ×)

9 뉴 미디어는 전통적인 대중 매체에 비해 정보 전달자와 수용자 간에 상호 작용성이 뛰어나다.

(O , ×)

10 뉴 미디어는 인쇄 매체보다 정보 생산자와 소비자 간 경계가 명확하다.

(O , ×)

정답 1 O 2 O 3 O 4 O 5 × 6 O
　　　 7 × 8 O 9 O 10 ×

1 주류 문화와 하위문화

주류 문화		한 사회의 구성원 대다수가 공유하는 문화
하위문화	의미	한 사회 내의 일부 구성원들이 공유하는 문화
	특징	• 주류 문화와 하위문화의 범주는 (❶　　　)으로 결정됨. • 사회가 다원화되면서 하위문화는 다양해지고 세분화됨.

2 다양한 하위문화

지역 문화	의미	한 나라를 구성하는 여러 (❷　　　) 사회에서 각각 나타나는 고유한 생활 양식
	순기능	• 지역 주민의 동질감과 유대감을 높여 지역 사회 통합에 기여함. • 문화적 다양성을 높이고, 전통문화 발전에 기여함.
	역기능	다른 지역 주민들과의 갈등을 유발할 수 있음.
세대 문화	의미	공통의 의식을 가진 비슷한 연령대의 사람들이 공유하는 문화
	순기능	일체감과 정체성 형성
	역기능	다른 세대의 경험이나 사고 등을 이해하는 데 한계로 작용해 (❸　　　)을 유발함.
반문화	의미	한 사회의 (❹　　　)를 거부하거나 저항하는 사람들이 공유하는 문화
	순기능	기존 문화의 보수성과 문제점을 노출시켜 (❺　　　)의 계기를 제공함.
	역기능	주류 문화에 적대적인 경우가 많아서 사회 갈등의 원인이 됨.

3 대중문화

의미		대중이 즐기고 누리는 문화
기능	순기능	• 계층 간 문화적 차이를 줄임. • (❻　　　)이나 여가의 기회 제공 • 사회의 민주화에 기여함.
	역기능	• 생활 양식이나 가치관의 (❼　　　) • 문화의 질 저하 • 정치적 무관심 조장 • 정보 왜곡 및 여론 조작
수용 자세		• 지나친 상업성 경계 • 정보와 지식을 (❽　　　)으로 수용해야 함. • 건전한 대중문화를 생산하는 역할을 해야 함.

정답 ❶ 상대적 ❷ 지역 ❸ 세대 갈등 ❹ 주류 문화 ❺ 사회 발전 ❻ 오락 ❼ 획일화 ❽ 비판적

1 하위문화의 의미와 특징

01 (가), (나)에 대한 설명으로 옳은 것은?

> 한 사회의 구성원 대다수가 공유하는 문화를 　(가)　(이)라고 하며, 한 사회 내의 일부 구성원들이 공유하는 문화를 　(나)　(이)라고 한다.

① 한 사회에 (가)는 한 가지만 존재한다.
② (나)는 지배 문화 또는 주류 문화이다.
③ (나)가 다양할수록 사회 전체의 동질성이 높아진다.
④ 지역 문화는 (가)에, 세대 문화는 (나)에 해당한다.
⑤ (가)와 (나)는 시간과 공간에 따라 상대적으로 규정된다.

02 (가), (나)에 해당하는 하위문화의 유형으로 옳은 것은?

하위문화의 유형	사례
(가)	제주도 전통 혼례는 준비하고 마치는 데 7일 정도 걸렸는데, 나중에는 3일로 줄어 '사흘 잔치'가 되었다. 혼례는 마을 사람들이 함께 준비하며, 혼례 잔치에 필요한 돼지고기는 집에서 키운 수퇘지를 잡아 마련한다.
(나)	엄격하게 신분을 구별하고, 조상에 대한 제사를 중시하는 조선 사회에서 신분과 성별의 구별 없이 한밤중에 한 방에 모여 예배를 드리는 천주교도의 모습은 조선 주류 문화에 크게 반하는 것이었다.

	(가)	(나)
①	반문화	지역 문화
②	세대 문화	지역 문화
③	세대 문화	반문화
④	지역 문화	반문화
⑤	지역 문화	세대 문화

03 표는 A, B의 일반적인 특징을 비교한 것이다. 이에 대한 설명으로 옳은 것은? (단, A, B는 각각 주류 문화와 하위문화 중 하나이다.)

구분	A	B
한 사회의 구성원 대다수가 공유하는가?	예	아니요
(가)	아니요	아니요

① A는 B의 총합이 아니다.
② B에는 A의 문화 요소가 존재하지 않는다.
③ A는 B와 달리 집단 간 갈등을 초래할 수 있다.
④ A와 B를 구분하는 기준은 시대에 상관없이 절대적이다.
⑤ (가)에는 '세대 문화가 포함되는가?'가 들어갈 수 있다.

04 다음 자료의 빈칸에 들어갈 내용으로 가장 적절한 것은?

> 학습 주제: [   ]
>
> • 우리나라의 노인 문화
> • 우리나라의 영남 지역 문화
> • 과거 우리나라의 운동권 문화
> • 우리나라의 30~40대 직장인 문화

① 우리나라 주류 문화의 특징
② 우리나라 지역 문화의 특징
③ 우리나라 세대 문화의 기능
④ 우리나라의 다양한 하위문화
⑤ 반문화적 성격을 갖는 우리나라의 하위문화

05 밑줄 친 문화에 대한 옳은 설명을 〈보기〉에서 고른 것은?

> 진주 남강 유등 축제는 매년 10월에 경상남도 진주시에서 열린다. 진주 남강에 등을 띄우는 유등놀이는 임진왜란의 진주성 대첩에서 비롯되었다. 소원을 적은 쪽지를 등에 매달아 띄우기, 세계 풍물 전시 등 다채로운 행사가 진행되어 축제 동안 많은 인파가 몰려든다.

┤ 보기 ├
ㄱ. 지역 주민의 유대감을 높여 준다.
ㄴ. 일정 범위의 연령층이 공유하는 문화이다.
ㄷ. 우리 사회의 문화 다양성을 높이는 데 기여한다.
ㄹ. 특정 지역의 문화가 우리나라의 주류 문화로 변화한 사례이다.

① ㄱ, ㄴ   ② ㄱ, ㄷ   ③ ㄴ, ㄷ
④ ㄴ, ㄹ   ⑤ ㄷ, ㄹ

06 다음은 사회·문화 수업 내용을 정리한 노트의 일부분이다. 이에 대한 설명으로 옳지 않은 것은?

A	의미	공통의 체험을 토대로 사고방식이나 생활 양식이 비슷한 일정 범위의 연령층이 공유하는 문화
	사례	(가)
B	의미	일정한 지역에 거주하는 주민이 공유하는 고유한 생활 양식
	사례	(나)

① A와 B는 주류 문화에 해당한다.
② B는 지역 주민의 일체감을 높이는 데 기여한다.
③ A는 세대 문화, B는 지역 문화이다.
④ (가)에는 '청소년 문화'가 들어갈 수 있다.
⑤ (나)에는 '호남 지역의 방언 문화'가 들어갈 수 있다.

07 다음 글을 통해 내릴 수 있는 결론으로 가장 적절한 것은?

> 이탈리아나 스페인 등에서 천주교는 주류 세력들이 누리는 문화였지만, 유교적 신분 질서가 주류였던 조선 시대에는 천주교는 반문화로 여겨 탄압을 받았다. 그러나 종교적 자유가 보장되는 오늘날 우리나라에서 천주교는 많은 대중의 사랑을 받는 종교 중 하나이다.

① 반문화는 사회 혼란을 초래한다.
② 반문화에 대한 규정은 상대적이다.
③ 반문화는 하위문화에 해당하지 않는다.
④ 반문화는 사회 변동의 요인으로 작용한다.
⑤ 저항적 성격은 반문화의 핵심적 속성이다.

★08 다음 글에 대한 옳은 설명을 〈보기〉에서 있는 대로 고른 것은?

> ┌─(가)─┐ 은/는 한 사회의 ┌─(나)─┐ 을/를 정면으로 반대하거나 저항하는 사람들이 공유하는 문화를 의미한다.

┤ 보기 ├
ㄱ. (가)는 하위문화에 속한다.
ㄴ. (가)의 사례로는 장년 문화, 노년 문화 등이 있다.
ㄷ. (나)는 주류 문화이다.
ㄹ. (가)와 (나)가 대립하는 과정에서 사회가 발전할 수 있다.

① ㄱ, ㄴ   ② ㄱ, ㄹ   ③ ㄴ, ㄷ
④ ㄱ, ㄷ, ㄹ   ⑤ ㄴ, ㄷ, ㄹ

2 대중문화의 이해와 비판적 수용

09 밑줄 친 '이것'에 대한 옳은 설명을 〈보기〉에서 있는 대로 고른 것은?

> 이것은 가요, 드라마, 영화, 공연 예술 등 한 사회 내에 존재하는 다양한 집단을 초월하여 불특정 다수가 누리는 문화를 의미한다.

┤ 보기 ├
ㄱ. 대중 매체를 통해 확산된다.
ㄴ. 특정 소수에 의해 형성되고 확산된다.
ㄷ. 정보 사회가 등장함에 따라 형성되었다.
ㄹ. 산업화로 대량 생산 체제가 형성되면서 퍼지기 시작하였다.

① ㄱ, ㄴ   ② ㄱ, ㄹ   ③ ㄴ, ㄷ
④ ㄱ, ㄷ, ㄹ   ⑤ ㄴ, ㄷ, ㄹ

10 다음 판서의 내용 중 (가)~(라)에 들어갈 내용으로 옳지 않은 것은?

학습 주제: 대중문화	
의미	(가)
등장 배경	(나)
순기능	(다)
역기능	(라)

① (가) – 한 사회 내에 존재하는 특정인들이 공유하면서 누리는 문화
② (나) – 대중 매체의 발달
③ (나) – 산업화로 인한 대량 생산 체제의 확산
④ (다) – 적은 비용으로 다양한 오락과 휴식 제공
⑤ (라) – 지나친 상업성 추구로 대중문화의 질적 저하 초래

11 (가)~(라)에 해당하는 대중 매체로 옳은 것은? (단, (가)~(라)는 각각 뉴 미디어, 영상 매체, 음성 매체, 인쇄 매체 중 하나이다.)

> (가) 은/는 복잡하고 깊이 있는 정보를 전달하는 데 유용하나 정보 전달의 속도가 상대적으로 느리다. (나) 은/는 적은 비용으로 정보 전달이 가능하지만 시각 정보를 전달하기 어렵다. (다) 은/는 다수의 사람에게 동시에 빠른 속도로 공감각적인 정보 전달이 가능하지만 상대적으로 정보의 깊이가 얕은 편이다. (라) 은/는 정보의 생산자와 소비자 간 쌍방향 의사소통이 가능하며, 다른 매체보다 신속하게 정보 전달이 이루어지지만 왜곡된 정보를 양산할 수 있다.

	(가)	(나)	(다)	(라)
①	음성 매체	인쇄 매체	영상 매체	뉴 미디어
②	영상 매체	뉴 미디어	음성 매체	인쇄 매체
③	영상 매체	음성 매체	뉴 미디어	인쇄 매체
④	인쇄 매체	영상 매체	음성 매체	뉴 미디어
⑤	인쇄 매체	음성 매체	영상 매체	뉴 미디어

13 다음 글에 공통으로 나타나 있는 대중문화의 문제점으로 가장 적절한 것은?

> • 유명 예능 프로그램에서 90년대 히트곡으로 구성된 콘서트를 개최한 이후 90년대 히트곡들이 음원 순위에서 상위권을 휩쓸고 있으며, 대다수의 사람이 그 시절 노래만 듣고 있다.
> • TV 건강 프로그램에서 ○○가 몸에 좋은 음식으로 소개된 이후 대형 마트에서는 ○○의 판매량이 많이 증가하였으며, 일부 지역에서는 재고 부족으로 ○○의 판매가 종료되기도 하였다.

① 문화를 획일화시킨다.
② 지나치게 상업성을 추구한다.
③ 대중의 정치적 무관심을 조장한다.
④ 새로운 대중 매체의 등장을 촉진시킨다.
⑤ 지배층이 대중 조작 수단으로 악용한다.

12 교사의 질문에 옳지 <u>않게</u> 대답을 한 학생은?

대중문화는 어떤 기능을 할까요? (교사)

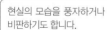
현실의 모습을 풍자하거나 비판하기도 합니다. (갑)

계층 간 문화적 차이를 줄이는 데 기여합니다. (을)

휴식과 재충전을 위한 오락과 여가의 기회를 제공합니다. (병)

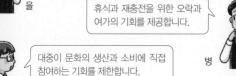
대중이 문화의 생산과 소비에 직접 참여하는 기회를 제한합니다. (정)

현실 사회에 대한 관심을 표출하고 공유하는 기회를 제공합니다. (무)

① 갑 ② 을 ③ 병 ④ 정 ⑤ 무

14 다음 대화와 관련하여 옳은 설명을 〈보기〉에서 고른 것은?

드라마를 보면 극중 주요 인물들은 대부분 중·상류층이라서 하층에 해당하는 사람들의 생활 모습이나 가치관은 반영되지 않고 있어. (갑)

드라마에서 다루고 있는 주제는 현실 사회의 주요 쟁점과는 거리가 먼 가족 구성원이나 연인과의 갈등만을 소재로 하는 경우가 많아. (을)

┤ 보기 ├
ㄱ. 갑은 대중문화가 고급문화의 대중화에 기여한다고 본다.
ㄴ. 을은 '대중문화는 대중의 정치적 무관심을 높일 우려가 있다.'는 주장에 동의할 것이다.
ㄷ. 갑, 을 모두 대중문화의 역기능에 대해 언급하고 있다.
ㄹ. 을은 갑과 달리 대중문화가 지나친 상업화를 추구하고 있다고 본다.

① ㄱ, ㄴ ② ㄱ, ㄷ ③ ㄴ, ㄷ
④ ㄴ, ㄹ ⑤ ㄷ, ㄹ

15 하위문화에 대한 옳은 설명을 〈보기〉에서 있는 대로 고르시오.

> ┤ 보기 ├
> ㄱ. 전체 문화의 다양성을 형성하는 원천이 된다.
> ㄴ. 하위문화가 다양한 사회일수록 사회 통합 가능성이 높다.
> ㄷ. 해당 문화를 누리는 집단 구성원의 소속감 고취에 기여한다.
> ㄹ. 사회가 복잡해지고 빠르게 변화함에 따라 오늘날에는 하위문화의 수가 줄어들고 있다.

16 (가), (나)에 해당하는 용어를 쓰시오.

> 사회 구성원들은 대부분 다양한 하위문화를 누리고 있으며, [(가)   ]와/과 [(나)   ]은/는 대표적인 하위문화이다. [(가)   ]은/는 한 사회를 구성하는 여러 지역 사회에서 각각 나타나는 고유한 생활 양식을 의미한다. 반면, [(나)   ]은/는 같은 시대를 살면서 특정한 역사적 경험을 공유하며 비슷한 사고방식과 생활 양식을 보이는 사람들끼리 공유하는 문화를 의미한다.

17 (가), (나)에 해당하는 대중 매체를 쓰시오.

> 대중 매체 중 [(가)   ]은/는 사용자 간의 활발한 쌍방향적 의사소통, 자유로운 기능 확장과 재구성, 편리한 휴대와 이동을 특징으로 한다. [(가)   ]의 사례로 [(나)   ]을/를 들 수 있다.

18 다음 글을 읽고 물음에 답하시오.

> [(가)   ]은/는 주류 문화에 저항하고 대립하는 문화를 의미하며, 급진적인 종교 문화, 미국의 히피 문화, 범죄 집단의 문화를 사례로 들 수 있다. [(가)   ]에 대한 규정은 시대나 사회에 따라 달라지기도 한다. 예를 들어, 불교나 천주교가 우리나라에 처음 전파되었을 때는 [(가)   ](으)로 여겨 탄압을 받았지만, 사회적으로 널리 수용된 이후에는 주류 문화 중 하나로 인정받게 되었다.

(1) (가)에 공통으로 들어갈 용어를 쓰시오.

(2) (가)의 순기능과 역기능을 각각 서술하시오.

19 다음 글을 읽고 물음에 답하시오.

> [(가)   ]의 등장 및 확산 배경은 다음과 같다. 의무 교육 제도의 도입으로 인하여 대중의 지적 수준이 향상되었고, 보통 선거 제도의 도입으로 인하여 대중의 정치적, 사회적 지위가 향상되었다. 또한, 산업화로 인한 대량 생산 체제의 형성으로 다수가 동시에 누릴 수 있는 공통의 문화가 보급되었다.

(1) (가)에 해당하는 용어를 쓰시오.

(2) (가)의 순기능과 역기능을 각각 서술하시오.

| 수능 기출 |

01 A~C의 일반적인 특징에 대한 설명으로 옳은 것은? (단, A~C는 각각 전체 문화, 반문화, 반문화의 성격이 없는 하위 문화 중 하나이다.)

구분	A	B	C
한 사회 내에서 일부 구성원들만 공유하는 문화인가?	예	예	아니요
한 사회의 지배적인 문화를 거부하거나 저항하는 문화인가?	예	아니요	아니요

① A는 B와 달리 기존의 지배적인 문화를 대체하기도 한다.
② B는 A와 달리 주류 집단에 의해 일탈로 규정되기도 한다.
③ A를 공유하는 구성원은 C의 문화 요소 중 일부를 공유한다.
④ A, B는 C와 달리 해당 문화를 향유하는 구성원들 공통의 정체성 형성에 기여한다.
⑤ B, C는 A와 달리 사회에 따라 상대적으로 규정된다.

| 평가원 기출 |

02 하위문화의 유형인 A, B 문화의 일반적인 특징에 대한 설명으로 옳은 것은?

유형	사례
A 문화	1960년대 미국의 히피족은 정치적으로 베트남전 참전을 위한 징집을 거부하는 등 정부 정책에 도전하여 평화를 추구하고, 물질적 풍요와 편의성보다는 자연과 공존하는 생활 태도를 중시하였다.
B 문화	최근 2030세대는 이전의 젊은 세대에 비해 현재를 중시하는 삶의 방식을 보인다. 이들은 미래에 투자하기보다 현재의 행복과 즐거움을 소비하는 경향을 보인다. 이는 "You only live once(당신의 삶은 한번뿐이다.)."의 줄임말인 '욜로(YOLO)' 현상으로 설명되기도 한다.

① A 문화는 B 문화와 달리 전체 사회에 문화 다양성을 제공한다.
② B 문화는 A 문화와 달리 기존 문화에 저항하는 특징을 보인다.
③ A 문화나 B 문화에 속하는 것을 구분하는 기준은 상대적이다.
④ A 문화는 사회 통합에, B 문화는 사회 변동에 기여한다.
⑤ A 문화와 B 문화의 총합은 전체 문화이다.

| 수능 응용 |

03 다음 자료에 대한 설명으로 옳은 것은?

> (가) 인터넷 및 스마트폰의 보급으로 누구나 온라인 게임을 손쉽게 접할 수 있게 되었다. 이제 ㉠ 온라인 게임은 청소년뿐만 아니라 중장년층 및 노년층까지 전 세대가 즐기는 ㉡ 대중적 문화가 되었다.
>
> (나) 최근 청소년들은 그들끼리만 통하는 언어를 사용한다. 인터넷 용어를 축약하여 표현하거나, 자음만으로 의사를 표현하는 등의 방법으로 신조어와 은어를 만들어 사용한다. 기성세대가 ㉢ 청소년들의 언어문화를 이해하지 못하여, 세대 간 의사소통의 장애가 발생하고 있다.

① ㉠, ㉢은 반문화이다.
② ㉡에서의 문화는 넓은 의미, ㉢에서의 문화는 좁은 의미로 사용되었다.
③ (가)에서는 기술의 발전으로 인해 하위문화가 전체 문화로 변화하였다.
④ 하위문화로 인해 세대 문화 간의 이질성이 약화된 경우를 설명할 때는 (가)보다 (나)의 사례가 적합하다.
⑤ 특정 하위문화가 기존의 주류 문화에 동화된 경우를 설명할 때는 (나)보다 (가)의 사례가 적합하다.

| 평가원 기출 |

04 A~C 문화의 일반적인 특징에 대한 설명으로 옳은 것은?

> 한 사회 구성원들이 전반적으로 공유하는 문화를 A 문화라 한다. 반면, 사회의 일부 구성원들만 공유하여 다른 구성원들과 구분되는 생활 양식을 B 문화라고 한다. B 문화는 이를 공유하는 구성원들의 정체성을 알려주는 문화로서 그들에게 중요한 삶의 양식이 된다. B 문화 중에는 그 사회의 지배 문화에 저항하거나 대립하는 문화가 있는데, 이를 C 문화라 한다.

① A 문화는 B 문화의 총합으로 설명할 수 없다.
② B 문화에는 A 문화의 문화 요소가 존재하지 않는다.
③ B 문화와 달리 C 문화는 집단 간 갈등을 초래하여 사회 통합을 저해할 수 있다.
④ 사회가 다원화될수록 C 문화는 A 문화로 수렴되는 경향을 보인다.
⑤ C 문화와 달리 B 문화는 사회 변화에 따라 A 문화가 되기도 한다.

| 평가원 응용 |

05 A~C 문화에 대한 옳은 설명을 〈보기〉에서 고른 것은? (단, A~C 문화는 각각 전체 문화, 하위문화, 반문화 중 하나이다.)

> 중세 말기 유럽에서는 새롭게 부를 축적한 부르주아지가 등장하였다. 이들의 문화는 당시 엄격한 신분제에 기초한 봉건제적 문화와는 차별화된 성격을 띠고 있어 처음에는 A 문화였다. 그러나 부르주아지가 근대 시민 혁명을 통해 구체제를 전복하려 나선 시기에, 이들의 문화는 B 문화로서의 성격을 보였다. 그리고 마침내 구체제가 무너지고 새로운 근대 사회가 도래한 이후 이들의 문화는 점차 봉건제적 문화를 대체하여 C 문화로 성장하였다.

▮ 보기 ▮

ㄱ. A 문화는 C 문화에서 얻을 수 없는 다양한 욕구를 충족시킨다.

ㄴ. A 문화는 사회 변동에 따라 C 문화가 되기도 한다.

ㄷ. 한 사회에서 B 문화는 C 문화와 공존이 불가능하다.

ㄹ. 한 사회에서 C 문화는 A 문화의 총합으로 설명할 수 있다.

① ㄱ, ㄴ   ② ㄱ, ㄷ   ③ ㄴ, ㄷ
④ ㄴ, ㄹ   ⑤ ㄷ, ㄹ

| 평가원 응용 |

06 A, B 문화에 대한 옳은 설명을 〈보기〉에서 있는 대로 고른 것은?

> 문화는 사회마다 다를 뿐 아니라 같은 사회 내에서도 다양한 양상으로 나타난다. 한 사회 내의 특정 집단 구성원들만이 공유하는 문화가 있는데, 이를 ____A____ (이)라고 한다. 또한, 주류 문화에 반대하고 적극적으로 도전하는 양상을 보이는 ____B____ 도 있다.

▮ 보기 ▮

ㄱ. B 문화는 지배 집단에 의해 일탈로 규정되기도 한다.

ㄴ. A 문화와 B 문화 사이에는 공통 요소가 존재하지 않는다.

ㄷ. A 문화와 B 문화 모두 사회 변동을 촉진하는 요인이 되기도 한다.

ㄹ. A 문화는 사회에 따라 상대적으로, B 문화는 사회에 상관없이 절대적으로 규정된다.

① ㄱ, ㄴ   ② ㄱ, ㄷ   ③ ㄷ, ㄹ
④ ㄱ, ㄴ, ㄷ   ⑤ ㄴ, ㄷ, ㄹ

| 평가원 응용 |

07 (가), (나) 문화에 대한 옳은 설명을 〈보기〉에서 고른 것은?

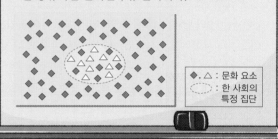

> 학습 주제: (가) 문화와 (나) 문화
> 학습 내용
> • 한 사회의 문화는 공유 수준과 범위에 따라 (가) 문화와 (나) 문화로 구분할 수 있다.
> • 그림에서 ◆를 공유하는 문화는 (가) 문화이고, △를 공유하는 문화는 (나) 문화이다.
>
> ◆, △ : 문화 요소
> ⬭ : 한 사회의 특정 집단

▮ 보기 ▮

ㄱ. 반문화는 (가) 문화가 될 수 없다.

ㄴ. 세대 문화, 지역 문화는 (나) 문화에 해당한다.

ㄷ. 한 사회의 모든 (나) 문화의 총합이 (가) 문화이다.

ㄹ. 사회 변화에 따라 (나) 문화는 (가) 문화가 될 수 있다.

① ㄱ, ㄴ   ② ㄱ, ㄷ   ③ ㄴ, ㄷ
④ ㄴ, ㄹ   ⑤ ㄷ, ㄹ

| 평가원 응용 |

08 다음 글에 대한 설명으로 옳지 않은 것은?

> 대학생 갑은 틈틈이 스마트폰으로 일기 예보와 미세 먼지 수치, 주요 뉴스를 접한다. 학교에서는 누리 소통망(SNS)을 사용하여 중학교 또는 고등학교 동창뿐 아니라 한 번도 만나본 적 없는 다른 나라의 친구들과 대화를 주고받는다. 평소 좋아하는 예능 프로그램은 스마트폰을 이용해 한 번에 몰아보기도 하고, 태블릿 PC에는 자기 계발에 도움이 될 만한 수십 권의 전자책을 담아 집에 가는 길에 읽기도 한다. 또한, 주말에는 취미로 드론을 조립하고, 이를 다루는 모습을 인터넷에 올려 드론에 관심이 있는 다른 이들에게 도움을 주기도 한다.

① 대중 매체의 기능적 융합이 이루어진다.

② 정보 수용의 시간 및 공간의 제약이 줄어든다.

③ 정보의 생산자와 소비자 간 경계가 명확해진다.

④ 비대면적 접촉을 통한 사회적 상호 작용이 활발해진다.

⑤ 대중 매체를 통해 사회적 관계를 맺는 공간적 범위가 확대된다.

09 대중문화에 대한 갑, 을의 견해에 대한 옳은 설명을 〈보기〉에서 고른 것은?

대중문화로 인해 과거 소수 특권층이 누리던 문화적 혜택을 다수가 누릴 수 있게 되었어.

대중문화는 대중 매체를 통해 대량으로 유통되기 때문에 획일적으로 흐를 수 있어.

갑   을

┤ 보기 ├

ㄱ. 갑은 대중문화의 발달이 고급문화의 대중화에 기여했다고 본다.

ㄴ. 을은 대중문화의 획일성으로 문화적 다양성이 약화될 수 있다고 본다.

ㄷ. 갑은 을과 달리 대중 매체가 대중문화의 확산에 영향을 미친다고 본다.

ㄹ. 을은 갑과 달리 대중문화가 사회 구성원 대다수에게 영향을 미친다고 본다.

① ㄱ, ㄴ   ② ㄱ, ㄷ   ③ ㄴ, ㄷ
④ ㄴ, ㄹ   ⑤ ㄷ, ㄹ

10 밑줄 친 ㉠~㉤에 대한 옳은 설명을 〈보기〉에서 고른 것은?

㉠ 산업화가 진행됨에 따라 ㉡ 대중이 사회의 주역으로 등장하였다. 이들은 최소한의 휴식을 위한 문화가 필요하게 되었으며, 이 과정에서 대중문화가 형성되었다. ㉢ 근대 이전에는 소수의 지배 계층이 누리는 문화와 ㉣ 일반 사람들이 누리는 문화가 구분되어 대중이 누릴 수 있는 문화가 제한적이었지만, ㉤ 대중 매체의 보급과 근대 교육의 발달로 대중의 지위가 상승하여 대중문화가 활성화되었다.

┤ 보기 ├

ㄱ. ㉠이 진행됨에 따라 소량 생산 체제가 확대되었다.

ㄴ. ㉡은 직업이나 성별 등으로 구별되지 않는 불특정 다수를 가리킨다.

ㄷ. ㉢은 고급문화, ㉣은 반문화이다.

ㄹ. ㉤은 대중문화를 생산하는 주요 수단이다.

① ㄱ, ㄴ   ② ㄱ, ㄷ   ③ ㄴ, ㄷ
④ ㄴ, ㄹ   ⑤ ㄷ, ㄹ

11 (가), (나)에 대한 옳은 설명을 〈보기〉에서 고른 것은?

(가) 예전에는 귀족들만이 교향곡을 감상하고 시를 낭송하며 고급문화를 향유했다. 그러나 이제는 원하는 사람 누구나 다양한 매체를 통해 언제 어디서나 유명한 이의 교향곡과 시를 감상할 수 있다.

(나) 어떤 연예인의 옷차림이 큰 인기를 끌면 거리에는 수많은 젊은이가 그들의 옷차림과 비슷한 옷을 입고 다닌다. 마치 모두가 유니폼을 맞춰 입은 것처럼 개성의 자유보다는 일시적인 유행에 집착한다.

┤ 보기 ├

ㄱ. (가)를 통해 교향곡과 시가 전체 문화에서 하위문화가 되었음을 알 수 있다.

ㄴ. (가)는 대중문화가 문화 민주주의의 실현에 기여하고 있다는 주장의 근거로 사용할 수 있다.

ㄷ. 다원화된 사회일수록 (나)와 같은 경우가 확산한다.

ㄹ. (나)에는 문화의 획일화를 조장하는 대중문화의 역기능이 나타나 있다.

① ㄱ, ㄴ   ② ㄱ, ㄷ   ③ ㄴ, ㄷ
④ ㄴ, ㄹ   ⑤ ㄷ, ㄹ

12 다음 글을 통해 추론할 수 있는 대중문화의 기능으로 가장 적절한 것은?

최근 인기 최정상의 배우를 주연으로 한 미혼모 가정의 슬픈 이야기를 다룬 드라마가 높은 시청률을 기록하였다. 이후 각종 뉴스에서 미혼모 가정에 대한 정부의 대책 미흡을 지적하는 보도가 이어지고 있다. 또한, 미혼모 가정을 돕고자 하는 시민들의 후원이 늘어나고 있다.

① 대중에게 여가와 오락의 기회를 제공한다.

② 사회 문제에 대한 대중의 관심을 환기시킨다.

③ 정치권력의 부당한 행사를 감시하고 견제한다.

④ 대중이 고급문화를 손쉽게 누릴 수 있도록 한다.

⑤ 대중의 지적 수준을 높여 사회 전체의 지적 수준을 높인다.

03 문화의 변동

1 문화 변동의 요인과 양상

1. 문화 변동의 의미 한 사회의 문화가 대다수 구성원의 삶에 커다란 영향을 미칠 정도로 변화하는 현상 **예** 한글 사용은 우리 삶에 커다란 변화를 가져옴.

2. 문화 변동❶의 요인 자료01

(1) 내재적 요인 ┌ **주의!** 발명이나 발견이 이루어져도 사회에 널리 받아들여져 활용되지 않으면 문화 변동이 일어나지 않는다.

① 발명❷ ┌ **주의!** 물질적인 것은 물론 비물질적인 것도 새롭게 만들어낼 수 있다.

• 의미: 그동안 존재하지 않았던 새로운 문화 요소를 만들어 내는 것

• 사례: 전화기, 비행기, 인터넷, 계몽주의❸ 등

② 발견

• 의미: 이미 존재하고 있었지만 알려지지 않았던 것을 찾아내는 것

• 사례: 불, 만유인력의 법칙, 바이러스의 발견 등

(2) 전파(외재적 요인)

① 의미 한 사회의 문화가 다른 사회의 문화와 교류하고 접촉하는 과정에서 새로운 문화 요소가 전달되는 것

② 종류

직접 전파	의미	이주, 무역, 전쟁 등을 통해 사람이 다른 문화와 직접 접촉하여 문화 요소가 전해지는 것
	사례	문익점이 중국에서 목화씨를 가져와 재배하기 시작한 것
간접 전파	의미	책, 텔레비전, 인터넷 등과 같은 매개체를 통해 문화 요소가 전해지는 것
	사례	대중 매체를 통해 한국 문화가 외국에 전파되는 것
자극 전파	의미	다른 사회의 문화 요소에서 아이디어를 얻어 새로운 문화 요소를 만들어 내는 것
	사례	중국 한자의 음과 뜻을 빌려 우리말을 표기했던 이두❹

3. 문화 변동의 양상

(1) 내재적 변동

① 의미 한 사회의 문화 체계 내에서 일어나는 것으로, 발견이나 발명에 의해 발생함.

② 사례 증기 기관의 발명에서 비롯된 산업 혁명으로 영국 문화가 총체적으로 변화한 것

(2) 문화 접변(외재적 변동)❺

① 의미 두 문화 체계가 장기간에 걸쳐 전면적인 접촉을 함으로써 나타나는 문화 변동

② 종류

자발적 문화 접변 자료02	의미	서로 다른 문화가 교류하는 과정에서 스스로의 필요에 의해 다른 문화 요소를 받아들이는 것
	사례	아메리카 대륙의 나바호족이 주변 지역으로 이주해 온 에스파냐 사람들과 자발적으로 교류하면서 에스파냐 문화를 받아들이고 자신의 문화와 통합하여 발전시킨 것
강제적 문화 접변 자료03	의미	정복, 식민 지배 등의 상황에서 지배 사회의 문화가 피지배 사회에 강제적으로 이식되어 나타나는 것 → 피지배 집단은 순응하여 동화되기도 하고, 저항이나 복고 운동❻이 발생할 수도 있음.
	사례	강대국이 식민지에서 자신의 언어, 종교 등을 강요한 것

• 문화 변동의 요인과 양상

❶ **오늘날의 문화 변동**
오늘날에는 세계화에 따라 내재적 요인보다는 문화 전파에 의한 문화 변동이 훨씬 많다. 또한, 정보 통신 기술의 발달로 직접 전파보다 매체를 통한 간접 전파가 활발하게 일어나고 있다.

❷ **1차 발명과 2차 발명**

1차 발명	존재하지 않았던 것을 새롭게 만들어 내는 것 예 활, 바퀴, 전화기의 발명
2차 발명	기존의 문화 요소를 활용하여 새로운 것을 만들어 내는 것 예 활을 이용한 현악기, 바퀴를 이용한 수레의 발명

❸ **계몽주의**
16~18세기 유럽에서 일어난 급진적 사상 운동으로, 교회의 권위에 바탕을 둔 구시대의 특권과 제도를 반대하며 인간의 합리성을 중시하였다. 이성의 계몽을 통하여 인간 사회의 진보를 이룰 수 있다고 보았다.

❹ **이두의 표기 원리**

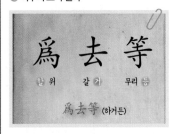

❺ **문화 접변**
접촉적 변동이라고도 한다.

❻ **복고 운동**
과거에 존재했던 사회 제도나 문화적 특징을 복구하거나 과거로 되돌아가려는 집단적 노력을 말한다. 급격한 개혁에 대한 반감이나 강제적인 문화 이식에 대한 반발로 일어나는 경우가 많다.

셀파 자료 탐구

자료 01 문화 변동의 요인

(가) 중국과의 접촉을 통해 우리나라에 한자가 전해 내려온 것은 대략 기원전 2세기경으로 추정된다. 우리말을 표기할 수 있는 독자적인 언어 체계가 없었으므로 한자를 그대로 사용하다가, 신라 시대 때부터 한자의 음과 뜻을 빌려 우리말을 표기하는 '이두'가 본격적으로 발달하였다.

(나) 이두를 사용하였지만 여전히 우리말을 표기하는 데 어려움이 있었다. 조선 시대에 이르러 세종대왕이 우리말에 맞는 한글을 창제하여 비로소 우리 고유의 글자를 사용할 수 있게 되었다.

자료 분석 | 한자의 음과 뜻을 빌려 우리말을 표기하는 '이두'는 다른 사회의 문화 요소에서 아이디어를 얻어 새로운 문화 요소를 발명한 자극 전파의 사례에 해당한다. 반면, 한글 창제는 우리 문화 체계 내에서 새로운 문화 요소를 만들어 낸 것이므로 발명의 사례이다.

자료 02 문화 접변이 가져온 고대 일본의 '한류'

▲ 일본 오사카에 있는 구다라 역(백제역)

삼국 시대 백제는 고대 일본과 교류가 매우 활발하였다. 백제 출신의 학자, 승려, 유민 등은 직접 일본으로 건너가 불교, 건축, 조각, 회화, 여가 문화 등을 전하는 역할을 하였다. 일본 오사카 지역에는 일종의 '코리아타운'처럼 '백제 마을'이 조성되기도 하였다. 백제 문화는 고대 일본의 일상생활에도 변화를 가져다주었다. 5세기 전까지 고대 일본에서는 옷감 짜는 기술과 재봉 기술이 발달하지 못하였는데, 백제인이 관련 기술과 의복 문화를 전파하여 백제식 베틀이나 복식을 남기기도 하였다. 또한, 그전까지 주로 움집 형태의 집에서 살던 고대 일본인들은 백제 문화에 영향을 받아 흙벽에 기둥과 지붕이 있는 집에서 살기 시작하였다.

자료 분석 | 백제의 문화는 백제인들이 직접 일본으로 건너가 전하는 직접 전파의 방식으로 일본에 전해졌다. 일본은 스스로의 필요에 의해 외래문화를 받아들이는 자발적 문화 접변의 과정을 겪었고, 그 결과 일본의 문화는 변할 수 있었다.

자료 03 '무무'의 기원

1820년 처음 하와이에 도착한 미국 선교사들은 주민들 대부분이 하체만 풀로 가리고 있는 것을 보고, 옷을 입히기로 하였다. 그들은 미국에서 옷감을 가져와 옷을 만들기 시작했는데, 일일이 몸에 맞추어 짓지는 못하였기 때문에 대강 누구에게나 맞는 넉넉한 옷을 만들어 입게 하였다. 이것이 오늘날 '무무'라는 옷의 기원이다. '무무'는 더운 기후 지역의 하와이에서 몸을 가릴 뿐 아니라 시원하게 해 주는 역할을 하였다.

자료 분석 | 미국 선교사들이 하와이의 원주민들에게 몸을 가리는 옷을 입는 의복 문화를 이식한 것은 강제적 문화 접변의 사례에 해당한다. 원주민 스스로 원해서 선택한 것이 아닌, 외부 사회의 필요와 의지에 의해서 시작되었기 때문이다.

기출 선택지 O, ×로 정리하기

1 물질문화, 비물질문화 모두 발명을 통해 만들어질 수 있다.
(O , ×)

2 특정 종교의 창시는 발견의 사례이다.
(O , ×)

3 한글 창제는 내재적 요인에 의한 문화 변동이다.
(O , ×)

4 상호 인적 교류가 없는 집단들 간에는 간접 전파를 통한 문화 변동이 이루어질 수 없다.
(O , ×)

5 간접 전파와 달리 직접 전파는 자극 전파의 원인이 될 수 있다.
(O , ×)

6 한류 드라마의 인기로 한국어를 배우려는 외국인이 늘어난 사례는 자극 전파에 해당된다.
(O , ×)

7 서아시아 지역에서 종교 의식에 사용되던 커피가 유럽에 전해져 일반인의 기호품으로 대중화된 사례는 자극 전파에 해당한다.
(O , ×)

8 독일에서 구텐베르크가 인쇄 기술을 만들어 자국 내 지식 보급에 기여한 사례는 간접 전파에 해당한다.
(O , ×)

9 미국에서 배구가 처음 고안된 사례는 발명, 미국인 선교사가 한국 청년들에게 처음 배구를 지도한 사례는 직접 전파에 해당한다.
(O , ×)

10 6·25 전쟁 이후 미군들에 의해 프라이드치킨이 전해졌다는 사례는 강제적 문화 접변에 해당한다.
(O , ×)

정답 1 O 2 × 3 O 4 × 5 × 6 ×
7 × 8 × 9 O 10 ×

③ 결과 자료04

기존 문화	+	외래문화
::		▲▲

↓

문화 병존	문화 동화	문화 융합
:·	▲▲	⊞

■는 ●와 ▲가 혼합되어 나타난 새로운 문화이다.

문화 병존 (문화 공존)	의미	서로 다른 사회의 문화가 한 사회의 문화 속에서 나란히 존재하는 현상
	사례	미국 내 차이나타운, 우리나라에 토착 종교와 외래 종교가 함께 존재하는 것
문화 동화	의미	한 사회의 문화가 다른 사회의 문화로 흡수되거나 대체되어 정체성을 상실하는 현상
	사례	라틴 아메리카 원주민들이 원래 사용하던 언어 대신 포르투갈어나 에스파냐어를 사용하는 것
문화 융합⁷	의미	서로 다른 사회의 문화 요소가 결합하여, 두 문화 요소의 성격을 지니면서도 두 문화 요소와는 다른 성격을 지닌 새로운 문화가 나타나는 현상
	사례	미국에서 아프리카의 흑인 음악과 유럽의 백인 음악의 요소가 결합하여 재즈가 탄생한 것

주의! 발명이나 발견, 전파 등으로 새로운 문화 요소가 출현하고 이로 인해 문화가 변동하면 그 과정에서 사람들의 삶이 풍요로워지기도 한다.

2 문화 변동에 따른 문제점과 대처 방안

1. 문화 변동 과정에서 발생하는 문제점

(1) **집단 간 갈등** 새로운 문화 요소가 유입되는 과정에서 이를 받아들여 기존 문화를 대체하려는 집단과 기존 문화를 유지하려는 집단 간에 갈등이 발생할 수 있음.

(2) **아노미 현상** 급격한 문화 변동으로 전통적 규범과 가치관을 대체할 새로운 규범과 가치관이 아직 정립되지 못하여 사회가 혼란과 무규범 상태에 빠질 수 있음. 자료05

(3) **문화 충격 및 정체성 혼란** 급격하게 외래문화가 유입되면서 문화 정체성⁸이 약화되거나 혼란이 생길 수 있음.

(4) **문화 지체 현상⁹**

① 의미 물질문화⁰의 빠른 변동 속도를 비물질문화¹가 따라가지 못하여 부조화 현상이 나타날 수 있음.

왜? 새로운 물질문화는 사회 구성원들이 비교적 쉽게 수용하면서 변동 속도가 빠른 것에 비해, 비물질문화는 수용하는 데 시간이 걸려 변동 속도가 느리다.

② 사례 인터넷 기술이 발달하였지만 악성 댓글과 사이버 명예 훼손이 만연한 것, 휴대 전화 사용자 수가 증가하였지만 공공장소에서 휴대 전화 사용 예절이 부족한 것

2. 문화 변동에 대한 대처 방안 자료06

(1) 새로운 문화 요소의 특징을 이해하고, 서로 다른 문화 요소 간 조화와 공존을 위해 노력해야 함.

(2) 새로운 문화에 적합한 사회 규범을 확립하려는 사회 구성원들의 공통된 노력이 필요함.

(3) 문화 변동이 바람직한 방향으로 이루어지도록 능동적으로 대처하고, 새로 유입되는 문화 요소를 주체적으로 수용해야 함.

(4) 물질문화의 변동에 적응할 수 있도록 새로운 가치나 규범 등을 정립함.

· **문화 접변의 결과**

문화 병존	서로 다른 사회의 문화가 한 사회의 문화 속에서 나란히 존재
문화 동화	한 사회의 문화가 다른 사회의 문화로 흡수되거나 대체
문화 융합	서로 다른 사회의 문화 요소가 결합하여, 두 문화 요소의 성격을 지니면서도 두 문화 요소와는 다른 성격을 지닌 새로운 문화가 탄생

⑦ 문화 병존과 문화 융합
문화 병존과 문화 융합은 기존 문화의 정체성이 남아있다는 공통점이 있다.

⑧ 문화 정체성
한 사회의 구성원이 자신의 문화에 대해 갖는 일체감이다. 오랫동안 공유한 역사적 경험, 운명 공동체로서의 의식 등을 바탕으로 형성된다. 문화 정체성을 통해 한 사회는 안정적으로 유지되며, 구성원 등은 자아 정체성과 소속감을 가질 수 있다.

⑨ 문화 지체 현상

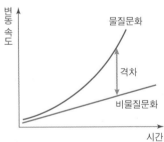

⑩ 물질문화
인간의 기본적인 욕구를 충족하고 생존하는 데 필요한 도구나 기술을 의미한다.

⑪ 비물질문화
인간의 정신세계를 표현하거나 사고와 행동의 기준을 제시해 주는 종교, 제도, 예술 등을 의미한다.

자료 04 문화 접변의 결과

(가)

(나)

(다)

돌침대는 우리의 온돌 문화와 서구의 침대 문화가 어우러진 것으로, 많은 사람들이 사용하고 있다.

메이지 유신 이후 서구적인 생활 방식을 수용한 일본 사람들은 기모노 대신 양복을 주로 입고, 머리카락을 잘랐으며 그 위에 모자를 썼다.

말레이시아의 항구 도시 믈라카의 거리에는 힌두교와 이슬람교, 크리스트교, 불교 등 다양한 종교 건축물이 있다. 또한, 종교별로 다양한 축제와 기념일을 함께 즐기고 기념한다.

자료 분석 | (가)는 우리 문화와 서구 문화가 만나 돌침대라는 새로운 문화 요소가 나타났으므로 문화 융합의 사례이다. (나)는 일본의 전통적인 생활 양식을 서구의 생활 양식으로 대체하였으므로 문화 동화의 사례이다. (다)는 여러 종교가 한 지역에 공존하고 있으므로 문화 병존(문화 공존)의 사례이다.

자료 05 문화 변동으로 나타난 문제

2003년 이라크는 미국과 영국 연합군에 의해 독재자가 갑자기 축출되면서 해방 상태를 맞이하게 되었다. 그런데 그 후 이라크에 극도의 혼란과 무질서가 찾아왔다. 절대 권력자가 사라지고 외국 군대가 치안을 담당하는 동안 사람들은 마음대로 행동하였고, 법에 따른 통제는 제대로 이루어지지 못했다. 거리의 상점이나 가정집 약탈은 물론, 박물관의 유물까지 도둑질하는 사례가 빈번하게 발생하였다.

자료 분석 | 급격한 문화 변동이 일어나면 사회 문제가 발생하기도 한다. 이라크에서는 독재 정치를 대체할 새로운 민주 정치에 대한 규범과 가치관이 정립되지 못하여 사회가 혼란과 무규범의 아노미 상태에 빠졌다.

자료 06 문화 변동에 대처하는 자세

밥상머리 수칙
• 정해진 장소에서 정해진 시간에 함께 모여 식사를 한다.
• 텔레비전을 끄고, 전화 통화는 식사 이후에 한다.
• 대화할 수 있도록 천천히 식사 한다.

다원화, 개방화 등의 변화로 수평적 관계에 익숙한 자녀 세대와 이전의 수직적 관계에 익숙한 부모 세대는 각기 다른 경험과 가치관 때문에 세대 간 갈등을 겪기도 한다. '밥상머리 수칙 지키기' 캠페인은 이런 문제를 해결하고 세대 간 소통을 끌어내기 위한 노력이다.

자료 분석 | 문화 변동으로 나타나는 사회적 갈등에 대처하려면 새롭고 다양한 문화의 특징과 차이를 인정하고 조화와 공존을 위해 노력해야 한다. 상대주의적 태도와 관용의 자세로 다양하게 나타나는 생활 양식에 대해 서로 이해하고 존중하는 자세도 필요하다.

1 새로운 정보 통신 기술을 개발하여 자국의 첨단 매체 발달에 기여한 사례는 간접 전파에 의한 문화 융합에 해당한다.

(○ , ×)

2 우리나라의 태권도 사범들이 해외 각국에 나가 태권도를 가르쳐 현지에 태권도 문화가 확산된 것은 간접 전파에 해당한다.

(○ , ×)

3 갑국 음식에만 사용되는 향신료를 을국 고유의 음식에 넣어 새로운 요리가 만들어진 것은 문화 융합에 해당한다.

(○ , ×)

4 이웃 나라의 특정 음료가 교역을 통해 들어와 자국민이 즐겨 마시는 음료 중 하나가 된 사례는 직접 전파에 의한 문화 융합에 해당한다.

(○ , ×)

5 문화 공존과 문화 융합은 '고유문화의 정체성이 남아 있다.'는 공통점이 있다.

(○ , ×)

6 문화 융합의 사례로는 한국에서 전통 시장과 별도로 온라인 쇼핑몰이 자리 잡은 것을 들 수 있다.

(○ , ×)

7 문화 공존에 해당하는 사례로는 서양의 결혼 예식과 전통 폐백 의례가 결합된 현재 한국의 결혼식을 들 수 있다.

(○ , ×)

8 문화 동화와 달리 문화 융합은 문화 다양성 유지에 기여한다.

(○ , ×)

정답 1× 2× 3○ 4× 5○ 6×
7× 8○

1 문화 변동

의미	한 사회의 문화가 대다수 구성원의 삶에 커다란 영향을 미칠 정도로 변화하는 현상	
요인	내재적 요인	• 발명: 새로운 문화 요소를 만들어 내는 것 • (❶): 이미 존재하고 있었지만 알려지지 않았던 것을 찾아내는 것
	전파 (외재적 요인)	• 직접 전파: 사람이 다른 문화와 직접 접촉하여 문화 요소가 전해지는 것 • 간접 전파: (❷)를 통해 문화 요소가 전해지는 것 • (❸): 다른 사회의 문화 요소에서 아이디어를 얻어 새로운 문화 요소를 만들어 내는 것
양상	내재적 변동	한 사회의 문화 체계 내에서 일어나는 것으로, 발견이나 발명에 의해 발생함.
	(❹)	두 문화 체계가 장기간에 걸쳐 전면적인 접촉을 함으로써 나타나는 문화 변동

2 문화 접변

종류	자발적 문화 접변	서로 다른 문화가 교류하는 과정에서 스스로의 필요에 의해 다른 문화 요소를 받아들이는 것
	강제적 문화 접변	정복, 식민 지배 등의 상황에서 지배 사회의 문화가 피지배 사회에 강제적으로 이식되어 나타나는 것
결과	문화 병존 (문화 공존)	서로 다른 사회의 문화가 한 사회의 문화 속에서 나란히 존재하는 현상
	문화 동화	한 사회의 문화가 다른 사회의 문화로 흡수되거나 대체되어 (❺)을 상실하는 현상
	(❻)	서로 다른 사회의 문화 요소가 결합하여, 두 문화 요소의 성격을 지니면서도 두 문화 요소와는 다른 성격을 지닌 새로운 문화가 나타나는 현상

3 문화 변동에 따른 문제점과 대처 방안

문제점	• 집단 간의 사회적 갈등 발생 • 새로운 규범과 가치관이 정립되지 못하여 사회가 무규범 상태에 빠지는 (❼) 현상 발생 • 문화 충격 및 정체성 혼란 • 물질문화의 속도를 비물질문화가 따라가지 못하는 (❽) 현상 발생
대처 방안	• 조화와 공존을 위해 노력해야 함. • 새로운 문화에 적합한 사회 규범 확립 • 외래문화를 주체적으로 수용해야 함. • 물질문화의 변동에 적응할 수 있는 가치나 규범 정립

정답 ❶ 발견 ❷ 매개체 ❸ 자극 전파 ❹ 문화 접변 ❺ 정체성 ❻ 문화 융합 ❼ 아노미 ❽ 문화 지체

---

1 문화 변동의 요인과 양상

01 교사의 질문에 옳게 대답한 학생을 고른 것은?

교사: 문화 변동의 요인 중 발견과 발명에 대해 지난 시간에 배운 내용을 말해볼까요?

갑: 사상이나 가치관도 발명의 대상이 될 수 있습니다.

을: 만유인력의 법칙을 찾아낸 것은 발견의 사례입니다.

병: 발명이나 발견이 이루어지면 반드시 문화 변동이 일어납니다.

정: 발견은 문화 변동의 내재적 요인, 발명은 문화 변동의 외재적 요인입니다.

① 갑, 을   ② 갑, 병   ③ 을, 병
④ 을, 정   ⑤ 병, 정

02 그림은 문화 변동의 요인 A∼C를 구분한 것이다. 이에 대한 옳은 설명을 〈보기〉에서 고른 것은?

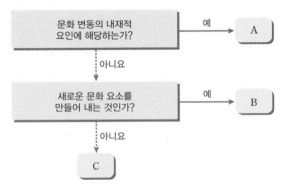

문화 변동의 내재적 요인에 해당하는가? → 예 → A
↓ 아니요
새로운 문화 요소를 만들어 내는 것인가? → 예 → B
↓ 아니요
C

┤ 보기 ├
ㄱ. 발명과 달리 발견은 A에 해당한다.
ㄴ. B는 자극 전파이다.
ㄷ. 텔레비전이나 인터넷을 통한 문화 요소의 전파는 C의 사례가 될 수 있다.
ㄹ. B와 달리 C의 대상은 비물질적인 것만 해당한다.

① ㄱ, ㄴ   ② ㄱ, ㄷ   ③ ㄴ, ㄷ
④ ㄴ, ㄹ   ⑤ ㄷ, ㄹ

03 (가)~(라)에 해당하는 문화 변동의 요인으로 옳은 것은? (단, (가)~(라)는 각각 발견, 발명, 직접 전파, 간접 전파 중 하나이다.)

문화 변동 요인	사례
(가)	7세기 초 고구려의 담징은 일본에 종이와 먹의 제조 방법을 전하였다.
(나)	한국의 드라마와 노래가 인터넷 등을 통해 전 세계로 퍼지면서 한류 열풍이 불고 있다.
(다)	말을 탈 때 발을 거는 등자가 개발되어 전쟁 문화가 변화하였고, 유목민의 전투력 향상에도 영향을 미쳤다.
(라)	1928년 스코틀랜드 생물학자 플레밍이 찾은 페니실린 덕분에 전염병의 치료와 수술 방식이 크게 변화하였다.

	(가)	(나)	(다)	(라)
①	발명	간접 전파	직접 전파	발견
②	발견	직접 전파	간접 전파	발명
③	간접 전파	직접 전파	발명	발견
④	직접 전파	간접 전파	발견	발명
⑤	직접 전파	간접 전파	발명	발견

04 다음 글에 부각된 문화 개념으로 옳은 것은?

이란에서 한국인이라고 하면 많은 사람이 '주몽'과 '대장금'을 말한다고 한다. '주몽'과 '대장금'은 이란에서 텔레비전으로 방영되었던 한국의 인기 드라마이다. 믿기 어렵게도 '주몽'과 '대장금'은 이란에서 각각 85%와 90%의 시청률이라는 경이적인 기록을 세웠다고 한다. 한국 드라마의 이러한 높은 인기는 이란인이 한국에 관한 호감도를 높이는 데 큰 역할을 하였고, 나아가 한글을 배우려는 학생들이 증가하는 데 긍정적인 영향을 주었다.

① 간접 전파
② 직접 전파
③ 자극 전파
④ 문화 융합
⑤ 강제적 문화 접변

05 (가), (나)에 나타난 문화 변동에 대한 옳은 설명을 〈보기〉에서 고른 것은?

(가) 갑국을 정복한 을국은 갑국에 대해 강력한 식민지 정책을 추진하였고, 그 결과 갑국은 자신들의 전통문화를 상실하였다.

(나) 국가의 근대적 발전을 위해 병국은 자신들보다 선진국인 정국의 경제 개발 정책 및 과학 기술을 적극적으로 수용하였고, 민주 정치 제도와 사회 복지 제도도 도입하였다.

| 보기 |
ㄱ. (가)에서는 문화 융합이 나타났다.
ㄴ. (나)는 외재적 문화 변동이 나타나 있다.
ㄷ. (나)에서는 새로운 문화 요소가 출현하였다.
ㄹ. (가)는 (나)와 달리 강제적 문화 접변이 나타났다.

① ㄱ, ㄴ
② ㄱ, ㄷ
③ ㄴ, ㄷ
④ ㄴ, ㄹ
⑤ ㄷ, ㄹ

06 다음은 서술형 평가 문제와 학생 답안이다. ㉠~㉤ 중 옳은 것은?

〈서술형 평가〉
◎문제: 강제적 문화 접변과 자발적 문화 접변의 의미와 사례를 서술하시오.
◎학생 답안
문화 접변은 강제적 문화 접변과 자발적 문화 접변으로 구분할 수 있다. 강제적 문화 접변과 자발적 문화 접변을 구분하는 기준은 ㉠ '강제성의 유무'이다. 강제적 문화 접변은 ㉡ 이주, 무역, 전쟁 등을 통해 사람이 다른 문화와 직접 접촉하여 문화 요소가 전해지는 것으로, ㉢ 과학 법칙을 발견하거나 첨단 제조 기술을 발명하는 경우를 사례로 들 수 있다. 자발적 문화 접변은 서로 다른 문화가 교류하는 과정에서 자신의 필요에 의해 다른 문화 요소를 받아들이는 것으로, ㉣ 일제 강점기 시대의 신사 참배를 사례로 들 수 있다. ㉤ 자발적 문화 접변은 강제적 문화 접변과 달리 문화 변동 과정에서 새로운 문화 요소가 만들어진다.

① ㉠
② ㉡
③ ㉢
④ ㉣
⑤ ㉤

07 (가), (나)에 나타난 문화 변동에 대한 옳은 설명을 〈보기〉에서 고른 것은?

> (가) 중국의 한자를 접한 신라의 설총은 한자의 음과 뜻을 빌려와서 우리말을 표현하는 이두(吏讀)를 개발하였다.
> (나) 돌침대는 우리의 온돌 문화와 서구의 침대 문화가 어우러진 것이다.

┤ 보기 ├
ㄱ. (가)는 발명, (나)는 자극 전파의 사례이다.
ㄴ. (가), (나) 모두 외재적 요인에 의한 문화 변동이다.
ㄷ. (가)는 자발적, (나)는 강제적으로 발생한 문화 접변의 사례이다.
ㄹ. (가)는 (나)와 달리 다른 문화에서 아이디어를 얻어 기존에 없던 새로운 문화 요소가 만들어졌다.

① ㄱ, ㄴ ② ㄱ, ㄷ ③ ㄴ, ㄷ
④ ㄴ, ㄹ ⑤ ㄷ, ㄹ

08 표는 문화 접변의 결과 A~C를 구분한 것이다. 이에 대한 설명으로 옳은 것은? (단, A~C는 각각 문화 동화, 문화 병존, 문화 융합 중 하나이다.)

구분	A	B	C
문화의 다양성 확대에 기여하는가?	예	예	아니요
서로 다른 문화 요소가 원형 그대로의 모습을 유지하는가?	아니요	예	㉠
(가)	㉡	㉢	㉣

① A는 문화 동화이다.
② B는 문화 융합이다.
③ C는 A, B와 달리 강제적 문화 접변을 통해 나타난다.
④ ㉠은 '아니요'이다.
⑤ (가)가 '기존 문화 요소와 성격이 다른 새로운 문화 요소가 만들어지는가?'이면, A는 '아니요', B와 C는 '예'이다.

09 밑줄 친 '이것'의 사례를 〈보기〉에서 고른 것은?

> 문화 접변의 결과 한 사회의 문화는 다양한 양상으로 변동한다. 문화 접변의 결과 중 이것은 한 사회의 기존 문화가 다른 문화와 접촉한 결과, 두 문화 요소의 성격을 지니면서도 해당 문화의 요소와는 다른 성격을 지닌 새로운 문화가 등장하는 현상을 의미한다.

┤ 보기 ├
ㄱ. 서양식 결혼과 전통 폐백 의례가 결합된 현재 우리나라의 결혼식
ㄴ. 한의원과 서양식 병원이 함께 존재하는 우리나라의 의료 시설
ㄷ. 서양식 가옥 구조와 전통 온돌 문화가 결합된 우리나라의 주거 형태
ㄹ. 한국어와 중국어를 같이 사용하는 사람들이 살고 있는 인천의 차이나타운

① ㄱ, ㄴ ② ㄱ, ㄷ ③ ㄴ, ㄷ
④ ㄴ, ㄹ ⑤ ㄷ, ㄹ

10 A~C에 해당하는 옳은 사례를 〈보기〉에서 고른 것은?

> • A~C는 각각 문화 융합, 문화 병존, 문화 동화 중 하나이다.
> • A는 B, C와 달리 자기 문화의 정체성이 유지되지 않는다.
> • B의 사례로 '우리나라에 전래된 불교에 전통 민간 신앙이 결합하여 절 내부에 칠성신을 모시는 칠성각이 자리 잡은 것'을 들 수 있다.

┤ 보기 ├
(가) 캐나다의 퀘벡주에서는 영어와 프랑스어를 공용어로 사용한다.
(나) 간다라 불상은 인도의 불교문화와 서양의 미술 문화가 만나 만들어진 독특한 양식의 불상이다.
(다) 라틴 아메리카의 많은 나라에서는 에스파냐의 지배를 받으면서 고유의 토속 신앙 대신 서양 종교인 가톨릭이 보편화되었다.

	(가)	(나)	(다)			(가)	(나)	(다)
①	A	B	C		②	A	C	B
③	B	A	C		④	B	C	A
⑤	C	B	A					

11 (가)~(다)에 해당하는 문화 접변의 결과로 옳은 것은?

- (가)~(다)는 각각 문화 융합, 문화 병존, 문화 동화 중 하나이다.
- '서로 다른 문화 요소가 결합하는 과정에서 새로운 문학 요소가 만들어지는가?'의 질문에 대해 (가)는 '예', (나), (다)는 '아니요' 대답을 한다.
- '한 사회의 문화가 다른 사회의 문화 체계 속에 흡수되어 정체성을 상실하는가?'의 질문에 대해 (나)는 '예', (가), (다)는 '아니요' 대답을 한다.

	(가)	(나)	(다)
①	문화 융합	문화 병존	문화 동화
②	문화 융합	문화 동화	문화 병존
③	문화 동화	문화 병존	문화 융합
④	문화 병존	문화 동화	문화 융합
⑤	문화 병존	문화 융합	문화 동화

2 문화 변동에 따른 문제점과 대처 방안

12 다음 자료의 빈칸에 들어갈 용어로 가장 적절한 것은?

학습 주제: ☐

　우리나라의 스마트폰 보급률이 90%에 육박하면서 '스몸비(smombie)족'이 급증하고 있어 새로운 문제가 되고 있다. 스마트폰(smart phone)과 좀비(zombie)의 합성어인 스몸비(smombie)는 길을 걸으면서 스마트폰을 보느라 주위를 제대로 집중하지 않는 사람을 가리킨다. 최근 스몸비족이 증가하고 있음에도 이에 대한 제도 개선이 미흡하여 관련 교통사고가 증가하고 있다.

① 간접 전파　　　　② 문화 융합
③ 문화 동화　　　　④ 아노미 현상
⑤ 문화 지체 현상

13 (가)에 들어갈 옳은 사례를 〈보기〉에서 있는 대로 고른 것은?

　문화 변동이 이루어지는 과정에서 발생할 수 있는 문제점으로 A가 있다. A는 물질문화의 변동 속도를 비물질문화가 따라가지 못해서 발생하는 부조화 현상을 의미하는데, A의 사례로 ☐(가)☐ 이/가 있다.

┤ 보기 ├
ㄱ. 차량의 수는 갈수록 늘어나지만, 건전한 교통 문화가 정착되지 않는 경우
ㄴ. 인터넷 환경은 발전하는데, 저급한 욕설이나 사이버 테러가 만연하는 경우
ㄷ. 에너지 소비량은 증가하지만, 에너지 소비문화나 환경에 대한 인식은 뒤처지는 경우
ㄹ. 민주적 의식과 선거 제도를 도입하였지만, 그것을 실현할 수 있는 기술이 뒷받침되지 못하는 경우

① ㄱ, ㄴ　　　② ㄱ, ㄹ　　　③ ㄷ, ㄹ
④ ㄱ, ㄴ, ㄷ　　　⑤ ㄴ, ㄷ, ㄹ

14 다음 글에 나타난 문제점으로 가장 적절한 것은?

　스마트폰의 대중화가 급속히 이루어지면서 누리 소통망(SNS)을 활용하는 인구가 급증하였다. SNS는 주변 사람에게 자신의 근황이나 감정 상태를 전달하는 데 유용한 수단이지만, 근거 없는 험담이 확산하는 사례가 늘어나고 있다. 더욱이 이를 규제할 도덕적 규범의 통제력이 약하여, 이로 인한 문제가 심각해지고 있다.

① 자기 문화 고유의 정체성이 약화되었다.
② 다른 문화와의 집단 간 교류가 줄어들었다.
③ 세대 간 규범에 대한 인식 차이가 심화되었다.
④ 문화 간 충돌로 인해 사회적 갈등이 증대되었다.
⑤ 급속한 사회 변동으로 인한 아노미 현상이 발생하였다.

딱풀 p.31

15 다음은 인터넷에서 검색한 화면 자료이다. (가)에 해당하는 용어를 쓰시오.

통합검색 ▼	(가) ▼	검색

의미

다른 사회의 문화 요소에서 아이디어를 얻어 새로운 문화 요소를 만들어 내는 것

사례

체로키 인디언들은 백인들과 접촉하기 전까지는 고유의 문자가 없었다. 그런데 이 부족의 한 인디언이 백인들과 접촉하면서 영어에서 아이디어를 얻어 체로키 문자를 고안해 내었다. 그는 영어에서 극히 일부의 알파벳을 따 왔고, 다른 것들은 변형시켰다. 그는 영어를 쓸 줄 몰랐지만, 이것들로 체로키의 알파벳을 만들었고, 체로키족은 문자를 갖게 되었다.

16 (가), (나)에 해당하는 용어를 쓰시오.

서로 다른 두 문화 체계가 장기간에 걸쳐 전면적인 접촉을 함으로써 나타나는 문화 변동을 [(가)](이)라고 한다. 이는 강제성의 유무에 따라 두 가지로 구분할 수 있다. 일제 강점기 당시 일본이 우리의 종교와 사상, 자유를 억압하기 위한 목적으로 전국 각지에 신사를 세우고 참배할 것을 강요한 것은 [(나)]의 사례이다.

17 (가), (나)에 해당하는 용어를 쓰시오.

• 인천 강화도의 성공회 성당은 동양의 건축 양식과 서양의 건축 양식 및 종교 사상이 결합하였다는 점에서 [(가)]의 사례이다.
• 서울 ○○동 중국 문화의 거리는 한국 사람들과 중국 사람들이 각자의 생활 양식을 유지한 채 어울려 살아간다는 점에서 [(나)]의 사례이다.

18 (가)~(다)는 문화 접변의 결과를 나타낸 것이다. 이를 보고 물음에 답하시오.

(가)	(나)	(다)	
A+B ↓ A	A+B ↓ A, B	A+B ↓ C	A, B, C: 개별 문화 또는 문화 요소 +: 접촉 →: 변화

(1) (가)~(다)에 해당하는 문화 접변의 결과를 쓰시오.

(2) (가)~(다)에 해당하는 사례를 한 가지씩 서술하시오.

19 다음은 사회·문화 수업의 한 장면이다. 교사의 설명을 보고 물음에 답하시오.

문화 변동이 이루어지는 과정에서 여러 가지 문제가 발생할 수 있습니다. 다음 그래프를 봅시다. 이 그래프는 [(가)] 현상을 보여 주고 있습니다.

(1) (가)에 해당하는 용어를 쓰시오.

(2) (가)의 의미를 서술하시오.

(3) (가)에 해당하는 사례를 서술하시오.

| 평가원 응용 |

01 다음 자료에 대한 옳은 설명을 〈보기〉에서 고른 것은?

- A~D는 각각 발명, 직접 전파, 간접 전파, 자극 전파 중 하나이다.
- A의 사례로는 독일에서 구텐베르크가 인쇄 기술을 만들어 자국 내 지식 보급에 기여한 경우를 들 수 있다.
- B의 사례로는 다른 나라 기성 종교의 교리와 체계를 응용하여 신흥 종교를 창시한 경우를 들 수 있다.
- C의 사례로는 한류 드라마의 인기로 한국어를 배우려는 외국인이 늘어난 경우를 들 수 있다.
- D의 사례로는 ⎡___(가)___⎤를 들 수 있다.
- '다른 문화로부터 아이디어를 얻어 새로운 문화 요소를 만들었는가?'의 질문에 대해 A는 ⊙, B는 ⓒ의 대답을 한다.

┌─ 보기 ─
ㄱ. A는 B와 달리 문화 변동의 외재적 요인이다.
ㄴ. C는 간접 전파, D는 직접 전파이다.
ㄷ. (가)에는 '미국인 선교사가 한국 청년들에게 처음 배구를 지도한 경우'를 들 수 있다.
ㄹ. ⊙은 '예', ⓒ은 '아니요'이다.
└──

① ㄱ, ㄴ ② ㄱ, ㄷ ③ ㄴ, ㄷ
④ ㄴ, ㄹ ⑤ ㄷ, ㄹ

| 평가원 응용 |

02 다음 자료에 대한 설명으로 옳은 것은?

- A국이 B국을 정복하여 문화 이식 정책을 시행한 결과, B국에서는 A국 언어가 널리 쓰이게 되면서 B국 언어를 더 이상 사용하지 않게 되었다.
- A국에 유학하여 A국 언어를 학습한 C국의 상류층 자녀들은 귀국 후에도 A국 언어를 사용하였다. 이후 A국 언어가 확산되면서 C국에서는 A국 언어도 널리 쓰이게 되었다.

① B국에서는 외재적 요인에 의한 문화 변동이 발생하였다.
② C국에서는 강제적 문화 접변이 발생하였다.
③ A국 언어는 B국에는 직접 전파, C국에는 간접 전파를 통해 전달되었다.
④ B국과 달리 C국에서는 문화 동화가 발생하였다.
⑤ C국과 달리 B국에서는 문화 융합이 발생하였다.

| 평가원 응용 |

03 다음 표는 문화 접변의 결과 A, B를 비교한 것이다. 이에 대한 설명으로 옳은 것은?

구분	A	B
의미	(가)	서로 다른 두 문화가 결합하여 새로운 문화를 형성함.
사례	○○국에서 고유 언어와 외래 언어를 모두 공용어로 사용함.	(나)
공통점	(다)	

① A는 문화 동화, B는 문화 융합이다.
② A는 강제적, B는 자발적으로 이루어진다.
③ (가)에는 '외래문화의 요소에서 아이디어를 얻어 새로운 문화 요소를 만들어 냄.'이 들어갈 수 있다.
④ (나)에는 '미국에서 아프리카 음악과 유럽 음악의 요소가 결합하여 재즈가 등장함.'이 들어갈 수 있다.
⑤ (다)에는 '새로운 문화 요소가 나타남.'이 들어갈 수 있다.

| 평가원 기출 |

04 그림은 갑국과 교류한 A~C국의 문화 변동 양상과 결과를 나타낸 것이다. 이에 대한 분석으로 가장 적절한 것은?

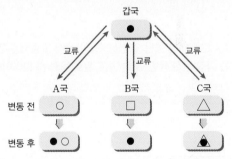

* ⎡___⎤ 안의 기호는 각각의 문화 요소이며, ▲는 ●와 △가 혼합되어 나타난 것임.

① A국의 문화 변동 결과에 해당하는 사례로는 서양의 결혼 예식과 전통 폐백 의례가 결합된 현재 한국의 결혼식을 들 수 있다.
② B국의 문화 변동 결과는 자발적이 아닌 강제적 문화 접변에 의해 나타났다.
③ C국의 문화 변동 결과에 해당하는 사례로는 한국에서 전통 시장과 별도로 온라인 쇼핑몰이 자리 잡은 것을 들 수 있다.
④ A, C국에서는 문화 접변 후에도 자문화 요소가 유지되고 있다.
⑤ A, B국에서는 C국과 달리 외래문화 요소를 수용하였다.

| 수능 기출 |

05 그림은 문화 변동 요인 A∼E를 구분한 것이다. 이에 대한 설명으로 옳은 것은? (단, A∼E는 각각 발견, 발명, 간접 전파, 자극 전파, 직접 전파 중 하나이다.)

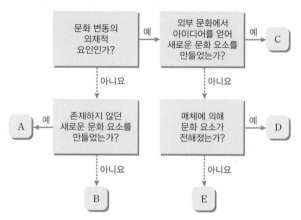

① 물질문화, 비물질문화 모두 A를 통해 만들어질 수 있다.

② 특정 종교의 창시는 B의 사례이다.

③ 상호 인적 교류가 없는 집단들 간에는 D를 통한 문화 변동이 이루어질 수 없다.

④ D와 달리 E는 C의 원인이 될 수 있다.

⑤ A, B와 달리 C, D, E는 문화 지체 현상을 초래할 수 있다.

06 A∼C에 대한 옳은 설명을 〈보기〉에서 고른 것은? (단, A∼C는 각각 문화 융합, 문화 병존, 문화 동화 중 하나이다.)

구분	A	B	C
공통점	자문화의 정체성이 남아 있다.		자문화의 정체성이 남아 있지 않다.
		(가)	
		(나)	

| 보기 |
ㄱ. C는 문화 동화이다.

ㄴ. (가)에 '자발적으로 외래문화를 수용하였다.'가 들어가면, A는 문화 병존이다.

ㄷ. (나)에는 '서로 다른 두 문화 체계가 장기간에 걸쳐 전면적인 접촉을 하는 과정에서 발생하는 문화 변동이다.'가 들어갈 수 있다.

ㄹ. B가 문화 융합이면 (가)에는 '제3의 새로운 문화 요소가 나타난다.'가 들어갈 수 있다.

① ㄱ, ㄴ　　② ㄱ, ㄷ　　③ ㄴ, ㄷ
④ ㄴ, ㄹ　　⑤ ㄷ, ㄹ

| 평가원 기출 |

07 다음 자료에 대한 옳은 분석만을 〈보기〉에서 있는 대로 고른 것은?

다음은 문화 변동의 요인을 (가)∼(다)로 구분하고, 이를 통해 갑국과 을국의 문화 변동 사례를 분석한 자료이다. 갑국과 을국은 상호 교류 이외에 다른 제3의 국가와는 교류를 하지 않았다. 단, (가)∼(다)는 각각 발명, 직접 전파, 자극 전파 중 하나이다.

〈문화 변동의 요인〉

구분	(가)	(나)	(다)
문화 변동의 외재적 요인인가?	아니요	예	예
타문화로부터 아이디어를 얻어 새로운 문화 요소가 만들어졌는가?	아니요	예	아니요

〈갑국과 을국의 문화 변동〉

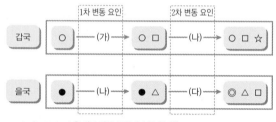

* ○, ●, □, △, ☆은 서로 다른 문화 요소를 의미함.
** ◎는 ○와 ●가 결합하여 나타난 제3의 문화 요소임.

| 보기 |
ㄱ. (가)는 발명, (나)는 직접 전파이다.

ㄴ. 을국에서는 (다)로 인한 문화 융합이 나타났다.

ㄷ. 갑국에서 창조된 문화 요소가 을국으로 전달되었다.

ㄹ. 을국은 1차, 2차 변동에서 모두 갑국의 영향을 받았다.

① ㄱ, ㄴ　　② ㄱ, ㄹ　　③ ㄴ, ㄷ
④ ㄱ, ㄷ, ㄹ　　⑤ ㄴ, ㄷ, ㄹ

08 (가)에 들어갈 질문으로 가장 적절한 것은?

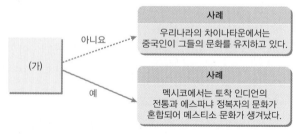

아니요
사례
우리나라의 차이나타운에서는 중국인이 그들의 문화를 유지하고 있다.

예
사례
멕시코에서는 토착 인디언의 전통과 에스파냐 정복자의 문화가 혼합되어 메스티소 문화가 생겨났다.

① 자발적 문화 접변인가?

② 외재적 요인에 의한 문화 변동인가?

③ 문화 변동의 결과 새로운 문화 요소가 창조되었는가?

④ 문화 변동의 결과 자기 문화의 정체성이 남아 있는가?

⑤ 문화 변동의 결과 외래문화가 기존 문화를 대체하는가?

09 그림은 문화 접변의 결과 A~C를 비교하기 위한 것이다. 이에 대한 옳은 설명을 〈보기〉에서 고른 것은? (단, A~C는 각각 문화 병존, 문화 동화, 문화 융합 중 하나이다.)

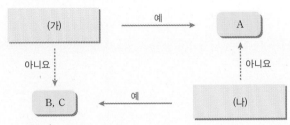

┤보기├
ㄱ. (가)가 '기존 문화의 요소가 소멸되었는가?'이면, B, C는 각각 문화 융합, 문화 병존 중 하나이다.
ㄴ. (나)가 '기존 문화의 정체성이 남아 있는가?'이면, A는 문화 동화이다.
ㄷ. (나)가 '외부적 요인에 의한 문화 변동인가?'이면, B, C는 각각 문화 병존, 문화 동화 중 하나이다.
ㄹ. A가 문화 융합이면, (가)에는 '새로운 문화 요소가 형성되었는가?'가 들어갈 수 없다.

① ㄱ, ㄴ   ② ㄱ, ㄷ   ③ ㄴ, ㄷ
④ ㄴ, ㄹ   ⑤ ㄷ, ㄹ

10 (가), (나)에 들어갈 옳은 질문을 〈보기〉에서 고른 것은?

- A~C는 문화 동화, 문화 융합, 문화 병존 중 하나이다.
- A의 사례로는 아프리카의 세네갈과 코트디부아르의 사람들이 프랑스의 식민 지배 이후 자신들의 고유 언어를 잃고 프랑스어를 사용하는 경우를 들 수 있다.
- B의 사례로는 미국 재미 교포 사회에서 미국 명절인 추수 감사절과 한국 고유의 명절인 추석을 함께 챙기는 경우를 들 수 있다.

구분	A	B	C
(가)	예	아니요	아니요
(나)	아니요	아니요	예

┤보기├
ㄱ. (가) - 기존 문화의 요소가 소멸되었는가?
ㄴ. (가) - 외래문화의 요소가 정착되는 과정에서 변형되었는가?
ㄷ. (나) - 문화 접변의 결과 새로운 문화 요소가 나타나는가?
ㄹ. (나) - 우리나라에 천주교와 개신교 등의 다양한 종교 문화가 함께 존재하는 경우를 사례로 들 수 있는가?

① ㄱ, ㄴ   ② ㄱ, ㄷ   ③ ㄴ, ㄷ
④ ㄴ, ㄹ   ⑤ ㄷ, ㄹ

11 | 평가원 기출 |
밑줄 친 ㉠~㉑에 대한 설명으로 옳은 것은?

많은 사람들이 햄버거는 미국에서 시작되었다고 생각한다. 하지만 일설에 따르면, 햄버거는 아시아의 기마 민족인 ㉠ 타타르족으로부터 유래되어 14세기경 오늘날의 독일 지역을 거쳐, 이후 ㉡ 미국으로 건너가 대중화된 것이라고 한다. 타타르족은 ㉢ 말안장 밑에 고기 조각을 넣고 말을 달리면 말안장의 충격으로 고기가 부드럽게 다져진다는 사실을 알게 되었다. 그들은 그렇게 해서 연해진 고기에 각종 양념을 쳐서 먹곤 했다. 이후 미국에서 ㉣ 빵 사이에 다진 고기를 넣는 요리법이 더해지면서 ㉤ 타타르족의 음식과는 다른 형태를 띤 지금의 햄버거가 탄생하여 여러 나라에 보급되었다. 우리나라에는 해방 후 들어온 ㉥ 미군에 의해 햄버거가 전해졌다. 이후 햄버거를 즐겨 먹는 한국인이 늘어나면서 빵 대신 밥을 이용한 ㉑ 라이스 버거와 같은 새로운 메뉴가 개발되기도 하였다.

① ㉠은 직접 전파, ㉥은 간접 전파의 사례이다.
② ㉡은 강제적 문화 접변의 사례이다.
③ ㉢은 ㉣과 달리 자극 전파의 사례이다.
④ ㉤은 문화 동화의 사례이다.
⑤ ㉑은 문화 융합의 사례이다.

12 (가)~(다)에 들어갈 용어로 옳은 것은?

한국은 아파트 왕국이다. 아파트가 들어서기 시작한 것은 1970년대 중반부터로, 도입된 지 50년도 되지 않아 사람들의 주거지가 온통 아파트로 변했다. 주거 환경은 공동 주거 형태로 급격히 변화하였지만, 사람들의 생활 태도나 윤리 의식은 공동 주거 형태에 맞게 변하지 못하고 있다. 한밤중에 쿵쿵대며 뛰기도 하고, 청소기를 돌리기도 한다. ⬚ (가) ⬚ 의 변동 속도를 ⬚ (나) ⬚ 이/가 따라잡지 못해 발생하는 이와 같은 ⬚ (다) ⬚ 현상은 많은 부분에서 나타나고 있다.

	(가)	(나)	(다)
①	물질문화	비물질문화	문화 지체
②	물질문화	비물질문화	아노미
③	물질문화	비물질문화	기술 지체
④	비물질문화	물질문화	아노미
⑤	비물질문화	물질문화	문화 지체

1 # 문화의 이해

좁은 의미의 문화 # 넓은 의미의 문화
문화의 보편성 # 문화의 특수성 #문화의 속성
총체론적 관점 # 비교론적 관점
상대론적 관점 # 자문화 중심주의
문화 사대주의 # 문화 상대주의

좁은 의미의 문화 인간의 사회적이고 후천적인 생활 양식 중에서 예술적이고 교양 있거나 세련된 것

넓은 의미의 문화 ❶ _____

문화의 보편성 어느 사회에서나 공통적으로 존재하는 생활 양식

문화의 특수성 다른 사회와 구분되는 고유한 특징

문화의 속성 학습성, 공유성, 변동성, 축적성, 총체성(전체성)

총체론적 관점 어떤 문화 현상의 의미를 다른 문화 요소나 전체의 맥락 속에서 이해하는 관점

비교론적 관점 서로 다른 문화에 나타나는 유사성과 차이점을 비교하여 문화의 보편성과 특수성을 파악하는 관점

❷ [_____] 한 사회의 문화를 그 사회의 자연환경이나 사회적 상황, 역사적 맥락 등을 고려하여 파악하는 관점

자문화 중심주의 자기 문화를 가장 우수한 것으로 여기면서, 그것을 기준으로 다른 문화를 수준이 낮다고 판단하는 태도

문화 사대주의 ❸ _____

문화 상대주의 어떤 사회의 특수한 자연환경, 역사적 전통, 사회적 맥락 등을 고려하여 그 사회의 문화를 이해하는 태도

2 # 하위문화와 대중문화

주류 문화 # 하위문화
지역 문화 # 세대 문화 # 반문화
대중문화 # 대중 매체

주류 문화 한 사회의 구성원 대다수가 공유하는 문화

〔❹　　　　　〕 한 사회 내의 일부 구성원들이 공유하는 문화

지역 문화 한 나라를 구성하는 여러 지역 사회에서 각각 나타나는 고유한 생활 양식

세대 문화 공통의 의식을 가진 비슷한 연령대의 사람들이 공유하는 문화

〔❺　　　　　〕 한 사회의 주류 문화를 거부하거나 저항하는 사람들이 공유하는 문화

대중문화 대중이 즐기고 누리는 문화

대중 매체 ❻ _____

3 # 문화의 변동

\# 문화 변동　# 발명　# 발견　#전파
\# 직접 전파　# 간접 전파　# 자극 전파
\# 문화 접변　# 자발적 문화 접변
\# 강제적 문화 접변
\# 문화 병존　# 문화 동화　# 문화 융합
\# 아노미 현상　# 문화 지체 현상

문화 변동 한 사회의 문화가 대다수 구성원의 삶에 커다란 영향을 미칠 정도로 변화하는 현상

발명 그동안 존재하지 않았던 새로운 문화 요소를 만들어 내는 것

〔❼　　　　　〕 이미 존재하고 있었지만 알려지지 않았던 것을 찾아내는 것

전파 한 사회의 문화가 다른 사회의 문화와 교류하고 접촉하는 과정에서 새로운 문화 요소가 전달되는 것

직접 전파 이주, 무역, 전쟁 등을 통해 사람이 다른 문화와 직접 접촉하여 문화 요소가 전해지는 것

〔❽　　　　　〕 책, 텔레비전, 인터넷 등과 같은 매개체를 통해 문화 요소가 전해지는 것

자극 전파 ❾ _____

문화 접변 두 문화 체계가 장기간에 걸쳐 전면적인 접촉을 함으로써 나타나는 문화 변동

자발적 문화 접변 서로 다른 문화가 교류하는 과정에서 스스로의 필요에 의해 다른 문화 요소를 받아들이는 것

강제적 문화 접변 정복, 식민 지배 등의 상황에서 지배 사회의 문화가 피지배 사회에 강제적으로 이식되어 나타나는 것

문화 병존 서로 다른 사회의 문화가 한 사회의 문화 속에서 나란히 존재하는 현상

문화 동화 한 사회의 문화가 다른 사회의 문화로 흡수되거나 대체되어 정체성을 상실하는 현상

〔❿　　　　　〕 서로 다른 사회의 문화 요소가 결합하여, 두 문화 요소의 성격을 지니면서도 두 문화 요소와는 다른 성격을
지닌 새로운 문화가 나타나는 현상

아노미 현상 급격한 문화 변동으로 전통적 규범과 가치관을 대체할 새로운 규범과 가치관이 아직 정립되지 못하여 사회가
혼란과 무규범 상태에 빠지는 현상

문화 지체 현상 물질문화의 빠른 변동 속도를 비물질문화가 따라가지 못하여 문화 요소 간 부조화가 나타는 것

IV

사회 계층과 불평등

이 단원의 핵심 포인트

중단원	핵심 포인트	학습일
01 사회 불평등 현상과 계층	• 사회 불평등 현상의 의미와 유형 • 사회 불평등 현상을 보는 관점 • 사회 계층 구조와 사회 이동	월 일 ~ 월 일
02 다양한 사회 불평등 양상	• 사회적 소수자 • 성 불평등 • 빈곤	월 일 ~ 월 일
03 사회 복지와 복지 제도	• 사회 복지의 의미와 유형 • 복지 제도의 역할과 한계	월 일 ~ 월 일

셀파와 내 교과서 단원 비교

셀파	천재교육	지학사	미래엔	비상교육
01 사회 불평등 현상과 계층	01 사회 불평등 현상과 계층	01 사회 불평등의 이해 02 사회 이동과 사회 계층 구조	01 사회 불평등 현상의 이해 02 사회 계층 구조와 사회 이동	01 사회 불평등 현상과 사회 계층의 이해
02 다양한 사회 불평등 양상	02 다양한 사회 불평등 양상	03 다양한 사회 불평등	03 다양한 사회 불평등 양상	02 다양한 사회 불평등 현상
03 사회 복지와 복지 제도	03 사회 복지와 복지 제도	04 사회 복지와 복지 제도	04 사회 복지와 복지 제도	03 사회 복지와 복지 제도

01 사회 불평등 현상과 계층

1 사회 불평등 현상의 의미와 유형

1. 사회 불평등 현상의 의미
───── 사회 불평등이 사회 전반에 받아들여져 일정한 형태로 정착된 현상을 사회 계층화 현상
이라고도 한다.

(1) **사회 불평등 현상❶** 부, 권력, 명예 등의 사회적 자원이 차등적으로 분배되어 개인 및 집단이 서열화하는 현상 **분석** 사회적 자원을 많이 가진 사람들은 상층으로, 적게 가진 사람들은 하층으로 서열화된다.

(2) **사회 불평등 현상의 보편성** 어느 사회에서나 사회적 자원은 희소성❷이 있기 때문에 정도의 차이는 있더라도 불평등이 존재함.

2. 사회 불평등 현상의 다양한 유형 자료 01

(1) **경제적 불평등** 재산이나 소득의 차이로 나타나는 불평등

(2) **정치적 불평등** 권력❸의 소유와 행사의 차이로 나타나는 불평등

(3) **사회·문화적 불평등** 사회적 위신❹, 명예, 교육 수준, 지식 소유 등 사회·문화적 생활의 기회와 수준의 차이로 나타나는 불평등

2 사회 불평등 현상을 보는 관점 자료 02

1. 사회 불평등 현상을 보는 기능론과 갈등론적 관점

분석 갈등론적 관점은 개인의 귀속적 요인이
사회 불평등에 미치는 영향력을 강조한다.

구분	기능론적 관점	갈등론적 관점
전제	• 사회적 필요에 따라 직업 간 기능적 중요도❺가 다름. • 사회적 성공에는 개인의 능력과 노력이 결정적 영향을 미침.	• 직업 간 기능적 중요도를 정확히 판단하기 어려움. • 사회적 희소 자원은 권력이나 가정의 사회·경제적 배경과 같은 요인에 의해 차등 분배됨.
발생 원인	사회 불평등 현상은 개인의 능력과 노력, 사회에 기여하는 정도에 따라 합리적으로 사회적 희소 자원이 분배된 결과로 나타남.	사회 불평등 현상은 지배 집단이 자신의 기득권❻을 유지하기 위해 사회적 희소 자원을 불공정하게 분배한 결과로 나타남.
사회적 기능	• 개인의 성취동기를 높임. • 개인 간 경쟁을 유발함으로써 필요한 인력이 적재적소에 배치되어 사회가 원활하게 운영되도록 함.	• 개인이 자신의 능력을 최대한 발휘할 수 있는 기회를 제한함. • 기존의 불평등한 계층 구조를 재생산함으로써 집단 간 대립과 갈등을 발생시킴.
평가	• 불평등한 사회적 대우의 책임은 기본적으로 개인에게 있으며, 공정한 결과임. • 사회 불평등 현상은 사회 유지와 발전을 위해 불가피함.	• 사회 불평등 현상은 불공정하며, 사회 전체의 발전을 저해함. • 사회 불평등 현상은 사회 구조의 근본적 개혁을 통해 해결해야 할 대상임.
한계	자원 배분에 권력 관계나 가정 배경이 미치는 현실적 영향력을 간과함.	자원 배분에 개인의 능력 및 자질과 같은 요인이 미치는 영향력을 간과함.

분석 기능론에서 사회적 희소 자원의 분배 기준은 대부분 사회 구성원이 합의한 것이다.

분석 갈등론에서 사회적 희소 자원의 분배 기준은 지배 집단의 가치가 반영된 것이다.

2. 사회 불평등 현상을 이해하는 바람직한 태도

(1) **기능론과 갈등론적 관점의 한계**

① **기능론** 사회 불평등에 따른 문제를 개선하려는 노력에 소홀해질 수 있음.

② **갈등론** 집단 간 갈등과 대립을 지나치게 부각하여 사회 통합을 저해할 수 있음.

(2) **기능론과 갈등론적 관점의 균형적 이해** 각각의 장점을 바탕으로 사회 불평등 현상을 균형 있게 이해하려는 태도가 필요함.

---

❶ **사회 불평등 현상의 변화**

전통 사회	신분이나 성별과 같은 선천적 요인이 중요하게 작용함. 예 인도의 카스트 제도
현대 사회	개인의 능력과 같은 후천적 요인에 따른 성취가 중요하게 작용함.

❷ **희소성**
사람들의 욕구는 무한한 데 비해 그것을 만족시켜 줄 수 있는 자원은 부족한 상태를 말한다.

❸ **권력**
사회적 관계에서 한 개인이나 집단이 상대방의 의사와 상관없이 자신의 의사를 관철할 수 있는 강제력을 말한다.

❹ **위신**
사회적으로 높고 낮음에 따라 부여되는 신망과 위엄을 아울러 이르는 말이다.

고득점을 위한 셀파 Tip

• **기능론과 갈등론**

기능론	기능별 기여도의 차이가 존재함. → 보상의 차등이 필요함. → 개인의 능력에 따라 효율적으로 자원이 분배됨.
	사회 불평등은 사회 유지·발전에 필수적 요소임.
갈등론	기능별 중요도의 차이 없음. → 지배 집단의 기득권 유지 노력 → 가정 배경과 같은 요인에 따라 불평등이 지속됨.
	사회 불평등은 극복해야 할 대상임.

❺ **기능적 중요도**
어떤 직업이 사회의 유지에 기여하는 정도를 말한다. 기능론에서는 기능적으로 중요한 일은 능력 있는 사람이 맡아야 함을 강조하지만, 갈등론에서는 모든 직업은 사회적으로 각자 의미 있는 역할을 수행한다고 보고, 직업 간 기능적 중요도의 차이를 중시하지 않는다.

❻ **기득권**
특정한 개인이나 집단이 이미 차지하고 있는 권리를 말한다.

셀파 자료 탐구

자료 01   다양한 사회 불평등 현상

(가) 상위 20%와 하위 20%의 평균 소득 격차

통계청 자료에 따르면, 2014년에 가구 소득이 상위 20%인 가구의 연평균 소득은 1억 930만 원으로 전체 가구의 소득 중 45.9%를 차지하였다. 반면, 가구 소득이 하위 20%인 가구의 연평균 소득은 862만 원에 그쳐 전체 가구 소득 중 3.6%만을 차지하였다. 이 두 집단의 소득 격차는 약 12.7배로 나타났다.

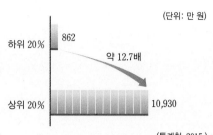

(단위: 만 원)

하위 20% 862

약 12.7배

상위 20% 10,930

(통계청, 2015.)

– 통계청, 「2015년 가계 금융·복지 조사 결과」 –

(나) 건강 불평등 – 삶의 격차가 몸의 격차로

여기, 두 남자가 있다. 두 사람 모두 같은 해에 태어났으며 장남이고, 아내와 2명의 자녀가 있다. 한 사람은 가난한 동네에서 자랐고, 초등학교에서 배움이 멈췄으며, 쪽방에서 사는 기초 생활 수급권자다. 다른 사람은 평범한 주택가에서 자랐고, 대학을 나왔으며, 한 기업의 대표 이사로 일하고 있다. 두 사람은 평등하게 세상에 나왔지만, 두 사람 중 한 사람만 병치레가 잦았다. 체질적인 원인도 있지만 사는 동네가 달랐고, 먹는 음식이 달랐고, 예방의 수준이 달랐다.

– 김기태, 「대한민국 건강 불평등 보고서」 –

자료 분석 | (가)에서는 소득 격차에 따른 경제적 불평등, (나)에서는 교육 수준, 생활 환경의 차이에 따른 건강 불평등(사회·문화적 불평등)이 나타나 있다. 이러한 사회 불평등 현상은 한 측면의 불평등에 그치지 않고 서로 영향을 주고받기도 한다. (나)의 경우 경제적 불평등이 교육 수준과 생활 환경에 영향을 미쳐 사회·문화적 불평등으로 이어졌다.

---

1. 기능론적 관점에서는 균등 보상 체계가 사회 발전에 기여한다고 본다.
(O , ×)

2. 사회적 희소가치의 분배 기준을 사회 구성원 모두가 합의했다고 보는 것은 기능론적 관점이다.
(O , ×)

3. 기능론적 관점에서는 사회 불평등 현상을 보편적이고, 필수 불가결하게 본다.
(O , ×)

4. 기능론적 관점은 사회가 기득권층의 지배를 바탕으로 유지된다고 본다.
(O , ×)

5. 개인의 귀속적 요인이 사회 불평등에 미치는 영향력을 중시하는 것은 갈등론적 관점이다.
(O , ×)

6. 갈등론적 관점은 차등 분배가 갖는 사회적 순기능을 강조한다.
(O , ×)

7. 갈등론적 관점은 부의 분배 구조나 제도가 공정하지 않다고 본다.
(O , ×)

8. 갈등론적 관점은 차등 분배의 기준이 특정 집단에 의해 일방적으로 결정된다고 본다.
(O , ×)

9. 갈등론적 관점은 사회 불평등 현상이 상대적 박탈감을 유발한다고 보고, 기능론적 관점은 성취동기를 자극한다고 본다.
(O , ×)

10. 계급 이론과 계층 이론 모두 사회 불평등 현상에 경제적 요인이 작용한다고 본다.
(O , ×)

자료 02   사회 불평등 현상을 설명하는 이론 – 계급 이론과 계층 이론

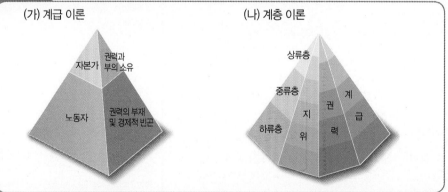

(가) 계급 이론

자본가 / 권력과 부의 소유
노동자 / 권력의 부재 및 경제적 빈곤

(나) 계층 이론

상류층
중류층
하류층
지위 / 권력 / 계급

자료 분석 | (가)는 마르크스의 계급 이론, (나)는 베버의 계층 이론(다원적 불평등론)을 나타낸 그림이다. (가)는 경제적 요인을 기준으로 하여 이분법적·불연속적으로 사람들의 위치를 구분한 개념이다. 마르크스는 자본주의 사회의 구성원을 생산 수단을 소유하고 있는 자본가와 생산 수단을 소유하지 못한 노동자로 구분하고, 이 두 계급 간의 관계는 본질적으로 적대적이라고 설명한다. 또한, 같은 계급에 속하는 사람들끼리는 강한 연대 의식을 가지며, 노동자 계급 의식의 형성이 필연적이라고 보았다. 반면 (나)는 경제적(계급), 정치적(권력), 사회적(지위) 요인이 복합적으로 작용하여 연속적으로 계층이 범주화된 개념이다. 베버는 경제적 자원의 차이에 따라 계급이 만들어지고, 권력 집단 소속 여부에 따라 파당이 형성되며, 사회적 위신이나 명예의 차이에 따라 지위 집단이 만들어진다고 보았다. 이러한 계층 이론은 다원화된 현대 사회를 설명하는 데 유리하다. 예를 들어 현대 사회에서는 경제적으로 많은 부를 축적하고 있지만, 사회적 지위가 낮은 것처럼 한 개인이 가진 여러 지위들의 수준이 일치하지 않는 지위 불일치 현상이 나타나기도 하는데, 베버의 계층 이론은 이런 현상을 설명할 수 있다.

정답   1 ×   2 O   3 O   4 ×   5 O   6 ×
7 O   8 O   9 O   10 O

3 사회 계층 구조와 사회 이동

1. 사회 계층 구조의 의미 [자료 03]

(1) **사회 계층** 한 사회에서 사회적 자원과 기회가 차등적으로 분배된 결과 비슷한 수준의 사회적 자원을 가진 사람들이 위계적인 층을 이루고 있는 것

(2) **사회 계층 구조**[7] 한 사회의 희소한 자원이 불평등하게 분배되고 그러한 사회 불평등이 계속되어 일정하게 틀 지어진 형태

2. 사회 계층 구조의 유형

주의! 피라미드형 계층 구조≠폐쇄적 계층 구조, 다이아몬드형 계층 구조≠개방적 계층 구조
→ 계층 간 이동 가능성과 계층별 구성원 비율은 완전히 별개이므로 주어진 자료를 통해 각각 다른 기준으로 판단해야 한다.

(1) **계층 간 이동 가능성에 따른 계층 구조**

폐쇄적 계층 구조	• 다른 계층으로 상승하거나 하강할 가능성이 극히 제한된 계층 구조 • 태어날 때부터 계층적 지위가 정해졌던 신분제 사회에서 주로 나타나며, 귀속 지위가 중시됨.
개방적 계층 구조	• 다른 계층으로 상승하거나 하강할 가능성이 열려 있는 계층 구조 • 개인의 능력과 노력에 따라 지위 획득이 가능한 사회에서 나타나며, 성취 지위가 중시됨.

분석 폐쇄적 계층 구조보다 사람들에게 공평한 기회를 부여하여 사회 발전에 도움이 되며, 정치적·사회적 통합에도 기여할 수 있다.

(2) **계층별 구성원 비율에 따른 계층 구조** [자료 04]

피라미드형 계층 구조	• 상층에서 하층으로 갈수록 구성원의 비율이 높아지는 구조 • 소수의 상층이 사회적 희소 자원을 대부분 독점하므로 사회적 갈등이 심하게 표출될 수 있음. • 과거 전통적인 신분제 사회나 오늘날의 저개발국 등에서 주로 나타남.	
다이아몬드형 계층 구조	• 상층과 하층에 비해 중층 구성원의 비율이 가장 높은 구조 • 사회가 상대적으로 안정된 특성을 보임. • 근대 이후 고도 산업 사회[8]에서 주로 나타남. **왜?** 중층이 상층과 하층의 완충 역할을 하기 때문이다.	
타원형 계층 구조	• 다이아몬드형 계층 구조보다 중상층과 중하층의 비율이 더 높아진 계층 구조 • 사회 구성원의 대부분이 중층이며 사회적으로 가장 안정된 계층 구조 • 정보화로 지식과 정보에 접근할 수 있는 기회가 모든 계층에게 확대되어 계층 간 격차가 줄어들 것이라고 보는 관점	정보화에 따른 계층 구조의 변화
모래시계형 계층 구조	• 중층의 비율이 가장 낮은 계층 구조 • 중산층이 하층으로 몰락하여 소수의 상층과 다수의 하층으로 양극화된 사회로 사회적 불안정이 매우 심각한 계층 구조 • 정보화로 지식과 정보의 획득 및 접근에 격차가 발생하여 기존의 불평등이 심화될 것이라고 보는 관점	

3. 사회 이동의 의미와 유형

사회 이동은 폐쇄적 계층 구조를 보이는 사회보다 개방적 계층 구조를 보이는 사회에서, 농촌 사회보다 도시 사회에서 더 빈번하게 일어난다.

(1) **사회 이동**[9] 한 사회의 계층 구조 속에서 개인이나 집단의 계층적 위치가 변하는 현상

(2) **사회 이동의 유형** [자료 05]

분석 수직 이동은 계층적 위치가 높아지는 상승 이동, 계층적 위치가 낮아지는 하강 이동으로 구분된다.

이동 방향	수직 이동	어떤 계층에서 다른 계층으로 계층적 위치가 바뀌는 것
	수평 이동	동일한 계층 내에서 지위만 변하는 것
이동 원인	개인적 이동	개인의 능력이나 노력에 의해 계층적 위치가 변하는 것
	구조적 이동[10]	신분제 철폐, 혁명, 전쟁, 산업화 등 급격한 사회 변동으로 인해 계층적 위치가 변하는 것
세대 범위	세대 간 이동	부모 세대와 자녀 세대 등 세대를 가로질러 계층적 위치가 변하는 것
	세대 내 이동	한 개인의 일생 동안에 계층적 위치가 변하는 것

---

[7] 사회 계층 구조의 영향
한 사회의 사회 계층 구조는 사회 구성원의 행동 양식과 사고방식 등에 커다란 영향을 미치고, 한번 형성되면 지속성을 가지고 유지된다.

• 사회 계층 구조의 유형

[8] 산업 사회의 계층 구조
일반적으로 산업 사회에는 다이아몬드형 계층 구조가 나타난다. 산업화 과정에서 신분제가 붕괴되어 전문직, 관료직, 사무직 등의 다양한 중간 계층이 성장하고, 복지 제도의 발달로 하층에서 중층으로의 이동이 많이 나타나기 때문이다.

[9] 사회 이동과 계층 구조
일반적으로 사회 이동, 특히 수직 이동이 활발한 개방적 계층 구조일수록 구성원들에게 공평한 기회가 주어지고 사회 통합 수준이 높다.

[10] 구조적 이동의 사례
미국에서 남북 전쟁 이후 노예제가 폐지되고 해방된 노예에게 시민권이 주어진 역사적 사건은 구조적 이동의 사례에 해당한다.

셀파 자료 탐구

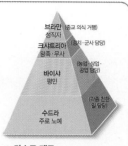

자료 03 과거 인도의 신분제 – 카스트 제도

카스트 제도는 수천 년간 지속되어 왔던 인도의 신분 제도이다. 카스트 제도에서는 개인이 출생할 때부터 계층적 위치가 정해지며, 신분 간에 이동이 완전히 차단되어 대대로 그 위치에서 벗어날 수 없다. 카스트 제도는 사람들의 사회적 교류와 직업 선택에 관해 여러 규정을 두고 있어서, 카스트별로 결혼, 직업, 교육 등에서 제한을 받았다. 카스트는 브라만, 크샤트리아, 바이샤, 수드라 등으로 나뉘며, 그 외에 카스트에도 속하지 못하는 불가촉천민인 달리트가 있다.

▲ 카스트 제도

자료 분석 | 카스트 제도는 개인의 계층적 위치가 선천적으로 결정되는 폐쇄적 계층 구조이다.

자료 04 사회 계층 구조의 다양한 형태

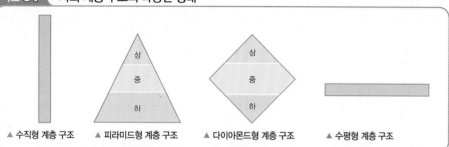

▲ 수직형 계층 구조   ▲ 피라미드형 계층 구조   ▲ 다이아몬드형 계층 구조   ▲ 수평형 계층 구조

자료 분석 | 수직형 계층 구조는 모든 사회 구성원이 서로 다른 계층에 속해 있으며, 완전 불평등형 계층 구조라고도 한다. 반면 수평형 계층 구조는 모든 사회 구성원이 같은 계층에 속해 있으며, 완전 평등형 계층 구조라고도 한다. 이 두 계층 구조는 현실적으로 존재하기 어렵고, 이론상으로만 존재하는 계층 구조이다. 피라미드형 계층 구조는 과거 신분제 사회, 봉건 사회나 초기 산업 사회에서 주로 나타나고, 다이아몬드형 계층 구조는 고도 산업 사회에서 주로 나타난다.

자료 05 사회 이동의 유형

한국인 최초의 양의사 박서양은 1885년에 천민 신분 중 하나인 백정이었던 박성춘의 아들로 태어났다. 제중원에서 치료를 받던 박성춘은 신분을 차별하지 않고 진료하는 양의사 에비슨의 행동에 감명하여, 아들 박서양을 에비슨에게 부탁하기로 결심하였다. 1894년의 갑오개혁으로 양인과 천민의 구분이 사라져 1900년 제중원 의학교에 입학할 수 있게 된 박서양은 끈기 있게 노력하였고, 1908년 졸업 시험에 통과하여 한국인 최초로 의사 면허를 받았다. 그러나 갑오개혁 이후 양인과 천인의 형식적인 구분이 사라졌음에도, 백정의 아들인 박서양이 천민이라며 그를 인정하지 않는 사람도 있었다. 박서양은 졸업 후 간호사 양성소의 교수로 활동하다가 만주로 건너가 독립군들의 의료를 맡았으며, 학교를 세워 아이들을 가르치기도 하였다.

– 『머니투데이』, 2016. 12. 15. –

자료 분석 | 박서양이 백정의 신분으로 한국 최초의 양의사가 된 것은 사회 이동의 유형 중 수직 이동, 그중에서도 상승 이동이다. 또한, 세대 범위를 기준으로 보면 백정이었던 아버지보다 지위가 높아졌으므로 세대 간 이동을 한 것이고, 초기에는 아버지의 지위를 물려받았다가 이후 의사로 성공한 것은 세대 내 이동을 한 것이다. 이동 원인을 기준으로 보면 갑오개혁으로 신분제가 폐지되어 계층적 위치가 변한 것은 구조적 이동, 자신의 개인적 노력으로 의사가 된 것은 개인적 이동이다.

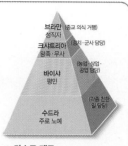
기출 선택지 O, ✕로 정리하기

1 사회 계층 구조는 한번 형성되면 지속성을 가지고 유지된다.

(O , ✕)

2 신분제가 폐지된 근대 이후의 사회에서는 개방적 계층 구조가 주로 나타난다.

(O , ✕)

3 계층별 구성원 비율에 따라 피라미드형 계층 구조와 다이아몬드형 계층 구조로 구분할 수 있다.

(O , ✕)

4 피라미드형 계층 구조가 나타나는 사회는 폐쇄적인 신분제 사회이다.

(O , ✕)

5 다이아몬드형 계층 구조는 상층이나 하층보다 중층의 비율이 높은 계층 구조이다.

(O , ✕)

6 다이아몬드형 계층 구조보다 모래시계형 계층 구조가 더 안정적인 형태이다.

(O , ✕)

7 정보화를 낙관적으로 바라보는 관점과 관련된 것은 타원형 계층 구조이다.

(O , ✕)

8 계층 간 수직 이동이 제한된 경우에는 폐쇄적 계층 구조, 반대로 계층 간 수직 이동의 기회와 가능성이 열려 있는 경우에는 개방적 계층 구조가 나타난다.

(O , ✕)

9 세대 범위에서 수직 이동은 세대 간 이동에서만 발생한다.

(O , ✕)

10 한 개인의 일생 동안에 계층적 위치가 변하는 것은 세대 내 이동이다.

(O , ✕)

11 시민 혁명에 의해 시민 계급이 사회의 주도권을 잡게 되는 경우는 구조적 이동이다.

(O , ✕)

정답 1 O 2 O 3 O 4 ✕ 5 O 6 ✕
7 O 8 O 9 ✕ 10 O 11 O

1 사회 불평등 현상의 의미와 유형

의미		부, 명예, 권력 등의 사회적 자원이 차등적으로 분배되어 개인 및 집단이 (❶)하는 현상
유형	경제적 불평등	재산이나 소득의 차이로 나타나는 불평등
	정치적 불평등	(❷)의 소유와 행사의 차이로 나타나는 불평등
	사회·문화적 불평등	사회·문화적 생활의 기회와 수준의 차이로 나타나는 불평등

2 사회 불평등 현상을 보는 관점

구분	기능론	갈등론
기본 입장	사회 불평등의 책임은 개인에게 있으며, 사회의 유지·발전을 위해 불가피함.	사회 불평등은 극복해야 할 대상으로 사회 구조의 근본적 개혁이 필요함.
발생 원인	• 일의 (❸)가 다름. • 개인의 능력과 사회에 기여하는 정도에 따라 합리적으로 희소 자원이 분배된 결과임.	• 일의 기능적 중요도는 판단하기 어려움. • 지배 집단이 자신들의 (❹)을 유지하기 위해 희소 자원을 불공정하게 분배한 결과임.
사회적 기능	성취동기를 높이며, 경쟁 원리에 따른 효율적 자원 배분을 가능하게 함.	기존의 불평등한 계층 구조를 재생산하여 집단 간 대립과 갈등을 발생시킴.
한계	자원 배분에 권력 관계나 가정 배경이 미치는 영향력을 간과함.	자원 배분에 개인의 능력 및 자질이 미치는 영향력을 간과함.

3 사회 계층 구조와 사회 이동

사회 계층 구조	의미	한 사회의 (❺)한 자원이 불평등하게 분배되고 그러한 사회 불평등이 계속되어 일정하게 틀 지어진 형태
	유형	• 계층 간 (❻) 가능성: 폐쇄적 계층 구조, 개방적 계층 구조 • 계층별 구성원 비율: 피라미드형 계층 구조, 다이아몬드형 계층 구조, 타원형 계층 구조, 모래시계형 계층 구조
사회 이동	의미	한 사회의 계층 구조 속에서 개인이나 집단의 (❼)가 변하는 현상
	유형	• 이동 방향: 수직 이동, 수평 이동 • 세대 범위: 세대 내 이동, 세대 간 이동 • 이동 원인: 개인적 이동, 구조적 이동

정답 ❶ 서열화 ❷ 권력 ❸ 기능적 중요도 ❹ 기득권 ❺ 희소 ❻ 이동 ❼ 계층적 위치

---

1 사회 불평등 현상의 의미와 유형

★01 ㉠에 들어갈 용어에 대한 설명으로 옳은 것은?

> 사람들은 부, 권력, 명예와 같은 희소한 사회적 자원을 두고 서로 더 많이 가지기 위하여 경쟁하거나 대립한다. 이 과정에서 사회적 자원이 불평등하게 분배된다. 이렇게 사회적 자원이 차등적으로 분배되어 서열화되는 현상을 (㉠)(이)라고 한다.

① 후천적 요인에 의해 발생하지 않는다.
② 집단보다는 주로 개인과 관련된 현상이다.
③ 권력의 소유 여부가 가장 중요한 변인이다.
④ 서열화 정도는 어느 사회나 유사하게 나타난다.
⑤ 어느 사회에서나 보편적으로 나타나는 현상이다.

02 그래프를 통해 알 수 있는 내용으로 가장 적절한 것은?

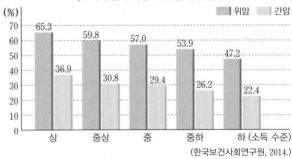

〈소득 수준에 따른 주요 암 검진율〉

(한국보건사회연구원, 2014.)

① 소득 수준과 암 검진율은 반비례한다.
② 불평등은 자원의 희소성 때문에 발생한다.
③ 사회 불평등 현상은 사회마다 다르게 나타난다.
④ 모든 소득 수준에서 위암 환자가 간암 환자보다 많다.
⑤ 경제적 불평등은 사회·문화적 불평등에 영향을 미친다.

03 (가), (나), (다)에 나타난 사회 불평등 현상의 유형에 대한 설명으로 옳은 것은?

> (가) 통계청 자료에 따르면, 2014년 가구 소득 상위 20%의 연평균 소득은 1억 930만 원으로, 하위 20%는 862만 원으로 나타났다.
> (나) 1995년 민선 지방 자치가 시작되고 6번의 선거가 치러지는 동안 광역 자치 단체장 후보 314명 중 10명만이 여성이었다.
> (다) 한국 정보화 진흥원이 실시한 '2010년 정보 격차 실태 조사'에 따르면, 장·노년층의 스마트폰 이용률은 1.0%로 전체 국민에 비해 14.6%나 낮았다.

① (가)는 권력의 행사 차이에서 기인한 것이다.
② (나) 문제를 해결하기 위해 여성 참정권을 보장해야 한다.
③ (다) 현상은 산업 사회가 심화되면서 나타났다.
④ (다) 현상은 사회·문화적 생활의 기회와 수준 차이로 나타난다.
⑤ (가), (나), (다)에 나타난 사회 불평등 현상은 서로 영향을 끼치지 않는다.

2 사회 불평등 현상을 보는 관점

04 다음 글에 나타난 사회 불평등 현상을 보는 관점에 대한 설명으로 가장 적절한 것은?

> 미국 한 연구소의 조사 결과, 미국의 각 사업장에 나타난 최고 경영자와 근로자의 평균 연봉 비율은 약 303대 1로 나타났다. 이 차이는 경영자의 실력보다 협상력 및 권력 관계를 반영한 결과로 볼 수 있다.

① 사회 불평등은 구성원의 성취동기를 높인다.
② 사회 불평등은 자연스럽고 불가피한 현상이다.
③ 사회 불평등은 사회적 자원의 불공정한 분배의 결과이다.
④ 차등 분배는 사회적으로 효율적인 자원 배분을 가능하게 한다.
⑤ 사회적으로 더 큰 기여를 한 사람이 보상을 더 받는 것은 당연하다.

05 다음 글에 나타난 사회 불평등 현상을 보는 관점에 대한 옳은 설명을 〈보기〉에서 고른 것은?

> 변호사는 대학교와 법학 전문 대학원 과정을 거치고 변호사 시험에 합격해야 주어지는 자격이다. 반면 청소부는 그 자격을 갖추기 위한 별도의 노력을 필요로 하지 않는다. 그러므로 변호사가 청소부에 비해 더 많은 임금을 받는 것은 당연한 것이다.

┤ 보기 ├
ㄱ. 희소 자원의 배분은 지배 집단의 합의에 의해 결정된다.
ㄴ. 기능적으로 중요한 일을 담당하는 사람은 제한되어 있다.
ㄷ. 사회 구조의 근본적 개혁을 통한 사회 불평등의 해결을 강조한다.
ㄹ. 개인의 능력에 따른 사회적 희소 자원의 차등 배분은 공정한 것이다.

① ㄱ, ㄴ   ② ㄱ, ㄷ   ③ ㄴ, ㄷ
④ ㄴ, ㄹ   ⑤ ㄷ, ㄹ

06 다음 글에 나타난 사회 불평등 현상을 바라보는 관점에 부합하는 진술로 가장 적절한 것은?

> 개인의 능력과 노력에 따라 직업이 결정된다는 말은 옳지 않다. 고등학교에서 우수한 성적의 학생이라도 가난하다면 선택할 수 있는 진로의 범위는 좁아질 것이다. 의대, 약대와 같이 등록금이 비싼 대학보다는 사범대, 교대와 같이 상대적으로 집안 사정에 도움이 될 진로를 선택할 가능성이 높다.

① 사회적 자원의 차등 배분은 당연한 것이다.
② 사람들이 하는 일은 기능적 중요도가 다르다.
③ 사회 불평등은 사회 유지와 발전을 위해 불가피한 것이다.
④ 사회적 자원은 개인의 능력에 따라 합리적으로 분배된다.
⑤ 사회 불평등의 원인으로 권력이나 가정의 사회·경제적 배경을 중시한다.

★07 (가), (나)는 사회 불평등을 설명하는 두 이론을 그림으로 표현한 것이다. 이에 대한 설명으로 옳은 것은?

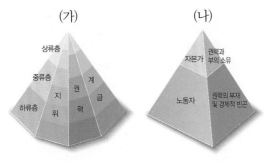

① (가)는 같은 계층 간 연대 의식을 강조한다.

② (가)는 사회 계층이 불연속적으로 서열화되어 있다고 본다.

③ (나)는 자본가와 노동자가 대립 관계에 있다고 본다.

④ (가)는 (나)와 달리 경제적 요인을 기준으로 이분법적 관점을 취한다.

⑤ (가)는 (나)와 달리 사회 불평등 현상이 필연적이 아닌 것으로 파악한다.

08 다음 글은 사회 불평등 현상을 설명하는 이론 중 한 입장에 근거하였다. 이와 관련된 설명으로 옳지 <u>않은</u> 것은?

> 인간은 자기의 아버지를 선택할 수 없듯이 자신의 계급도 역시 선택할 수 없다. 일단 한 인간이 그의 출생에 의해 특정 계급에 속하게 되면, 즉 봉건 영주나 농노 또는 산업 노동자나 자본가 중 어느 것에 일단 속하고 나면 그가 취할 행동 양식도 따라서 결정되어진다.
> —루이스 A. 코저, 『사회 사상사』—

① 두 계급 간의 관계는 적대적일 수밖에 없다.

② 생산 수단의 소유 여부에 따라 계급이 나뉜다.

③ 계급 의식의 형성이 필연적이라고 보기 어렵다.

④ 같은 계급에 속하는 사람들끼리 강한 연대 의식을 갖는다.

⑤ 자본가와 노동자의 계급 간 갈등이 자본주의 사회 불평등의 핵심이다.

3 사회 계층 구조와 사회 이동

09 다음 글에 나타난 사회 계층 구조에 대한 설명으로 가장 적절한 것은?

> 카스트 제도는 수천 년간 지속되어 왔던 인도의 신분 제도이다. 카스트 제도에서는 개인이 출생할 때부터 계층적 위치가 정해지며 신분 간에 이동이 완전히 차단되어 대대로 그 위치에서 벗어날 수 없다. 카스트 제도는 사람들의 사회적 교류와 직업 선택에 관해 여러 규정을 두고 있어서, 카스트별로 결혼 직업, 교육 등에서 제한을 받았다.

① 성취 지위보다 귀속 지위가 중시된다.

② 사회 발전 및 정치적 통합에 기여할 수 있다.

③ 산업 사회에서 주로 나타나는 계층 구조이다.

④ 수직 이동에 비해 수평 이동은 극히 제한을 받는다.

⑤ 개인의 계층적 위치가 능력과 노력에 따라 결정된다.

10 (가), (나)는 사회 계층 구조의 유형을 나타낸 것이다. 이에 대한 설명으로 옳은 것은?

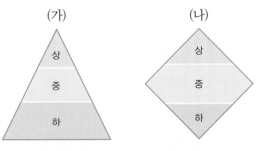

① (가)는 계층 간 이동이 자유롭지 못하다.

② (가)는 전근대 사회에서만 나타나는 계층 구조이다.

③ (나)는 정보화 사회에서 새롭게 나타난 계층 구조이다.

④ (가)와 (나)를 구분하는 기준은 계층 간 이동의 가능성이다.

⑤ (나)는 (가)에 비해 사회 안정에 유리하다.

11 표는 우리 사회의 계층 의식 변화를 나타낸 것이다. 이에 대한 옳은 설명을 〈보기〉에서 고른 것은?

상층 중층 하층 (단위: %)
2013년 51.4 46.7 1.9
2015년 53.0 44.6 2.4

(통계청, 2015.)

┤ 보기 ├
ㄱ. 중층이 두터워 사회 안정에 유리하다.
ㄴ. 모든 연도에서 중층이라는 의식이 나머지 계층 의식의 합보다 크다.
ㄷ. 2013년에 비해 2015년에 하층이라고 응답한 사람의 수가 감소하였다.
ㄹ. 2013년에 비해 2015년에 상층과 중층이라는 의식 비율이 소폭 증가하였다.

① ㄱ, ㄴ   ② ㄱ, ㄷ   ③ ㄴ, ㄷ
④ ㄴ, ㄹ   ⑤ ㄷ, ㄹ

12 다음 글과 관련된 미래 사회의 계층 구조에 대한 설명으로 가장 적절한 것은?

2013년 영국 옥스퍼드 대학에서는 인공 지능의 발달로 향후 20년 안에 사무직·생산직을 가릴 것 없이 미국 702개 직업 중 47%가 사라질 것으로 전망하였다. 인공 지능 기술로 촉발되는 기술 혁명은 전문직 종사자를 포함하여 다수의 노동자를 실직 상태로 내모는 재앙이 될 가능성이 높다.

① 성취 지위가 더욱 중시 될 것이다.
② 사회 계층 간 불평등이 더욱 심화될 것이다.
③ 신분제 사회로 회귀할 가능성이 높아질 것이다.
④ 하층에 비해 중층 구성원의 비율이 높아질 것이다.
⑤ 누구나 정보에 접근하여 그것을 활용한 부의 창출이 쉬워질 것이다.

13 표는 우리 사회의 세대 내·세대 간 상향 이동 의식 추세를 나타낸 것이다. 이에 대한 옳은 설명을 〈보기〉에서 고른 것은?

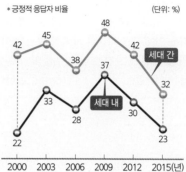

* 긍정적 응답자 비율   (단위: %)

세대 간: 42, 45, 38, 48, 42, 32
세대 내: 22, 33, 28, 37, 30, 23

2000 2003 2006 2009 2012 2015(년)

(한국사회학회, 2016.)

┤ 보기 ├
ㄱ. 2012년에는 세대 간 이동이 세대 내 이동보다 활발하게 이루어졌다.
ㄴ. 2009년 이후 상향 이동에 대한 기대가 사회 전반적으로 감소하였다.
ㄷ. 세대 내 상향 이동의 긍정적 응답자 수는 2006년에 비해 2009년이 더 많다.
ㄹ. 모든 연도에서 세대 간 상향 이동에 대한 긍정 비율이 세대 내 상향 이동에 대한 긍정 비율보다 높다.

① ㄱ, ㄴ   ② ㄱ, ㄷ   ③ ㄴ, ㄷ
④ ㄴ, ㄹ   ⑤ ㄷ, ㄹ

14 표는 A~C 지역의 계층 간 상대적 비율을 나타낸 것이다. 이에 대한 설명으로 옳은 것은?

구분	A 지역	B 지역	C 지역
상층/하층	1	2/5	1
하층/중층	1	5/3	1/2

① A 지역은 완전 평등형 계층 구조이다.
② B 지역에서는 계층 간 수직 이동이 제한된다.
③ C 지역은 전근대 사회의 계층 구조를 보인다.
④ B 지역은 C 지역보다 계층 간 갈등의 가능성이 크다.
⑤ B 지역의 상층 인구가 C 지역의 상층 인구보다 많다.

서답형 문제

15 빈칸에 들어갈 개념을 쓰시오.

> 본인의 노력과 무관하게 갑자기 돈을 많이 벌어 부자가 된 사람을 벼락부자라고 한다. 경제적 지위가 갑자기 높아졌지만 이들의 사회적 위신은 여전히 낮은 것처럼 개인이 가진 여러 지위들의 수준이 일치하지 않는 경우를 [   ] 현상이라고 한다.

16 다음 글에 나타난 사회 이동을 〈보기〉에서 있는 대로 고르시오.

> 한국인 최초의 양의사 박서양은 1885년에 천민 신분 중 하나인 백정이었던 박성춘의 아들로 태어났다. 1894년 갑오개혁으로 양인과 천민의 구분이 사라져 1900년 제중원에 입학한 박서양은 열심히 공부하여 1908년 한국인 최초의 의사가 되었다.

> ┤ 보기 ├
> ㄱ. 수직 이동   ㄴ. 수평 이동
> ㄷ. 개인적 이동   ㄹ. 구조적 이동
> ㅁ. 세대 간 이동   ㅂ. 세대 내 이동

17 (가)와 (나)에 해당하는 사회 불평등 현상의 유형을 원인과 함께 서술하시오.

> (가) 국제 의원 연맹(IPU)에 따르면 2017년 각 나라의 여성 의원의 비율은 북유럽 복지 국가인 스웨덴과 노르웨이는 각각 43.6%와 39.6%로 나타났다. 반면 한국은 17.0%로 88위, 일본은 9.3%인 119위로 나타났다.
> (나) 통계청의 새 *지니 계수에 따르면 한국의 지니 계수는 0.347로 나타났다. 이는 경제 협력 개발 기구(OECD) 평균인 0.317보다 높은 수치이며 기존의 지니 계수인 0.302보다도 높아진 수치이다. 이는 한국의 불평등이 심화되었음을 보여 준다.
> *지니 계수 소득 분포의 불평등도를 측정하기 위한 계수로, 0에 가까울수록 소득 분포가 평등하다.

18 다음 글을 읽고 물음에 답하시오.

> 2017년 통계청에 따르면 올해 1분기 소득이 가장 높은 5분위 계층의 교육비 지출은 66만 5천 461원으로 1분위 계층 지출의 8배에 달했다. 이는 학력 격차가 단순한 실력의 격차가 아니고 계층별 소득비 지출에 따른 교육 격차에서 기인한다는 것을 보여 주고 있다.

(1) 윗글은 사회 불평등 현상에 대한 어떤 관점을 보여 주고 있는지 쓰시오.

(2) 윗글의 관점에서 사회 불평등 현상이 나타나는 원인은 무엇인지 서술하시오.

19 표는 우리나라 전체 인구 중 고소득층, 중산층, 저소득층 비율의 추이를 나타낸 것이다. 이를 보고 물음에 답하시오.

(단위: %)

구분	고소득층	중산층	저소득층
1990년	18.5	73.7	7.8
2011년	21.2	63.8	15.0

(통계청, 2012.)

(1) 1990년에서 2011년 사이에 계층별 비율이 어떻게 변화하였는지 분석하시오.

(2) 2011년과 같은 상황이 심화될 경우 발생할 수 있는 문제점은 무엇인지 서술하시오.

| 수능 기출 |

01 밑줄 친 'A 이론'에 대한 옳은 설명을 〈보기〉에서 고른 것은?

사회 불평등 현상을 설명하는 A 이론은 생산 수단의 소유 여부와 더불어 소득이나 부의 크기도 계급을 결정하는 요인으로 본다. 그러나 소득이나 부의 크기는 계급 관계의 산물일 뿐, 계급을 구분하는 요인은 아니다. 또한, A 이론에서 사회 불평등을 구성하는 요인으로 보는 지위나 파당도 기본적으로 계급 관계에 의해 규정될 뿐이며, 그 자체로는 독자적인 기원을 가지지 못한다.

┤ 보기 ├
ㄱ. 지위 불일치 가능성을 인정한다.
ㄴ. 다차원적 측면에서 사회 불평등 현상을 파악한다.
ㄷ. 동일 집단 구성원 간의 강한 연대 의식을 강조한다.
ㄹ. 사회 불평등 현상을 불연속적으로 구분되어 있는 상태로 본다.

① ㄱ, ㄴ ② ㄱ, ㄷ ③ ㄴ, ㄷ
④ ㄴ, ㄹ ⑤ ㄷ, ㄹ

| 평가원 응용 |

02 다음은 사회 불평등 현상을 설명하는 이론이다. 이에 대한 옳은 설명을 〈보기〉에서 고른 것은?

생산 수단의 '소유'와 '소유의 결여'가 계급의 위치를 결정하는 기본적 요인임을 인정한다. 하지만 노동 시장에서 능력의 차이를 초래하는 소유의 종류나 기술, 신용, 자격 등도 계급 분화에 영향을 준다. 또한, 개인이 다른 사람으로부터 받는 존경이나 개인이 누리는 명예, 위신에 의한 지위 집단 등도 사회 불평등 현상의 또 다른 차원으로 작동한다.

┤ 보기 ├
ㄱ. 노동자 계급의 투쟁을 강조한다.
ㄴ. 사회 불평등 현상을 이분법적으로 파악한다.
ㄷ. 다차원적 측면에서 사회 불평등의 위계를 설명한다.
ㄹ. 사회 불평등 현상을 연속선 상에 서열화된 것으로 본다.

① ㄱ, ㄴ ② ㄱ, ㄷ ③ ㄴ, ㄷ
④ ㄴ, ㄹ ⑤ ㄷ, ㄹ

03 다음 글에 나타난 이론에 관한 설명으로 가장 적절한 것은?

마르크스는 생산 수단을 소유한 소수의 자본가와 생산 수단을 소유하지 못한 다수의 노동자가 투쟁할 것으로 보았다. 그리고 결국 다수의 노동자에 의한 사회주의 국가가 건설될 것이라고 생각하였다. 그러나 마르크스의 예언은 이루어지지 않았다. 그 이유 중 하나는 주식 회사가 발달하면서 노동자도 주식을 구입하게 되어 노동자의 계급 의식이 약화되었기 때문이다.

① 궁극적으로 불평등의 원인을 정치로 본다.
② 갈등과 투쟁에 의한 사회 발전을 강조한다.
③ 사회 불평등 현상을 예외적 현상으로 본다.
④ 불평등을 다원적 관점에서 설명하고자 한다.
⑤ 지위 불일치 현상을 설명하기에 적합한 이론이다.

| 교육청 응용 |

04 다음 글의 필자가 지닌 사회 불평등 현상을 바라보는 관점에 대한 설명으로 옳은 것은?

많은 사람들이 빈곤이 사라지지 않는 이유를 개인의 노력 부족에서 찾곤 한다. 예컨대, 교육이나 훈련을 게을리 하여 사회에서 요구하는 능력을 갖추지 못하면 빈곤에 빠진다는 것이다. 하지만 빈곤이 유지되는 진짜 이유는 빈곤을 둘러싼 계층 간 이해관계가 상충되기 때문이다. 자본가 입장에서는 저임금을 받고도 일을 할 수밖에 없는 빈곤층이 존재해야 값싼 노동력을 안정적으로 확보할 수 있다. 따라서 자본가는 생계 유지에 필요한 최소한의 임금만을 지불하고, 노동자는 열심히 노력해도 빈곤에서 벗어날 수 없는 구조가 지속된다.

① 사회 불평등 현상을 불가피한 것으로 본다.
② 사회 불평등 현상이 개인의 성취동기를 자극한다고 본다.
③ 개인의 사회적 기여도와 무관하게 희소 자원이 분배된다고 본다.
④ 사회 불평등 현상은 인재를 적재적소에 배치하는 데 기여한다고 본다.
⑤ 희소 자원의 분배 수준이 균등해질수록 사회적 효율성은 낮아진다고 본다.

05 | 교육청 응용 |
사회 불평등 현상을 바라보는 갑, 을의 관점에 대한 옳은 설명을 〈보기〉에서 고른 것은?

> 공사장에서 장비를 조종하는 사람과 깃발로 안내를 하는 사람이 같은 시간을 일했다고 해서 보수가 같다면 누가 어려운 장비 조종 기술을 배우려 하겠습니까?

> 장비를 조종하는 것도 중요하지만, 깃발로 안내하는 것도 중요합니다. 일의 중요성에 대한 현재의 평가 기준은 기득권층이 정했을 뿐입니다.

갑   을

┤ 보기 ├
ㄱ. 갑은 일의 중요도에 따라 보상이 차등적으로 이루어져야 한다고 본다.
ㄴ. 갑은 사회적 희소 자원의 배분에 대해 사회 구성원들 간 합의된 기준이 있다고 본다.
ㄷ. 을은 차등적 보상이 성취동기를 자극한다고 본다.
ㄹ. 을은 차등적 보상이 권력 집단의 합의에 의해 이루어져야 한다고 본다.

① ㄱ, ㄴ   ② ㄱ, ㄷ   ③ ㄴ, ㄷ
④ ㄴ, ㄹ   ⑤ ㄷ, ㄹ

06 (가), (나)는 사회 불평등 현상을 보는 두 관점이다. 이에 대한 설명으로 옳은 것은?

질문	답변	
	(가)	(나)
사회 불평등은 필연적인가?	아니요	예
B	예	아니요
C	예	예

① (가)는 사회 불평등을 불가피한 것으로 본다.
② (가)는 직업의 기능적 중요도가 다르다고 본다.
③ (나)는 자원의 차등 배분에 의한 개인의 능력 발휘를 중시한다.
④ B에 '차등적 보상에 대한 사회적 합의가 이루어졌는가?'가 들어갈 수 있다.
⑤ C에 '사회 불평등이 사회 발전에 장애가 되는가?'가 들어갈 수 있다.

07 | 수능 기출 |
다음 자료에 나타난 갑국의 세대 간 계층 이동에 대한 옳은 분석을 〈보기〉에서 고른 것은? (단, 계층은 상층, 중층, 하층으로만 구분하며, A~C는 각각 상층, 중층, 하층 중 하나이다.)

〈세대 간 계층별 구성 비율의 상대적 비〉

구분	A	B	C
부모 세대 해당 계층 대비 자녀 세대 해당 계층의 상대적 비	0.5	1	2

〈세대 간 계층 이동 현황〉
(단위: %)

구분	A	B	C
부모 세대 해당 계층 대비 부모와 자녀의 계층 불일치 비율	75	0	50

*모든 부모의 자녀는 1명이고, 부모 세대의 계층 구조는 다이아몬드형임.
*A는 C보다 높은 계층이며, 부모 세대의 계층 구성비에서 A는 B와 C를 합한 것의 1.5배임.

┤ 보기 ├
ㄱ. 세대 간 상승 이동한 자녀가 세대 간 하강 이동한 자녀의 3배이다.
ㄴ. 자녀 세대 계층 대비 계층 대물림 비율은 상층이 가장 높고 하층이 가장 낮다.
ㄷ. 중층으로 세대 간 상승 이동한 자녀와 중층으로 세대 간 하강 이동한 자녀의 수는 같다.
ㄹ. 세대 간 계층 이동을 한 사람의 수는 중층 부모를 둔 자녀가 하층 부모를 둔 자녀의 3배이다.

① ㄱ, ㄴ   ② ㄱ, ㄷ   ③ ㄴ, ㄷ
④ ㄴ, ㄹ   ⑤ ㄷ, ㄹ

08 표에 대한 분석으로 옳은 것은?

항목 \ 계층 구조	A	B	C	D
중층 대비 상층 비율	$\frac{1}{2}$	$\frac{1}{3}$	$\frac{3}{2}$	1
중층 대비 하층 비율	$\frac{1}{2}$	2	$\frac{5}{2}$	1

① B가 나타나는 사회는 폐쇄적 계층 구조를 갖는다.
② D는 완전 평등이 실현된 사회에서 나타난다.
③ 상층 비율은 A와 B가 같다.
④ 소득 재분배 정책을 강화하면 계층 구조는 A에서 C로 변화한다.
⑤ 전체 인구수가 동일할 경우, B의 중층 인구수와 C의 상층 인구수는 같다.

| 평가원 응용 |

09 다음 자료는 갑국의 세대 간 계층 이동 현황을 나타낸 것이다. 이에 대한 분석으로 옳은 것은?

〈세대별 계층 간 상대적 비율〉

구분	부모 세대	자녀 세대
상층+하층/전체 계층	$\frac{1}{2}$	$\frac{4}{5}$
상층/중층+하층	$\frac{1}{4}$	$\frac{1}{3}$

〈자녀 세대 계층 대비 부모와 자녀 계층 일치의 상대적 비율〉

상층	중층	하층
$\frac{1}{5}$	$\frac{1}{2}$	$\frac{4}{11}$

*모든 부모의 자녀는 1명이고, 갑국의 계층은 상층, 중층, 하층으로만 구성된다.
*상층 부모를 둔 하층 자녀 인구와 하층 부모를 둔 중층 자녀의 인구의 비는 2:1임.

① 세대 간 계층 일치 비율이 이동 비율보다 크다.

② 개방형 계층 구조에서 폐쇄형 계층 구조로 변하고 있다.

③ 자녀 세대의 계층 구조가 부모 세대보다 안정되어 있다.

④ 세대 간 상승 이동한 인구보다 하강 이동한 인구가 더 많다.

⑤ 부모 세대 계층 대비 부모와 자녀의 계층 일치 비율은 상층이 제일 크다.

10 표는 A국의 세대 간 계층 분포 변화를 조사한 것이다. 이에 대한 분석으로 옳은 것은?

구분 (단위: %)		부모 세대			
		상	중	하	계
자녀 세대	상	4	2	14	20
	중	6	24	30	60
	하	0	4	16	20
	계	10	30	60	100

① 계층 대물림의 비율은 하층이 가장 높다.

② 계층을 대물림한 비율이 이동한 비율보다 높다.

③ 자녀 세대의 계층 구조는 전근대 사회의 전형적 계층 구조이다.

④ 자녀 세대 중 상승 이동한 사람보다 하강 이동한 사람이 더 많다.

⑤ 부모 세대 계층 대비 부모와 자녀의 계층 불일치 비율은 하층이 가장 높다.

| 교육청 기출 |

11 자료에 대한 옳은 분석을 〈보기〉에서 고른 것은?

다음은 갑국의 부모 세대와 자녀 세대의 계층 비율과 계층 이동의 비율을 나타낸 것이다. 갑국의 부모 세대 1명당 1명의 자녀를 대상으로 조사한 결과이다. 갑국은 상층, 중층, 하층으로만 계층이 구분되며, A~C는 각각 상층, 중층, 하층 중 하나이다.

〈부모 세대와 자녀 세대의 계층 비율〉

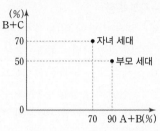

〈부모 세대 계층 대비 계층 이동 비율〉

부모 세대 계층	A		B		C	
계층 이동 비율(%)	상승	하강	상승	하강	상승	하강
	60	0	25	25	0	20

⊢ 보기 ⊣

ㄱ. 부모 세대와 자녀 세대 모두 중층의 비율이 가장 높다.

ㄴ. 계층을 대물림한 사람보다 계층을 이동한 사람이 많다.

ㄷ. 부모 세대 상층에서 자녀 세대 하층으로 이동한 사람은 없다.

ㄹ. 자녀 세대 계층 대비 부모와 자녀 간 계층 불일치 비율은 하층이 상층보다 높다.

① ㄱ, ㄴ　　② ㄱ, ㄷ　　③ ㄴ, ㄷ

④ ㄴ, ㄹ　　⑤ ㄷ, ㄹ

다양한 사회 불평등 양상

1 사회적 소수자

1. 사회적 소수자의 의미

예시 우리나라에는 장애인, 이주 외국인(외국인 노동자, 결혼 이민자), 노인, 여성, 북한 이탈 주민, 비정규직 노동자 등이 사회적 소수자로서 어려움을 겪고 있다.

(1) **사회적 소수자❶** 신체적 또는 문화적 특성으로 인해 사회의 다른 구성원들과 구별되어 불평등한 처우를 받으며, 자신이 차별받는 집단에 속해 있다는 의식을 지닌 사람들

(2) **사회적 소수자의 상대성** 사회적 상황과 여건에 따라 상대적으로 규정됨. 예 우리나라에서 사회적 소수자로 차별받던 외국인 노동자가 본국에서는 소수자가 아닐 수 있음.

(3) **사회적 소수자의 특성**
① **권력의 열세❷** 주류 집단에 비해 정치·경제·사회적으로 권력의 열세에 놓여 있으며, 반드시 수적으로 소수인 것은 아님. 분석 여성은 남성에 비해 수적으로는 소수가 아니지만 많은 사회에서 사회적 소수자로서 차별받아 왔다.
② **구별 가능성** 신체적 또는 문화적 특성으로 인해 다른 사람들과 구별됨.
③ **차별적 대우** 그 집단의 구성원이라는 이유만으로 사회적 차별의 대상이 됨.
④ **집단의식** 자신이 차별받는 집단에 속해 있다는 인식을 지니고 있음.

2. 사회적 소수자에 대한 차별❸ 자료 01

(1) **양상**
① 인종, 민족, 언어, 지역, 나이, 종교, 장애, 성, 계급, 문화, 가치관 등 다양한 차원의 사회적 소수자가 존재함.
② 소수자에 대한 배타적 태도, 사회적 가치 배분 과정에서 법적·제도적 배제 등의 차별이 존재함.

(2) **사회적 소수자 차별로 인한 사회 문제**
① 개인적 차원
• 소수자의 인권 침해 및 인간 존엄성 훼손
• 소수자 집단의 교육 및 취업 등 다양한 사회적 기회 박탈
② 사회적 차원 주류 집단과 소수자 집단 간 대립과 갈등이 심화되어 사회 통합이 저해됨.

3. 사회적 소수자 차별 문제의 개선 방안 자료 02

(1) **제도적 측면**
① 소수자 차별을 금지하는 법 제정
② 차별을 시정하기 위한 제도 도입 예 적극적 차별 시정 조치❹

(2) **의식적 측면**
① 사회 구성원들의 차별적 인식 교정
② 사회적 소수자와 함께 살아가고자 하는 공존의 자세 함양
③ 사회적 소수자 집단 스스로 차별 개선을 적극적으로 요구하는 노력 필요

2 성 불평등

1. 성 불평등 현상의 의미와 양상

(1) **성 불평등 현상** 남녀의 생물학적 및 사회적 성별❺ 차이를 이유로 사회적 지위, 권력, 위세 등에서 특정 성이 차별받는 현상

(2) **성 불평등 현상의 양상** 자료 03
① 개인 간의 관계는 물론 정치, 경제, 사회 등 광범위한 영역에서 나타남.
② 남녀 모두에게 나타날 수 있는데, 대체로 남성에 비해 여성이 더 많은 차별을 경험함.

고득점을 위한 셀파 Tip

• 사회적 소수자

의미	신체적 또는 문화적 특성으로 인해 불평등한 대우를 받으며, 스스로 차별받는다고 인식하는 사람
특성	권력의 열세, 구별 가능성, 차별적 대우, 집단의식
해결	차별적 제도 철폐, 소수 집단 우대 정책 시행, 관용과 공존의 자세 함양 등

❶ 사회적 약자와 사회적 소수자의 차이
사회적 약자는 사회적으로 불리한 위치에 있는 사람 모두를 일컫는 표현이다. 이들은 불리한 위치에 있을 뿐 어느 집단에 속해 있다는 이유로 차별을 받는 것은 아니다. 반면, 사회적 소수자는 소수자 집단의 성원이라는 이유만으로 차별을 받게 된다.

❷ 열세
상대편보다 힘이나 세력이 약함을 뜻한다.

❸ 기능론과 갈등론에서 보는 사회적 소수자 문제의 원인

기능론	사회 변화에 대비한 제도적 준비 부족으로 인한 사회 제도의 일시적 기능 장애
갈등론	사회적 소수자에 대한 주류 집단의 기득권 유지 노력과 착취

❹ 적극적 차별 시정 조치
사회적 소수자의 차별을 시정하기 위해 인종, 피부색, 성 또는 출신국 등의 요인을 고려하여 차별받는 집단에 취업, 대학 입학, 정부 발주 공사의 입찰 등에서 특혜를 부여하는 정책이다.

❺ 생물학적 성과 사회적 성
생물학적 성은 유전적·신체적 특징에 근거한 성이고, 사회적 성은 사회·문화적 환경에서 획득·형성되는 성이다. 사회적 성은 특히 사회적인 환경과 교육에 의해 남성다움과 여성다움과 같은 남녀의 기질이 형성된다는 것을 강조한다.

자료 01   사회적 소수자에 대한 차별

국가 인권 위원회가 2016년 여성 이주 노동자 385명을 대상으로 실시한 '제조업 분야 여성 이주 노동자 인권 상황 실태 조사'에 따르면 여성 이주 노동자의 24.3%는 남녀 주거 공간이 분리되지 않은 환경에서 생활하는 것으로 나타났다. 또한, 성희롱·성폭력을 경험해 본 적이 있는 여성 이주 노동자는 11.7%에 달했고, 임신을 이유로 해고당한 경험이 있는 여성 이주 노동자는 15.6%로 나타났다. 이번 실태 조사를 통해 여성 이주 노동자들이 성폭력 사각 지대에 놓여 있으며, 여성 이주 노동자들은 임신, 출산 및 육아와 관련된 기본권을 사실상 보장받지 못하고 있는 것으로 확인되었다.

자료 분석 | 외국인 노동자는 우리 사회의 사회적 소수자로서, 인권 침해에 빈번하게 노출되어 있다. 특히 외국인 노동자는 우리나라의 언어와 법, 제도 등에 익숙하지 않아 내국인보다 근로 조건이 열악한 경우가 많으며, 그 외에도 사회적으로 차별과 무시, 폭력의 대상이 되어 인권 문제가 심각한 것으로 나타난다.

자료 02   소수 집단 우대 정책

소수 집단 우대 정책은 과거부터 차별받아 온 사회적 소수자 집단에 대해 실질적 평등을 보장하는 정책이다. 이러한 소수 집단 우대 정책을 지지하는 입장의 근거로는 첫째, 소수자들이 차별로 인해 겪어 온 육체적·정신적 고통을 보상해야 한다는 것이다. 둘째, 부나 권력, 지위 등이 한쪽으로 지나치게 치우치는 것을 막기 위해서는 더욱 적극적인 재분배 조치를 통해 격차를 줄여야 한다는 것이다. 마지막으로는 소수자로 하여금 다수자의 영역에 스며들게 함으로써 사회적 갈등을 완화해 사회 전체적인 혜택을 가져올 수 있다는 것이다. 하지만 이를 반대하는 입장에서는 소수 집단 우대 정책으로 오히려 다른 사람들이 역차별을 당할 수도 있다고 주장한다.

자료 분석 | 소수 집단 우대 정책은 사회적 소수자 차별 문제를 적극적으로 해결하기 위해 여러 나라에서 시행되어 온 정책이다. 이 정책은 대학에서 신입생을 선발하거나 고용주가 직원을 채용할 때 사회적 소수자 집단에 속하는 지원자에게 가산점을 주거나 선발 인원의 일정 비율을 그들에게 할당하는 방식으로 실시된다. 소수 집단 우대 정책에 대해서는 이것이 소수자가 아닌 집단에 도리어 차별을 초래한다는 역차별 논란도 있다.

자료 03   우리나라의 성 불평등 현황

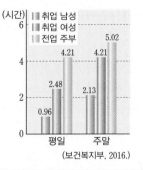

(가) 성별 임금 격차

*남성 임금을 100으로 놓았을 때 여성 임금 비율(%)

	남성	여성
100		
	64.0	63.1	62.8	64.1

2013년 2014년 2015년 2016년
(고용노동부, 2016.)

(나) 여성 권한 척도

구분	여성 의원 비율(%)	여성 고위 행정직 비율(%)
2013	15.67	13.9
2014	15.67	15.9
2015	16.33	16.4
2016	17.0	16.5

(중앙선거관리위원회·고용노동부, 2016.)

(다) 맞벌이 부부의 양육 참여 시간

(시간) 취업 남성 / 취업 여성 / 전업 주부

평일: 0.96, 2.48, 4.21
주말: 2.13, 4.21, 5.02

(보건복지부, 2016.)

자료 분석 | (가)는 경제적 측면, (나)는 정치적 측면, (다)는 사회·문화적 측면에서의 성 불평등 현황을 보여 주는 자료이다. (가) 성별 임금 격차를 보면 남성 임금을 100이라고 할 때 여성의 임금은 60% 정도에 불과하다. (나) 여성 권한 척도를 보면 국회 의원, 고위 행정직 등 사회적 권한이 강한 직종에 종사하는 여성의 비율이 남성에 비해 낮게 나타난다. (다) 맞벌이 부부의 양육 참여 시간을 보면 맞벌이 가정임에도 양육에 대한 책임을 여성이 훨씬 크게 지고 있음을 알 수 있다.

1 사회적 소수자는 수적으로 열세에 놓인 집단이다. (○ , ✕)

2 사회적 소수자에 대한 차별은 주류 집단의 정체성을 약화시킨다. (○ , ✕)

3 특정 사회의 사회적 소수자가 다른 사회에서는 사회적 소수자가 아닐 수 있다. (○ , ✕)

4 사회적 소수자는 스스로 차별받는 집단의 구성원이라는 집단의식 또는 소속감을 가지고 있다. (○ , ✕)

5 사회적 소수자는 경제적·사회적 측면의 영향력에서와 달리 정치권력의 영향력에서 열세에 있다. (○ , ✕)

6 우리 사회의 사회적 소수자에는 장애인, 북한 이탈 주민, 외국인 노동자, 결혼 이민자, 여성 등이 있다. (○ , ✕)

7 사회적 소수자에 대한 차별을 해소하기 위해서는 제도 개선뿐만 아니라 의식 개혁도 이루어져야 한다. (○ , ✕)

8 인간의 성은 생물학적 성에 따라 남성과 여성으로, 사회적 성에 따라 남성다움과 여성다움으로 구분된다. (○ , ✕)

9 성 불평등 현상은 정치, 경제, 사회 등 광범위한 영역에서 나타난다. (○ , ✕)

10 성 불평등 현상은 지위, 권력, 위신 등에서 특정 성이 차별받는 현상이다. (○ , ✕)

11 성 불평등 현상은 여성에게만 적용되는 특수한 사회 문제이다. (○ , ✕)

정답 1✕ 2✕ 3○ 4○ 5✕ 6○ 7○ 8○ 9○ 10○ 11✕

2. 성 불평등 현상의 원인 및 해결 방안

(1) 원인[6]

① 성 역할의 차별적 사회화[7] 여성다움, 남성다움을 유지하도록 요구받는 차별적 사회화를 통해 성 역할 고정 관념이 형성됨. 자료 04

② 가부장제에 바탕을 둔 사회 구조 가정 내 의사 결정 권한을 남성이 주도하고 지배하는 가부장제 구조가 사회 전반에 확산되어 있어 여성의 역할을 제한함.

(2) 해결 방안

분석 가부장제하에서 여성은 가사와 양육을 전담하고, 공적인 영역에서는 남성을 보조하는 업무를 담당하는 등 역할이 한정되었다.

의식적 측면	• 성차별의 문제점을 인식하고, 성 역할에 대한 고정 관념을 없애려고 노력해야 함. • 성별의 차이가 차별로 이어지지 않도록 성 평등 의식과 상호 존중의 자세를 함양해야 함.
제도적 측면	• 성차별적 요소가 있는 법률 및 제도의 개선 • 고용, 근무 환경, 승진 기회 등 경제 활동 측면에서 평등 보장 • 남녀가 함께 출산·양육을 담당할 수 있도록 제도적 지원

예시 호주제 폐지, 남녀 고용 평등과 일·가정 양립 지원에 관한 법률 제정, 양성평등 채용 목표제 시행 등

빈곤 문제는 인류 역사상 가장 오래된 사회 문제 중 하나이며, 보건, 의료, 교육, 환경, 고용 등 복지 전반에 미치는 영향이 매우 크다.

3 빈곤

1. 빈곤의 의미와 양상

(1) 빈곤 인간의 기본적 욕구와 관련된 물질적 결핍이 만성적으로 지속되는 경제적 상태

(2) 양상 자료 05

① 절대적 빈곤
- 소득이 인간다운 최저 생활을 유지하는 데 필요한 기준에 미치지 못하는 상태
- 최저 생계비[8] 미만의 소득을 지닌 가구를 절대적 빈곤층으로 파악함.

② 상대적 빈곤
- 사회의 전반적인 소득 수준과 대비하여 소득 수준이 낮은 상태
- 중위 소득[9]의 일정 비율에 못 미치는 소득을 지닌 가구를 상대적 빈곤층으로 파악함.

2. 빈곤 문제와 해결 방안

(1) 빈곤으로 인한 문제

개인적 측면	생계유지 곤란, 건강 손상, 정신적 황폐 및 소외 → 인간다운 삶이 어려울 뿐만 아니라, 삶에 대한 기대 및 기회를 제한함.
사회적 측면	빈곤층에 대한 사회적 부담 증가, 사회 불안과 갈등 심화 등

(2) 빈곤의 원인

① 개인적 차원에서 원인을 찾는 시각 빈곤이 게으름, 무절제, 성취동기 부족 등 개인적 노력이나 능력 등의 부족에 기인한 것으로 봄.

② 빈곤을 만들어 내는 사회 구조를 강조하는 시각 계급, 성, 인종 등에 의한 불평등한 사회 구조가 특정 집단의 빈곤 탈출에 불리하게 작용한 결과로 빈곤이 발생한다고 봄.

(3) 해결 방안 자료 06

개인적 차원	• 개인이 빈곤 탈출 의지를 가져야 함. • 교육과 직업 훈련 등을 통해 능력을 함양하려는 노력을 기울여야 함.
사회적 차원	• 기초 생활비 및 자녀 양육비 보조 등을 통해 빈곤층의 자립을 지원해야 함. • 빈곤층에 대한 비난이나 사회적 낙인을 찍지 않도록 해야 함.

고득점을 위한 셀파 Tip

• 성 불평등 현상

의미	남녀의 생물학적 및 사회적 성별 차이를 이유로 특정 성이 차별받는 현상
원인	성 역할의 차별적 사회화, 가부장제에 바탕을 둔 사회 구조
해결	성 평등 의식 함양, 불평등한 법률 및 제도의 개선

[6] 기능론과 갈등론에서 보는 성 불평등 현상의 원인

기능론	• 남자와 여자의 생물학적 특성이 반영된 자연스러운 성별 분업의 결과임. • 성 불평등 문제는 남녀 간 역할 체계가 새롭게 정립되지 못해 나타나는 일시적 교란 상태임.
갈등론	• 남성 중심적인 가부장제 사회 구조가 원인으로, 기존의 성별 분업을 강요하며 여성의 역할을 저평가함. • 남성이 지배적·주도적인 역할을 하는 반면, 여성은 보조적·수동적 역할을 하도록 강요받음.

[7] 차별적 사회화

가정에서 부모가 남성다움과 여성다움에 대한 고정 관념을 가지고 각각의 성에 적합하다고 여겨지는 행동이 자녀에게 형성되도록 상호 작용을 한다. 또한, 학교 교육이나 대중 매체를 통해서도 성 역할에 대한 사회적 통념을 바탕으로 한 사회화가 이루어진다.

고득점을 위한 셀파 Tip

• 빈곤의 유형

절대적 빈곤	최소한의 생활 유지를 위한 자원이나 생계비가 절대적 빈곤선에 못 미치는 상태
상대적 빈곤	사회 전반적인 소득 수준에 미치지 못하여 상대적으로 생활 수준이 떨어지는 상태

[8] 최저 생계비

국민이 생활을 유지하기 위한 비용으로, 우리나라에서 절대적 빈곤 여부를 가르는 선이다.

[9] 중위 소득

한 나라의 가구를 소득순으로 일렬로 나열하였을 때, 한가운데 위치한 가구의 소득을 중위소득이라고 한다.

자료 04 성 역할의 사회화

• 어린이 만화에 등장하는 남성 캐릭터는 모험가, 과학자를 꿈꾸는 반면, 여성 캐릭터는 앞치마를 두르고 맛있는 과자를 친구들에게 구워 주는 꿈을 꾼다. 어린이들이 읽는 동화책의 주인공은 남성이 대부분이며 활동적인 모습으로 그려지지만, 여성은 남성에 의해 위기에서 구출되고 남성을 보조하는 수동적인 존재로 그려진다.

• 남학교와 여학교의 교훈을 비교해 보면, 남학교는 진리 탐구, 문화 창달, 자기 도야 등 진취적이고 유능한 인물의 양성을 표방하는 교훈이 많다. 이에 반해 여학교의 교훈은 성실, 신의, 정숙 등 희생과 순종, 아름다움을 추구하는 교훈이 많다.

자료 분석 | 남자아이에게는 파란색 옷을 입히고 로봇, 칼과 같은 장난감을 가지고 놀게 하지만, 여자아이에게는 분홍색 옷을 사주고 인형 놀이와 소꿉놀이를 하게 하는 것처럼 아주 어릴 때부터 남녀에게 기대되는 성 역할이 다르게 주어진다. 부모의 양육 태도와 가르침뿐 아니라 동화책과 만화 영화 등에 나타나는 남녀의 모습은 자연스럽게 아이들에게 수용되어 서로 다른 성 역할을 학습하게 된다.

자료 05 우리나라의 절대적 빈곤율과 상대적 빈곤율 변화

우리나라에서 절대적 빈곤층은 최저 생계비 미만의 소득을 지닌 가구, 상대적 빈곤층은 중위 소득의 50% 미만 소득을 가진 가구로 파악합니다.

*농어가 가구 및 1인 제외, 전 가구, 경상 소득 기준
(통계청, 2016.)

자료 분석 | 빈곤율은 소득으로 표현되는 빈곤선(빈곤을 판단하는 기준선)에 의해 결정되기 때문에 서열적 속성을 지닌 백분율이다. 예를 들어, 자료에서 매년 상대적 빈곤율이 절대적 빈곤율보다 높다는 사실은 상대적 빈곤선(중위 소득의 50%)이 절대적 빈곤선(최저 생계비)보다 크다는 것을 알려 준다. 즉, 빈곤선의 크기와 빈곤율은 비례한다. 그렇지만 빈곤선의 크기가 빈곤율과 정비례하지는 않는다. 자료에서 2013년의 경우 상대적 빈곤율이 11.7%로 절대적 빈곤율 5.9%에 비해 약 2배 크지만, 상대적 빈곤선인 중위 소득의 50%가 절대적 빈곤선인 최저 생계비보다 2배인지는 알 수 없기 때문이다.

자료 06 빈곤 해결을 위한 다양한 노력

1976년 방글라데시에 설립된 그라민 은행은 담보가 없는 가난한 사람들에게 돈을 빌려주어 빈곤을 퇴치할 수 있는 길을 열고자 하였다. 이를 위해 가난한 사람만을 대상으로 보증 없이 대출이 가능하도록 조건을 걸고, 낮은 이자로 빌려준 뒤 조금씩 오랜 기간에 걸쳐 갚아 나가도록 하였다. 이처럼 가난한 사람들은 대출한 돈으로 수레와 재봉틀, 송아지 등을 구입하기도 하면서 경제 활동에 투자할 수 있게 되었고, 이를 통해 일부 사람들은 가난에서 벗어날 수 있게 되었다.

자료 분석 | 빈곤을 해결하기 위해서는 정부가 법적·제도적으로 저소득층의 소득을 보전하고 일자리를 마련하는 등의 정책적 해결 방안을 추진해 나가야 한다. 또한, 민간 영역에서도 사회적 기업 경영, 빈곤 퇴치 캠페인 참여, 봉사·구호 활동 등 다양한 노력을 할 수 있다.

기출 선택지 ○, ×로 정리하기

1 성 불평등 문제는 남녀의 성 역할에 대한 차별적 사회화의 결과이다. (○ , ×)

2 가부장제에 바탕을 둔 사회 구조는 성 불평등 문제를 발생시키는 요인 중 하나이다. (○ , ×)

3 성 불평등 문제를 해결하기 위해 성별의 차이를 인정하지 않고 상호 존중하는 자세를 갖추어야 한다. (○ , ×)

4 직장 내 양성평등 문화의 확산은 성 불평등 문제를 해소하는 데 기여한다. (○ , ×)

5 절대적 빈곤은 선진국에서는 나타나지 않는다. (○ , ×)

6 절대적 빈곤은 상대적 빈곤과 달리 상대적 박탈감을 유발한다. (○ , ×)

7 절대적 빈곤과 상대적 빈곤을 판단하는 기준선은 시대에 따라 달라질 수 있다. (○ , ×)

8 상대적 빈곤에 해당하는 사람은 항상 절대적 빈곤에 해당한다. (○ , ×)

9 상대적 빈곤에 속한 인구가 감소해야 절대적 빈곤에 속한 인구가 감소한다. (○ , ×)

10 빈곤은 개인적으로는 근로 능력 상실, 성취 동기의 부족 등으로 나타날 수 있다. (○ , ×)

11 빈곤층에 대한 각종 고용 지원 제도와 자립 지원 제도 등은 빈곤 문제를 해결하기 위한 사회적 차원의 방안이다. (○ , ×)

정답 1 ○ 2 ○ 3 × 4 ○ 5 × 6 ×
7 ○ 8 × 9 × 10 ○ 11 ○

1 사회적 소수자

의미	신체적 또는 (❶　　　　　) 특성으로 인해 사회의 다른 구성원들과 구별되어 불평등한 처우를 받으며, 자신이 차별받는 집단에 속해 있다는 의식을 지닌 사람들
특성	(❷　　　　　)의 열세, 구별 가능성, 차별적 대우, 집단의식
차별 문제	• 개인적 차원: 소수자의 인권 침해 및 인간 존엄성 훼손, 교육 및 취업 등 다양한 사회적 기회 박탈 • 사회적 차원: 주류 집단과 소수 집단 간 대립과 갈등으로 사회 통합 저해
개선 방안	• 제도적 측면: 소수자 차별을 금지하는 법 제정, 차별을 시정하기 위한 제도 도입 • 의식적 측면: 사회 구성원들의 차별적 인식 교정, 사회적 소수자 집단 스스로 차별 개선을 적극적으로 요구하는 노력 필요

2 성 불평등

의미	남녀의 생물학적 및 사회적 성별 차이를 이유로 사회적 지위, 권력, 위세 등에서 특정 성이 차별받는 현상
원인	• (❸　　　　　)의 차별적 사회화 • (❹　　　　　)에 바탕을 둔 사회 구조
해결 방안	• 의식적 측면: 성차별의 문제점 인식, 성 역할에 대한 고정 관념 타파, (❺　　　　　) 의식과 상호 존중의 자세 함양 • 제도적 측면: 성차별적 요소가 있는 법률 및 제도 개선, 평등한 근무 환경 및 승진 기회 보장, 남녀가 함께 출산·양육을 담당할 수 있도록 제도적 지원 제공

3 빈곤

의미	인간의 기본적 욕구와 관련된 물질적 결핍이 만성적으로 지속되는 경제적 상태
유형	• 절대적 빈곤: 소득이 인간다운 (❻　　　　　)을 유지하는 데 필요한 기준에 미치지 못하는 상태 • 상대적 빈곤: 사회의 전반적인 소득 수준과 대비하여 소득 수준이 낮은 상태
원인	• 개인적 차원: 게으름, 무절제, 성취동기 부족 등 개인적 노력이나 능력 부족 • 사회 구조적 차원: 계급, 성, 인종 등에 의한 불평등한 사회 구조
해결 방안	• 개인적 차원: 빈곤 탈출 의지, 교육과 직업 훈련 등을 통한 능력 함양 • 사회적 차원: 기초 생활비 및 자녀 양육비 보조 등을 통해 빈곤층의 자립 지원

정답 ❶ 문화적 ❷ 권력 ❸ 성 역할 ❹ 가부장제 ❺ 성 평등 ❻ 최저 생활

탄탄 내신 문제

1 사회적 소수자

01 다음은 갑국의 전체 인구 대비 사회적 소수자의 구성비이다. 이를 통해 추론할 수 있는 내용으로 가장 적절한 것은?

① 사회적 소수자의 전체 합은 인구의 53.8%이다.
② 인구 구성비가 높을수록 차별의 정도가 심하다.
③ 사회적 소수자가 수적으로 소수를 의미하는 것은 아니다.
④ 인구 구성비가 낮은 집단일수록 사회적 관심이 더 필요하다.
⑤ 갑국의 사회적 소수자는 다른 사회에서도 소수자로 취급된다.

02 (가), (나)에 나타난 사회적 소수자 차별 양상에 대한 설명으로 가장 적절한 것은?

> (가) A 국가는 한동안 여성의 운전면허 발급을 법적으로 금지하였다. A 국가의 여성들은 남성에 비해 사회적 활동 범위가 좁다.
> (나) B 국가에는 첫 손님으로 여성을 받으면 운이 없다고 여기는 상인들이 많다. 이로 인해 여성 손님들과 종종 갈등을 겪기도 한다.

① (가)는 문화 상대주의의 입장에서 바라보아야 한다.
② (가)는 제도적 개선보다 의식 개혁을 우선해야 한다.
③ '여성이 제사에 참여하지 못하는 것'은 (가)와 같은 유형의 문제이다.
④ (나)는 법적·제도적 배제의 문제이다.
⑤ (가),(나)와 같은 문제가 심화되면 사회 통합을 저해할 수 있다.

03 신문 기사에 나타난 사회적 소수자 문제를 해결하기 위한 방안에 대한 옳은 설명을 〈보기〉에서 고른 것은?

> ## △△신문
>
> 이달부터 시행되는 '장애인 고용 촉진 및 직업 재활법'에 따르면 국가와 지방 자치 단체는 의무적으로 장애인을 공무원 정원의 일정 비율 이상 고용해야 한다. 또한, 50인 이상의 근로자를 고용하는 사업주도 장애인을 근로자 수의 일정 비율 이상 의무적으로 고용해야 한다.

┌ 보기 ┐
ㄱ. 형식적 평등과 깊은 관련이 있다.
ㄴ. 역차별의 문제가 나타날 수도 있다.
ㄷ. 개인적이고 의식적인 측면의 접근이다.
ㄹ. 사회 제도적 측면에서 문제를 개선하고자 한다.

① ㄱ, ㄴ   ② ㄱ, ㄷ   ③ ㄴ, ㄷ
④ ㄴ, ㄹ   ⑤ ㄷ, ㄹ

2 성 불평등

⭐**04** 다음 글의 주장과 관련이 깊은 성 불평등 현상에 대한 설명으로 옳지 <u>않은</u> 것은?

> 시몬 드 보부아르는 그녀의 책 『제2의 성』에서 "남성이 여성에게 신비함이라는 거짓된 아우라를 주입시켜 여성을 사회적 타자로 만들었다."라고 주장하였다. 또한, 여성은 태어나는 것이 아니고 그렇게 만들어지는 것이라고 말하였다.

① 성 불평등은 사회화를 통해 내면화된다.
② 남녀의 기질은 환경과 교육의 결과이다.
③ 성 불평등의 원인으로 사회적 성을 강조한다.
④ 성 역할은 문화적 환경 속에서 획득되고 형성된다.
⑤ 성 불평등 현상은 남녀의 신체적 특징에 근거한다.

05 갑과 을이 주장하는 성 불평등 현상에 대한 설명으로 옳은 것은?

> '유리 천장'이 여전하다고 봅니다. 예를 들어, 회식을 통한 사적 인간 관계를 중요하게 여기는 회사 문화에서 일과 육아를 병행하는 여성은 불리할 수밖에 없습니다.

> 5만 원권의 신사임당은 율곡의 어머니로 유명합니다. 주체적 여성이 아닌 양육자로서의 여성을 강조함으로써 여성의 역할을 한정시키고 있습니다.

갑   을

① 갑은 가부장적 사회 구조의 문제를 간과하고 있다.
② 갑은 겉으로 드러나는 제도적 불평등 사례에 대해 이야기하고 있다.
③ 을은 성 역할에 대한 고정 관념을 문제 삼고 있다.
④ 을의 주장은 제도적 측면의 개선을 통해 해결할 수 있다.
⑤ 갑과 을 모두 남성과 여성이 생물학적으로 다르게 태어난 것을 불평등의 원인으로 생각하고 있다.

06 표는 성별·연령대별 고용률을 나타낸 것이다. 이에 대한 분석 및 추론으로 적절한 것은?

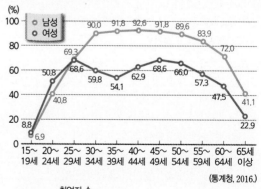

(통계청, 2016.)

$$*고용률(\%) = \frac{취업자\ 수}{15세\ 이상\ 인구} \times 100$$

① 여성 취업자 수는 25~29세에 가장 많다.
② 25~29세와 45~49세의 여성 취업자 수는 같다.
③ 여성은 출산과 육아로 인한 경력 단절이 나타난다.
④ 모든 연령대에서 남성 취업자 수가 여성보다 많다.
⑤ 30세 이후 남성의 소득은 여성의 소득보다 항상 많다.

07 다음은 우리나라의 성 불평등 문제를 개선하기 위한 방안이다. 이에 대한 옳은 설명을 〈보기〉에서 고른 것은?

> 정당이 비례 대표 국회 의원 선거 및 비례 대표 지방 의회 의원 선거에 후보자를 추천하는 때에는 그 후보자 중 100분의 50 이상을 여성으로 추천하되, 그 후보자 명부의 순위의 매 홀수에는 여성을 추천하여야 한다.
>
> – 「공직 선거법」 제47조 3항 –

┤ 보기 ├
ㄱ. 법률 및 제도적 노력에 해당된다.
ㄴ. 성 평등 의식 함양을 목표로 하고 있다.
ㄷ. 성별 과소 대표의 문제를 해결하고자 한다.
ㄹ. 제도적 개선을 통해 일과 가정의 양립을 추구한다.

① ㄱ, ㄴ   ② ㄱ, ㄷ   ③ ㄴ, ㄷ
④ ㄴ, ㄹ   ⑤ ㄷ, ㄹ

08 (가), (나)에 나타난 성 불평등 문제를 함께 해결하기 위한 방안으로 가장 적절한 것은?

> (가) 2014년 기준 남녀의 하루 가사 노동 시간은 남성이 42분, 여성이 3시간 5분으로, 여성이 남성보다 4.4배 가사 노동 시간이 많은 것으로 나타났다.
> (나) 남성은 남성다움을 강요당하며 성장한다. 남성은 성장하면서 분노 이외의 슬픔, 절망 등을 표현하는 것은 남자답지 않다고 교육받는다.

① 제도적 개선을 의식의 개선보다 우선시한다.
② 남녀의 역할을 명확히 하되 그 차이를 좁힌다.
③ 가부장제 사회에서 모계 중심 사회로 전환한다.
④ 양성평등을 위한 의식적, 제도적 개선을 위해 노력한다.
⑤ 여성 차별의 문제를 먼저 해결한 후 남성 차별의 문제를 해결한다.

3 빈곤

09 노래 가사에 나타난 사회적 현상에 대한 옳은 설명을 〈보기〉에서 고른 것은?

> 어려서부터 우리 집은 가난했었고
> 남들 다하는 외식 몇 번 한 적이 없었고
> 일터에 나가신 어머니 집에 없으면
> 언제나 혼자서 끓여 먹었던 라면
>
> – god, 「어머님께」 –

┤ 보기 ├
ㄱ. 개발 도상국에만 존재하는 현상이다.
ㄴ. 주로 정신적 결핍과 깊은 관련이 있다.
ㄷ. 사회적 안전망이 구축될 필요성이 있다.
ㄹ. 인간의 기본적 욕구 충족이 부족한 상태이다.

① ㄱ, ㄴ   ② ㄱ, ㄷ   ③ ㄴ, ㄷ
④ ㄴ, ㄹ   ⑤ ㄷ, ㄹ

10 다음은 사회 수업 시간의 한 장면이다. (가), (나)의 빈곤 유형에 대한 설명으로 옳은 것은?

> 〈빈곤 유형〉
> (가): 최소한의 생활을 유지하는 데 필요한 자원이나 생계비가 부족한 상태
> (나): 사회의 전반적인 소득 수준과 대비하여 소득 수준이 낮은 상태

① (가)의 빈곤은 경제 성장으로 완전히 해결할 수 있다.
② (가)의 경우 우리나라는 중위 소득의 50% 미만인 상태이다.
③ (나)는 개인이 느끼는 주관적 빈곤감에 의해 결정된다.
④ (가)는 (나)와 달리 빈곤의 객관적 기준이 없다.
⑤ (가),(나) 모두 사회 통합을 저해할 수 있다.

11 다음은 우리나라의 빈곤율 추이를 나타낸 것이다. 이에 대한 옳은 분석을 〈보기〉에서 고른 것은?

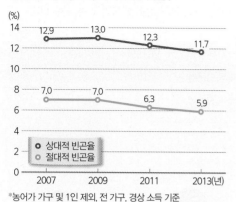

*농어가 가구 및 1인 제외, 전 가구, 경상 소득 기준

(통계청, 2016.)

┤ 보기 ├
ㄱ. 2007년과 2009년의 절대적 빈곤선은 일치한다.
ㄴ. 절대적 빈곤과 상대적 빈곤이 모두 완화되고 있다.
ㄷ. 모든 연도에서 상대적 빈곤선이 절대적 빈곤선보다 크다.
ㄹ. 2007년에 비해 2011년에 절대 빈곤 가구 수가 줄어 들었다.

① ㄱ, ㄴ 　　② ㄱ, ㄷ 　　③ ㄴ, ㄷ
④ ㄴ, ㄹ 　　⑤ ㄷ, ㄹ

13 다음 사례들에서 공통적으로 도출할 수 있는 결론으로 가장 적절한 것은?

• 갑국의 연구 결과에 의하면 부자가 가난한 사람보다 더 오래 사는 것으로 나타났다. 부자가 질병 예방에 더 많은 돈을 쓸 수 있기 때문이다.
• 고등학생인 김 모 학생은 의대에 진학하고 싶었으나 가난한 집안 형편에 등록금 및 수업료를 낼 자신이 없어 빨리 직업을 얻을 수 있는 직업 학교로 진학을 결정하였다.

① 가난과 불행감은 반비례한다.
② 건강과 신분 상승은 깊은 관련이 있다.
③ 빈곤은 개인의 삶에 제한적으로 영향을 미친다.
④ 빈곤은 성취동기를 유발하는 사회적 기능을 한다.
⑤ 빈곤은 개인의 삶과 사회 구조에 다차원적이고 복합적으로 영향을 미친다.

12 표는 A, B국의 빈곤율의 변화를 나타낸 것이다. 이에 대한 옳은 분석을 〈보기〉에서 고른 것은?

(단위: %)

구분	A국		B국	
	2010	2015	2010	2015
절대적 빈곤율	5	7	10	7
상대적 빈곤율	10	10	5	12

*모든 연도에서 A국 전체 가구 수는 B국 전체 가구 수의 두 배이다.

┤ 보기 ├
ㄱ. A국의 절대적 빈곤 가구 수가 증가하였다.
ㄴ. A국과 B국의 2010년 절대적 빈곤 가구 수는 같다.
ㄷ. 2015년에는 A국이 B국보다 절대적 빈곤 가구 수가 더 많다.
ㄹ. A국의 2010년 절대적 빈곤선과 B국의 2010년 상대적 빈곤선은 같다.

① ㄱ, ㄴ 　　② ㄱ, ㄷ 　　③ ㄴ, ㄷ
④ ㄴ, ㄹ 　　⑤ ㄷ, ㄹ

14 빈곤 문제의 해결 방안 (가), (나)에 대한 설명으로 옳은 것은?

(가) 빈곤층이 빈곤에서 벗어나고자 하는 의지를 갖도록 돕는다. 또한, 교육과 직업 훈련을 통해 경제 활동 능력을 키우도록 한다.
(나) 빈곤층에 대한 기초 생활비 및 자녀 양육비를 지급한다. 또한, 빈곤층에 대한 비난이나 사회적 낙인을 찍지 않도록 한다.

① (가) 방안에 동의하는 사람은 '누진세 도입'에도 찬성할 것이다.
② 빈곤과 사회적 모순이 관련이 깊다고 생각하는 사람은 (가) 방안을 제시할 것이다.
③ (나) 방안의 사례로는 '기초 연금 제도'가 있다.
④ (나) 방안을 주장하는 사람은 빈곤의 원인으로 무절제, 게으름을 강조한다.
⑤ (가)보다 (나) 방안이 빈곤 감소에 효과적이다.

15 다음과 같은 외국인 노동자 차별 문제를 해결하기 위해 제시할 수 있는 해결책을 두 가지 서술하시오.

> 한국에 온 외국인 노동자 갑 씨는 지난해 한 공장에서 일하다 기계에 손을 심하게 다쳐 다섯 차례나 수술을 받았지만, 보상금 한 푼 없이 퇴원할 수밖에 없었다. 갑 씨가 한국말에 서투른 점을 악용해 회사 대표가 "이미 보상금을 지급했으니 돈을 줄 수 없다."라고 잡아뗐기 때문이다. 갑 씨는 월급 120만 원을 받는 처지임에도 90만 원을 치료비로 내고 퇴원했지만, 지금도 후유증을 겪고 있다. 이처럼 한국 사회에서 외국인 노동자에 대한 임금과 근로 조건에서의 차별, 그리고 폭언과 편견이 담긴 시선으로 인한 상처 등의 문제가 발생하고 있는 것은 빠른 속도로 외국인 노동자가 늘어난 것에 적절히 대응하지 못했기 때문이다. 또한, 외국인 노동자들의 사회적 부적응도 하나의 원인이다.

16 다음 글을 읽고 물음에 답하시오.

> 사회학자 레노르 바이츠만이 취학 전 아동이 읽는 동화책을 분석한 결과, 여성의 그림이나 사진이 23개인 데 비해 남성의 그림이나 사진은 261개로 나타났다. 또한, 남성은 모험가, 사냥꾼, 용사, 선원, 군인, 의사, 노동자 등 활동적이고 분주한 모습으로 나타났으나 여성은 남성을 보조하는 수동적인 존재로 그려졌다.

(1) 윗글에 나타난 사회 불평등 현상을 쓰시오.

(2) 윗글에 나타난 사회 불평등 현상의 원인을 두 가지 서술하시오.

17 다음은 A국의 빈곤율 표를 보고 갑과 을이 나눈 대화이다. 이를 보고 물음에 답하시오. (단, 제시된 모든 연도에서 전체 가구 수는 동일하며 최저 생계비의 변화는 없다.)

(단위: %)

구분	2013년	2014년	2015년
절대적 빈곤율	10	9	8
상대적 빈곤율	10	8.8	6

2013년에 상대적 빈곤율과 절대적 빈곤율은 같지만 빈곤선이 동일하다고는 할 수 없어.
갑

소득 불평등이 점차 완화되고 있어.
을

(1) 갑과 같이 말할 수 있는 근거를 서술하시오.

(2) 을과 같이 주장할 수 있는 이유를 서술하시오.

18 다음 사례는 빈곤 문제를 어떤 차원에서 바라보고 해결하고자 하였는지 서술하시오.

> 1976년 방글라데시에 설립된 그라민 은행은 담보가 없는 가난한 사람들에게 돈을 빌려주어 빈곤을 퇴치할 수 있는 길을 열고자 하였다. 이를 위해 가난한 사람만을 대상으로 보증 없이 대출이 가능하도록 하고 조금씩 오랜 기간 걸쳐 갚아 나가도록 하였다. 그라민 은행을 처음 설립한 방글라데시의 경제학자 유누스는 "인간의 가능성을 믿고 적절한 환경만 제공해 주면 가난한 사람들은 스스로 가난에 벗어날 수 있다."라고 말하였다.

01 | 수능 기출 |
다음 글을 통해 추론할 수 있는 내용으로 가장 적절한 것은?

> A 종교가 국교(國敎)인 사회에서는 B 종교 신자는 사회적 소수자가 될 수 있다. 반대로 A 종교 신자는 B 종교가 지배적인 사회에 가면 사회적 소수자가 될 수 있다.

① 사회적 소수자는 사회에 의해 규정된다.
② 사회적 소수자는 역차별에 의한 결과이다.
③ 한 사회 안에서 지배 집단이 사회적 소수자가 되기도 한다.
④ 사회적 소수자는 권력 관계보다는 집단의 크기에 의해 결정된다.
⑤ 사회적 소수자 집단 내에서도 또 다른 사회적 소수자가 존재한다.

02 | 교육청 기출 |
다음 사례에서 공통적으로 도출할 수 있는 결론으로 가장 적절한 것은?

> • 계약직 직원인 갑은 동료들이 기피하는 일까지 도맡아 5년간 성실히 근무했지만 임금은 같은 일을 하는 정규직 동료 직원의 초임에도 미치지 못한다.
> • 비정규직 파견 근로자인 을은 같은 일을 하는 정규직 직원들과 달리 2년째 사원증이 아닌 출입증을 발급받아 회사에 출입하고 있으며, 회사에서 쓰는 식권의 색깔도 다르다.

① 비정규직 근로자의 고용 불안이 가중되고 있다.
② 비정규직 근로자가 직장 내에서 차별 대우를 받고 있다.
③ 비정규직과 정규직 근로자 간에 임금 격차가 커지고 있다.
④ 비정규직 근로자가 직장 내 서비스 이용에서 불리한 대우를 받고 있다.
⑤ 비정규직 근로자와 정규직 근로자 간의 직장 내 업무 구분이 명확해지고 있다.

03 | 평가원 기출 |
(가), (나)에 나타난 사회적 소수자에 대한 내용으로 옳지 않은 것은?

> (가) 갑은 자국에서는 대학을 졸업한 우수한 인재로 대접받았지만, A국에서는 이주 노동자로서 차별을 당하고 있다.
> (나) B국에서는 흑인이 인구의 다수를 차지하지만, 권력을 독점한 소수의 백인이 흑인의 공직 참여 기회를 제한하고 있다.

① (가)는 역차별에 의해 사회적 소수자가 나타남을 보여 준다.
② (가)는 특정 사회의 사회적 소수자가 다른 사회에서는 사회적 소수자가 아닐 수 있음을 보여 준다.
③ (나)는 사회적 소수자가 사회적으로 불평등한 대우를 받고 있음을 보여 준다.
④ (나)는 사회적 소수자가 집단의 크기에 의해 결정되는 것은 아님을 보여 준다.
⑤ (가), (나) 모두 특정 집단이 주류 집단과 다른 특성을 보인다는 이유로 사회적 소수자가 될 수 있음을 보여 준다.

04 | 교육청 응용 |
다음 글을 통해 도출할 수 있는 옳은 내용을 〈보기〉에서 고른 것은?

> ### △△신문
>
> ○○ 게임 회사는 직원 중 35%가 여성이며 여성 리더의 비율이 높다. ○○ 게임 회사의 한 임원은 여성이 고위직으로 승진하는 과정에서 보이지 않는 장벽에 부딪히는 현상인 '유리 천장'이 없기 때문에 누구나 여성 리더가 될 수 있다고 강조한다.

| 보기 |
ㄱ. 유리 천장 현상은 여성의 능력 부족에 기인한다.
ㄴ. 유리 천장의 제거로 기회의 공정성이 제고될 것이다.
ㄷ. 유리 천장은 조직 내의 차별이 제도적으로 나타난 현상이다.
ㄹ. 직장 내 양성평등 문화의 확산이 유리 천장 현상을 완화하는 데 기여한다.

① ㄱ, ㄴ   ② ㄱ, ㄷ   ③ ㄴ, ㄷ
④ ㄴ, ㄹ   ⑤ ㄷ, ㄹ

| 교육청 응용 |

05 밑줄 친 ⊙, ⓒ에 대한 설명으로 옳은 것을 〈보기〉에서 고른 것은?

> ⊙ 절대적 빈곤은 최소한의 생활 수준을 유지하는 데 필요한 자원이나 소득이 절대적으로 부족한 상태이다. 이에 비해 ⓒ 상대적 빈곤은 다른 사람들보다 자원이나 소득을 상대적으로 적게 가져 대다수의 사회 구성원들이 누리는 생활 수준에 미치지 못하는 상태이다. 오늘날 절대적 빈곤의 문제는 완화되고 있지만, 상대적 빈곤의 문제는 여전히 심각하다.

> | 보기 |
> ㄱ. ⊙은 대부분의 사회에서 나타난다.
> ㄴ. ⊙과 ⓒ을 판단하는 기준선은 사회에 따라 다를 수 있다.
> ㄷ. ⓒ에 해당하는 사람은 항상 ⊙에 해당한다.
> ㄹ. ⓒ에 속한 인구가 감소해야 ⊙에 속한 인구가 감소한다.

① ㄱ, ㄴ   ② ㄱ, ㄷ   ③ ㄴ, ㄷ
④ ㄴ, ㄹ   ⑤ ㄷ, ㄹ

| 교육청 응용 |

06 자료는 갑국의 전체 가구를 대상으로 조사한 빈곤율을 나타낸 것이다. 이에 대한 분석으로 옳은 것은?

> 갑국에서 절대적 빈곤율은 가구 소득이 최저 생계비 미만인 가구의 비율, 상대적 빈곤율은 *중위 소득의 50% 미만인 가구의 비율을 의미한다. 그리고 갑국의 최저 생계비는 가구 규모와 상관없이 금액이 일정하다.

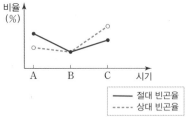

> *중위 소득 전체 가구를 소득순으로 배열했을 때 한가운데 위치한 가구의 소득

① C 시점은 B 시점보다 상대적 빈곤 가구 수가 많다.
② B 시점의 절대적 빈곤선과 상대적 빈곤선은 일치한다.
③ C 시점에서 최저 생계비의 2배는 중위 소득보다 적다.
④ A 시점에 비해 C 시점에 절대적 빈곤 가구 수가 감소하였다.
⑤ 절대적 빈곤과 상대적 빈곤 모두에 해당되는 가구 비율은 A 시점이 가장 높다.

07 표에 대한 옳은 분석을 〈보기〉에서 고른 것은?

(단위: %)

구분	2010년	2013년	2016년
절대적 빈곤율	8	5	4
상대적 빈곤율	4	5	8

*절대적 빈곤율 전체 가구에서 소득이 최저 생계비 미만인 가구의 비율
*상대적 빈곤율 전체 가구에서 소득이 중위 소득의 50% 미만인 가구의 비율

> | 보기 |
> ㄱ. 최저 생계비 기준 금액이 점점 적어지고 있다.
> ㄴ. 2013년에는 중위 소득이 최저 생계비의 2배이다.
> ㄷ. 2010년에 상대적 빈곤 가구는 모두 절대적 빈곤 가구에 해당한다.
> ㄹ. 전체 가구 수에 변화가 없다면 2010년의 상대적 빈곤 가구 수와 2016년 절대적 빈곤 가구 수는 같다.

① ㄱ, ㄴ   ② ㄱ, ㄷ   ③ ㄴ, ㄷ
④ ㄴ, ㄹ   ⑤ ㄷ, ㄹ

| 평가원 기출 |

08 그림에 대한 분석으로 옳은 것을 〈보기〉에서 있는 대로 고른 것은? (단, 이 기간 동안 A~C국의 전체 가구 수와 절대적 빈곤 가구 수는 지속적으로 증가하였으며, 모든 가구의 구성원 수는 동일하다.)

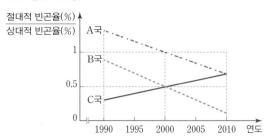

*절대적 빈곤율 전체 가구에서 소득이 최저 생계비 미만인 가구의 비율
*상대적 빈곤율 전체 가구에서 소득이 중위 소득의 50% 미만인 가구의 비율
*중위 소득 전체 가구를 소득순으로 배열했을 때 한가운데 위치한 가구의 소득

> | 보기 |
> ㄱ. 1990년부터 2000년까지 B국의 상대적 빈곤 가구 수는 증가하였고, C국의 상대적 빈곤 가구 수는 감소하였다.
> ㄴ. 1990년부터 2010년까지 A국에서 절대적 빈곤 가구 수의 증가율보다 상대적 빈곤 가구 수의 증가율이 더 낮다.
> ㄷ. 1995년부터 2010년까지 B국에서 중위 소득의 1/2이 최저 생계비보다 크다.
> ㄹ. 2005년부터 2010년까지 A국, B국, C국 모두에서 절대적 빈곤 가구는 모두 상대적 빈곤 가구에 속한다.

① ㄱ, ㄴ   ② ㄴ, ㄷ   ③ ㄷ, ㄹ
④ ㄱ, ㄴ, ㄹ   ⑤ ㄱ, ㄷ, ㄹ

| 평가원 응용 |

09 자료에 대한 분석으로 옳은 것은?

> 표는 갑국과 을국의 절대적 빈곤 가구 수(A) 대비 상대적 빈곤 가구 수(B)의 변화이다. 두 국가 모두 2000년에서 2010년 사이에 최저 생계비는 지속적으로 증가하였다. (단, 모든 가구의 구성원 수는 동일하다.)

구분	2000년	2005년	2010년
갑국(B/A)	0.5	1	1.5
을국(B/A)	2	1	0.5

*절대적 빈곤 가구 소득이 최저 생계비 미만인 가구
*상대적 빈곤 가구 소득이 중위 소득의 50% 미만인 가구
*중위 소득 전체 가구를 소득순으로 배열했을 때 한가운데 위치한 가구의 소득

① 2000년에 갑국의 절대적 빈곤선은 상대적 빈곤선의 2배이다.
② 2000년부터 갑국은 절대적 빈곤선과 상대적 빈곤선이 모두 높아졌다.
③ 2005년 갑국과 을국의 절대 빈곤 가구 수는 동일하다.
④ 2010년 갑국에서 중위 소득 대비 최저 생계비의 비율은 50% 이상이다.
⑤ 을국은 빈부 격차가 꾸준히 개선되고 있다.

| 평가원 기출 |

10 자료는 갑국의 빈곤율을 나타낸 것이다. 이에 대한 분석으로 옳은 것은? (단, 갑국 모든 가구의 구성원 수는 동일하다.)

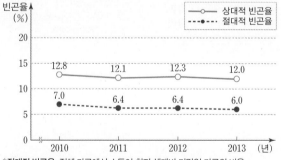

*절대적 빈곤율 전체 가구에서 소득이 최저 생계비 미만인 가구의 비율
*상대적 빈곤율 전체 가구에서 소득이 중위 소득의 50% 미만인 가구의 비율
*중위 소득 전체 가구를 소득순으로 배열했을 때 한가운데 위치한 가구의 소득

① 2010년에 상대적 빈곤 가구는 모두 절대적 빈곤 가구다.
② 2011년 상대적 빈곤 가구의 인구는 절대적 빈곤 가구의 인구보다 2배 이상 많다.
③ 전년 대비 2012년 상대적 빈곤 가구 수는 증가했고 절대적 빈곤 가구 수는 변함이 없다.
④ 2013년 중위 소득은 같은 해 최저 생계비의 2배이다.
⑤ 제시된 모든 연도에서 중위 소득 대비 최저 생계비 비율은 50% 미만이다.

| 평가원 응용 |

11 자료에 대한 옳은 분석을 〈보기〉에서 있는 대로 고른 것은?

> 표는 갑국의 절대적 빈곤 가구 비율과 상대적 빈곤 가구 비율의 변화를 나타낸 것이다. 2010년에 최저 생계비는 중위 소득의 50% 미만이었으며, 2000년에서 2010년 사이에 최저 생계비는 지속적으로 증가하였다. (단, A, B는 각각 절대적 빈곤 가구와 상대적 빈곤 가구 중 하나이며, 모든 가구의 구성원 수는 동일하다.)

(단위: %)

구분	2000년	2005년	2010년
A	5	7	10
B	9	7	5

*절대적 빈곤 가구 소득이 최저 생계비 미만인 가구
*상대적 빈곤 가구 소득이 중위 소득의 50% 미만인 가구
*중위 소득 전체 가구를 소득순으로 배열했을 때 한가운데 위치한 가구의 소득

〈 보기 〉
ㄱ. 2000년 대비 2005년에 중위 소득 증가율이 최저 생계비 증가율보다 더 크다.
ㄴ. 2000년에 절대적 빈곤 가구는 모두 상대적 빈곤 가구에 속한다.
ㄷ. 2000년의 전체 가구 소득 중 A의 소득 점유 비중은 5% 미만이다.
ㄹ. 2010년에 상대적 빈곤선은 절대적 빈곤선보다 높다.

① ㄱ, ㄴ   ② ㄴ, ㄹ   ③ ㄷ, ㄹ
④ ㄱ, ㄴ, ㄷ   ⑤ ㄱ, ㄷ, ㄹ

12 다음 글을 통한 추론으로 적절하지 <u>않은</u> 것은?

> '빈곤 갭'은 상대적 빈곤선에 해당하는 소득과 하위 소득 계층에 속하는 사람들의 소득 차이 정도를 나타낸 지표이다. 예를 들어, 상대적 빈곤선 소득이 100만 원이고 하위 소득 계층(소득이 중위 소득의 50% 미만에 해당하는 계층)의 평균 소득이 60만 원이라면 빈곤 갭은 {(100−60)/100}×100으로 40%이다.

① 우리나라에서 상대적 빈곤선은 중위 소득의 50%이다.
② 하위 소득 계층은 상대적 빈곤선 미만의 소득 계층이다.
③ 하위 소득 계층의 평균 소득이 낮을수록 빈곤 갭은 커진다.
④ 빈곤층을 대상으로 한 재정 지원은 빈곤 갭에 큰 영향을 끼치지 않는다.
⑤ 하위 소득 계층은 상대적 빈곤선 이상의 소득을 벌어야 빈곤에서 벗어날 수 있다.

03 사회 복지와 복지 제도

1 사회 복지의 의미와 유형

1. 사회 복지의 의미

(1) **의미** 사회 구성원의 기본적 욕구를 충족하여 삶의 조건을 보장하고, 이를 통해 궁극적으로 사회 통합을 달성하려고 하는 사회적 활동의 총체

(2) **필요성** 사회 구성원 누구나 빈곤, 질병, 장애, 실업과 같은 어려움에 직면할 수 있음.

(3) **발달 과정** 자료 01 ┌ 개인의 안정적인 삶을 위협하며, 사회 문제를 일으키기도 하므로 이에 대비한 복지 정책이 필요하다.

자유방임주의[2] 시대에는 빈곤의 책임이 개인에게 있다고 봄.	→	빈부 격차, 실업 등이 심화되면서 국가 개입의 필요성이 증대됨.	→	국민의 인간다운 삶을 목적으로 정책을 세워 추진하는 복지 국가가 등장함.

2. 사회 보장 제도의 유형 자료 02

분석 일정 수준 이하의 저소득 계층을 대상으로 한다.
분석 보험료 부담 능력이 있는 모든 국민을 대상으로 한다.

구분	공공 부조	사회 보험	사회 서비스
의미	생활 유지 능력이 없거나 생활이 어려운 국민의 최저 생활을 보장하고 자립을 지원하는 제도	국민에게 미래에 발생할 수 있는 사회적 위험을 보험 방식으로 대처하여 국민의 건강과 소득을 보장하는 제도	도움이 필요한 모든 국민에게 복지 서비스 혜택을 지원하는 제도 ┌ **분석** 주로 사회적 취약 계층이 대상이다.
특징	• 사후 처방적임. • 금전적·물질적 급여 제공 • 소득 배분배 효과가 큼. • 비용 전액을 국가와 지방 자치 단체가 부담함. • 수혜자와 부담자가 불일치함.	• 사전 예방적, 상호 부조적임. • 금전적 지원, 강제 가입이 원칙 • 경제적 능력에 따라 보험료를 차등 부담하고, 위험이 발생했을 때 비슷한 수준의 보험 급여를 지급함. → 소득 재분배 효과 • 수혜자와 부담자가 일치함.	• 비금전적 지원이 원칙 • 상담, 재활, 돌봄, 정보 제공, 관련 시설의 이용, 역량 개발, 사회 참여 지원 등을 통하여 국민의 삶의 질 향상 • 공공 부문뿐 아니라 민간 부문에서도 함께 제공함.
한계	• 국가 재정 부담이 큼. • 부정적 낙인, 근로 의욕 저하	복지 사각지대 발생 가능	보조적 사회 보장에 그침.
종류	국민 기초 생활 보장 제도, 의료 급여, 기초 연금[4] 등	국민연금, 국민 건강 보험, 고용 보험, 산업 재해 보상 보험, 노인 장기 요양 보험 등	노인 돌봄 서비스, 장애인 활동 지원, 산모·신생아 건강 관리 지원, 가사·간병 방문 지원 등

2 복지 제도의 역할과 한계

1. 복지 제도의 역할

개인적 차원	• 질병, 사고, 산업 재해, 노령 등의 위험을 극복할 수 있도록 도움. • 최소한의 인간다운 삶을 살아갈 수 있도록 지원함.
사회적 차원	• 사회 구조와 제도를 개선함. • 인간 존엄성 및 인간다운 생활을 할 권리를 실현하여 사회 안정과 통합에 기여함.

2. 복지 제도의 한계와 극복 방안

(1) 복지 예산이 부족하여 복지 수요에 비해 복지 수준이 낮은 문제가 나타날 수 있음. → 사회적 합의를 통해 복지 예산을 확충하려는 노력이 필요함.

(2) 복지 사각지대에 놓여 혜택을 받지 못하거나 복지 제도를 악용하여 부정 수급하는 사례가 있음. → 필요한 사람에게 실질적인 혜택이 돌아가도록 복지 제도를 개편하려는 노력이 필요함.

(3) 복지 정책 강화의 부작용으로 근로 의욕이 줄어들고 생산성, 효율성이 저하되는 복지병[5]이 나타날 수 있음. → 근로 장려 세제 등 생산적 복지[6] 정책이 필요함. 자료 03

---

[1] 사회 복지 이념의 변화

근대 사회	• 극빈층의 빈곤 구제 목적 • 빈곤의 개인적 책임 강조 • 시혜적·사후 처방적 성격

↓

현대 사회	• 모든 국민의 삶의 질 개선 목적 • 빈곤의 사회적 책임 강조 • 국민의 권리로 인식 • 사전 예방적 성격

[2] 자유방임주의

개인의 경제 활동의 자유를 최대한 보장하고, 이에 대한 국가의 간섭을 가능한 배제하려는 경제사상 및 정책이다. 초기 자본주의 사회에서 주로 나타났다.

고득점을 위한 셀파 Tip

• 사회 보장 제도의 유형

공공 부조	저소득 계층의 최저 생활을 보장
사회 보험	보험 방식으로 국민의 건강과 소득을 보장
사회 서비스	도움이 필요한 모든 국민에게 복지 서비스 혜택 지원

[3] 사회 보험과 민간 보험

민간 보험은 사회 보험과 달리 개인적 필요에 따라 임의로 가입하며, 주로 수혜자 본인의 부담을 통해 보장이 이루어진다. 반면, 사회 보험은 가입자 개인과 기업, 정부가 공동으로 분담하여 재원을 마련한다.

[4] 기초 연금

노인 세대의 안정된 노후 생활을 지원하기 위한 제도로, 65세 이상인 노인 중 가구의 소득 인정액이 선정 기준 이하인 노인에게 매월 연금을 지급하는 제도이다.

[5] 복지병

과도한 복지에 따른 부작용을 일컫는 말로, 근로 의욕 저하와 도덕적 해이, 조세 부담 증가에 따른 기업 활동 위축, 과도한 정부 재정 부담 등 생산성과 경제적 효율성을 저하시키는 복지 정책의 부작용을 포괄적으로 지칭한다.

[6] 생산적 복지

일하는 사람을 위한 복지를 의미하는 것으로, 사람들이 생산 활동에 참여하여 근로 소득을 얻도록 유도하는 복지 정책을 말한다. 복지와 경제적 생산성을 동시에 추구하는 것이 특징이다.

셀파 자료 탐구

자료 01 베버리지 보고서

베버리지 보고서는 1942년 베버리지가 영국 의회의 의뢰를 받아 제출한 「사회 보험과 관련 서비스」라는 보고서이다. 베버리지는 '궁핍'을 없애는 것이 사회 보장의 궁극적인 목표라고 보았다. 이를 위해 '완전 고용 보장, 포괄적 의료 보험 제도, 아동 수당 도입, 사회 보험의 통합 관리, 복지 비용에서 개인과 정부의 공동 참여' 등을 통해 포괄적이고 체계적인 사회 보장 제도를 수립해야 한다고 주장하였다. 1945년 노동당 집권 이후, 이 보고서에서 제시된 사회 보장 제도가 상당 부분 실현되면서 영국에서는 '요람에서 무덤까지'라고 불리는 모든 국민의 전 생애를 대상으로 하는 보편적 복지 제도가 만들어졌다.

자료 분석 | 영국 정부는 베버리지 보고서 내용을 정책으로 실현하면서 빈곤층을 위한 최저 생활 수준 보장을 권리의 문제로 보아 국민의 생존권을 확보하였다. 또한, 임금 노동자에 한정되었던 이전의 복지 제도를 전체 국민으로까지 확대하여 보편적 복지 제도의 기틀을 마련하였다.

자료 02 우리나라의 다양한 사회 복지 제도

(가) 국민 기초 생활 보장 제도

저소득층의 최저 생활 보장과 자활을 목적으로 하는 사회 보장 제도이다. 국민 기초 생활 보장법은 1999년에 제정되어 2000년부터 시행되었다. 수급을 위해서는 저소득 가구의 가구원이나 그 친족 및 기타 관계인이 급여를 신청해야 하고 담당 공무원이 해당 가구의 소득과 재산 등을 조사한 후 적합 여부를 결정한다. 생계 급여, 주거 급여, 교육 급여, 의료 급여 등이 있다.

(나) 노인 장기 요양 보험 제도

고령이나 노인성 질병 등으로 일상생활이 어려운 노인에게 신체 활동 또는 가사 지원 등의 장기 요양 급여를 제공한다. 노후 생활의 안정과 가족의 부담을 덜어 주기 위한 제도로 2008년 7월부터 시행되었다. 수급자에게는 배설, 목욕, 식사, 취사, 조리, 세탁, 청소, 간호, 진료 보조 또는 요양 상담 등의 다양한 형태로 장기 요양 서비스를 제공한다. 그 종류에는 재가 급여, 시설 급여, 특별 현금 급여 등이 있다.

자료 분석 | (가)는 저소득층을 대상으로 하는 공공 부조이고, (나)는 보험 방식으로 운영되는 사회 보험이다. 고령화에 대한 대응책의 하나로 기초 연금과 함께 도입된 노인 장기 요양 보험 제도는 기본적으로 사회 보험 형태로 운영되지만, 금전적 지원과 함께 여러 서비스가 제공되기 때문에 사회 서비스로서의 특징도 함께 지니고 있다.

자료 03 생산적 복지 제도

- 근로 장려 세제: 생계 유지가 어려운 저소득 근로 가구에 대하여 근로 장려금을 지급하는 근로 연계형 소득 지원 제도이다. 저소득층의 근로 소득이 높아질수록 더 많은 근로 장려금을 지급하다 소득이 일정 수준을 넘으면 근로 장려금을 점차 줄이도록 하여 근로 유인을 제공한다.
- 희망 키움 통장: 근로 소득이 있는 기초 생활 수급자 가구를 대상으로, 한 달에 월 10만 원씩 3년 동안 저축하면 원금과 이자와 더불어 국가의 근로 소득 장려금과 민간 지원금을 덧붙여 목돈 마련을 돕는 제도이다. 가입한 지 3년 이내에 기초 생활 수급자에서 벗어나면 저축 금액의 최대 7배까지 받을 수 있도록 하였다.
- 자활 근로 사업: 근로 능력이 있는 저소득층에게 근로 기회를 제공하고, 자활 사업 참여를 조건으로 생계 급여를 제공하여 근로를 장려하는 제도이다.

자료 분석 | 제시된 제도들은 모두 근로를 조건으로 복지 혜택을 제공하는 생산적 복지의 사례이다. 생산적 복지는 일방적으로 복지 혜택을 주는 것이 아니라 복지의 수혜자가 자립할 수 있는 기회를 제공한다.

기출 선택지 ○, ✕로 정리하기

1 공공 부조보다 사회 보험이 수혜 대상자의 범위가 좁다.

(○ , ✕)

2 공공 부조의 재원 마련은 수혜자 부담을 원칙으로 한다.

(○ , ✕)

3 공공 부조는 금전이나 물품 지원을 원칙으로 한다.

(○ , ✕)

4 사회 보험은 공공 부조에 비해 사후 처방적 성격이 강하다.

(○ , ✕)

5 사회 보험은 공공 부조와 달리 상호 부조의 원칙이 적용된다.

(○ , ✕)

6 사회 보험은 빈곤층의 최저 생활 보장을 목적으로 한다.

(○ , ✕)

7 사회 서비스는 대상자 선정 과정에서 부정적 낙인이 발생할 수 있다.

(○ , ✕)

8 사회 서비스는 비금전적 지원을 원칙으로 한다.

(○ , ✕)

9 복지 제도는 최소한의 인간다운 생활과 인간의 존엄성을 보장하려고 노력한다.

(○ , ✕)

10 과도한 사회 보장은 오히려 근로 의욕을 감퇴시키고 사회 전반적으로 생산성과 효율성을 떨어뜨리는 결과를 초래하는데, 이를 복지병이라고 한다.

(○ , ✕)

11 생산적 복지는 개인의 자립 자활을 강조하는 사회 보험이다.

(○ , ✕)

정답 1✕ 2✕ 3○ 4✕ 5○ 6✕
7✕ 8○ 9○ 10○ 11✕

1 사회 복지의 의미와 유형

의미	사회 구성원의 기본적 욕구를 충족하여 삶의 조건을 보장하고, 이를 통해 궁극적으로 (❶)을 달성하려고 하는 사회적 활동의 총체
발달 과정	자유방임주의에 기초한 초기 자본주의 시대에는 빈곤의 책임이 개인에게 있다고 봄. → 빈부 격차, 실업 등이 심화되면서 이를 해결하고 국민의 인간다운 삶을 보장하기 위한 (❷)가 등장함.
유형	**공공 부조** • 목적: 국민의 최저 생활 보장 • 대상: 일정 수준 이하의 저소득 계층 • 특징: 사후 처방적, 비용 전액 국가 부담, 수혜자와 부담자의 불일치, 부정적 낙인 우려, (❸) 효과가 큼. • 종류: 국민 기초 생활 보장 제도, 의료 급여, 기초 연금 등
	사회 보험 • 목적: 미래의 사회적 위험에 보험 방식으로 대비 • 대상: 보험료 부담 능력이 있는 모든 국민 • 특징: 강제 가입, 사전 예방적, 상호 부조적, (❹)에 따른 비용 부담, 수혜자 부담 원칙 • 종류: 국민 건강 보험, 국민연금, 고용 보험, 산업 재해 보상 보험, 노인 장기 요양 보험 등
	사회 서비스 • 목적: 도움이 필요한 국민에게 다양한 지원을 통한 삶의 질 향상 • 대상: 도움이 필요한 모든 국민 • 특징: (❺) 지원, 공공·민간 부문이 함께 제공 • 종류: 노인 돌봄 서비스, 장애인 활동 지원, 산모·신생아 건강 관리 지원, 가사·간병 방문 지원 등

2 복지 제도의 역할과 한계

역할	• 개인적 차원: 질병, 사고, 산업 재해, 노령 등의 위험을 극복할 수 있도록 하고, 최소한의 인간다운 삶을 살아갈 수 있도록 지원함. • 사회적 차원: 인간 존엄성 및 인간다운 생활을 할 권리를 실현하여 사회 안정과 통합에 기여함.
한계	복지 사각지대의 존재, 급여 부정 수급 발생, 생산성과 효율성이 저하되는 (❻) 발생
극복 방안	사회적 합의를 통한 복지 예산 확충, 복지 예산 낭비와 복지 제도 악용 방지, (❼) 추구

정답 ❶ 사회 통합 ❷ 복지 국가 ❸ 소득 재분배 ❹ 경제적 능력 ❺ 비금전적 ❻ 복지병 ❼ 생산적 복지

1 사회 복지의 의미와 유형

01 다음 중 빈곤 및 사회 복지와 관련된 설명으로 옳지 않은 것은?

① 사회 복지는 궁극적으로 사회 통합을 목표로 한다.
② 현대 복지 국가는 빈곤 구제뿐 아니라 국민의 삶의 질 개선을 목표로 한다.
③ 빈곤은 개인의 안정적인 삶을 위협할 뿐만 아니라 사회 문제를 일으키기도 한다.
④ 사회 복지는 사회 구성원의 기본적 욕구를 충족하여 삶의 조건을 보장하는 것이다.
⑤ 자유방임주의에 기초한 초기 자본주의 시대에는 빈곤의 책임이 국가에 있다고 여겼다.

02 다음 글의 내용에 부합하는 주장으로 가장 적절한 것은?

> 1942년 베버리지는 포괄적이고 체계적인 사회 보장 제도를 수립해야 한다는 내용의 「베버리지 보고서」를 내놓았다. 1945년 노동당 집권 이후, 이 보고서에 제시된 사회 보장 제도가 상당 부분 실현되면서 영국에서는 '요람에서 무덤까지'라고 불리는 전 생애를 대상으로 하는 복지 제도가 만들어졌다. 즉, 영국 정부는 빈곤층을 위한 최저 생활 수준 보장을 권리의 문제로 보아 국민의 생존권을 확보하였으며, 임금 노동자에 한정하였던 이전의 복지 제도를 국민 전체로 확대하여 시행하였다.

① 빈곤에 대한 책임은 개인에게 있다.
② 빈곤은 시장을 통해 해결해야 한다.
③ 사회 복지는 빈곤층을 대상으로 한정적으로 시행되어야 한다.
④ 국가는 모든 국민의 최저 생활 수준을 의무적으로 보장해야 한다.
⑤ 국민의 생존권 확보가 다른 어떤 권리의 실현보다 우선되어야 한다.

03 다음은 수업 내용을 정리한 노트의 일부분이다. (가), (나)에 대한 옳은 설명을 〈보기〉에서 있는 대로 고른 것은?

〈우리나라의 사회 보장 제도〉

· (가) : 산업 재해 근로자와 그 가족의 생활을 보장하기 위하여 국가가 사업주에게 소정의 보험료를 징수하여 산업 재해 근로자에게 보상을 해 주는 제도

· (나) : 노인 세대의 안정된 노후 생활을 지원하기 위한 제도로, 65세 이상인 노인 중 가구의 소득 인정액이 선정 기준 이하인 노인에게 매월 연금을 지급하는 제도

┤보기├

ㄱ. (가)는 사전 예방적 성격을 갖는다.
ㄴ. (나)는 소득 재분배 효과가 발생한다.
ㄷ. (가), (나) 모두 금전적 지원을 원칙으로 한다.
ㄹ. (가)와 달리 (나)는 상호 부조의 원리가 적용된다.

① ㄱ, ㄴ   ② ㄱ, ㄹ   ③ ㄴ, ㄷ
④ ㄱ, ㄴ, ㄷ   ⑤ ㄴ, ㄷ, ㄹ

04 그림은 우리나라 사회 보장 제도 중 하나를 나타낸 것이다. 이에 대한 설명으로 옳은 것은? (단, 그림의 사회 보장 제도는 사회 보험, 공공 부조 중 하나이다.)

▲ 재원 마련 방법

▲ 수급 과정

① 비금전적 지원을 원칙으로 한다.
② 조세 수입으로 저소득층을 지원한다.
③ 미래의 위험에 대비하기 위한 제도이다.
④ 수혜 정도에 따라 보험료를 차등적으로 납부한다.
⑤ 빈곤층의 자립과 자활을 촉진한다는 목적을 가지고 있다.

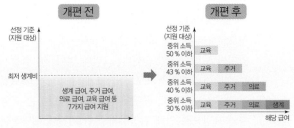

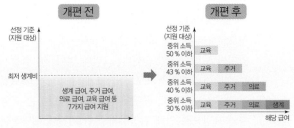

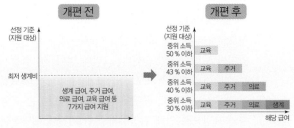

05 다음은 국민 기초 생활 보장 제도의 개편된 급여 제공 방식을 나타낸 것이다. 이에 대한 옳은 설명을 〈보기〉에서 고른 것은?

┤보기├

ㄱ. 개편 전에는 최저 생계비 단일 기준에 의한 포괄 지원이 이루어졌다.
ㄴ. 개편 전에는 상대적 빈곤층을, 개편 후에는 절대적 빈곤층을 대상으로 하고 있다.
ㄷ. 개편 후 중위 소득의 43% 초과 50% 이하인 가구는 교육, 주거 급여의 수급권자가 된다.
ㄹ. 개편 후 중위 소득의 30% 이하인 가구는 교육, 주거, 의료, 생계 급여 모두에 대하여 수급권자가 될 수 있다.

① ㄱ, ㄴ   ② ㄱ, ㄹ   ③ ㄴ, ㄷ
④ ㄴ, ㄹ   ⑤ ㄷ, ㄹ

06 다음 글에 나타난 우리나라 사회 보장 제도의 일반적 특징으로 옳은 것은?

드림 스타트 사업은 취약 계층 아동에게 맞춤형 통합 서비스를 제공하는 제도이다. 이를 통해 아동의 건강한 성장과 발달을 도모하고 공평한 출발 기회를 보장함으로써, 건강하고 행복한 사회 구성원으로 성장할 수 있도록 지원하는 사업이다.

① 금전적 지원을 원칙으로 한다.
② 모든 국민은 의무적으로 가입해야 한다.
③ 복지 수혜자와 비용 부담자가 항상 일치한다.
④ 소득이 일정 수준 이하인 사람만을 대상으로 한다.
⑤ 복지 서비스 제공에 민간 부문이 참여하기도 한다.

딱풀 p. 42

07 다음 사례에 나타난 우리나라 사회 보장 제도의 일반적 특징을 〈보기〉에서 고른 것은?

저는 20대에 ◇◇ 제철에 입사하여 20년 가까이 기술직으로 근무하였습니다. 철을 다루는 일은 무겁고 힘들었지만 보람도 있었습니다. 그런데 얼마 전, 철을 자르는 절단기의 오작동으로 손을 크게 다쳐 급히 치료를 해야 했습니다. 그때, 공단에 치료비에 해당하는 요양 급여와 요양으로 인해 취업하지 못한 기간에 해당하는 휴업 급여를 신청해서 받을 수 있었습니다. 덕분에 치료비와 생활비 걱정을 하지 않고, 쉴 수 있었습니다.

┤ 보기 ├
ㄱ. 소득 재분배 효과가 있다.
ㄴ. 비용 전액을 국가가 부담한다.
ㄷ. 개인이 임의로 가입하거나 탈퇴할 수 없다.
ㄹ. 금전적 지원과 비금전적 지원을 함께 제공하는 것을 원칙으로 한다.

① ㄱ, ㄴ ② ㄱ, ㄷ ③ ㄴ, ㄷ
④ ㄴ, ㄹ ⑤ ㄷ, ㄹ

08 표는 우리나라의 사회 보장 제도 A, B를 항목에 따라 비교한 것이다. 이에 대한 분석으로 옳은 것은? (단, A, B는 사회 보험, 공공 부조 중 하나이다.)

구분	비교
소득 재분배 효과	A > B
(가)	A < B

┤ 보기 ├
ㄱ. A와 달리 B는 사후 처방적이다.
ㄴ. A는 보편적 복지 이념을 바탕으로 한다.
ㄷ. B는 가입자 개인과 정부, 기업이 공동으로 분담하여 보험료를 마련한다.
ㄹ. (가)에는 '수혜 대상자의 범위'가 들어갈 수 있다.

① ㄱ, ㄴ ② ㄱ, ㄷ ③ ㄴ, ㄷ
④ ㄴ, ㄹ ⑤ ㄷ, ㄹ

09 표는 우리나라 사회 보장 제도 (가), (나)를 특징에 따라 분류한 것이다. 이에 대한 설명으로 옳지 <u>않은</u> 것은? (단, (가)와 (나)는 사회 보험, 공공 부조 중 하나이다.)

구분	(가)	(나)
상호 부조의 성격이 강한가?	예	아니요
국가나 지방 자치 단체가 비용을 전액 부담하는가?	아니요	예

① (가)는 임의 가입을 원칙으로 한다.
② (가)는 소득 재분배 효과가 발생한다.
③ (나)는 수혜자의 근로 의욕이 저하될 우려가 있다.
④ (나)는 대상자 선정 과정에서 부정적 낙인이 발생할 수 있다.
⑤ (가)와 (나)는 모두 금전적 지원을 원칙으로 한다.

10 밑줄 친 ㉠, ㉡에 대한 옳은 설명을 〈보기〉에서 고른 것은?

• 갑은 30년간 교직에서 근무하다가 올해 정년 퇴임을 하였다. 지금은 ㉠ 공무원 연금을 받으며 노후를 안정적으로 즐기고 있다.
• 60세 노인인 을은 만기 시 납입금의 일부를 환급금으로 수령하는 ○○ 생명의 ㉡ ☆☆ 암 보험에 가입하여 매달 일정 금액을 납입하고 있다.

┤ 보기 ├
ㄱ. ㉠은 국가가, ㉡은 기업이 운영한다.
ㄴ. ㉠과 ㉡ 모두 임의로 가입할 수 있다.
ㄷ. ㉠과 ㉡ 모두 수혜자가 비용을 부담한다.
ㄹ. ㉠과 ㉡ 모두 소득 재분배 효과가 나타난다.

① ㄱ, ㄴ ② ㄱ, ㄷ ③ ㄴ, ㄷ
④ ㄴ, ㄹ ⑤ ㄷ, ㄹ

2 복지 제도의 역할과 한계

11 복지 제도를 운영하는 과정에서 나타날 수 있는 한계로 옳지 <u>않은</u> 것은?

① 복지 제도를 악용하여 급여를 부정 수급하는 등의 도덕적 해이가 발생할 수 있다.

② 정부의 복지 정책이 강화되면 국민의 복지 의존도가 높아져서 빈부 격차가 확대된다.

③ 도움이 필요한 사람이 복지 사각지대에 놓이게 되어 실질적인 혜택을 받지 못할 수 있다.

④ 복지에 대한 사회적 수요 증대에 비해 복지 예산 규모가 작으면 전반적인 복지 수준이 낮아진다.

⑤ 복지 정책의 강화로 사회 전체의 생산성과 효율성이 저하되는 복지병과 같은 부작용이 발생할 수 있다.

12 다음 글을 읽고 우리나라의 복지 제도에 대해 추론한 내용으로 옳지 <u>않은</u> 것은?

> 2014년 우리나라의 국내 총생산(GDP) 대비 복지 지출 예산의 비율은 10.4%(경제 협력 개발 기구 평균 21.6%)로 경제 협력 개발 기구(OECD) 조사 대상국 중 가장 낮은 것으로 나타났다. 또한, 국민이 1년간 낸 세금에 사회 보험료를 더한 총액이 국민 총생산에서 차지하는 비중인 국민 부담률은 2013년 기준 24.3%(경제 협력 개발 기구 평균 34.1%)로 30개국 중 28위를 차지했다. 우리나라의 복지 지출 예산 비율은 경제 협력 개발 기구 통계에 편입된 1990년, 국민 부담률은 1972년 이후부터 줄곧 최하위 수준을 벗어나지 못하고 있다.

① 경제 규모 대비 국민의 세금 부담이 적은 편이다.

② 현재 복지 수준을 개선하기 위해서는 세금을 줄여야 한다.

③ 경제 협력 개발 기구 주요국에 비해 복지 수준이 낮은 편이다.

④ 고령화에 따라 복지 수요가 증가할 것이므로 세금 제도의 개편이 필요하다.

⑤ 행정이 투명하고 세금 혜택이 국민에게 돌아온다는 사회적 신뢰가 필요하다.

13 다음 글의 주장에 부합하는 진술로 가장 적절한 것은?

> 국가가 취약 계층에 대해 무조건적인 지원을 한다면 사회적 비용이 증가하고 그들을 더욱 의존적인 존재로 전락시키게 될 것이다. 또한, 경제 성장에 악영향을 미쳐 결국 취약 계층은 더욱 빈곤해질 것이다. 따라서 국가는 취약 계층이 자활 사업에 참여하거나 노동을 하는 것을 조건으로 복지 혜택을 받을 수 있도록 해야 한다.

① 복지 정책을 취약 계층의 자립과 연계시켜서는 안 된다.

② 국가가 빈곤 문제에 대하여 전적으로 나서서 책임져야 한다.

③ '요람에서 무덤까지'의 복지를 구현하는 정책을 실시해야 한다.

④ 취약 계층에게 근로 유인을 제공하는 복지 정책을 실시해야 한다.

⑤ 국가의 적극적인 복지 정책을 통해 소득 재분배 효과를 높여야 한다.

14 밑줄 친 '제3의 길'에 부합하는 정책으로 적절하지 <u>않은</u> 것은?

> 세계는 변화하고 있지만 전통적 사회 민주주의나 신자유주의는 현실에 부응하지 못하고 있다. 신자유주의는 경제적 효율성을 강조하고 있지만 사회적 연대를 유지하는 방법은 결여하고 있다. 사회 민주주의는 사회적 보호와 복지에 초점을 맞추고 있지만 경제적인 측면에서는 잘못된 정책을 고수하고 있다. <u>제3의 길</u>은 이와 같은 문제를 해결하려고 노력한다. 즉, 경제적 효율과 사회적 약자 보호를 동시에 달성하자는 것이다.

① 경제적 취약 계층의 직업 훈련을 지원한다.

② 저소득층에 근로 장려금을 지급하여 근로 유인을 제공한다.

③ 소외 계층에 자활 사업 참여를 조건으로 생계 급여를 제공한다.

④ 노인 세대의 안정된 노후 생활을 위하여 매월 연금을 지급한다.

⑤ 근로 소득이 있는 기초 생활 수급자 가구를 대상으로 목돈 마련을 돕는 금융 지원을 한다.

서답형 문제

15 (가), (나)에 해당하는 우리나라 사회 보장 제도 유형이 무엇인지 각각 쓰시오.

> (가) 68세인 A는 소득 인정액이 2018년 기준액 이하로 판정되어 매월 일정 금액을 정부로부터 받고 있다.
> (나) B는 2014년부터 3년간 회사를 다니던 중 경기 불황으로 회사가 어려움에 처하면서 해고를 당한 후 실업 급여를 신청하여 지급받았다.

16 표는 복지 이념의 변화를 나타낸 것이다. (가), (나)에 들어갈 알맞은 내용을 쓰시오.

구분	근대 사회	현대 사회
사회 복지의 대상	사회적 약자	(가)
사회 복지의 질	최저 생활 보장	삶의 질 개선
사회 복지의 성격	시혜적 성격	국민의 권리
빈곤의 책임	(나)	사회적 책임 강조

17 ㉠에 해당하는 용어를 쓰고, ㉠의 해결 방안으로 제시되는 복지 정책의 방향에 대해 서술하시오.

> 정부의 복지 정책이 강화됨에 따라 국민의 복지 의존성이 높아져서 국민의 근로 의욕이 줄어들고 사회 전체의 생산성과 효율성이 저하되는 (㉠)이/가 발생할 수 있다.

18 다음 글을 읽고 물음에 답하시오.

> 1999년에 제정되어 2000년부터 시행된 제도로 국민의 최저 생활 보장과 자활을 목적으로 하는 사회 보장 제도이다. 수급을 위해서는 수급을 희망하는 가구의 가구원이나 그 친족 및 기타 관계인이 급여를 신청해야 하고 담당 공무원이 해당 가구의 소득과 재산 등을 조사한 후 적합 여부를 결정한다. 생계 급여, 주거 급여, 교육 급여, 의료 급여 등이 있다.

(1) 위 제도의 명칭과 우리나라 사회 보장 제도 유형 중 위 제도가 무엇에 해당하는지 쓰시오.

(2) 위 제도의 수급 대상과 비용 부담 주체가 누구인지 서술하시오.

19 근로 장려 세제의 제도적 효과를 다음 그래프를 분석하여 서술하시오.

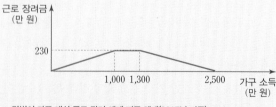

▲ 맞벌이 가구 대상 근로 장려 세제 지급 체계(2017년 기준)

01 자료는 우리나라 성별 노인 인구 중에서 사회 보장 제도 (가)~(다) 각각의 수급자 비율을 나타낸 것이다. 이에 대한 설명으로 옳은 것은?

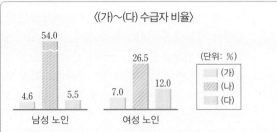

《(가)~(다) 수급자 비율》

(단위: %)

(가) 국가가 가구 소득 인정액이 기준액 이하인 가구의 기초 생활을 보장하기 위해 급여를 지급하고, 자활을 지원하는 제도

(나) 가입자와 고용주 등이 분담해서 마련한 기금을 통해 노령, 장애 등에 대한 연금 급여를 지급하여 생활 안정을 도모하는 제도

(다) 노인성 질병 등으로 일상생활을 혼자서 수행하기 어려운 사람들에게 장기 요양 급여를 지급하는 제도

① (나)는 (다)와 달리 상호 부조 원리가 적용된다.

② (다)는 (가)와 달리 사후 처방적 성격을 지닌다.

③ (가)~(다) 중 강제 가입 원칙이 적용되는 제도의 경우, 전체 노인 수급자 중에서 성별 비율은 남성이 여성의 2배 이상이다.

④ (가)~(다) 중 소득 재분배 효과가 있는 제도의 경우, 남성 노인 인구 중에서 수급자 비율과 여성 노인 인구 중에서 수급자 비율은 모두 10% 미만이다.

⑤ (가)~(다) 중 수혜자 비용 부담 원칙이 적용되지 않는 제도의 경우, 여성 노인 인구 중에서 수급자 비율이 남성 노인 인구 중에서 수급자 비율보다 높다.

02 밑줄 친 ㉠, ㉡에 대한 설명으로 옳은 것은?

2008년 7월부터 시행된 ㉠이 제도는 우리나라 사회 보장 제도 유형 중 ㉡이것에 해당한다. 이 제도는 고령이나 노인성 질병 등으로 일상생활을 혼자서 수행하기 어려운 사람들에게 신체 활동 또는 가사 활동 지원 등의 장기 요양 급여를 판정 등급에 따라 제공한다.

① ㉠은 기초 연금 제도이다.

② ㉠은 국가가 비용을 전액 부담한다.

③ ㉠은 빈곤층 자활 지원의 성격이 강하다.

④ ㉡은 공공 부조에 해당한다.

⑤ ㉡은 소득 재분배 효과가 있다.

03 우리나라 사회 보장 제도 A~C의 일반적 특징에 대한 설명으로 옳은 것은? (단, A~C는 각각 공공 부조, 사회 보험, 사회 서비스 중 하나이다.)

68세인 갑, 을, 병은 각각 자신에게 맞는 사회 보장 제도에 대한 정보를 관련 기관 누리집에서 찾아보았다.

• 갑이 찾은 제도는 A의 하나로서, 생활이 어려운 사람에게 안정적인 소득 기반을 제공하여 생활 안정을 지원한다. 소득 인정액이 보건복지부 장관이 매년 결정·고시하는 선정 기준액 이하인 65세 이상의 자에 한하여 차등 지급한다.

• 을이 찾은 제도는 B의 하나로서, 일상생활을 혼자서 수행하기 어려운 사람 등을 지원하여 건강 증진 및 생활 안정을 도모한다. 재원은 가입자가 납부하는 보험료, 국가와 지방 자치 단체 부담금으로 조달한다.

• 병이 찾은 제도는 C의 하나로서, 식사, 세면, 옷 갈아입기, 구강 관리, 화장실 이용, 외출, 목욕 등의 신변 활동을 지원한다. 또한, 취사, 생활 필수품 구매, 청소, 세탁 등 일상생활을 지원한다.

① A는 사후 처방적 성격이 강하다.

② B는 대상자의 수혜 정도에 따른 비용 부담을 원칙으로 한다.

③ C는 강제 가입을 원칙으로 한다.

④ A는 B, C와 달리 소득 재분배 효과가 있다.

⑤ A, C는 B보다 수혜 대상자의 범위가 넓다.

04 표는 우리나라 사회 보장 제도를 구분한 것이다. A~C에 대한 설명으로 옳은 것은? (단, A~C는 각각 사회 보험, 공공 부조, 사회 서비스 중 하나이다.)

구분	A	B	C
금전적 지원을 원칙으로 하는가?	예	아니요	예
강제 가입을 원칙으로 하는가?	아니요	아니요	예

① A는 C보다 상호 부조의 성격이 강하다.

② A, B 모두 수혜자 부담의 원칙이 적용된다.

③ B는 빈곤층의 최저 생활 보장을 목적으로 한다.

④ B는 사전 예방, C는 사후 처방의 성격이 강하다.

⑤ A는 B, C보다 수혜 대상자의 범위는 작고, 소득 재분배 효과는 크다.

| 평가원 기출 |

05 그림은 우리나라 사회 보장 제도 A~C를 구분한 것이다. 이에 대한 분석으로 옳은 것은? (단, A~C는 각각 공공 부조, 사회 보험, 사회 서비스 중 하나이다.)

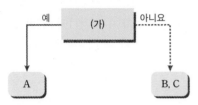

① A가 공공 부조이면, (가)에는 '금전적 지원을 원칙으로 하는가?'가 적절하다.

② A가 사회 보험이면, (가)에는 '강제 가입을 원칙으로 하는가?'가 적절하다.

③ A가 사회 서비스이면, (가)에는 '상호 부조의 성격이 강한가?'가 적절하다.

④ (가)가 '소득 재분배 효과가 가장 큰 제도인가?'이면, 기초 연금과 고용 보험은 각각 B, C 중 하나에 속한다.

⑤ (가)가 '상담, 재활, 사회 복지 시설 이용 등의 지원을 기본으로 하는가?'이면, B와 C의 대상자는 상호 배타적이다.

| 교육청 응용 |

07 밑줄 친 ㉠, ㉡이 속한 사회 보장 제도 유형의 일반적 특징에 대한 설명으로 옳은 것은? (단, ㉠, ㉡은 각각 사회 보험, 공공 부조 중 하나이다.)

> 장애인을 대상으로 하는 사회 보장 제도로는 소득 인정액이 기준 소득 이하인 중증 장애인에게 급여를 제공하여 생활 안정을 돕는 ㉠ 장애인 연금 제도가 있다. 또한, ㉡ 국민 건강 보험에 가입된 장애인이 특정 보조 기구를 구매할 경우 비용의 90%를 보험 공단에서 부담하는 제도도 있다.

① ㉠이 속한 유형은 사전 예방적 성격이 강하다.

② ㉡이 속한 유형은 수혜 정도에 따라 비용을 부담한다.

③ ㉡이 속한 유형은 ㉠이 속한 유형과 달리 임의 가입이 원칙이다.

④ ㉠, ㉡이 속한 유형 모두 소득 재분배 효과가 나타난다.

⑤ ㉠, ㉡이 속한 유형 모두 비용 부담자와 수혜자가 일치한다.

| 평가원 기출 |

06 그림은 우리나라 사회 보장 제도 A, B를 분류한 것이다. 이에 대한 옳은 설명을 〈보기〉에서 고른 것은? (단, A, B는 각각 공공 부조, 사회 보험 중 하나이다.)

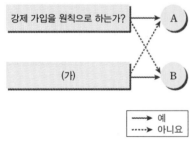

┤ 보기 ├

ㄱ. A는 B와 달리 상호 부조의 원리를 바탕으로 한다.

ㄴ. B는 A에 비해 소득을 재분배하는 효과가 더 크다.

ㄷ. A, B 모두 비금전적 지원을 원칙으로 한다.

ㄹ. (가)에는 '국민연금이 해당되는가?'가 들어갈 수 있다.

① ㄱ, ㄴ   ② ㄱ, ㄷ   ③ ㄴ, ㄷ

④ ㄴ, ㄹ   ⑤ ㄷ, ㄹ

08 다음 글에 나타난 제도에 대한 설명으로 가장 적절한 것은?

> 희망 키움 통장은 근로 소득이 있는 기초 생활 수급자 가구를 대상으로, 한 달에 월 10만 원씩 3년 동안 저축하면 원금과 이자와 더불어 국가의 근로 소득 장려금과 민간 지원금을 덧붙여 목돈 마련을 돕는 제도이다. 가입한 지 3년 이내에 기초 생활 수급자에서 벗어나면 저축 금액의 최대 7배까지 받을 수 있도록 하였다.

① 복지 비용의 증가로 정부의 재정 부담을 가중시킬 수 있다.

② 소득 수준과 무관하게 모든 사람에게 혜택을 제공하는 제도이다.

③ 저소득 계층의 최저 생활을 국가가 전적으로 보장하는 제도이다.

④ 복지 수혜자의 자립을 돕고 근로 의욕을 고취시키는 효과가 있다.

⑤ 복지병을 유발하여 사회 전체적으로 생산성과 효율성을 떨어뜨린다.

09 사회 보장 제도의 유형인 A, B의 일반적 특징을 다음과 같이 비교할 때, 이에 대한 설명으로 옳지 <u>않은</u> 것은? (단, A, B는 각각 사회 보험과 공공 부조 중 하나이다.)

질문	사회 보장 제도 유형	
	A	B
수혜자와 부담자가 일치하는가?	아니요	예
(가)	예	아니요
(나)	아니요	아니요

① A는 B에 비해 소득 재분배 효과가 더 크다.

② A는 사후 처방적, B는 사전 예방적 성격을 갖는다.

③ B는 A와 달리 의무 가입을 원칙으로 한다.

④ (가)에는 '수혜 정도와 무관하게 소득 수준 등 부담 능력에 따라 비용을 부담하는가?'가 적절하다.

⑤ (나)에는 '비금전적 지원을 원칙으로 하는가?'가 들어갈 수 있다.

| 평가원 기출 |

10 A국과 B국 정부 결정에서 공통적으로 추론할 수 있는 내용으로 가장 적절한 것은?

- A국 정부는 실업자가 직업 훈련을 거부하는 경우에는 실업 급여의 20%를 감축 지급하고, 정부가 알선해 준 직장에 취업한 경우에는 생활 보조금을 지급하기로 결정하였다.
- B국 정부는 구직 활동을 해 온 기초 생활 보장 수급자를 기업이 일정 비율 이상 채용하여 2년 이내에 그들을 수급 대상에서 벗어나게 할 경우, 그 기업에 수급자 고용 촉진 장려금을 주기로 결정하였다.

① 복지 정책에서 자활의 성격을 강화하고자 한다.

② 복지 혜택의 축소로 도덕적 해이를 방지하고자 한다.

③ 복지비 지출로 인한 정부 재정 적자의 폭을 줄이고자 한다.

④ 소득 재분배 정책을 통해 복지 수혜자의 범위를 넓히고자 한다.

⑤ 사회 보장 제도를 공공 부조에서 사회 보험으로 전환하고자 한다.

| 평가원 기출 |

11 다음 자료에 대한 옳은 분석을 〈보기〉에서 있는 대로 고른 것은? (단, (가)~(다)는 각각 사회 보험, 공공 부조, 사회 서비스 중 하나이다.)

〈자료 1〉 우리나라 사회 보장 제도의 사례

제도	사례
(가)	소득, 건강, 주거, 사회적 접촉 등의 수준을 평가하여 선정된 65세 이상의 독거 노인에게 정기적인 안전 확인 및 정서적 지원, 보건 서비스 연계·조정, 생활 교육 지원 등을 하는 제도
(나)	사용자, 근로자 또는 자영업자 등이 공동으로 마련한 재원으로 노령에 따른 근로 소득 상실을 보전하기 위한 급여를 지급하는 제도
(다)	국가와 지방 자치 단체의 재정으로 65세 이상 노인 중 소득이 일정 수준 이하인 사람에게 생활 안정에 필요한 연금을 지급하는 제도

〈자료 2〉 A 지역의 65세 이상 인구 중 (가)~(다)의 수혜자 현황

(단위: %)

구분	2014년						2015년					
제도	(가)		(나)		(다)		(가)		(나)		(다)	
수혜자 비율	12		40		60		12		40		60	
수혜자 중 남녀 비율	남	여	남	여	남	여	남	여	남	여	남	여
	30	70	58	42	36	64	40	60	55	45	30	70

*2014년 A 지역의 65세 이상 인구는 10,000명임.

*2015년 A 지역의 65세 이상 인구 증가율은 −5%임.

*65세 이상 인구 증가율(%)

$$= \frac{\text{당해 연도 65세 이상 인구} - \text{전년도 65세 이상 인구}}{\text{전년도 65세 이상 인구}} \times 100$$

┤ 보기 ├

ㄱ. 2014년에 소득 재분배 효과가 가장 큰 제도의 수혜자 수는 비금전적 지원이 원칙인 제도의 수혜자 수의 1.5배이다.

ㄴ. 2015년에 수혜 정도와 무관하게 능력에 따른 비용 부담이 원칙인 제도의 남자 수혜자 수는 여자 수혜자 수보다 많다.

ㄷ. 2015년에 상호 부조의 원리에 기반을 둔 제도의 여자 수혜자 수와 최저 생활 보장을 목적으로 하는 제도의 남자 수혜자 수는 동일하다.

ㄹ. 강제 가입이 원칙인 제도의 여자 수혜자 수는 2014년보다 2015년이 많다.

① ㄱ, ㄴ   ② ㄱ, ㄹ   ③ ㄴ, ㄷ

④ ㄱ, ㄷ, ㄹ   ⑤ ㄴ, ㄷ, ㄹ

1 # 사회 불평등 현상과 계층

사회 불평등 현상　# 경제적 불평등
정치적 불평등　# 사회·문화적 불평등
기능론　# 갈등론
사회 계층　# 사회 계층 구조　# 사회 이동

❤ 💬 ↱

❶ [　　　　] 부, 권력, 명예 등의 사회적 자원이 차등적으로 분배되어 개인 및 집단이 서열화하는 현상

경제적 불평등 주로 재산이나 소득의 차이로 나타나는 불평등

정치적 불평등 ❷ _____

사회·문화적 불평등 사회적 위신, 명예, 교육 수준, 지식 소유 등 사회·문화적 생활의 기회와 수준의 차이로 나타나는 불평등

기능론 사회 불평등의 책임은 개인에게 있으며, 사회의 유지와 발전을 위해 사회 불평등이 불가피하다고 보는 관점

갈등론 사회 불평등은 극복해야 할 대상으로 사회 구조의 근본적 개혁이 필요하다고 보는 관점

사회 계층 ❸ _____

사회 계층 구조 한 사회의 희소한 자원이 불평등하게 분배되고 그러한 사회 불평등이 계속되어 일정하게 틀 지어진 형태

❹ [　　　　] 한 사회의 계층 구조 속에서 개인이나 집단의 계층적 위치가 변하는 현상

2 # 다양한 사회 불평등 양상

사회적 소수자　# 차별
성 불평등 현상　# 성 역할　# 가부장제
빈곤　# 절대적 빈곤　# 상대적 빈곤

❤ 💬 ↱

❺ [　　　　] 신체적 또는 문화적 특성으로 인해 사회의 다른 구성원들과 구별되어 불평등한 처우를 받으며, 자신이 차별받는 집단에 속해 있다는 의식을 지닌 사람들

차별 합리적인 이유 없이 차이에 따라 누군가를 구별하여 불리하게 대우하는 것

성 불평등 현상 ❻ _____

성 역할 남성 및 여성의 특징으로서 적합하다고 여기는 사회적인 신념 또는 고정 관념이 일상생활의 역할에 반영된 것

가부장제 아버지가 가장으로서 가족 성원을 지배하는 가족 제도 또는 여성을 체계적으로 차별하고 배제하는 사회적 제도와 관행

빈곤 ❼ _____

절대적 빈곤 소득이 인간다운 최저 생활을 유지하는 데 필요한 기준에 미치지 못하는 상태

[❽ _____] 사회의 전반적인 소득 수준과 대비하여 소득 수준이 낮은 상태

3 # 사회 복지와 사회 제도

사회 복지   # 복지 국가
공공 부조   # 사회 보험   # 사회 서비스
복지병   # 생산적 복지

사회 복지 사회 구성원의 기본적 욕구를 충족하여 삶의 조건을 보장하고, 이를 통해 궁극적으로 사회 통합을 달성하려고 하는 사회적 활동의 총체

복지 국가 경제 및 사회 영역에서 확장된 사회 보호 체계를 통해 전체 국민이 최소한의 안정된 삶을 누리게 하려는 목적을 달성하고자 정책을 세워 추진하는 국가

공공 부조 ❾ _____

사회 보험 국민에게 미래에 발생할 수 있는 상해, 질병, 노령, 실업, 사망 등의 사회적 위험을 보험의 방식으로 대처함으로써 국민의 건강과 소득을 보장하는 제도

사회 서비스 국가·지방 자치 단체 및 민간 부문의 도움이 필요한 모든 국민에게 복지, 보건 의료, 교육, 고용, 주거, 문화, 환경 등의 분야에서 인간다운 생활을 보장하고 상담, 재활, 돌봄, 정보 제공, 관련 시설의 이용, 역량 개발, 사회 참여 지원 등을 통하여 국민의 삶의 질이 향상되도록 지원하는 제도

복지병 과도한 복지에 따른 근로 의욕 저하와 도덕적 해이 등 생산성과 경제적 효율성을 저하시키는 복지 정책의 부작용을 지칭하는 말

[❿ _____] 일하는 사람을 위한 복지를 의미하는 것으로, 사람들이 생산 활동에 참여하여 근로 소득을 얻도록 유도하는 복지 정책

정답 ❶ 사회 불평등 현상 ❷ 권력의 소유와 행사의 차이로 나타나는 불평등 ❸ 한 사회에서 사회적 자원과 기회가 차등적으로 분배된 결과 비슷한 수준의 사회적 자원을 가진 사람들이 위계적인 층을 이루고 있는 것 ❹ 사회 이동 ❺ 사회적 소수자 ❻ 남녀의 생물학적 및 성별 차이를 이유로 사회적 지위, 권력, 위세 등에서 특정 성이 차별받는 현상 ❼ 인간의 기본적 욕구와 관련된 물질적 결핍이 만성적으로 지속되는 경제적 상태 ❽ 상대적 빈곤 ❾ 생활 유지 능력이 없거나 생활이 어려운 국민의 최저 생활을 보장하고 자립을 지원하는 제도 ❿ 생산적 복지

V

현대의 사회 변동

이 단원의 핵심 포인트

중단원	핵심 포인트	학습일
01 사회 변동과 사회 운동	• 사회 변동의 의미와 요인 • 사회 변동 이론 • 사회 운동과 사회 변동	월 일 ~ 월 일
02 저출산·고령화와 다문화적 변화	• 저출산·고령화의 과제와 대응 방안 • 다문화적 변화에 따른 과제와 대응 방안	월 일 ~ 월 일
03 세계화·정보화와 전 지구적 수준의 문제	• 세계화로 인한 변화 양상과 대응 방안 • 정보화로 인한 변화 양상과 대응 방안 • 전 지구적 수준의 문제와 대응 방안	월 일 ~ 월 일

셀파와 내 교과서 단원 비교

셀파	천재교육	지학사	미래엔	비상교육
01 사회 변동과 사회 운동	01 사회 변동과 사회 운동	01 사회 변동과 사회 운동	01 사회 변동과 사회 운동	01 사회 변동과 사회 운동
02 저출산·고령화와 다문화적 변화	02 저출산·고령화와 다문화적 변화	03 저출산·고령화와 다문화적 변화	03 저출산·고령화와 다문화적 변화	02 현대 사회의 변화와 대응 방안
03 세계화·정보화와 전 지구적 수준의 문제	03 세계화·정보화와 전 지구적 수준의 문제	02 세계화 및 정보화로 인한 사회 변화 04 전 지구적 수준의 문제와 지속 가능한 사회	02 세계화와 정보화 04 전 지구적 수준의 문제와 세계 시민	03 전 지구적 수준의 문제와 지속 가능한 사회

01 사회 변동과 사회 운동

1 사회 변동의 의미와 요인

1. 사회 변동의 의미와 특징
(1) **의미** 인간의 생활 방식, 의식 구조, 사회적 관계, 사회 구조 등이 총체적으로 변화하는 현상
(2) **특징**
① 모든 사회에서 일어나는 보편적인 현상이지만, 사회마다 속도나 방향에서 차이가 있음.
② 개인의 일상생활뿐만 아니라 정치, 경제 등 사회 전반에까지 영향을 미침.
③ 물질 영역은 가치관이나 사고방식과 같은 비물질 영역에 비해 변화 속도가 빠름.
④ 현대 사회의 변동 속도는 과거보다 빠르며, 변화가 광범위하게 동시다발적으로 일어나는 경향이 있음.

2. 사회 변동의 요인 [자료01]
(1) **과학과 기술의 발달❶**
① 증기 기관의 발명으로 대량 생산이 가능하게 되어 산업화가 촉진됨.
② 정보 통신 기술의 발전이 정보 사회로의 변화를 촉발함.
(2) **가치관과 이념의 변화**
① 계몽사상이나 천부 인권 사상은 시민 혁명이 일어나는 데 영향을 끼침.
② 프로테스탄트 윤리❷는 자본주의 발전을 촉진시킴.
(3) **인구 변화**
① 외국인의 유입이 증가하면서 다문화 사회로 변화함.
② 노인 인구의 비중이 늘어나면서 사회 정책과 산업 구조 등이 변화함.
(4) **자연환경의 변화** 기후 변화가 진행되면서 친환경적인 생활 양식이 확산됨.
(5) **사회 운동** 시민 혁명 이후 전개된 참정권 확대 운동으로 보통 선거제가 확립됨.

2 사회 변동 이론

1. 사회 변동의 방향을 설명하는 이론 진화❸론과 순환론

구분	진화론 [자료02]	순환론 [자료03]
관점	사회는 단순하고 미분화된 상태에서 복잡하고 분화된 상태로 변화함.	사회는 생명을 가진 유기체와 마찬가지로 생성, 성장, 쇠퇴, 해체를 반복함.
변동 방향	사회는 일정한 방향으로 변동하며, 변동은 곧 진보와 발전을 의미함. [예시] 농업 사회 → 산업 사회 → 정보 사회	사회는 진보의 과정을 거친 후에 필연적으로 퇴보하는 순환적인 변동을 반복함. [의의] 현대 사회가 과거 사회보다 모든 면에서 우월하다고 보지 않는다.
장점	사회 발전의 양상을 설명하고 예측하는 데 유용함.	지난 역사 속에서 반복되는 사회 변동을 설명하고 해석하는 데 유용함.
한계	• 현대 사회가 과거 사회보다 모든 면에서 발전된 것이라고 볼 수 없음. • 과거에 비해 퇴보하거나 멸망한 사회의 변동을 설명하기 어려움. • 모든 사회가 같은 방향으로 변화하지는 않음. • 서구 사회를 가장 발전된 사회 형태❹라고 가정하여 비서구 사회를 지배·착취하는 것을 정당화하는 이론적 배경을 제공함.	• 미래 사회의 변동을 예측하고 대응하는 데 적합하지 않음. • 사회 변동을 숙명으로 여겨 이에 대응하는 인간의 노력을 과소평가함. • 순환은 장기적인 역사의 과정에서 일어나므로 중·단기적인 사회 변동을 설명하기 어려움. [왜?] 순환론은 사회 구조가 어떠한 이유로 변하는지, 현대 사회가 순환 과정에서 어디에 위치하는지 설명하지 못하므로 변동 방향에 대한 예측에 한계가 있다.

---

❶ 기술 결정론
사회 변동의 요인으로 기술의 중요성을 강조하는 것을 기술 결정론이라고 한다. 기술이 발달하면서 생산 양식을 변화시키고, 사회의 총체적 변화를 가져온다는 것이다. 그러나 기술 결정론은 기술적 측면 이외의 요인이 사회 변동에 미치는 영향을 간과한다는 비판을 받는다.

❷ 프로테스탄트 윤리
신이 부여한 자신의 직업에 근면하고 성실하게 임하여 얻은 부는 신이 준 구성원의 지표라고 보는 윤리이다. 이윤 창출과 부의 축적을 신학적으로 정당화함으로써 자본주의 정신의 사상적 바탕이 되었다.

❸ 진화
생물학에서 진화는 생물이 생명의 기원 이후부터 점진적으로 변해 가는 것을 뜻한다. 반면, 사회학에서 진화는 환경에 대한 사회의 적응 능력이 향상되는 것을 의미한다.

고득점을 위한 셀파 Tip

• 진화론과 순환론
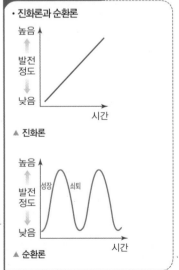
▲ 진화론

▲ 순환론

❹ 근대화론
모든 사회가 일정 단계를 거쳐 발전한다는 진화론에 기반한 이론으로, 사회 발전을 위해서는 서구 선진국의 발전 과정을 따르는 보편적 근대화 과정을 거쳐야 한다고 주장한다.

셀파 자료 탐구

자료 01 사회 변동의 요인

마르크스는 사회 변동의 궁극적 요인은 기술을 포함한 물질적 요인, 즉 하부 구조임을 강조하였으며, 정신적·규범적 특징을 가진 상부 구조는 하부 구조에 의해 결정된다는 유물론을 제창하였다.

그러나 관념론자들은 관념이 사회 변동에서 중요한 역할을 한다고 보았다. 콩트는 인류 역사는 인간 마음의 변화에 대한 역사로, 이성의 사용을 증진함으로써 사회가 발전한다고 보았다. 또한, 베버는 서구의 기독교 윤리가 기업가 정신과 직업 윤리에 상당히 기여함으로써 서구 사회에서 산업 자본주의의 발달을 가져왔다는 결론을 도출하였다.

자료 분석 | 마르크스는 사회 변동의 요인 중 기술의 중요성을 강조하였다. 반면, 콩트나 베버는 인간의 정신, 사고, 윤리, 가치관과 같은 비물질적인 문화가 사회 변화의 주된 원인이라고 주장하였다.

자료 02 진화론

뒤르켐은 사회 변동을 '기계적 연대'에 기초한 단순 사회에서 '유기적 연대'의 복합 사회로 변화하는 과정으로 설명한다.

전통 사회에서는 미분화된 사회 구조가 나타난다. 공통의 가치 체계를 바탕으로 한 최소한의 분업 상태에서 사회적 결속이 유지되는데, 이를 '기계적 연대'라고 한다.

그런데 인구가 증가하고 인구 구성이 다양해지면, 공통의 가치는 감소하고 분업이 확대된다. 이러한 사회 분화의 과정에서 사회는 전문화된 부분들이 상호 의존하는 새로운 사회적 결속을 이루는 방향으로 변동하는데, 이를 '유기적 연대'라고 한다.

자료 분석 | 뒤르켐은 사회 구성원들의 사회적 연대, 즉 사회적 결속력을 사회의 중요한 특성으로 생각하였고, 사회적 결속력을 기계적 연대와 유기적 연대로 구분하였다.
기계적 연대는 동질적인 사회 배경을 가진 사람들로 구성된 소규모 지역 사회에서 공통적 집단의식을 바탕으로 사회 체계가 통합되어 있는 상태이다.
유기적 연대는 다양하고 이질적인 배경을 가진 사람들로 구성된 도시 사회에서 유기적 분업을 통해 사회 체계가 통합되어 있는 상태를 말한다. 뒤르켐은 사람들이 이질화되면서 기계적 연대로는 더 이상 사회 체계를 결속시킬 수 없게 되어 유기적 연대로 변화한다고 설명하였다. 이는 사회가 일정한 방향으로 진보한다고 보는 진화론의 입장에 가깝다.

자료 03 순환론

파레토는 역사를 두 유형의 엘리트가 순환적으로 교체하면서 역사를 이끌어 가는 과정으로 설명한다.

인류 역사를 주도하는 엘리트의 유형에는 '사자형'과 '여우형'이 있다. 사자형 엘리트는 힘으로 대결하려 하고 기존 집단을 유지하려는 본능이 강하다. 이에 비해 여우형 엘리트는 말과 조작을 선호하고 새로운 결합을 이루려는 본능이 강하다. 권력을 장악하는 엘리트는 사자형에서 여우형으로, 다시 여우형에서 사자형으로 계속 바뀐다.

자료 분석 | 파레토는 사회를 지배하는 엘리트를 힘과 질서를 중시하는 사자형 엘리트와 선동과 술수에 능한 여우형 엘리트로 구분하고, 이 두 유형의 엘리트가 교대로 권력을 장악하는 '엘리트의 순환'이 나타난다고 주장하였다. 한 유형의 엘리트가 권력을 잡으면 다른 유형의 엘리트가 세력을 키워 권력을 대체하며 서로 다른 권력이 순환적으로 교체된다는 것이다. 이는 인류 문명의 역사가 주기적으로 순환적인 변동을 한다는 순환론의 입장에 가깝다.

2. 사회 변동을 설명하는 구조적 이론 기능론과 갈등론 [자료 04]

구분	기능론	갈등론
입장	사회를 구성하는 부분들 간에 긴장이나 기능적 불균형이 나타나면, 이를 조정하여 균형을 찾아가는 과정에서 사회 변동이 발생함. → 사회 변동은 일시적이며 병리적인 현상임.	피지배 집단이 기득권을 가진 지배 집단에 도전하여 불평등한 사회 구조를 변화시키려고 하는 과정에서 사회 변동이 발생함. → 사회 변동은 자연스러운 현상이며, 더 나은 사회로 발전해 가는 과정으로 봄.
장점	사회의 질서와 안정을 바탕으로 한 점진적인 사회 변동을 설명하기에 적합함.	• 급격한 사회 변동을 설명하기에 적합함. • 권력관계나 계급 관계 등을 통한 구조적 모순 파악에 적합함.
한계	혁명, 전쟁과 같은 급격한 사회 변동을 설명하기 어려움.	• 사회 구성원 간의 상호 의존성 및 조화와 타협을 설명하는 데 어려움. • 사회 변동을 갈등과 대립으로만 이해함.

3 사회 운동과 사회 변동

1. 사회 운동의 의미와 양상

주의! 사회 문제를 해결하기 위한 사람들의 모든 행동이 사회 운동이 되는 것은 아니다. 우발적, 일시적, 비조직적인 군중의 행동은 사회 운동이라고 할 수 없다.

(1) **의미** 사회 문제를 해결하거나 사회 체제를 근본적으로 변혁하기 위하여 대중이 자발적으로 하는 집단적이고 지속적인 행위 예 노동 운동, 환경 운동, 소비자 운동, 인권 운동, 민주화 운동 등

(2) **특징** 뚜렷한 목표, 목표를 달성하기 위한 구체적인 **활동 방법**, 목표와 활동 방식을 정당화하는 이념, 체계적인 **조직**

(3) **양상**

전통적 사회 운동	경제적 불평등이나 노동 문제 해결을 목적으로 하는 사회 운동이 전개됨. 예 노동 운동[5], 빈민 운동, 민주화 운동 등

↓

	물질주의에 대한 반성, 대안적 삶의 추구, 자율성 및 다양성 존중, 과학 기술 부작용에 대한 반성 등

↓

신사회 운동 [자료 05]	시민들의 다양한 요구를 충족하고 대안적인 가치를 제시하는 운동으로 확장됨. 예 환경 운동, 여성 운동[6], 반전 평화 운동, 소수자 운동, 소비자 운동 등

2. 사회 운동의 유형

개혁적 사회 운동	• 기존 사회 질서에 만족하지만 **부분적으로 개혁**이 필요할 때 발생하는 사회 운동 • 사회 체계의 일부분을 바꾸려는 제한적 목표를 가짐. • 예 사형제 폐지, 소비자 주권 향상 운동 등
혁명적 사회 운동	• 기존 사회 질서에 불만을 가지고 급진적인 변동을 추구할 때 발생하는 사회 운동 • 현 체제 내에서 현재의 사회 문제를 해결할 수 없다고 인식하여 체제 자체를 변화시키려고 함. • 예 프랑스 혁명
복고적(반동적) 사회 운동	• 급격한 사회 변화에 대항하여 기존의 질서를 고수하기 위한 사회 운동 • 기존 사회에 새로운 요소가 개입하면서 기존의 구성원이 위협을 느낄 때 나타나기 쉬움. • 예 위정척사 운동[7]

주의! 급격한 사회 변화에 대항하기 위한 사회 운동은 사회 변동의 속도를 늦추기도 한다.

3. 사회 운동이 사회 변동에 미치는 영향 [자료 06]

주의! 바람직하지 않은 목표나 이념을 추구하는 사회 운동은 사회 전체의 이익을 저해하거나 공동체의 삶에 위험을 가져오기도 한다.

(1) 바람직한 방향으로 사회 변동을 촉진하여 사회 발전에 기여함.[8]

(2) 다원화되고 복잡해지는 현대 사회에서 다양한 사회 문제와 사회 갈등을 해소하고 발전적인 방향으로 사회 변동을 일으키는 요인으로 작용할 수 있음.

자료 04 기능론과 갈등론

(가) 산업화 과정에서 핵가족이 확산하면서 그러한 가족 형태의 변화에 맞추어 부부의 역할이 재정립되었다. 남편은 주로 가족의 생계를 담당하고, 아내는 주로 자녀의 양육 및 정서적 충족을 담당하는 방식으로 역할 분화가 이루어졌다. 부부간의 상호 의존 및 역할 분화는 굳건한 가족 통합의 토대가 되었다.

(나) 산업화 과정에서 핵가족 내 부부의 성 역할 분담이 나타난 것은 기존의 남성 지배적인 가족 관계를 고착화한 것이다. 즉, 남성 중심의 가부장적 가치에 기초하여 남성은 사회에, 여성은 가정에 귀속한 것이다. 부부간의 수직적인 권력관계에 기초한 이러한 역할 규정은 기존의 가치를 그대로 반영한 것이다. 이에 대한 문제 제기와 변화를 지속적으로 요구하여 가족 내 양성평등이 가능해진 것이다.

– 조정문 외, 「가족 사회학」 –

자료 분석 | (가)는 산업화가 진행되면서 부부의 역할이 재정립되어 가족 통합의 토대가 되었다고 설명하고 있다. 이는 사회 구성 요소들 간의 상호 의존적 관계를 중시하며, 사회 변동을 사회가 균형과 안정을 되찾는 과정으로 바라보는 기능론에 해당한다. 반면, (나)에서는 산업화가 진행되면서 기존의 남성 지배적인 가족 관계가 고착화되었으며, 이에 대한 문제 제기로 가족 내 양성평등이 가능해졌다고 설명한다. 이는 불평등한 구조를 변화시키려는 과정에서 사회 변동이 발생한다고 보는 갈등론에 해당한다.

자료 05 신사회 운동

▲ 소비자 운동

▲ 반전 평화 운동

자료 분석 | 신사회 운동은 1960년대 말에 시작되어 현재에 이르기까지 사회적 영향력을 확대하고 있는 여성 운동, 환경 운동, 반핵 운동, 평화 운동 등을 지칭하는 개념이다. 과거의 사회 운동이 물질 중심, 국가 중심, 계급 중심이었던 데 반해 신사회 운동은 탈물질적 가치, 풀뿌리 민주주의, 다양한 집단 간의 연대를 중심으로 하는 운동이다. 이러한 신사회 운동의 발생 및 성격은 산업 사회에서 탈산업 사회로의 전환이라는 사회 구조의 변동에 근거한다.

자료 06 흑인 민권 운동

미국 사회의 오랜 인종 차별에 대한 분노는 1955년 앨라배마주 몽고메리시에서 로사 파크스라는 흑인 여성이 시내버스에서 백인 승객에게 좌석을 양보하라는 요구를 거부했다가 체포당한 사건을 계기로 강력한 민권 운동으로 발전하였다. 로사 파크스 사건은 그 후 381일간 계속된 몽고메리 버스 보이콧 운동으로 이어졌고, 결국 1956년 연방 대법원은 버스에서의 흑백 분리 제도가 위헌이라는 결정을 내렸다. 시민 불복종이라는 비폭력 원칙으로 몽고메리 버스 보이콧 운동을 성공적으로 이끌었던 마틴 루서 킹 목사는 전국적인 민권 운동의 지도자로 부상하여 1963년 워싱턴 행진 등 많은 운동을 주도하는 활약을 하였다. 흑인 민권 운동은 1960년대에 절정에 달했다. 그 결과 1964년 민권법이 제정되어 공공시설 및 학교 교육에서의 흑백 분리와 고용 차별이 금지되었으며, 1965년에는 흑인의 투표권을 보장하는 투표권법이 제정되는 성과를 얻었다.

자료 분석 | 사회 운동은 운동 과정에서 기존의 문제점, 해결 방안 등과 같은 정보를 많은 사람들에게 제공하고 지지를 호소한다. 그리고 사회 전반적으로 호응을 얻게 되면 사회 변동을 일으키는 요인으로 작용할 수 있다. 시민들의 참여가 중심이 되어 사회 문제를 해결하고, 나아가 구조적인 개혁을 통해 사회 발전에까지 기여할 수 있다. 미국에서 1950~1960년대 진행되었던 흑인 민권 운동은 흑인의 권리를 법과 제도로 보장하여 미국 사회의 인권 신장에 크게 기여하였다.

1 기능론은 사회가 본질적으로 변동을 지향한다고 본다.

(○ , ✕)

2 갈등론에서는 사회 변동을 대립과 갈등의 속성으로 파악한다.

(○ , ✕)

3 기능론에서는 사회 변동을 질서와 안정을 추구하는 것으로 파악한다.

(○ , ✕)

4 기능론은 혁명과 같은 급진적인 사회 변동을 설명하기에 적합하다.

(○ , ✕)

5 기능론과 갈등론은 사회 변동이 일정한 방향으로 진행된다고 본다.

(○ , ✕)

6 사회 운동은 체계적인 조직 없이 대중이 중심이 되는 운동이다.

(○ , ✕)

7 사회 운동은 목표 달성을 위한 구체적인 활동 방안이 있다.

(○ , ✕)

8 오늘날 새롭게 등장한 여러 사회 운동의 주요 목표는 경제적 불평등의 해결이다.

(○ , ✕)

9 기존 사회 질서에 만족하지만 부분적으로 개혁이 필요할 때 발생하는 사회 운동을 개혁적 사회 운동이라고 한다.

(○ , ✕)

10 급격한 사회 변동에 대항하기 위한 사회 운동은 사회 변동의 속도를 늦추기도 한다.

(○ , ✕)

정답 1 ✕ 2 ○ 3 ○ 4 ✕ 5 ✕ 6 ✕
7 ○ 8 ✕ 9 ○ 10 ○

1 사회 변동의 의미와 요인

의미	인간의 생활 방식, 의식 구조, 사회적 관계, 사회 구조 등이 총체적으로 변화하는 현상
요인	과학과 (❶)의 발달, 가치관과 이념의 변화, 인구 변화, 자연환경의 변화, 사회 운동

2 사회 변동 이론

진화론	관점	사회는 단순하고 미분화된 상태에서 복잡하고 (❷)된 상태로 진화함.
	한계	• 과거보다 퇴보하거나 멸망한 사회의 변동을 설명하기 어려움. • (❸)이라는 비판을 받음.
순환론	관점	사회는 생명을 가진 유기체와 마찬가지로 생성, 성장, 쇠퇴, 해체를 반복함.
	한계	• 미래 사회의 변동을 (❹)하고 대응하는 데 적합하지 않음. • 중·단기적인 사회 변동을 설명하기 어려움.
기능론	관점	사회의 균형이 깨져 새로운 (❺)을 찾아가는 과정에서 사회 변동이 발생함.
	한계	급격한 사회 변동을 설명하기 어려움.
(❻)	관점	피지배 집단이 지배 집단에 도전하여 불평등한 사회 구조를 변화시키려고 하는 과정에서 사회 변동이 발생함.
	한계	사회 구성원 간의 조화와 타협을 설명하기 어려움.

3 사회 운동

의미	사회 문제를 해결하거나 사회 체제를 근본적으로 변혁하기 위하여 대중이 자발적으로 하는 집단적이고 지속적인 행위
특징	뚜렷한 (❼), 목표를 달성하기 위한 구체적인 활동 방법, 목표와 활동 방식을 정당화하는 이념, 체계적인 조직
유형	개혁적 사회 운동	기존 질서에 만족하지만 부분적으로 개혁이 필요할 때 발생하는 사회 운동

유형	(❽) 사회 운동	기존 사회 질서에 불만을 가지고 급진적인 변동을 추구할 때 발생하는 사회 운동
	복고적 사회 운동	급격한 사회 변화에 대항하여 기존 질서를 고수하기 위한 사회 변동

정답 ❶ 기술 ❷ 분화 ❸ 서구 중심적 ❹ 예측 ❺ 균형 ❻ 갈등론 ❼ 목표 ❽ 혁명적

1 사회 변동의 의미와 요인

01 사회 변동에 대한 옳은 설명을 〈보기〉에서 고른 것은?

┤ 보기 ├

ㄱ. 현대 사회에서의 사회 변동 속도는 과거에 비하여 느려졌다.

ㄴ. 사회 변동은 모든 인류 사회에서 나타나는 보편적인 현상이다.

ㄷ. 개인의 의식 구조, 생활 양식, 사회 구조 등까지 총체적으로 변화하는 현상이다.

ㄹ. 자연환경의 변화는 인간의 의지가 개입되지 않았으므로 사회 변동의 요인에 해당하지 않는다.

① ㄱ, ㄴ ② ㄱ, ㄷ ③ ㄴ, ㄷ
④ ㄴ, ㄹ ⑤ ㄷ, ㄹ

02 다음 글을 통해 추론할 수 있는 사회 변동의 특성으로 가장 적절한 것은?

인류는 지구상에 수백만 년 동안 존재하여 왔다. 그러나 정착 생활의 토대라고 할 수 있는 농경이 시작된 것은 불과 1만 2,000년 전의 일이다. 문명은 약 6,000년 전에 시작되었다. 인류의 역사를 하루, 즉 24시간으로 비유하여 설명한다면 농경의 시작은 대략 오후 11시 56분쯤, 현대 사회의 시작과 발전은 11시 59분 30초 정도에 시작되었다. 하지만 그 마지막 30초 동안 발생하였던 변화의 양은 그 이전 23시간 59분 30초 동안 발생하였던 변화량과 맞먹을 만큼 엄청나다.

① 변동의 속도가 과거보다 더욱 빨라지고 있다.

② 사회 변동은 사회 전반에 걸친 구조적 변화이다.

③ 사회 변동은 어느 사회에서나 일어나는 현상이다.

④ 과학 기술의 발전이 사회 변동을 일으키는 가장 중요한 요인이다.

⑤ 어느 한 영역에서 나타난 변화가 다른 영역에서의 변화를 유발한다.

03 다음 글에 나타난 사회 변동의 주된 요인으로 가장 적절한 것은?

> 1970년대 대한민국 농촌에 거주하던 대다수 젊은이는 새로운 일자리를 찾아 도시로 이주하였다. 그 결과 도시의 대중교통이 발달하고 아파트 등 공동 주택이 늘어났으며 도시 내 익명성이 커졌다.

① 인구의 변화
② 가치관의 변화
③ 세계화의 확산
④ 과학에서의 발견
⑤ 사회 운동의 확산

2 사회 변동 이론

04 다음 글에 나타난 사회 변동 이론에 대한 설명으로 옳은 것은?

> 인류도 다른 생명체와 마찬가지로 적자생존의 상황에 놓여 있다. 그리고 이런 상황에서 살아남기 위한 경쟁이 인류의 진보를 가져왔다.

① 점진적인 사회 변동을 설명하는 데 유용하다.
② 사회는 생명을 가진 유기체와 마찬가지로 순환한다.
③ 사회는 미분화된 상태에서 복잡한 상태로 발전한다고 본다.
④ 현대 사회가 과거 사회보다 모든 면에서 우월하다고 보지 않는다.
⑤ 사회 변동을 갈등과 대립의 산물로만 이해한다는 비판이 존재한다.

05 다음 글에 나타난 사회 변동을 바라보는 관점에 대한 설명으로 옳은 것은?

> 인류 역사를 주도하는 엘리트의 유형에는 '사자형'과 '여우형'이 있다. 사자형 엘리트는 힘으로 대결하려 하고 기존 집단을 유지하는 본능이 강하다. 이에 비해 여우형 엘리트는 말과 조작을 선호하고 새로운 결합을 이루려는 본능이 강하다. 권력을 장악하는 엘리트는 사자형에서 여우형으로, 다시 여우형에서 사자형으로 계속 바뀐다.

① 사회 변동을 발전이라고 본다.
② 사회가 단선적으로 진보한다고 본다.
③ 단기적 사회 변동을 설명하기에 용이하다.
④ 서구 제국주의를 정당화한다는 비판을 받는다.
⑤ 사회 변동을 예측하고 대응하기에는 적합하지 않다.

06 표는 사회 변동에 대한 관점 A, B를 구분한 것이다. 이에 대한 옳은 설명을 〈보기〉에서 고른 것은? (단, A, B는 각각 진화론과 순환론 중 하나이다.)

질문 \ 이론	A	B
(가)	예	아니요
(나)	아니요	예

┤ 보기 ├
ㄱ. A가 진화론이면, (가)에는 '사회 변동에 대한 단일한 방향성을 전제로 하는가?' 질문이 들어갈 수 있다.
ㄴ. B가 순환론이면, (나)에는 '서구 중심적이라는 비판을 받는가?' 질문이 들어갈 수 있다.
ㄷ. (가)가 '사회 발전 양상을 설명하는 데 유용한가?'이면, A는 순환론이다.
ㄹ. (나)가 '미래 사회의 변동을 예측하는 데 적합하지 않은가?'이면, B는 순환론이다.

① ㄱ, ㄴ ② ㄱ, ㄹ ③ ㄴ, ㄷ
④ ㄴ, ㄹ ⑤ ㄷ, ㄹ

07 다음은 학생이 필기한 내용이다. (가), (나)에 해당하는 사회 변동 이론을 옳게 짝지은 것은?

> • 사회 변동을 설명하는 이론
> 1. 　(가)　 : 사회를 구성하는 부분들 간에 긴장이나 기능적 불균형이 나타나면 전체적으로 이를 조정하는 과정에서 사회 변동이 발생한다고 본다.
> 2. 　(나)　 : 지배 집단이 기득권을 유지하려고 하지만 피지배 집단이 이에 도전하여 불평등한 구조를 변화시키려고 하는 과정에서 사회 변동이 발생한다고 본다.

	(가)	(나)
①	기능론	순환론
②	기능론	진화론
③	기능론	갈등론
④	갈등론	기능론
⑤	갈등론	진화론

08 갑과 을의 대화에서 나타난 사회 변동 이론에 대한 설명으로 옳은 것은?

갑: 산업화 과정에서 나타난 남편과 아내의 역할 분화는 가족 통합의 토대가 되었어요.

사회자: 산업화 이후 나타난 부부간 역할 변화를 어떻게 볼 수 있을까요?

을: 산업화 과정에서의 성 역할 분담은 기존의 남성 지배적인 가족 관계와 가치를 그대로 반영한 것이라고 봅니다.

① 갑은 순환론적 관점을 드러내고 있다.
② 갑은 혁명과 같은 급격한 변동을 설명하기 어렵다.
③ 을은 점진적인 사회 변동을 설명하기에 유리하다.
④ 을은 갑과 달리 진화론적 관점을 드러내고 있다.
⑤ 갑과 을 모두 사회 변동을 부정적으로 보고 있다.

09 다음은 한 학생의 수행평가지이다. 밑줄 친 ㉠~㉤ 중 옳은 것은?

> 〈수행평가〉
>
> ◎ 문제: 사회 변동을 설명하는 이론 (가), (나)를 비교하여 설명하시오. (단, (가), (나)는 각각 기능론과 갈등론 중 하나이다.)
>
> | 질문 ＼ 이론 | (가) | (나) |
> |---|---|---|
> | 사회가 균형을 이루면서 안정적으로 유지된다고 전제합니까? | 예 | 아니요 |
> | 사회가 강제와 억압으로 유지된다고 전제합니까? | 아니요 | 예 |
>
> ◎ 답: (가)는 ㉠ 지배 집단이 기득권을 유지하려고 하지만 피지배 집단이 이에 도전하여 불평등한 구조를 변화시키려고 하는 과정에서 사회 변동이 발생한다고 보는 기능론이다. 이 이론은 ㉡ 사회 변동을 긍정적이고 유익한 것으로 보며, ㉢ 문명의 흥망성쇠를 확인하고 설명하는 데 유용하다. (나)는 ㉣ 사회를 구성하는 부분들 간에 불균형이 발생하면 이를 조정하는 과정에서 사회 변동이 발생한다고 보는 갈등론이다. 이 이론은 ㉤ 급격한 사회 변동을 설명하기에는 유리하지만, 사회 통합을 설명하는 데 한계가 있다.

① ㉠　　　② ㉡　　　③ ㉢
④ ㉣　　　⑤ ㉤

3 사회 운동과 사회 변동

10 (가), (나)에 해당하는 용어로 옳은 것은?

> 　(가)　 은/는 구체적인 사회 문제를 해결하거나 사회 체제를 근본적으로 변혁하기 위하여 대중이 자발적으로 하는 집단적이고 지속적인 행위를 의미한다. 예를 들어, 일반 시민들이 환경, 인권을 위하여 자발적으로 결성한 단체인 　(나)　 의 활동이 있다.

	(가)	(나)
①	사회 변동	비정부 기구
②	사회 운동	비정부 기구
③	사회 변동	글로벌 기업
④	사회 운동	글로벌 기업
⑤	사회 변동	정부

11 다음 사진과 관련한 사회 운동에 대한 옳은 설명을 〈보기〉에서 있는 대로 고른 것은?

이 사진은 1987년 6월 민주 항쟁 당시의 사진이에요. 6월 민주 항쟁은 학생과 시민이 함께 참여한 평화적 시위로, 대통령 직선제 개헌을 이끌어 냈어요.

┤ 보기 ├

ㄱ. 시위의 사회적 영향력이 미비하였으므로 사회 운동으로 볼 수 없다.

ㄴ. 시민들의 참여가 중심이 되어 문제를 해결하였으므로 사회 운동에 해당한다.

ㄷ. 독재에 저항하는 우발적이고 일시적인 폭동이었으므로 사회 운동에 해당하지 않는다.

ㄹ. 당시 사회를 개혁하고 개헌을 추구하는 뚜렷한 목표가 없었으므로 사회 운동으로 볼 수 없다.

① ㄱ　　　　② ㄴ　　　　③ ㄴ, ㄷ
④ ㄱ, ㄴ, ㄷ　　⑤ ㄱ, ㄴ, ㄷ, ㄹ

12 신사회 운동과 관련한 옳은 설명에만 'V'를 표시한 학생은?

설명 ＼ 학생	갑	을	병	정	무
빈민 운동, 민주화 운동은 신사회 운동에 해당한다.					
경제적 불평등이나 노동 문제의 해결을 목적으로 한다.		V			
시민들의 다양한 요구를 충족하고 대안적인 가치를 제시한다.	V		V		V
물질주의와 과학 기술의 부작용에 대한 반성과 대안적 삶의 추구 등으로 시민들의 인식 전환이 이루어지면서 등장하였다.			V	V	V

① 갑　　② 을　　③ 병　　④ 정　　⑤ 무

13 사회 운동의 일반적인 특성에 대한 옳은 설명을 〈보기〉에서 있는 대로 고른 것은?

┤ 보기 ├

ㄱ. 대부분의 사회 운동은 기존 질서의 변동을 목적으로 한다.

ㄴ. 사회 운동은 뚜렷한 목표를 바탕으로 한 의식적이고 조직적인 집단 활동이다.

ㄷ. 사회 구성원들이 우발적으로 집단 행위를 하는 것도 사회 운동에 해당한다.

ㄹ. 사회 운동이 구성원들의 지지를 얻어 사회 제도에 그 내용이 반영되기도 한다.

① ㄱ, ㄴ　　　② ㄴ, ㄹ　　　③ ㄱ, ㄴ, ㄷ
④ ㄱ, ㄴ, ㄹ　　⑤ ㄴ, ㄷ, ㄹ

14 다음 사례에서 공통적으로 나타난 사회 운동의 영향에 대한 추론으로 가장 적절한 것은?

• 우리나라의 4·19 혁명(1960년), 5·18 민주화 운동 (1980년)은 민주주의 정치 질서가 자리 잡는 데 크게 기여하였다.

• 케냐의 환경 운동가인 왕가리 마타이는 1977년 환경 단체를 창설하여 아프리카 전역에서 나무 심기 운동을 전개하여 생태계를 회복하고, 인권과 민주화 운동에도 힘써 여성 및 빈곤층의 삶의 질을 개선하였다.

① 사회 운동은 공동체의 삶과 무관하다.

② 사회 운동은 사회 변동의 속도를 늦춘다.

③ 사회 운동은 개발 도상국에서 주로 나타난다.

④ 뛰어난 역량을 지닌 개인이 사회 운동에 참여한다.

⑤ 사회 운동은 사회 변동의 요인으로 작용할 수 있다.

15 (가), (나) 중 사회가 퇴보하고 소멸할 수도 있음을 인정하는 이론을 쓰시오. (단, (가), (나)는 각각 진화론과 순환론 중 하나이다.)

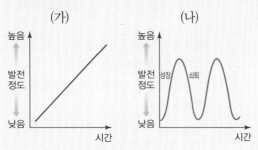

16 (가), (나)에 해당하는 사회 운동의 명칭을 쓰시오.

▲ 소비자 운동   ▲ 반전 평화 운동

17 다음은 인터넷에서 검색한 화면 자료이다. (가)에 해당하는 사회 운동의 유형을 쓰시오.

| 통합검색 ▼ | (가) ▼ | 검색 |

의미
　기존 사회 질서에 만족하지만 부분적으로 개혁이 필요할 때 발생하는 사회 운동이다.
특징
　사회 체계의 일부분을 바꾸려는 제한적인 목표를 가진다.
사례
　사형제 폐지 운동, 소비자 주권 향상 운동 등

18 다음 글을 읽고 물음에 답하시오.

　사회 변동은 테트리스 게임과 유사하다. 한 단계가 끝나면 더욱 난이도가 높은 새로운 단계가 시작되듯이 모든 사회도 일정한 방향으로 단계적으로 진보 또는 발전해 간다. 즉, 현재 사회는 과거 사회보다 더욱 복잡하고 분화한, 더 발전되고 더 나은 사회이다.

(1) 윗글에 나타난 사회 변동 이론을 쓰시오.

(2) 윗글에 나타난 사회 변동 이론의 한계점을 두 가지 서술하시오.

_____

_____

_____

19 다음 글을 읽고 물음에 답하시오.

　외국인 배우자를 맞이하거나 외국인으로 노동력을 충당하는 것은 우리 사회에서 더는 낯선 풍경이 아니다. 특히, 농촌 지역은 국제결혼을 통해 농촌 총각의 결혼 문제를 해결하고, 노동력도 확보할 수 있다는 점에서 긍정적인 측면이 있다. 또한, 도시에 많이 유입되고 있는 외국인 노동자는 일손이 부족한 특정 업종에 노동력을 공급하는 유용한 수단이 된다.

(1) 윗글에 나타난 사회 변동 이론을 쓰고, 그 이유를 서술하시오.

_____

_____

(2) 윗글에 나타난 사회 변동 이론의 한계점을 서술하시오.

_____

_____

01 다음 글을 통하여 내릴 수 있는 추론으로 가장 적절한 것은?

> 냉장고의 보급은 음식이 가정 내에서 훨씬 더 오랜 기간 동안 보존될 수 있다는 것을 의미하고, 텔레비전의 보급은 새롭고 흥미 있는 오락의 원천이 가정에 도입되었다는 것을 의미한다. 결과적으로, 사람들은 음식물의 공급을 위해서나 오락을 위해서 집 밖으로 나갈 필요가 더 적어졌기 때문에 가정에 더 많이 머무른다. 이제 사람들은 가족 내에서 심리적인 욕구를 충족시켜야 한다. 만약 가족 구성원들이 그런 욕구를 충족시키지 못하면 이혼율이 늘어나게 될 것이다.

① 사회 변동이 일정한 방향으로 나타나고 있다.
② 기술의 변화로 사회 전반의 변화가 일어나고 있다.
③ 새로운 문화가 등장하면서 사회 변동이 일어나고 있다.
④ 인간의 의식 변화로 사회 구조의 변화가 일어나고 있다.
⑤ 자연환경과 같은 물리적 환경의 변화가 사회 전반의 변화를 가져왔다.

02 다음 글을 통하여 내릴 수 있는 결론으로 가장 적절한 것은?

> 프로테스탄트 윤리의 자본주의 정신은 직업 소명설을 이야기한다. 즉, 각자의 직업은 하나님이 주신 신성한 의무이며, 이를 충실히 수행해야 한다는 것이다. 이것은 자본가들에게는 청렴하면서도 양심적인 기업 활동을 하게 하는 기회가 되었고, 노동자들에게는 성실히 맡은 바 역할을 다하게 하였다. 그리고 서양 문화의 전통적인 입장에서 각 개인의 입장을 최대한 살릴 것을 강조했고, 이는 노사 관계나 각 기업의 경쟁과 계약 관계를 기초로 하는 자본주의 문화를 탄생시켰다.

① 모든 사회가 발전과 진보의 방향으로 사회 변동이 일어난다.
② 사회의 여러 부분이 대립하는 과정에서 사회 변동이 일어난다.
③ 사회가 전체적으로 균형을 유지하는 과정에서 사회 변동이 일어난다.
④ 경제 영역의 변화가 정치, 사회 등 사회의 총체적인 변화를 가져온다.
⑤ 인간의 의식과 정신생활이 사회 구조의 전반적인 변동을 가져온다.

03 (가), (나)에 대한 설명으로 가장 적절한 것은? (단, (가)와 (나)는 각각 진화론과 순환론 중 하나이다.)

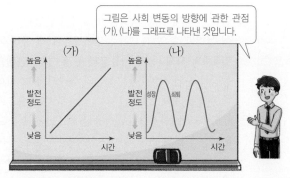

그림은 사회 변동의 방향에 관한 관점 (가), (나)를 그래프로 나타낸 것입니다.

① (가)는 사회 변동이 항상 진보를 의미하지는 않는다는 점을 간과한다.
② (나)는 사회가 이전보다 복잡하고 분화된 모습으로 변동한다고 본다.
③ (가)는 (나)와 달리 미래의 사회 변동에 대한 역동적 대응이 곤란하다는 비판을 받는다.
④ (나)는 (가)와 달리 사회 변동을 긍정적으로 본다.
⑤ (가), (나) 모두 특정 국가의 지속적인 저발전 상태를 설명하는 데 적합하다.

04 다음 대화에서 사회 변동의 방향을 보는 관점 A에 대한 설명으로 옳은 것은?

A에 따르면 사회가 항상 발전하는 것만은 아니야.

맞아. 달도 차면 기울듯이 사회도 시간에 따라 흥망성쇠를 거듭한다고 보는 것이 A의 입장이야.

① 사회 변동을 사회 발전과 동일시한다.
② 사회 변동을 미시적 관점에서 이해한다.
③ 사회 변동을 생물 유기체의 진화 과정에 비유한다.
④ 서구 제국주의 역사를 정당화하는 수단으로 활용된다.
⑤ 지난 역사 속에서 반복된 사회 변동을 설명하기에 유용하다.

| 평가원 기출 |

05 사회 변동의 방향을 바라보는 갑, 을의 관점에 대한 옳은 설명을 〈보기〉에서 고른 것은?

갑 인류 문명의 성장 과정을 미디어의 발달과 관련지어 설명할 수 있다. 인류 문명은 말[言]의 등장과 수렵·채취 사회, 문자의 등장과 농경 사회, 인쇄술의 등장과 산업 사회, 원격 통신의 등장과 정보 사회의 네 단계를 거쳐 왔다.

을 유목민과 정착민 간의 갈등을 통해 120년 주기로 나타나는 문명의 변동 과정을 설명할 수 있다. 유목민은 기회가 오면 도시의 정착민을 공격하고 정복한다. 이렇게 정복에 성공한 유목민은 차츰 도시 생활에 안주하면서 정착민으로 변모한다. 하지만 이들 역시 안일한 삶과 부패가 만연해지면서 또 다른 강력한 유목민에게 정복당한다.

┤ 보기 ├
ㄱ. 갑의 관점은 사회 변동을 비관적으로 바라본다.
ㄴ. 을의 관점은 사회 변동이 일정한 양상을 반복하며 진행된다고 본다.
ㄷ. 갑의 관점은 을과 달리 사회가 단순한 상태에서 복잡하고 분화된 상태로 변동한다고 본다.
ㄹ. 을의 관점은 갑과 달리 모든 발전은 곧 서구화임을 전제로 하여 제국주의의 지배를 정당화한다.

① ㄱ, ㄴ ② ㄱ, ㄷ ③ ㄴ, ㄷ
④ ㄴ, ㄹ ⑤ ㄷ, ㄹ

| 교육청 응용 |

06 사회 변동에 대한 관점 A, B에 대한 옳은 설명을 〈보기〉에서 고른 것은? (단, A, B는 각각 순환론, 진화론 중 하나이다.)

┤ 보기 ├
ㄱ. A는 사회가 일정한 방향성을 가지고 단계적으로 변동한다고 본다.
ㄴ. B는 사회 변동을 통해 사회가 퇴보할 수 있다고 본다.
ㄷ. A, B 모두 사회 변동을 비관적으로 바라본다.
ㄹ. A는 B와 달리 사회 변동이 항상 발전을 의미하지는 않는다고 본다.

① ㄱ, ㄴ ② ㄱ, ㄷ ③ ㄴ, ㄷ
④ ㄴ, ㄹ ⑤ ㄷ, ㄹ

| 교육청 기출 |

07 사회 변동에 대한 관점 (가), (나)에 대한 설명으로 옳은 것은?

(가) 인구의 물질적 밀도가 증가하고 개인 사이의 사회적 공간이 감소하여 경쟁이 심화되면 희소한 자원의 효율적인 이용이 요구된다. 이에 따라 사회 제도와 기능이 분화되어 복잡성과 효율성이 증대되는 방향으로 사회가 변동한다.

(나) 인류 역사는 지배적인 문화 체계가 물질적·쾌락적 가치를 강조하는 감각적 문화와 비물질적·정신적 가치를 중시하는 관념적 문화라는 양 극단 사이를 번갈아 오가는 과정이다. 이 과정에서 두 문화 체계가 혼합된 이상주의적 문화를 거치며, 지배적인 문화 체계의 성쇠가 주기적으로 반복된다.

① (가)는 사회 변동의 방향이 사회마다 다르다고 본다.
② (가)는 사회 변동이 곧 진보를 의미하지 않는다는 점을 간과한다.
③ (나)는 제국주의적 침략을 정당화한다는 비판을 받는다.
④ (나)는 사회 변동이 적자생존의 진화 과정을 따른다고 본다.
⑤ (가), (나)는 모두 사회 변동을 긍정적으로 바라본다.

| 수능 응용 |

08 표는 질문 (가)~(다)를 활용하여 사회 변동을 설명하는 이론 A, B를 구분한 것이다. 이에 대한 설명으로 옳은 것은? (단, A, B는 각각 기능론과 갈등론 중 하나이다.)

이론 \ 질문	(가)	(나)	(다)
A	아니요	예	예
B	예	아니요	예

① A가 기능론이면, (가)에는 '사회는 새로운 균형을 찾으려는 방향으로 변화가 나타나는가?'가 적절하다.
② B가 갈등론이면, (나)에는 '사회 변동은 불평등한 구조를 변화시키려고 하는 과정에서 발생하는 것인가?'가 적절하다.
③ (가)가 '사회 구성 요소 간 상호 의존성을 설명하는 데 한계가 있나?'이면, B는 기능론이다.
④ (가)가 '급격한 사회 변동을 설명하는 데 유용한가?'이면, (나)에는 '사회 질서와 안정을 강조하는 보수적인 관점인가?'가 적절하다.
⑤ (다)에는 '사회 변동 방향을 기준으로 사회 변동을 설명하는 이론인가?'가 적절하다.

딱풀 p. 48

| 평가원 응용 |

09 사회 변동을 바라보는 갑, 을의 관점에 대한 설명으로 옳은 것은?

호주제 폐지는 사회 구성원이 양성평등이라는 가치에 합의하여 사회가 새로운 균형을 찾은 결과야.

그래? 난 남성이 지배하던 사회 구조 속에서 억압받던 여성이 투쟁을 통해 얻어 낸 결과라고 생각하는데.

갑   을

① 갑의 관점은 사회는 발전과 퇴보를 반복한다고 본다.

② 갑의 관점은 을의 관점과 달리 사회 변동을 갈등과 대립으로만 이해한다.

③ 을의 관점은 사회가 변동하는 것을 자연스러운 현상으로 본다.

④ 을의 관점은 갑의 관점과 달리 급격한 사회 변동을 설명하기 어렵다는 한계가 있다.

⑤ 갑과 을의 관점은 사회 변동 방향을 기준으로 사회 변동을 설명하는 이론이다.

| 수능 응용 |

10 그림은 사회 변동에 대한 이론 A~D를 구분한 것이다. 이에 대한 옳은 설명을 〈보기〉에서 고른 것은? (단, A~D는 각각 진화론, 순환론, 기능론, 갈등론 중 하나이다.)

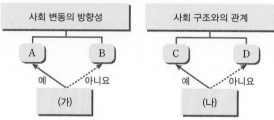

| 보기 |

ㄱ. (가)가 '사회 변동이 일정한 방향을 가지고 있나?'라면, A는 B와 달리 문명의 성장과 쇠퇴를 이해하는 데 유용하다.

ㄴ. (가)에는 '서구 중심적이라는 비판을 받나?'가, (나)에는 '점진적인 사회 변동 과정을 설명하는 데 유용한가?'가 적절하다.

ㄷ. A가 진화론이면, (가)에는 '사회 발전 방향을 설명하는 데 유용한가?'가 적절하다.

ㄹ. D가 갈등론이면, (나)에는 '사회 속에 존재하는 협력과 안정을 경시한다는 비판을 받나?'가 적절하다.

① ㄱ, ㄴ   ② ㄱ, ㄷ   ③ ㄴ, ㄷ
④ ㄴ, ㄹ   ⑤ ㄷ, ㄹ

11 다음은 수행평가의 일부이다. 모두 1점씩 받기 위한 올바른 답안은?

〈수행평가〉

◎문제: 다음은 사회 운동에 대한 설명이다. 옳은 설명은 ○, 옳지 않은 설명은 ×로 표시하시오. (맞으면 1점, 틀리면 0점)

설명	답안
모든 사회 운동은 사회 체제를 근본적으로 변혁하려는 노력에서 출발한다.	(가)
사회 운동은 사회 변동을 달성 또는 제지하려는 인간의 의식적인 노력이다.	(나)
우리나라의 민주화 운동은 사회 운동에 해당한다.	(다)
사회 운동은 항상 사회 전체의 이익을 향상시키고 공동체의 삶에 긍정적 영향을 가져온다.	(라)

	(가)	(나)	(다)	(라)
①	○	○	○	×
②	○	×	×	×
③	○	×	○	×
④	×	○	○	×
⑤	×	×	○	○

12 다음 글을 읽고 노동 운동이 사회 운동에 해당하는 이유로 옳은 것을 〈보기〉에서 있는 대로 고른 것은?

산업화 과정에서 등장한 노동 운동은 노동자들이 인간다운 삶을 보장받고, 노동자의 권익을 지키기 위하여 노동조합 등 조직을 창설하고 노동 3권의 보장, 최저 임금제 실시 등을 요구하였다. 지속적인 단체 행동, 공개적인 의견 표명을 바탕으로 사회 구성원들의 지지를 얻고자 한 결과 노동자의 권리를 보장하는 다양한 장치를 법과 제도로 정착시키는 결과를 얻었다.

| 보기 |

ㄱ. 노동 운동 과정에서 체계적인 조직을 창설하였다.

ㄴ. 노동자의 권익 향상이라는 뚜렷한 목표가 존재한다.

ㄷ. 노동 운동은 일시적인 행동이 아닌 지속적인 행동에 해당한다.

ㄹ. 노동 3권 보장, 최저 임금제 실시 등과 같은 구체적인 계획을 가지고 있다.

① ㄱ, ㄴ   ② ㄱ, ㄷ   ③ ㄱ, ㄴ, ㄷ
④ ㄴ, ㄷ, ㄹ   ⑤ ㄱ, ㄴ, ㄷ, ㄹ

02 저출산·고령화와 다문화적 변화

1 저출산·고령화의 과제와 대응 방안

1. 저출산·고령화의 원인과 영향

(1) 저출산

① 의미 출산율이 적정 수준보다 낮은 현상

② 원인 가치관의 변화, 자녀 양육에 따른 경제적 부담 증가, 여성의 사회 진출 증가 등

(2) 고령화❶

> 분석 결혼이나 자녀에 관한 가치관이 변화하면서 예전과 달리 결혼하지 않으려고 하거나 출산을 기피하는 경향 등으로 저출산 현상이 심화하고 있다.

① 의미 전체 인구에서 노인 인구가 차지하는 비율이 증가하는 현상

② 원인 생활 수준의 향상, 의료 기술의 발전에 따른 기대 수명 증가, 저출산 현상 등

(3) 저출산·고령화의 영향

> 의미 부양 부담을 지는 인구로, 15~64세인 생산 가능 인구를 나타낸다.

① 생산 가능 인구의 감소에 따른 노동력 부족 및 소비 위축 → 국민 경제 성장 둔화

② 부양 인구 감소 → 복지 지출 증가로 인한 정부의 재정 건전성 악화 및 부양 부담을 둘러싼 세대 간 갈등 심화 자료01

③ 인구 및 산업 구조의 변화 → 노인층을 대상으로 한 새로운 산업의 성장

④ 사회적 의사 결정 과정에서 노인층의 영향력이 증대됨.

⑤ 노후 소득 감소로 인한 노인 빈곤 문제 발생

2. 저출산·고령화의 대응 방안

(1) 제도적 측면

> 중요 고령화 현상은 저출산과 연계되어 있다는 점에서 출산율을 높이면 고령화 속도를 늦출 수 있다.

① 출산 장려 정책❷ 출산과 양육에 대한 사회적 책임 강화, 일·가정 양립을 위한 제도적 지원 강화 등

> 예시 교육과 보육 환경 개선, 청년 일자리 및 신혼부부 주거 문제 해결 등

② 고령화 대비 정책 노인의 재취업 기회 확대, 여성의 노동 시장 참여 유도, 고령 친화 사업 육성, 노후 소득 보장을 위한 연금 제도 개선, 외국인 노동자 수용 확대 등

(2) 개인적 측면 육아에 대한 책임이 부부 모두에게 있음을 인식함. 고령화에 대비한 개인의 자산 관리 등

2 다문화적 변화에 따른 과제와 대응 방안

1. 다문화적 변화❸ 및 영향

> 왜? 국가 간 인적·물적 교류 확대, 취업, 결혼, 교육 등을 목적으로 하는 이주민 증가 등

(1) 다문화 사회 서로 다른 문화적 배경을 가진 집단들이 함께 살아가는 사회

(2) 다문화 사회의 영향

① 문화 다양성 증가 및 여러 문화가 상호 작용하는 과정에서 문화 발전이 촉진됨.

② 저출산·고령화에 따른 노동력 부족 문제를 해결하는 데 이바지함.

③ 다른 문화에 대한 이해 부족과 편견으로 인한 갈등 및 문제 발생❹

2. 다문화 사회의 대응 방안 자료02

(1) 사회적 측면

① 사회 구성원 전체를 대상으로 한 다문화 교육 확대

> 예시 정부에서 다문화 가족 지원 센터를 운영한다.

② 이주민이 겪는 사회적 차별을 해결하고 인권을 보호하기 위한 법적·제도적 장치 마련 자료03

③ 이주민이 우리 사회의 일원으로 성장할 수 있도록 경제적·교육적 지원 강화

> 예시 이주민에 대한 생계 및 학교 교육 등을 지원한다.

(2) 개인적 측면

① 문화 상대주의적 관점으로 다양한 문화를 이해해야 함.

② 소수자 집단에 대한 편견과 차별을 비판적으로 성찰해야 함.

③ 다문화에 대한 수용성을 높여 나가야 함.

> 의미 자신과 다른 구성원이나 문화에 대해 편견을 갖지 않고 동등하게 인정하고, 그들과 조화롭게 공존하고자 노력하는 태도를 말한다.

고득점을 위한 셀파 Tip

• 저출산·고령화와 다문화적 변화에의 대응

| 저출산·고령화 | 생산 가능 인구 감소, 복지비 증가 등 → 출산과 양육에 대한 사회적 책임 강화, 연금 제도 개선, 노인 일자리 확대 등 |
| 다문화 | 집단 간 갈등, 외국인에 대한 부당한 대우와 인권 침해, 문화적 차이 등 → 다문화 교육, 이주민 인권 보호, 문화 상대주의적 태도 등 |

❶ 고령화의 단계

구분	고령화율
고령화 사회	7% 이상 14% 미만
고령 사회	14% 이상 20% 미만
초고령 사회	20% 이상

고령화율은 전체 인구에서 노인 인구(65세 이상)가 차지하는 비율이다. 우리나라는 2000년에 고령화 사회로 진입한 이후, 2018년에는 고령 사회, 2026년에는 초고령 사회로 진입할 것으로 예상된다.

❷ 우리나라의 출산 지원 정책

정부는 제3차 저출산·고령 사회 기본 계획(2016~2020년)을 마련하여 만혼자와 비혼자의 결혼과 출산을 위한 사회적·경제적 여건을 만드는 정책을 추진하고 있다. 구체적인 내용으로는 신혼부부를 대상으로 한 주거 지원, 임신·출산 의료비의 본인 부담 축소, 난임 치료의 건강 보험 적용, 육아 휴직 개시권의 법적 보장, 청소년 한 부모를 위한 대안 학교 설치 등이 있다.

❸ 우리나라에 거주하는 외국인 주민 수와 비율 추이

외국인 주민 비율(%)

1.1 1.5 1.8 2.2 2.3 2.5 2.8 2.8 3.1 3.4

외국인 주민 수(만 명)

54 72 89 111 114 127 141 145 157 174

2006 2007 2008 2009 2010 2011 2012 2013 2014 2015(년)

(행정자치부, 「2016 행정자치 통계 연보」)

❹ 다문화적 변화에 따른 문제점

외국인 노동자에 대한 부당한 대우와 인권 침해 문제가 발생할 수 있다. 또한, 결혼 이민자는 언어 소통의 어려움을 겪을 수 있고, 다문화 가정의 자녀들은 학교생활에 쉽게 적응하지 못할 수 있다.

자료 01 우리나라 노인 부양비 및 인구 구성비 추계

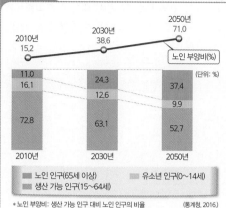

2010년
15.2
2030년
38.6
2050년
71.0
노인 부양비(%)

(단위: %)
	2010년	2030년	2050년
	11.0	24.3	37.4
	16.1	12.6	9.9
	72.8	63.1	52.7

■ 노인 인구(65세 이상)   ■ 유소년 인구(0~14세)
■ 생산 가능 인구(15~64세)

* 노인 부양비: 생산 가능 인구 대비 노인 인구의 비율   (통계청, 2016.)

노인 부양비는 생산 가능 인구(15~64세) 대비 노인 인구(65세 이상)의 비율로 구하는데, 이를 통해 생산 가능 인구가 부양해야 하는 노인 인구가 얼마나 되는지 알 수 있다. 2010년 우리나라 노인 부양비는 15.2%로, 이는 약 6.6명의 생산 가능 인구가 노인 1명을 부양한다는 뜻이다. 2030년에는 노인 부양비가 점차 높아져서 약 2.6명의 생산 가능 인구가 노인 1명을 부양해야 하고, 2050년에는 약 1.4명의 생산 가능 인구가 노인 1명을 부양해야 할 것으로 예상된다.

자료 분석 | 우리나라는 다른 국가에 비해 급속하게 고령화가 진행되고 있다. 이는 노인 인구에 대한 청장년층의 부양 부담이 무거워짐을 의미한다. 고령화는 저출산과 연계되어 있다는 점에서 출산 장려 정책이 필요하다. 국공립 어린이집 확대, 출산 보조금 지원 등과 같은 제도를 통해 교육과 보육 환경을 개선하고, 일과 가정 일을 병행할 수 있는 제도와 사회적 인식 개선이 필요하다. 더불어 노인 인력을 활용할 수 있는 방안을 마련하고, 기초 연금이나 노인 장기 요양 보험 등과 같은 노후 생활과 관련된 제도를 잘 관리하고 유지해야 한다.

자료 02 다문화 정책

다문화 사회의 정착을 위해서 초기에 논의된 방식은 동화주의라고 불리는 '용광로(Melting pot)' 방식이었다. 이 방식은 이주민이 자신의 문화적 배경을 완전히 포기하고, 주류 사회의 일원이 되는 것을 지향한다. 이 방식을 적용한 사회에서는 다문화 사회에서 나타나는 사회적 갈등을 완전한 동화를 이룸으로써 해결하려고 한다.

그러나 용광로 방식은 이주민의 문화를 배제하는 한계가 있으므로 최근에는 다문화주의라고 불리는 '샐러드 볼(Salad bowl)' 방식이 대안으로 제시되고 있다. 샐러드 볼 방식은 정책 목표를 주류 사회와 이주민들의 공존에 둔다. 이를 통해 소수 집단은 자신의 정체성을 공적, 사적 영역에서 회복하고 자유롭게 창의력을 발휘할 수 있으며 그것이 사회에 도움이 된다고 보는 것이다.

자료 분석 | 용광로 방식은 거대한 용광로 안에서 한 사회의 문화로 융합된다는 개념으로, 19세기 말 미국에서 급증하는 이민자를 미국 사회에 통합하기 위한 방식으로 등장하였다. 반면, 캐나다는 다문화주의를 지향하며 여러 민족과 이민자들의 문화 다양성을 인정하는 샐러드 볼 방식을 선택하였다. 샐러드 볼 방식은 사회 구성원들이 샐러드처럼 각각의 색깔과 향기를 지니고 조화로운 통합을 이루는 것으로, 오늘날 많은 다문화 국가에서 지향하는 정책적 방안이다.

자료 03 다문화 지원 법률

다문화 가족 지원법

제1조(목적) 이 법은 다문화 가족 구성원이 안정적인 가족 생활을 영위하고 사회 구성원으로서의 역할과 책임을 다할 수 있도록 함으로써 이들의 삶의 질 향상과 사회 통합에 이바지함을 목적으로 한다.

재한 외국인 처우 기본법

제1조(목적) 이 법은 재한 외국인에 대한 처우 등에 관한 기본적인 사항을 정함으로써 재한 외국인이 대한민국 사회에 적응하여 개인의 능력을 충분히 발휘할 수 있도록 하고, 대한민국 국민과 재한 외국인이 서로를 이해하고 존중하는 사회 환경을 만들어 대한민국의 발전과 사회 통합에 이바지함을 목적으로 한다.

자료 분석 | 「다문화 가족 지원법」과 「재한 외국인 처우 기본법」은 다문화 가족 구성원과 재한 외국인의 삶의 질 향상과 이들이 우리 사회에 적응할 수 있도록 도움으로써 우리 사회의 발전 및 통합을 추구한다.

1 고령화가 지속되면 노인 부양을 위한 사회적 비용이 감소한다.
(○ , ×)

2 저출산의 원인으로는 양육에 따른 경제적 비용 부담 증가를 들 수 있다.
(○ , ×)

3 노인 부양비는 생산 가능 인구 대비 노인 인구의 비율이다.
(○ , ×)

4 저출산 현상을 해결하기 위해서는 일과 가정의 양립을 위한 제도적 지원이 필요하다.
(○ , ×)

5 우리나라는 저출산·고령화 현상이 심화되고 있으므로 적극적인 산아 제한 정책이 필요하다.
(○ , ×)

6 이주민에 대한 차별을 해소하기 위해서는 문화 다양성 존중보다 문화 동질성 형성이 중요하다.
(○ , ×)

7 이주민에 대한 차별을 해소하기 위해서는 제도 개선뿐만 아니라 의식 개혁도 이루어져야 한다.
(○ , ×)

8 다문화 사회에서는 서로의 문화적 차이를 인정하고 문화 다양성을 존중하는 태도가 필요하다.
(○ , ×)

9 미국 내 차이나타운은 용광로 방식의 다문화주의가 실현된 사례이다.
(○ , ×)

10 다문화 정책 중 다문화주의는 문화 동화보다 문화 병존을 지향한다.
(○ , ×)

정답   1 ×   2 ○   3 ○   4 ○   5 ×   6 ×
7 ○   8 ○   9 ×   10 ○

1 저출산·고령화

의미	저출산	출산율이 적정 수준보다 낮은 현상
	고령화	전체 인구에서 노인이 차지하는 비율이 증가하는 현상
원인	저출산	결혼과 출산에 대한 (❶) 변화, 자녀 양육에 따른 경제적 부담 증가, 여성의 사회 진출 증가 등
	고령화	생활 수준의 향상, 의료 기술 발전에 따른 기대 수명 증가, 저출산 현상 등
영향		• (❷)의 감소에 따른 노동력 부족 및 소비 위축 → 국민 경제 성장 둔화 • 부양 인구 감소 → 복지 지출 증가로 인한 정부의 재정 건전성 악화 및 (❸) 간 갈등 심화 • 인구 및 산업 구조의 변화 → 노인층을 대상으로 한 새로운 산업 성장
대응 방안	제도적 측면	• 출산 장려 정책: 출산과 양육에 대한 사회적 책임 강화, 일·가정 양립을 위한 제도적 지원 강화 등 • 고령화 대비 정책: 노인 세대의 재취업 기회 확대, 여성의 노동 시장 참여 유도, (❹) 제도 개선, 고령 친화 산업 육성, 외국인 노동자 수용 확대 등
	개인적 측면	부부가 공동으로 육아를 책임지기, 고령화에 대비하여 자산 관리 계획 세우기 등

2 다문화 사회

의미	서로 다른 (❺) 배경을 가진 집단들이 함께 살아가는 사회
영향	• 문화 (❻) 증가 • 여러 문화가 상호 작용하는 과정에서 문화 발전이 촉진됨. • 저출산·고령화에 따른 노동력 부족 문제를 해결하는 데 이바지함. • 다른 문화에 대한 이해 부족과 편견으로 인한 갈등 및 문제 발생
대응 방안	사회적 측면: • 사회 구성원 전체를 대상으로 한 다문화 교육 확대 • 이주민이 겪는 차별을 해결하고 인권을 보호하기 위한 (❼) 장치 마련 • 이주민에 대한 경제적·교육적 지원
	개인적 측면: • 문화 (❾) 관점으로 다양한 문화를 이해해야 함. • 소수자 집단에 대한 편견과 차별을 비판적으로 성찰해야 함. • 다문화에 대한 문화 수용성을 높임.

정답 ❶ 가치관 ❷ 생산 가능 인구 ❸ 세대 ❹ 연금 ❺ 문화적 ❻ 다양성 ❼ 법적·제도적 ❽ 상대주의적

탄탄 내신 문제

1 저출산·고령화의 과제와 대응 방안

01 그래프는 우리나라의 출생아 수 및 합계 출산율 추이를 나타낸 것이다. 다음과 같은 현상이 나타나게 된 원인으로 적절한 것을 〈보기〉에서 고른 것은?

(통계청, 2016.)

┃ 보기 ┃
ㄱ. 실버산업의 성장
ㄴ. 출산과 양육에 따른 경제적 부담
ㄷ. 혼인과 출산에 대한 가치관의 변화
ㄹ. 의료 기술의 발달에 따른 평균 수명의 연장

① ㄱ, ㄴ   ② ㄱ, ㄷ   ③ ㄴ, ㄷ
④ ㄴ, ㄹ   ⑤ ㄷ, ㄹ

02 그래프는 우리나라의 합계 출산율과 65세 인구 비율 변화를 나타낸 것이다. 이에 대한 옳은 설명을 〈보기〉에서 고른 것은?

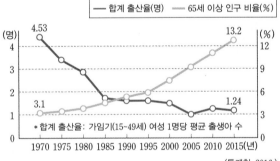

(통계청, 2016.)

┃ 보기 ┃
ㄱ. 우리나라는 2015년에 초고령 사회에 진입하였다.
ㄴ. 전체 인구에서 노인 인구의 비율이 높아지고 있다.
ㄷ. 부양 인구가 줄어들어 사회 복지 지출 부담이 커질 것이다.
ㄹ. 사회적 의사 결정 과정에서 노인층의 영향력이 줄어들 것이다.

① ㄱ, ㄴ   ② ㄱ, ㄷ   ③ ㄴ, ㄷ
④ ㄴ, ㄹ   ⑤ ㄷ, ㄹ

03 다음은 학생의 필기 내용이다. ㉠~㉤ 중 옳지 않은 것은?

〈고령화의 진행으로 예상되는 미래〉
1. 초고령 사회로의 진입 ···············㉠
2. 노인 대상 산업의 성장 가능성 확대 ······㉡
3. 청장년층의 노인 인구 부양 부담 감소 ······㉢
4. 노인 인구를 대상으로 한 복지 지출 증가 ······㉣
5. 사회적 의사 결정 과정에서 노인층의 영향력 증대
   ·······㉤

① ㉠   ② ㉡   ③ ㉢
④ ㉣   ⑤ ㉤

04 다음은 우리나라의 노인 부양비 및 인구 구성비 추계 그래프이다. 이를 통해 추론할 수 있는 사회 변화에 대한 설명으로 가장 적절한 것은?

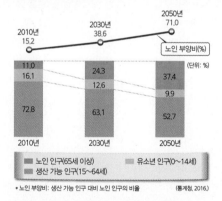

① 인구가 급격하게 증가할 것이다.
② 노인층을 대상으로 하는 실버산업이 성장할 것이다.
③ 기대 수명이 증가하면서 노후 소득이 증가할 것이다.
④ 사회적 의사 결정 과정에서 30대의 영향력이 증대될 것이다.
⑤ 사회 복지 지출 감소로 인하여 정부의 재정 건전성이 악화될 것이다.

05 다음은 한 강연의 공고문이다. (가)에 들어갈 내용으로 가장 적절한 것은?

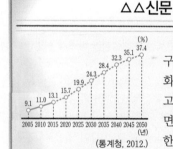

강연 주제: (가)
- **청년 일자리 및 주거 대책 강화**: 청년 고용 활성화, 신혼부부 맞춤형 주거 지원 강화
- **출생에 관한 사회 책임 실현**: 의료 지원 확대
- **맞춤형 돌봄 확대**: 맞춤형 보육 및 돌봄 확대
- **일·가정 양립 사각지대 해소**: 양성이 평등한 일·가정 양립, 중소기업·비정규직도 아이 키우기 좋은 환경

① 차별 없는 사회
② 먹을거리가 안전한 사회
③ 일하는 것이 즐거운 사회
④ 아이와 함께 행복한 사회
⑤ 생산적이고 활기찬 고령 사회

06 신문 기사를 보고 바르게 이야기한 학생을 고른 것은?

△△신문

노인 인구가 전체 인구의 7% 이상이면 고령화 사회, 14% 이상이면 고령 사회, 20% 이상이면 초고령 사회로 정의한다. 통계청 발표에 따르면 2015년 기준 우리나라 전체 인구에서 노인이 차지하는 비율은 13.1%로 나타났고, 2030년에는 24%를 넘을 것으로 예측된다.

▲ 우리나라 65세 이상 인구 비율 추이 및 전망 (통계청, 2012.)

선아	철수	연지	민수
의료 기술 발달에 따른 평균 수명의 증가로 나타나는 현상이야.	숙련된 노인 인력을 활용할 수 있는 방안이 필요해.	노후 소득은 개인이 준비해야 하는 것이니 사회 제도적인 대책은 필요 없어.	노인 부양 부담이 줄어 청장년층과 노년층의 세대 간 화합이 강화될 거야.

① 선아, 철수   ② 선아, 연지   ③ 철수, 연지
④ 철수, 민수   ⑤ 연지, 민수

2 다문화적 변화에 따른 과제와 대응 방안

07 다음은 사회·문화 수업 장면이다. ㉠, ㉡에 들어갈 용어로 옳은 것은?

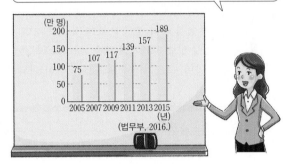

이 그래프는 우리나라에 거주하는 외국인 수를 보여 주고 있어요. 우리나라에 거주하는 외국인이 (㉠)하면서, 서로 이질적인 문화를 가진 다양한 민족과 인종이 공존하는 사회인 (㉡)로 변화하고 있어요.

(만 명)
200 ─ 189
150 ─ 157
139
107 117
100 ─ 75
50
0
2005 2007 2009 2011 2013 2015 (년)
(법무부, 2016.)

	㉠	㉡
①	감소	정보 사회
②	감소	다문화 사회
③	증가	세계화
④	증가	정보 사회
⑤	증가	다문화 사회

★08 다음 글에 나타난 문제점과 해결책을 바르게 설명한 학생은?

「인간의 두 얼굴」이라는 방송에서 선진국 출신의 남성과 개발 도상국 출신의 남성이 한국인에게 길을 묻는 실험을 진행하였다. 실험 전 길거리에서 만난 사람들은 인종과 국적을 가리지 않고 똑같이 길을 가르쳐 줄 것이라고 대답했다. 하지만 실제 실험 결과, 선진국 출신 남성이 길을 물으면 거의 모든 사람이 성의 있게 길을 알려 주었으나, 개발 도상국 출신 남성이 길을 물으면 80%의 사람들이 그냥 지나쳐 갔다.

갑	을	병	정	무
이주민에 대한 편견과 차별 문제가 나타나 있어. 사회 구성원들에 대한 다문화 교육을 강화하는 것이 필요해.	내국인 노동자와 이주 노동자 간 일자리 경쟁이 일어나고 있어. 일자리 확대를 위한 정책 운영이 시급해.	비주류 문화의 정체성을 훼손하고 있어. 문화 다양성을 존중하는 정책 운영이 필요해.	문화적 차이로 인한 갈등이 증가하고 있어. 다문화에 대한 수용성을 높이는 캠페인을 실시해야 해.	이주민의 집단행동으로 사회적 혼란이 발생했어. 이주민에 대한 통제 정책을 강화해야 해.

① 갑 ② 을 ③ 병 ④ 정 ⑤ 무

09 그림에 나타난 문제를 해결하기 위한 노력으로 가장 적절한 것은?

아기를 낳은 며느리에게 정성스럽게 미역국을 끓여 주었는데, 며느리는 입에 대지도 않네.

어머니가 며느리를 위해서 미역국을 끓여 주었으면 맛있게 먹어야 하는 것 아닌가요?

우리나라에서는 미역국을 먹지 않아요. 미역국을 보자마자 속이 안 좋아졌어요.

① 다문화 가정의 이혼율 증가에 대비하는 가족 정책을 마련한다.
② 국내 체류 외국인에 대한 한국어 교육 및 한국사 교육을 강화한다.
③ 문화 다양성을 존중하기 위해 문화 사대주의적 관점을 가져야 한다.
④ 가족 구성원의 다문화 수용성을 높이기 위한 프로그램을 운영한다.
⑤ 한국의 전통 가치인 장유유서의 의미를 며느리에게 따르도록 요구한다.

10 (가), (나) 정책이 해결하고자 하는 사회 문제에 대한 옳은 설명을 〈보기〉에서 고른 것은?

(가) 청년 고용 활성화 및 신혼부부 맞춤형 주거 지원을 강화하고, 양성이 평등한 일·가정 양립을 통해 사각지대를 해소한다. 포용적 가족 형태 인식을 확산하고 자녀와 부모가 행복할 수 있도록 맞춤형 돌봄을 확대한다.

(나) 이 법은 서로 다른 문화적 배경을 지닌 가족 구성원이 안정적인 가족생활을 영위하고 사회 구성원으로서의 역할과 책임을 다할 수 있도록 함으로써 이들의 삶의 질 향상과 사회 통합에 이바지함을 목적으로 한다.

┤ 보기 ├
ㄱ. (가) - 계층 간 정보 격차 문제를 해소하려고 한다.
ㄴ. (가) - 출산율이 지속적으로 감소하는 문제에 대한 실질적인 지원책을 제시한다.
ㄷ. (나) - 다문화 가정에 대한 차별과 소외 문제를 해결하고자 한다.
ㄹ. (나) - 외국인 노동자의 급속한 유입으로 인한 내국인 노동자에 대한 역차별 문제를 해결하려고 한다.

① ㄱ, ㄴ ② ㄱ, ㄷ ③ ㄴ, ㄷ
④ ㄴ, ㄹ ⑤ ㄷ, ㄹ

11 동화주의 관점에 바탕을 둔 진술을 한 학생을 있는 대로 고른 것은?

외국인 노동자들은 한국 기업 문화에 적응하여야 해. 이들이 믿는 종교와 언어를 고려하다 보면 오히려 우리 사회의 안정성을 저해할 수 있어.
갑

그렇게 하면 이들이 가진 다양한 문화적 경험이 반영되지 않아서 획일적인 분위기가 조성될 거야. 나는 오히려 다양한 경험을 공유하는 것이 한국 기업 발전에 도움이 될 거로 생각해.
을

그래도 기본적인 의사소통을 위해서는 같은 언어와 종교, 가치관을 공유해야 한다고 봐. 우리 사회에서 잘 적응하려면 우리의 문화를 따라야지.
병

① 갑   ② 갑, 을   ③ 갑, 병
④ 을, 병   ⑤ 갑, 을, 병

12 다문화 사회를 바라보는 갑, 을의 관점에 대한 옳은 설명을 〈보기〉에서 있는 대로 고른 것은?

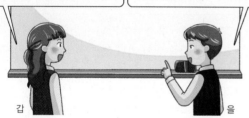
이주민이 새로운 사회에 적응하려면 자신의 문화적 배경을 포기하고 주류 사회에 적응해야 해.
갑

서로 다른 집단의 문화들이 고유한 특성을 유지하면서 공존하는 사회를 만들어야 해.
을

┤ 보기 ├
ㄱ. 갑은 이주민에게 한국어 교육을 강화하는 정책에 찬성할 것이다.
ㄴ. 을은 세계 여러 나라의 문화를 체험할 수 있는 기관을 설립하는 예산 확대 정책에 찬성할 것이다.
ㄷ. 갑은 을과 달리 이주민을 주류 집단에 흡수하도록 실시하는 통합 교육에 반대할 것이다.
ㄹ. 갑과 을은 다문화 사회에서 발생하는 갈등을 줄이는 노력이 필요하다고 본다.

① ㄱ, ㄴ   ② ㄱ, ㄷ
③ ㄱ, ㄴ, ㄹ   ④ ㄴ, ㄷ, ㄹ
⑤ ㄱ, ㄴ, ㄷ, ㄹ

13 고령화 현상으로 인한 사회 변화를 〈보기〉에서 골라 기호를 쓰시오.

┤ 보기 ├
ㄱ. 부양 인구 증가
ㄴ. 실버산업의 성장
ㄷ. 노인 부양비 증가
ㄹ. 사회 복지 지출 부담 감소

14 학생의 필기 내용을 보고 물음에 답하시오.

1. (가)
  (1) 의미: 출산율이 적정 수준보다 낮은 현상
  (2) 원인: 가치관의 변화, 경제적 부담 증가, 여성의 사회 진출 증가 등
  (3) 영향: 부양 인구 감소, 국가 경제 성장 저해, 소비 위축 등
  (4) 대책: _____

(1) (가)에 들어갈 용어를 쓰시오.

(2) 밑줄 친 부분에 들어갈 대책을 두 가지 쓰시오.

15 다음 글에 나타난 사회 현상을 해결하기 위한 제도적 노력을 쓰시오.

다문화 사회로 변화하는 과정에서 사회적인 편견이나 차별에 따른 집단 간 갈등 문제가 발생하기도 한다. 특히, 낯선 것 혹은 이방인을 싫어하거나 이유 없이 혐오하는 현상이 나타날 경우 사회적 갈등이 커지고, 폭력 사태로 번지기도 한다.

01 그래프에서 나타나는 사회 문제의 배경을 가장 적절하게 추론한 것은?

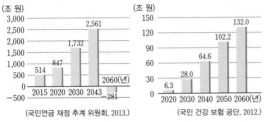

▲ 국민연금 기금 적립금 추이   ▲ 국민 건강 보험 재정 수지 적자 규모 전망

① 근로자 간 임금 격차가 심화되고 있다.
② 이주 노동자의 증가로 국민연금 수급자가 감소하고 있다.
③ 생산 가능 인구의 증가로 잠재 성장률이 상승하고 있다.
④ 빈부 격차의 심화로 사회 복지 정책으로 인한 비용 부담이 커졌다.
⑤ 부양 인구는 감소하는 반면, 사회 복지 지원이 필요한 연령층 인구는 증가하고 있다.

02 자료에 대한 옳은 분석을 〈보기〉에서 고른 것은?

> 합계 출산율이란, 여성 1명이 가임 기간 동안 낳는 평균 출생아 수를 의미한다. 인구 규모를 현재 수준으로 유지하는 데 필요한 합계 출산율은 대체 출산율이라 하는데 대체 출산율보다 합계 출산율이 낮으면 장기적으로 인구가 감소하고, 높으면 장기적으로 인구가 증가한다.
>
> 〈국가별 합계 출산율〉
>
>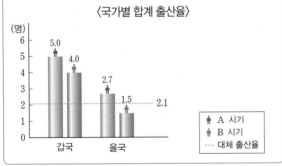

┌ 보기 ┐
ㄱ. A 시기 갑국에서 여성 100명당 출생아 수는 5명이다.
ㄴ. A 시기에 출생아 수는 갑국이 을국보다 많다.
ㄷ. B 시기에 합계 출산율은 갑국에서는 인구 증가, 을국에서는 인구 감소 요인이다.
ㄹ. A 시기 대비 B 시기에 갑국보다 을국에서 합계 출산율의 감소폭이 크다.

① ㄱ, ㄴ   ② ㄱ, ㄷ   ③ ㄴ, ㄷ
④ ㄴ, ㄹ   ⑤ ㄷ, ㄹ

03 표는 A 국의 인구 부양비 변화를 나타낸 것이다. 이에 대한 분석으로 옳은 것은?

(단위: %)

구분	1990년	2000년	2010년
유소년 부양비*	40	33	20
노년 부양비**	10	12	20

*유소년 부양비(%) = $\dfrac{0 \sim 14세 \ 인구}{15 \sim 64세 \ 인구} \times 100$

**노년 부양비(%) = $\dfrac{65세 \ 이상 \ 인구}{15 \sim 64세 \ 인구} \times 100$

① 1990년에는 총인구 중 0~14세 인구와 65세 이상 인구가 차지하는 비율이 50%이다.
② 2000년에는 0~14세 인구 100명을 부양하는 데 15~64세 인구는 33명이 필요하다.
③ 0~14세 인구 대비 65세 이상 인구 비율은 1990년이 2010년보다 높다.
④ 총인구 중 15~64세 인구가 차지하는 비율은 2000년이 2010년보다 높다.
⑤ 총인구 중 65세 이상 인구가 차지하는 비율은 2010년이 1990년의 2배보다 크다.

04 자료에서 해결하고자 하는 사회 문제를 옳게 추론한 것은?

> • 2006년: 출산 휴가 급여 지원 기간 확대, 유산 휴가 도입
> • 2008년: 가족 친화 기업 인증제 도입, 배우자 출산 휴가 실시
> • 2011년: 육아 휴직 급여 정률제 실시
> • 2012년: 육아기 근로 시간 단축 청구권 도입
> • 2014년: 아빠의 달 시행(1개월, 통상 임금 100% 보장, 상한액 150만 원)

① 노인 빈곤 가구가 증가하고 있다.
② 비정규직 증가로 인하여 양질의 일자리가 줄어들고 있다.
③ 일과 가정의 양립이 어려워서 출산을 기피하는 경우가 많다.
④ 남성 중심의 가부장적 사회에서 여성의 인권이 차별받고 있다.
⑤ 사회 전체적으로 노동 생산성이 떨어져서 지식 정보 사회에 대비하지 못하고 있다.

| 교육청 기출 |
05 다음은 갑국의 이민자 집단을 대상으로 한 설문 조사 결과이다. 이에 대한 옳은 분석을 〈보기〉에서 고른 것은?

◎질문 내용: 귀하가 갑국에 정착하는 과정에서 겪고 있는 가장 큰 어려움을 하나만 고르시오.
◎응답 결과

(단위: %)

구분	2010년			2015년		
	남성	여성	전체	남성	여성	전체
경제적 어려움	30.0	45.0	40.0	25.0	50.0	37.5
언어·문화 차이	20.0	27.5	25.0	30.0	30.0	30.0
대인 관계	45.0	22.5	30.0	37.0	15.0	26.0
기타	5.0	5.0	5.0	8.0	5.0	3.5

보기

ㄱ. 2010년 전체 응답자 중 남성과 여성의 수는 같다.
ㄴ. 여성 응답자의 경우 2010년과 2015년 사이에 응답률 변동폭이 가장 큰 항목은 '대인 관계'이다.
ㄷ. 2010년에 '경제적 어려움'이라고 응답한 남성과 2015년에 '언어·문화 차이'라고 응답한 남성의 수는 같다.
ㄹ. 2010년, 2015년 모두 남성 응답자는 '대인 관계', 여성 응답자는 '경제적 어려움'이라고 응답한 사람이 가장 많았다.

① ㄱ, ㄴ 　② ㄱ, ㄷ 　③ ㄴ, ㄷ
④ ㄴ, ㄹ 　⑤ ㄷ, ㄹ

| 평가원 응용 |
06 갑, 을의 관점에 대한 옳은 설명을 〈보기〉에서 고른 것은?

우리 사회의 문화적 다양성을 높이려면 이주민의 전통문화와 소수 문화의 정체성을 존중하고 배려해야 해.

갑

소수 문화나 외래문화의 유입은 우리 문화의 정체성을 훼손해. 이주민은 자신의 전통 문화 대신 주류인 우리의 문화와 전통을 받아들여야 해.

을

보기

ㄱ. 갑은 문화 발전을 위하여 우리의 전통문화를 계승해야 한다고 주장한다.
ㄴ. 을은 동화주의 관점에서 다문화 사회를 보고 있다.
ㄷ. 갑은 을과 달리 기존 구성원과 새로 유입된 사회 구성원 간의 문화적 공존을 중시한다.
ㄹ. 갑, 을 모두 자문화를 타문화보다 낮게 평가한다.

① ㄱ, ㄴ 　② ㄱ, ㄷ 　③ ㄴ, ㄷ
④ ㄴ, ㄹ 　⑤ ㄷ, ㄹ

| 평가원 응용 |
07 학생이 표시한 답 중 옳은 것을 ㉠~㉣에서 고른 것은?

〈형성평가〉

◎ 글쓴이가 지지할 주장으로 옳으면 '예', 틀리면 '아니요'에 'ⅴ'를 표시하시오.

함께 살아가는 삶을 위하여

우리 사회는 취업, 결혼, 교육 등을 목적으로 하는 이주민이 늘어나면서 다문화 사회가 형성되고 있다. 다문화 사회로의 성공적인 정착을 위해 이주민의 고유한 문화를 인정하는 것이 필요하다. 그들이 지닌 다양한 문화적 정체성은 우리 사회의 문화를 더욱 풍성하게 만들어 줄 것이다. 따라서 이주민의 고유한 특성을 있는 그대로 존중해 주어야 한다.

• **주장 1**: 한글 사용을 권장하고 이주민의 언어는 금지한다.　예 ☑ 아니요 ☐ ········ ㉠
• **주장 2**: 이주민의 사회적 특성을 기존 사회에 동화시켜 단일화한다.　예 ☐ 아니요 ☑ ········ ㉡
• **주장 3**: 이주민의 문화적 정체성 유지를 위한 교육 기관을 설립한다.　예 ☑ 아니요 ☐ ········ ㉢
• **주장 4**: 이주민이 자신의 전통 예절을 계승해 나갈 수 있도록 지원한다.　예 ☐ 아니요 ☑ ········ ㉣

① ㉠, ㉡ 　② ㉠, ㉢ 　③ ㉡, ㉢
④ ㉡, ㉣ 　⑤ ㉢, ㉣

08 필자의 주장에 부합하는 진술로 가장 적절한 것은?

일부 사람들은 다문화 정책이 값싼 외국인 노동력을 국내로 유입시켜 노동 시장의 임금 하락을 유도하며, 이주민에 대한 과도한 정착 지원으로 자국민과의 형평성 문제를 야기한다고 주장한다. 하지만 현재 우리 사회는 저출산·고령화로 인한 고질적인 노동력 부족 문제에 시달리고 있으며, 이질적 문화에 대한 편견과 차별은 세계화 시대에 걸림돌이 되고 있다. 따라서 부족한 노동력을 확보하여 산업 경쟁력을 강화하고, 문화 다양성의 실현을 통해 세계화 시대에 걸맞은 문화적 창조 능력을 제고할 수 있도록 적극적으로 다문화 정책을 실시해야 한다.

① 높은 임금이 일자리 부족의 원인이다.
② 외래문화의 유입으로 문화적 갈등이 심화될 것이다.
③ 다문화 정책의 실시로 양질의 일자리가 증가할 것이다.
④ 다문화 정책의 실시로 문화적 자산이 풍부해질 것이다.
⑤ 외래문화의 유입으로 자문화 정체성이 훼손될 것이다.

03 세계화·정보화와 전 지구적 수준의 문제

1 세계화로 인한 변화 양상과 대응 방안

1. 세계화의 의미와 요인

(1) **의미** 국가 간 상호 의존성이 커지고 지구촌 전체가 단일한 체계로 통합되는 현상

(2) **요인**

① 교통·통신 기술의 발달

② 다국적 기업❶의 등장과 상품, 자본, 노동의 자유로운 국가 간 이동

③ 냉전 체제❷ 종식 이후 급속한 국가 간 교류 확대

④ 세계 무역 기구(WTO)의 출범 이후, 자유 무역 협정(FTA) 체결이 확산됨.

2. 세계화로 나타나는 변화 양상

어떻게? 다양한 장벽 철폐, 상품, 노동, 자본 등의 자유로운 이동, 다국적 기업의 활동 증가, 국가 간 교역 증가 등을 통해 이루어진다.

사회·문화적 측면	양상	정보 통신 기술의 발달로 세계 여러 지역의 생활 양식이 빠르게 확산됨. → 세계인이 특정 문화를 공유하는 경우가 많아짐.
	과제	문화의 다양성이 약화되고, 전 세계의 문화가 획일화❸될 수 있음.
경제적 측면 [자료 01]	양상	국가 간 무역 장벽이 철폐되면서 전 세계가 단일한 시장으로 통합되고 있음. → 생산자는 넓은 시장을 확보하고, 소비자는 다양한 상품을 저렴한 가격에 구매하게 됨.
	과제	선진국과 개발 도상국 간 경제적 격차를 심화할 수 있음. 경쟁력이 약한 국가의 산업 기반이 무너짐.
정치적 측면	양상	외교, 안보, 환경, 테러 등과 같은 지구촌 문제에 공동으로 대응함. → 민주주의나 인권 등과 같은 인류 보편적 가치가 확산됨. **어떻게?** 다양한 국제기구와 다자간 협의체를 중심으로 공통의 규범을 마련하고 있다.
	과제	일부 강대국 중심의 의사 결정으로 약소국의 자율성이 침해됨.

3. 세계화에 따른 대응 방안

사회·문화적 측면	다른 문화를 존중하는 관용의 자세와 문화 상대주의적 태도 함양 [자료 02]
경제적 측면	• 세계 시장에서 개인과 기업의 경쟁력 확보 • 개발 도상국의 생산자를 보호하기 위한 활동이 필요함. 예 공정 무역
정치적 측면	세계 시민 의식을 바탕으로 인류 전체의 보편적 가치 추구

2 정보화로 인한 변화 양상과 대응 방안

1. 정보화❹의 의미와 요인

(1) **의미** 지식과 정보가 사회 활동 전반에서 차지하는 비중이 커지는 현상

(2) **요인**

① 정보 통신 기술의 비약적인 발전

② 지식과 정보의 경제적인 가치 인정 및 정보 관련 산업 성장

③ 정보에 대한 개인적 욕구 증가 현대 사회에는 개성과 창의성을 실현하려는 욕구를 지닌 사람들이 많아지면서 정보 통신 기술이 발달할 수 있었다.

2. 정보화로 나타나는 변화 양상 [자료 03]

(1) **쌍방향 의사소통** 뉴 미디어의 등장으로 대중은 정보의 생산자와 소비자 역할을 동시에 수행

(2) **산업 구조의 변화** 다품종 소량 생산❺ 방식 확산, 정보 관련 서비스업 발달, 경제 활동의 양상 변화 예시 재택근무, 온라인 쇼핑, 전자 화폐 사용 증가 등

(3) **온라인 네트워크에 의한 의사소통 증대** 비대면적 접촉 증가, 사이버 공동체 형성, 탈관료제와 같은 수평적 사회 조직 증가 **분석** 정보 통신의 발달로 대중이 정보에 쉽게 접근할 수 있게 되었고, 다양한 방식으로 의견을 표출할 수 있게 되면서, 직접 민주주의의 실현 가능성이 높아졌다.

(4) **정치 참여의 활성화❻** 사이버 공론장 활성화, 전자 투표 확대

고득점을 위한 셀파 Tip

• **세계화·정보화로 인한 변화 양상**

세계화	• 국가 간 활발한 문화 교류 • 전 세계 시장의 단일화 • 지구촌 문제 해결을 위한 국제 사회의 협력
정보화	• 쌍방향 의사소통 • 다품종 소량 생산 방식 확산 • 정보 관련 서비스업 발달 • 비대면적 인간관계 확산 • 전자 민주주의 등장

❶ **다국적 기업**
여러 나라에 계열 회사를 거느리고 세계적 규모로 생산하고 판매하는 거대 기업을 말한다.

❷ **냉전 체제**
제2차 세계 대전이 끝난 1945년부터 40여 년간 자본주의 국가인 미국과 공산주의 국가인 구소련이 세계를 나누어 대립하던 국제 질서 체제를 말한다.

❸ **문화의 획일화**
세계화로 전 세계의 문화가 서로 비슷해지는 획일화 현상이 나타나고 있다. 특히 선진국의 문화 상품이 세계 여러 지역에 판매되면서 전 세계 사람들의 식생활, 옷차림, 여가 생활 등이 서구화되고 있다.

❹ **정보 사회의 등장**
정보화가 가속화됨에 따라 지식과 정보가 부가 가치를 창출하는 중요한 원천으로 자리 잡게 되고, 정보 관련 산업이 성장하며 정보를 생산하는 인간의 지적 능력을 중요하게 여기는 정보 사회가 등장하게 된다.

❺ **다품종 소량 생산**
동일한 생산 시설을 이용해서 많은 품종을 소량으로 생산하는 방식으로, 주문에 따라 생산하는 체계이다.

❻ **전자 민주주의**
인터넷 보급의 확대로 시민의 정치적 선택과 참여의 기회가 증가하고 있다. 기존의 대중 매체가 중앙 집권적이고 일방적인 반면, 인터넷 의사소통은 분산적이고 쌍방향적인 속성을 지니고 있기 때문이다.

자료 01   세계화에 대한 서로 다른 두 입장

- 세계 경제 포럼(World Economic Forum)은 전 세계의 저명한 기업인, 정치인, 언론인, 학자 등이 세계 경제에 관해 토론하고 정보를 교환하기 위해 모이는 국제 민간 회의이다. 매년 스위스의 고급 휴양지인 다보스에서 열리기 때문에 '다보스 포럼'이라고도 불리는 이 회의에서는 세계화를 지지하면서 국가 경쟁력을 강화하기 위한 협력 방안을 모색한다.

- 세계 사회 포럼(World Social Forum)은 세계 경제 포럼에 맞서 대안 세계화를 내걸고 시작한 국제회의이다. 세계 경제 포럼이 신자유주의적 세계화를 추구하는 강대국 중심의 모임이라는 비판에서 출발하였다. 세계 사회 포럼에서는 주로 경제적·사회적 불평등, 인권 문제, 민주주의, 사회적 소수자 문제 등을 다룬다.

자료 분석 | 세계화의 긍정적 측면에 주목하는 사람들은 국가 간 상품, 자본, 노동의 자유로운 이동으로 인한 자유 무역과 국제적 분업이 세계의 부를 증대시킨다고 본다. 반면, 세계화의 부정적 측면에 주목하는 사람들은 세계화 과정에서 국가 및 계층 간 양극화가 심화되고, 경쟁력이 떨어지는 개발 도상국과 기업들은 도태된다고 본다.

자료 02   문화 다양성 협약

2001년 제31차 유네스코(UNESCO) 정기 총회에서는 '문화 다양성 협약'이 채택되었다. 이 협약에 따르면, 문화 상품과 서비스를 단순한 상품이나 소비재로 다루지 않아야 하며 이를 보장하기 위한 적절한 문화 정책을 마련해야 한다. 또한, 문화 상품의 독특한 성격을 인정하고, 각국이 문화 정책을 수립할 자주권을 보장해야 하며, 문화 약소국에 대한 지원책도 마련해야 한다. 우리나라는 2010년에 문화 다양성 협약을 비준하고 협약의 이행을 위해 관련 법률을 제정하는 등 문화 다양성 증진을 위해 노력하고 있다.

자료 분석 | 세계화로 강대국의 문화 상품이 전 세계에 판매되면서 문화가 획일화되는 현상이 나타나고 있다. 이 과정에서 각 지역의 고유문화가 사라지거나 약화되기도 하는데, 이에 대응하여 유네스코는 문화 약소국에 대한 지원책을 마련하는 등 문화 다양성을 지키기 위해 노력하고 있다.

자료 03   산업 사회와 정보 사회

(가) 직장인 갑은 매일 아침 9시부터 오후 6시까지 자동차 제조 공장에서 일을 한다. 출근 후 업무 지시를 받아 하루 종일 컨베이어 벨트에 실려 오는 자동차에 타이어를 장착하는 일을 수행한다.

(나) 직장인 을은 출근하지 않고 집에서 컴퓨터로 회사의 업무를 본다. 인터넷을 통해 직장 동료 및 협력 업체와 협의하며, 팀장 또는 CEO에게 직접 보고를 하는 등 다양한 업무를 처리한다.

자료 분석 | (가)는 산업 사회, (나)는 정보 사회의 일반적인 특징을 보여 주는 사례이다. 산업 사회는 공업 중심의 산업 구조로 대규모 공장이 건설되면서 주거 지역과 일터인 공업 지역이 분리되었다. 또한, 소품종 대량 생산 방식이 지배적이고, 관료제 조직, 면대면 접촉의 비중이 높다. 반면, 정보 사회는 지식과 정보가 중심인 사회로 사회가 다원화됨에 따라 직업이 다양해지고, 재택근무의 확산으로 산업 사회보다 가정과 일터의 분리 정도가 낮다. 또한, 산업 사회에 비해 다품종 소량 생산의 비중이 높고, 쌍방향 의사소통이 중시되며, 비대면 접촉이 증가하고 탈관료제 조직의 비중이 높다.

기출 선택지 ○, ×로 정리하기

1 세계화가 진행되면서 선진국과 개발 도상국 간의 경제적 격차가 심화되는 문제가 나타나기도 한다.

(○ , ×)

2 세계화에 대응하여 문화 사대주의적 태도와 관용의 자세가 필요하다.

(○ , ×)

3 세계화의 과정에서 소수 민족의 언어가 소멸되는 등 문화의 다양성이 약화되기도 한다.

(○ , ×)

4 전 세계적으로 국제 거래가 활발해지면서 국가 사이의 상호 의존이 심화되고 있다.

(○ , ×)

5 세계화로 나타나는 여러 문제를 해결하기 위해서는 세계 시민 의식을 토대로 대응 방안을 마련해야 한다.

(○ , ×)

6 정보 사회는 산업 사회에 비해 관료제 조직의 비중이 더 높다.

(○ , ×)

7 정보화로 대중의 정보 접근성이 높아지고 공론장이 활성화되면서 직접 민주 정치의 실현 가능성이 높아졌다.

(○ , ×)

8 산업 사회는 정보 사회에 비해 정보의 생산자와 소비자 간 구분이 뚜렷하다.

(○ , ×)

9 산업 사회는 정보 사회에 비해 다품종 소량 생산 방식이 확대된다.

(○ , ×)

10 정보 사회에는 면대면 접촉의 비중이 높아지고 있다.

(○ , ×)

정답 1 ○ 2 × 3 ○ 4 ○ 5 ○ 6 ×
7 ○ 8 ○ 9 × 10 ×

3. 정보화로 인한 문제 〔자료04〕

(1) **정보의 오남용** 질이 낮고, 정확하지 않은 정보로 인한 폐해 증가
(2) **사이버 범죄** 개인 정보 유출, 해킹, 악성 루머 유포, 저작권 침해 등
(3) **정보 격차** 새로운 정보 기술에 접근할 수 있는 능력에 따라 경제적·사회적 격차가 심화됨.
(4) **정보 통제와 감시** 빅브라더[7]가 나타나 시민의 자유와 권리를 위축시킬 수 있음.
(5) **인간 소외** 인터넷을 매개로 한 형식적이고 피상적 인간관계가 확산됨.

4. 정보화에 따른 대응 방안 〔자료05〕

(1) **사회적 차원**
① 사이버 범죄, 사생활 침해, 저작권 침해 등을 방지할 수 있는 **법과 제도 정비**
② 정보 소외 계층이 정보에 쉽게 접근할 수 있도록 **정보 기기 지원, 정보 통신 교육 실시, 정보 인프라[8] 구축** 등 여건 마련

(2) **개인적 차원**
① 정보 윤리[9] 의식 준수 〔예시〕 개인 정보 관리 요령, 정보 기기 다루는 법, 정보 선별 능력 등이 있다.
② 정보 사회에 필요한 다양한 지식과 능력 습득
③ 자신에게 필요한 정보를 비판적으로 수용할 수 있는 능력 함양

3 전 지구적 수준의 문제와 대응 방안

1. 전 지구적 수준의 문제

(1) **의미** 특정 지역의 문제가 다른 국가나 전 지구적 차원에까지 영향을 미치는 문제
(2) **특징** 특정 지역이나 특정 국가의 노력만으로 해결할 수 없음. 인간의 욕망에서 비롯됨. 미래 세대에게도 영향을 미침. 〔왜?〕 더 편리하고 풍요로운 삶만을 추구하는 인류의 욕망 때문이다.

2. 전 지구적 수준의 문제 양상

환경 문제	문제점	· 지구 온난화[10] 현상: 해수면 상승, 기상 이변 현상 발생 · 열대 우림 파괴: 생물 다양성 훼손, 기상 이변 증가, 지구 온난화 현상 가속화 · 사막화, 황사 및 미세 먼지, 토양 오염, 빠르게 사라지는 빙하 등
	해결 방안	자연과 더불어 살아가려는 인식 필요, 국제 사회의 협력 등
자원 문제	문제점	· 자원 고갈: 석유나 석탄 등 재생 불가능한 에너지 자원이 줄어듦. · 식량 부족: 곡물 수요는 증가하지만 사막화와 이상 기후로 인한 곡물 생산 감소 · 물 부족: 물 수요는 증가하지만 지구 온난화로 인한 물 공급 감소 〔왜?〕 바이오 에탄올의 연료 생산이 증가했기 때문이다.
	해결 방안	신·재생 에너지 개발, 자원의 한계를 고려한 경제 개발 추구, 국제 사회의 노력 등
전쟁[11]과 테러[12]	문제점	· 전쟁: 대규모의 인명 및 재산 피해 발생, 인간 존엄성 파괴, 인류의 문명과 자연환경 파괴 · 테러: 사람들의 일상을 위협함.
	해결 방안	분쟁 당사자들 간의 상호 존중 및 협력, 국제기구의 개입 및 분쟁 중재 노력 등

〔중요〕 민족 간의 대립, 이념 갈등, 종교 갈등, 이해 관계의 충돌 등으로 인해 발생한다. 피해가 특정 지역에 국한되지 않고 전 세계로 파급될 수 있다.

3. 지속 가능한 사회와 세계 시민 〔자료06〕

〔관계〕 전 지구적 수준의 문제에 능동적으로 대응하며 지속 가능한 사회를 이끌어 가기 위해서는 시민 각자의 세계 시민 의식이 필요하다.

(1) **지속 가능한 사회** 지속 가능성[13]에 기초하여 경제 성장, 사회의 안정과 통합, 환경의 보전이 균형을 이루는 사회

(2) **세계 시민** 〔중요〕 전 지구적 수준의 문제에 능동적으로 대응하여 지속 가능한 사회를 이끌어 가기 위해 필요하다.
① **의미** 세계 공동체 의식을 가지고 지구촌 문제 해결을 위해 협력하는 사람
② **자질** 인류의 보편적 가치 지향, 현재 세대와 미래 세대 인권의 조화로운 인식, 생태적·문화적 다양성 존중, 전 지구적 수준의 문제에 대한 지속적 관심, 다양한 문화를 이해하고 존중하는 자세 등

---

[7] 빅브라더
정보 독점으로 사회를 통제하는 권력 또는 그 사회 체계를 말한다.

[8] 정보 인프라
정보 산업을 유지하기 위한 기반 시설로 초고속 통신망, 대용량 자료 처리 장치 등이 이에 속한다.

[9] 정보 윤리
정보 사회의 구성원으로서 지켜야 할 올바른 가치관과 행동 양식이다. 정보 윤리의 기본 원칙에는 자신과 타인에 대한 '존중', 자신의 행동에 대한 '책임', 타인의 권리를 침해하지 않고 정보의 진실성과 공정성을 추구하는 '정의', 타인에 대한 '해악 금지'가 있다.

고득점을 위한 셀파 Tip

· 전 지구적 문제와 대응 방안

환경 문제	환경 오염 및 기후 변화에 따른 문제 → 환경 보호 실천, 국제적 협력 강화 등
자원 문제	자원 부족 및 고갈 문제 → 자원 절약, 국제적 협약 체결 등
전쟁과 테러	민족 간의 대립, 이념 갈등, 종교 갈등, 이해관계의 충돌 → 평화적 해결, 상호 존중 등

[10] 지구 온난화
대기 중의 온실가스가 증가하여 지구의 평균 기온이 상승하는 현상이다. 세계 각국은 이에 대응하여 온실가스 배출량 감축을 의무화하는 기후 변화 협약, 교토 의정서, 파리 협정 등을 체결하였다.

[11] 전쟁
서로 대립하는 국가들이나 이에 준하는 집단들이 군사력을 사용해서 상대의 의지를 강제하려는 행위나 상태를 의미한다.

[12] 테러
특정 목적을 가진 집단이나 조직이 살인, 납치 등의 폭력을 써서 상대편을 위협하거나 공포에 빠뜨리는 행위를 의미한다.

[13] 지속 가능성
현재 세대의 필요를 충족하기 위하여 미래 세대가 사용할 경제, 사회, 환경 등의 자원을 낭비하거나 여건을 저하하지 않고, 현재와 미래의 조화와 균형을 이루는 상태를 말한다.

자료 04　빅 데이터(Big Data)와 정보 통제

개인용 컴퓨터와 인터넷, 모바일 기기 이용이 생활화되면서 사람들의 일상생활이 빅 데이터의 형태로 저장되고 있다. 인터넷 쇼핑몰의 경우, 주로 어떤 상품을 검색하였는지, 얼마 동안 쇼핑몰에 머물렀는지 등이 일일이 기록된다. 금융 거래, 여가 활동, 자료 검색과 전자 우편 등 인터넷을 이용하는 우리의 모든 행동이 빅 데이터로 전환될 수 있다. 빅 데이터를 활용함으로써 기업은 고객의 요구를 예측하여 생산성 향상과 이윤 극대화를 추구할 수 있고, 공공 기관은 더 많은 시민에게 더 나은 공공 서비스를 제공할 수 있다.

하지만 빅 데이터를 통해 우리의 생활 하나하나가 실시간으로 저장되고 제삼자에 의해 활용되는 과정에서 민감한 개인 신상 정보가 불법적으로 유출될 수 있고, 정치적인 감시와 통제 등의 수단으로 악용될 수도 있다는 우려가 제기되기도 한다.

자료 분석 | 오늘날 인터넷 등과 같은 정보 통신 기술을 활용한 디지털 경제가 확산함에 따라 우리 주변에는 규모를 가늠할 수 없을 정도로 많은 정보가 생산되는 '빅 데이터 환경'이 도래하고 있다. 빅 데이터란, 기존 데이터에 비해 그 양이 많고 형식이 다양하여 종래의 방법으로는 수집·저장·분석이 어려운 방대한 데이터를 가리킨다. 빅 데이터가 우리 생활에 주는 편리함이 있지만 수많은 사람들의 다양한 정보가 이용되는 만큼 국가나 특정 권력이 독점하고 오남용하지 않도록 법적·제도적 정비가 필요하다.

자료 05　정보화에 대한 대응 방안

(가) 방송 통신 위원회는 인터넷 윤리 교육을 실시하여 수강자를 대상으로 윤리 의식 변화를 분석하였다. 그 결과, 온라인 교육 수강자들은 교육을 받기 이전보다 인터넷 윤리 의식 평가에서 약 9.8점(12.5%)이 향상되어 88.1점의 점수를 받았다. 윤리 의식 변화가 가장 큰 항목은 '사실을 확인하지 않은 정보 유포에 대한 의식'으로 윤리 교육 실시 전에는 79.1점이었지만, 교육 실시 후 92.2점으로 13.1점(16.6%) 향상된 것으로 나타났다.

(나) 정부는 정보 격차를 해소하기 위해 정보 통신 기기를 구매하기 어려운 저소득층에게 컴퓨터를 무상으로 제공하는 정책을 실시하고 있다. 또한, 최근에는 전통 시장, 보건소 등 시민들이 이용하는 장소에 무료로 쓸 수 있는 인터넷 구역을 구축하는 사업을 시행하였다.

자료 분석 | 정보화가 빠른 속도로 진행되면서 정보 오남용, 사이버 범죄, 정보 격차 문제, 빅브라더의 등장 등 여러 가지 문제점이 표출되고 있다. 이러한 문제점을 해결하기 위해 다양한 방안을 모색할 필요가 있다. (가)에서는 정보 오남용, 사이버 범죄 등을 예방하기 위한 정보 윤리 교육을 실시하고 있다. (나)는 정보 격차를 줄이기 위해 정부가 정보 인프라를 구축하고 있다.

자료 06　생태 발자국 지수

1인당 생태 발자국
- ■ 6.7 이상　■ 1.7~3.4
- ■ 5.1~6.7　□ 1.7 미만
- ■ 3.4~5.1　□ 자료 없음

(글로벌 생태 발자국 네트워크, 2016.)

생태 발자국 지수란, 사람들의 먹을거리, 교통 이용, 주거 환경, 소비 활동 등 네 가지 일상생활을 충족하기 위해 소요되는 자원과 폐기물을 처리하는 데 필요한 토지 면적을 말한다. 생태 발자국 지수가 높을수록 자연에 나쁜 영향을 미치는 생활 습관을 갖고 있다고 말할 수 있다.

자료 분석 | 생태 발자국 지수를 줄이기 위해서 개인은 일회용품 사용 줄이기, 쓰레기 분리 배출하기, 가까운 거리는 도보로 이동하기, 냉·난방 시 적정 온도 유지하기 등을 실천할 수 있다. 국가 차원적으로는 자원 재활용 기술 개발, 친환경적인 에너지 산업 지원과 같은 정책을 실시할 수 있다. 지구촌이 지속 가능한 발전을 하기 위해서 인류 공동의 노력이 필요하다.

1 세계화

의미		국가 간 (❶)이 커지고 지구촌 전체가 단일한 체계로 통합되는 현상
변화 양상	사회·문화적 측면	세계 여러 지역의 생활 양식의 확산 → 문화 다양성 약화 및 문화의 (❷)
	경제적 측면	전 세계가 단일한 시장으로 통합되고 있음. → 선진국과 개발 도상국 간 격차 심화
	정치적 측면	지구촌 문제에 공동으로 대응함. → 약소국의 자율성 침해
대응 방안		• 사회·문화적 측면: 문화 (❸) 태도 함양 • 경제적 측면: 세계 시장에서 개인과 기업의 경쟁력 확보 • 정치적 측면: 인류 전체의 보편적 가치 추구

2 정보화

의미	지식과 정보가 사회 활동 전반에서 차지하는 비중이 커지는 현상
변화 양상	쌍방향 의사소통, (❹) 생산 방식 확산, 경제 활동 양상의 변화, 정보 관련 서비스업 발달, 비대면적 접촉 증가, 사이버 공동체 형성, 전자 민주주의 등
문제점	정보의 오남용, 사이버 범죄, (❺) 격차, 정보 통제와 감시, 인간 소외
대응 방안	사회적 차원	• 사이버 범죄를 방지할 수 있는 법과 제도의 정비 • 정보 기기 지원, 정보 통신 교육, 정보 인프라 구축

대응 방안	개인적 차원	• (❻) 의식 준수 • 정보 사회에 필요한 다양한 지식과 능력 습득 • 정보를 비판적으로 수용할 수 있는 능력 함양

3 전 지구적 수준의 문제

의미	특정 지역의 문제가 다른 국가나 전 지구적 차원에까지 영향을 미치는 문제
문제 양상	• 환경 문제: 지구 온난화, 열대 우림 파괴, 사막화 등 • 자원 문제: 자원 고갈, 식량 부족, 물 부족 • 전쟁과 테러: 민족, 이념, 종교, 이해관계 등을 둘러싼 갈등
대응 방안	• 지속 가능성에 기초하여 경제 성장, 사회의 안정과 통합, 환경의 보전이 균형을 이루는 (❼) 지향 • 공동체 의식을 바탕으로 지구촌 문제에 관심을 가지고 해결하기 위해 행동하는 (❽) 의식 함양

정답 ❶ 상호 의존성 ❷ 획일화 ❸ 상대주의적 ❹ 다품종 소량 ❺ 정보 ❻ 정보 윤리 ❼ 지속 가능한 사회 ❽ 세계 시민

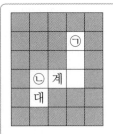
탄탄 내신 문제

1 세계화로 인한 변화 양상과 대응 방안

01 (가)에 들어갈 내용으로 적절한 것은?

〈가로 열쇠〉
ⓒ   (가)

〈세로 열쇠〉
㉠ 지식과 정보가 사회 활동 전반에서 차지하는 비중이 커지는 현상
ⓒ 같은 시대에 살면서 공통의 의식을 가진 비슷한 연령대의 사람들

① 초원과 삼림이 황폐해지고 점차 사막으로 변해가는 현상
② 전체 인구에서 노인 인구가 차지하는 비율이 증가하는 현상
③ 국가 간 상호 의존성이 커지고 지구촌 전체가 단일한 체계로 통합되는 현상
④ 대기 중의 온실가스가 증가하여 지구의 평균 기온이 지속해서 상승하는 현상
⑤ 새로운 정보 기술에 접근할 수 있는 능력의 정도에 따라 경제적·사회적 격차가 나타나는 현상

02 세계화에 대한 설명으로 옳지 않은 것은?
① 전 세계의 상호 의존성이 증가한다.
② 인류 보편적 가치가 확산될 수 있다.
③ 다국적 기업의 활동 범위가 늘어난다.
④ 전 세계의 전통문화가 지닌 특성이 강화된다.
⑤ 세계 모든 나라가 하나의 거대한 단일 시장 체계로 통합되어 간다.

03 다음 글에 나타난 세계화의 양상에 대한 설명으로 옳은 것은?

> 2014년 세계 영화 시장 규모를 보면, 미국 영화 시장의 점유율이 가장 크다. 할리우드의 주요 7개 영화 제작사들의 세계 상영관 매출은 약 243억 달러로서 약 67%의 시장 점유율을 기록하였다. 할리우드 주요 영화 제작사들은 할리우드 영화의 점유율이 높은 해외 국가에서 현지 영화 제작 투자 등을 통해 해당 국가의 영화 시장에 대한 지배력을 확대하고 있다.

① 전 세계적으로 민주주의와 인권의 가치가 확산되고 있다.
② 강대국 중심의 국제 사회 운영으로 약소국의 자율성이 침해되고 있다.
③ 상품, 자본, 노동이 국가 간 거래 장벽 철폐로 인하여 자유롭게 이동하고 있다.
④ 세계 여러 지역의 생활 양식이 확산되는 과정에서 문화 다양성이 약화되고 있다.
⑤ 지구촌 문제 해결을 위해 다자간 협의체를 중심으로 공통의 규범을 마련하고 있다.

04 다음 글을 통해 추론할 수 있는 내용으로 적절한 것은?

> 가죽 조각을 손바늘로 이어 붙이는 수작업을 통해 완성되는 축구공은 경제 논리에 따라 생산 단가를 낮추기 위해 개발 도상국의 아동 노동을 착취하는 방식으로 생산되고 있다.

① 국가 간, 계층 간 소득 격차가 벌어지고 있다.
② 기술 혁신을 통해 국내 상품의 경쟁력이 강화되고 있다.
③ 국내 기업이 부가 가치가 높은 산업에서 우위를 차지하고 있다.
④ 불평등한 무역 구조로 인해 개발 도상국의 생산자의 권리가 침해되고 있다.
⑤ 선진국 문화가 일방적으로 전파되는 과정에서 문화적 획일성이 나타나고 있다.

05 세계화를 바라보는 갑, 을의 대화이다. 을의 관점과 가장 가까운 설명을 〈보기〉에서 고른 것은?

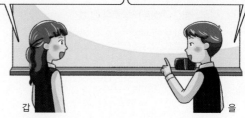

> 우리는 세계화의 흐름에 동참해야 해. 세계화는 우리에게 큰 기회가 되고 있어.

> 나는 그렇게 생각하지 않아. 세계화 과정에서 우리 삶이 더욱 불안해지고 있어.

┤ 보기 ├
ㄱ. 시간과 공간의 제약이 확대된다.
ㄴ. 다양한 문화를 접할 기회가 늘어난다.
ㄷ. 지역 고유의 문화가 훼손되고 문화의 획일화를 초래한다.
ㄹ. 다국적 기업의 영향력이 커지면서 주권 국가의 자율성이 침해된다.

① ㄱ, ㄴ   ② ㄱ, ㄷ   ③ ㄴ, ㄷ
④ ㄴ, ㄹ   ⑤ ㄷ, ㄹ

06 세계화에 따른 변화에 대한 적절한 대응 방안을 〈보기〉에서 고른 것은?

┤ 보기 ├
ㄱ. 타국과의 문화 교류를 통제한다.
ㄴ. 특정 국가의 관점에 머무르지 않고 세계 시민 의식을 갖는다.
ㄷ. 약소국은 고유의 전통문화를 포기하고 강대국의 문화를 전면 수용한다.
ㄹ. 공동체 의식과 인류애를 바탕으로 서로의 문화를 존중하는 태도를 가진다.

① ㄱ, ㄴ   ② ㄱ, ㄷ   ③ ㄴ, ㄷ
④ ㄴ, ㄹ   ⑤ ㄷ, ㄹ

2 정보화로 인한 변화 양상과 대응 방안

07 정보화의 요인에 대한 옳은 설명을 〈보기〉에서 고른 것은?

> **보기**
> ㄱ. 증기 기관의 발명
> ㄴ. 사이버 범죄의 증가
> ㄷ. 정보 통신 기술의 비약적 발전
> ㄹ. 지식과 정보에 대한 경제적 가치 인정

① ㄱ, ㄴ 　② ㄱ, ㄷ 　③ ㄴ, ㄷ
④ ㄴ, ㄹ 　⑤ ㄷ, ㄹ

★08 교사의 질문에 옳게 대답한 학생은?

교사: 정보화는 우리 삶에 어떤 변화를 가져왔을까요?

선아: 소품종 대량 생산 방식의 확산에 따라 산업 구조가 변화하였어요.

용환: 뉴 미디어의 등장으로 쌍방향적 정보 전달이 확산되었어요.

연지: 사이버 공간을 통한 시민들의 정치 참여가 활성화되었어요.

준형: 대면 접촉을 통한 공동체가 형성되었어요.

① 선아, 용환 　② 선아, 연지 　③ 용환, 연지
④ 용환, 준형 　⑤ 연지, 준형

★09 다음 글에 나타난 문제점에 대한 설명으로 옳은 것은?

> 「2015 정보 격차 실태 조사」에 따르면 일반 국민 대비 취약 계층(장애인, 저소득층, 장노년층, 농어민 등)의 스마트 정보화 수준이 59.7%로 나타났다. 스마트 정보화 수준은 유선 PC 및 모바일을 통합하여 정보화 수준을 측정한 지표로, 정보화 기기에 대한 접근 및 역량 수준, 활용 수준을 보여 주며, 각 수치는 일반 국민의 정보화 수준을 100이라고 가정했을 때의 비교 수준이다.

① 정보 홍수 및 정보 오남용 문제가 발생한다.
② 개인 정보 유출 등 사이버 범죄가 증가한다.
③ 권력자에 의한 정보의 통제와 감시가 나타난다.
④ 특정 계층만이 가치 있는 정보를 활용하게 된다.
⑤ 대면 접촉 부족으로 인한 인간 소외가 발생한다.

10 다음 글을 통해 예측할 수 있는 정보 사회의 문제점으로 적절한 것은?

> 프랑스의 철학자 미셸 푸코는 컴퓨터 통신망과 데이터베이스를 파놉티콘(Panopticon)에 비유했다. 파놉티콘은 학교, 공장, 병원, 감옥 등에서 한 사람이 모든 것을 감시하는 체계를 뜻한다. 푸코에게 파놉티콘은 한 사람의 교도관이 모든 죄수를 감시하는 원형 감옥을 의미한다. 푸코는 개인에 관한 모든 자료가 저장되는 데이터베이스가 마치 파놉티콘이 죄수들을 감시하듯이 출산에서 죽음에 이르기까지 대중을 통제하고 관리하는 전체주의적 권력의 도구로 잘못 사용될 가능성에 주목하는 것이다. 말하자면 파놉티콘은 정보 기술로 구축된 감시 체계의 결정판인 셈이다.

① 잘못된 정보가 유통될 수 있다.
② 피상적인 인간관계가 확산될 수 있다.
③ 정보를 독점하는 특정 권력 집단이 그것을 악용할 수 있다.
④ 정보 접근 능력의 차이가 경제적 불평등으로 이어질 수 있다.
⑤ 특정 정보에 의해 인간의 사고와 행동이 좌우되는 상황이 발생할 수 있다.

11 다음은 학생의 필기 내용이다. (가)에 들어갈 내용으로 적절하지 <u>않은</u> 것은?

구분	세계화	정보화
문제점	• 문화 다양성 약화 • 문화 획일화 • 국가 간 빈부 격차 심화 • 약소국의 자율성 침해	• 정보 오남용 • 사이버 범죄 • 정보 격차 • 정보의 통제와 감시
대응 방안	• 상품 경쟁력 강화 • 상대주의적 태도와 관용의 자세 함양	(가)

• 세계화와 정보화로 인한 문제점과 대응 방안

① 정보 윤리 함양
② 올바른 정보 문화 확립
③ 취약 계층에게 정보 기기 지원
④ 사이버 범죄에 대응하는 법률 마련
⑤ 빅 데이터를 통한 감시 및 통제 강화

---

3 전 지구적 수준의 문제와 대응 방안

★12 ㉠과 같이 주장한 이유로 적절한 것은?

미국의 오바마 전 대통령은 기후 변화의 대처를 강조하면서 "어떤 면에서, ㉠ 기후 변화는 테러리즘 문제와 유사하다. 두 위협을 평가하고 무력화하기 위해서 지속해서 노력해야 한다."라고 말했다. 이와 관련해 백악관 국가 안보 회의 부보좌관은 전날 요약 보고에서 "그 둘은 매우 다른 위협이지만 모두 매우 심각하다. 우리는 그 둘 모두에 대처해야 한다."라고 밝혔다.

① 이념보다 실리를 중시하는 문제이기 때문이다.
② 개별 국가의 자율성이 강화되고 있기 때문이다.
③ 국제적인 협력과 연대가 필요한 문제이기 때문이다.
④ 특정 정치적 목적을 달성하기 위해 발생한 문제이기 때문이다.
⑤ 무분별한 개발과 편리함을 위한 낭비 등으로 인해 발생한 문제이기 때문이다.

---

13 (가), (나)에 공통으로 해당하는 설명으로 적절하지 <u>않은</u> 것은?

(가) 콩고에서는 종족 간 치열한 전쟁 때문에 1998년부터 5년 동안 540만 명이 사망하는 비극이 일어났다. 콩고 내전은 자원을 차지하려는 여러 종족, 정부군과 반군을 각각 지원하는 다국적 기업, 개발 이권을 노린 외국 정부 등이 복합적으로 개입한 전쟁이다.

(나) 약 2000년간 팔레스타인 사람들이 살아오던 지역에 1948년 이스라엘이 건국되면서 비극이 시작되었다. 민족과 종교가 다른 팔레스타인과 이스라엘은 60년이 넘도록 자살 테러와 보복 전쟁을 계속하고 있다.

① 인간의 주거지와 자연 파괴가 일어난다.
② 불특정 다수에게 피해를 주는 경우가 많다.
③ 국가나 집단이 전면적 혹은 소규모, 때로는 개인적으로 폭력을 행사한다.
④ 막대한 비용이 소요되어 환경, 복지, 교육 등 다른 문제 해결에도 어려움을 겪게 한다.
⑤ 지역, 자원, 종교, 영토 등 여러 가지 요인들이 복합적으로 작용되기보다는 어느 하나가 요인이 되어 나타난다.

---

14 (가)에 들어갈 용어로 옳은 것은?

환경 문제, 자원 문제, 전쟁과 테러 등 한 지역이나 국가의 문제가 전 지구적 차원까지 영향을 미치는 문제가 증가함에 따라서 ___(가)___ 와/과 같은 기준이 강조되고 있다. ___(가)___ 은/는 현재 세대의 필요를 충족하기 위하여 미래 세대가 사용할 자원을 낭비하거나 여건을 저하하지 않고 경제 성장, 환경 보전, 사회의 안정과 통합이 균형을 이루는 것이다.

① 공정 여행
② 에코라이프
③ 지속 가능성
④ 발전 가능성
⑤ 문화 다양성

15 세계화의 요인을 〈보기〉에서 골라 기호를 쓰시오.

┤ 보기 ├
ㄱ. 산업 구조의 변화
ㄴ. 급격한 인구 증가
ㄷ. 교통·통신 기술의 발달
ㄹ. 세계 무역 기구(WTO)의 출범

16 다음은 인터넷에서 검색한 화면 자료이다. (가)에 해당하는 용어를 쓰시오.

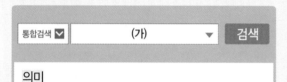

의미
세계 공동체 의식을 가지고 지구촌 문제 해결을 위해 협력하는 사람
자질
인류 보편의 가치 지향, 현재 세대와 미래 세대 인권의 조화로운 인식, 생태적·문화적 다양성 존중, 편견 없는 사고와 열린 마음

17 문화 다양성 협약이 채택된 이유를 서술하시오.

20001년 제31차 유네스코(UNESCO) 정기 총회는 '문화 다양성 협약'을 채택하였다. 이 협약에 따르면, 문화 상품과 서비스를 단순한 상품이나 소비재로 다루지 않아야 하며 이를 보장하기 위한 적절한 문화 정책을 마련해야 한다. 또한, 문화 상품의 독특한 성격을 인정하고, 각국이 문화 정책을 수립할 자주권을 보장해야 하며, 문화 약소국에 대한 지원책도 마련해야 한다.

18 다음과 같은 사회 변화가 가져올 문제점을 서술하시오.

우리 주변에는 규모를 가늠할 수 없을 정도로 많은 정보가 생산되는 '빅 데이터' 환경이 도래하고 있다. 빅 데이터란, 기존 데이터에 비해 그 양이 많고 형식이 다양하기 때문에 종래의 방법으로는 수집, 저장, 검색, 분석이 어려운 방대한 데이터를 가리킨다. 개인용 컴퓨터와 인터넷, 모바일 기기 이용이 생활화되면서 사람들의 일상생활이 빅 데이터의 형태로 저장되고 있다. 인터넷 쇼핑몰의 경우, 주로 어떤 상품을 검색하였는지, 얼마 동안 쇼핑몰에 머물렀는지 등이 일일이 기록된다. 금융 거래, 여가 활동, 자료 검색과 전자 우편 등 인터넷을 이용하는 우리의 모든 행동이 빅 데이터로 전환될 수 있다.

19 다음과 같은 문제를 해결하기 위한 방안을 제도적 차원에서 서술하시오.

인터넷 해킹뿐만 아니라 인터넷 게시판, 홈페이지, 이메일, 누리 소통망(SNS) 등을 이용해 다른 사람에 대한 악성 루머를 퍼뜨리거나 공포감을 주는 '사이버 스토킹' 범죄까지 포함하면 정보 사회의 문제는 매우 심각하다. 더욱 염려스러운 것은 이러한 범행을 하는 당사자들이 대부분 사태의 심각성을 정확히 인식하지 못하고 큰 죄의식 없이 행한다는 것이다. 개인 정보의 유출로 인한 피해 사례는 다양한 형태로 보고되고 있다. 실례로 청소년들의 주민 등록 번호를 수집한 후 온라인 게임 회원으로 가입시켜 부당하게 이용 요금을 편취한 사례도 있고, 원하지 않는 광고성 메일과 문자 메시지를 보내 불쾌감과 시간 낭비를 초래하는 사례는 거의 일상사가 되었다.

| 교육청 기출 |

01 세계화에 대한 갑, 을의 주장에 부합하는 진술을 〈보기〉에서 있는 대로 고른 것은?

> 세계화로 인해 자유 무역이 확대되어 생산자와 소비자에게 더 많은 기회를 제공하고, 선진국의 정치 이념과 제도가 전 세계로 확산될 것입니다.

> 세계화로 인해 개인 간, 국가 간 빈부 격차가 심화될 뿐만 아니라 거대 자본의 영향으로 사회·문화적 영역의 갈등도 더욱 커질 것입니다.

갑   을

┤ 보기 ├
ㄱ. 갑은 재화와 서비스 선택의 폭이 확대될 수 있다고 본다.
ㄴ. 갑은 민주주의 가치의 확산으로 인권이 신장될 것이라고 본다.
ㄷ. 을은 경쟁력이 취약한 산업이 위기에 처할 수 있다고 본다.
ㄹ. 을은 선진국 문화의 확산으로 문화의 다양성이 확대될 수 있다고 본다.

① ㄱ, ㄷ   ② ㄱ, ㄹ   ③ ㄴ, ㄹ
④ ㄱ, ㄴ, ㄷ   ⑤ ㄴ, ㄷ, ㄹ

02 세계화와 관련한 대화이다. (가)에 들어갈 내용으로 적절한 것은?

> 갑 세계화는 우리 삶을 편리하게 만들었어. 교통·통신이 발달하고 전 세계가 하나의 시장이 되니 소비자가 다양한 상품을 선택할 수 있어.
> 을 하지만 시장이 단일화가 된 것이 항상 긍정적인 결과를 가져온 것은 아니야. 세계화로 인하여 등장하게 된 경제적 문제점이 있어. _____ (가)

① 전 세계의 문화가 획일화 될 수 있어.
② 다양한 생활 양식이 전 세계로 확산되고 있어.
③ 국제 무역 증대로 저렴하게 물건을 살 수 있어.
④ 일부 강대국이 국제 사회의 중요 결정을 좌우해.
⑤ 국가 간 빈부 격차가 세계화 이전보다 커지고 있어.

03 다음 글을 통해 추측할 수 있는 세계화에 대한 설명으로 적절한 것은?

> 중국인이 양고기를 많이 먹으면 일본의 교복값이 오른다? 믿기 어렵겠지만 사실이다. 경제 성장으로 중국 내 양고기 소비는 많이 늘어난 데 비해 중국 내 양 사육 두수는 지나친 방목으로 사막화가 심각해져 생산이 수요를 따라잡지 못해 수입이 늘었다. 이에 오스트레일리아와 뉴질랜드 농가들은 양모용 양 사육 대신 식용 양 사육으로 바꾸고 있다. 그 결과, 양모 생산이 감소하여 전 세계의 양모 가격 및 섬유 제품 가격이 올랐다.

① 중국의 문화 상품이 전 세계로 확산되고 있다.
② 환경 문제와 관련한 국제적 협력과 교류가 확대되고 있다.
③ 문화 제국주의로 인한 문화 획일화 현상이 나타나고 있다.
④ 교통 및 통신 수단의 발달로 전 세계가 하나의 시장으로 단일화되고 있다.
⑤ 다국적 기업, 비정부 기구 등 국가 이외의 다양한 국제 행위체가 등장하고 있다.

| 평가원 기출 |

04 다음 글에서 부각된 정보 사회의 특징으로 가장 적절한 것은?

> 온라인 백과사전 ◇◇는 처음부터 반상업주의를 천명하였으며 비영리로 운영되고 있다. ◇◇에서는 누구든지 내용을 작성할 수 있지만, 아무도 중앙 집권적인 편집권을 갖지 못한다. 누구나 그것에 접근할 수 있으며, 어떤 내용도 작성자에게 귀속되지 않는다. 전 세계 수많은 일반 사용자들이 작성과 편집에 관한 기준을 만들며, 정보의 지속적인 확인과 즉각적인 수정을 통해 비교적 높은 수준의 정확성을 유지하고 있다. ◇◇는 사이버 공간 속 집단 지성의 산물이다.

① 사생활 침해가 늘어난다.
② 피상적 인간관계가 줄어든다.
③ 지식과 정보의 공유가 활발해진다.
④ 전문가 집단의 영향력이 강화된다.
⑤ 정보의 생산자와 소비자가 분리된다.

05 | 교육청 기출 |
다음 그림에 대한 설명으로 옳은 것은? (단, A, B는 각각 산업 사회와 정보 사회 중 하나이다.)

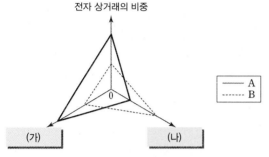

전자 상거래의 비중

A
B

(가)   (나)

* 단, 0에서 멀어질수록 그 정도가 높거나 강함.

① A에서는 지식과 정보가 부가 가치의 주요 원천이다.
② A에 비해 B에서 사회 변동의 속도가 빠르다.
③ B에 비해 A에서 소품종 대량 생산의 비중이 크다.
④ (가)에는 '대면 접촉 비중'이 들어갈 수 있다.
⑤ (나)에는 '가정과 일터의 통합 정도'가 들어갈 수 있다.

06 | 수능 기출 |
밑줄 친 ㉠~㉢에 해당하는 그래프를 (가)~(다)에서 고른 것은?

A~C는 각각 농업 사회, 산업 사회, 정보 사회 중 하나이다. 세 사회를 사회 조직의 관료화 정도에 따라 비교하면 오른쪽 그래프와 같이 나타낼 수 있다. 마찬가지로 ㉠ 가정과 일터의 결합 정도, ㉡ 구성원 간의 비대면 접촉 정도, ㉢ 직업의 동질성 정도도 이러한 방법으로 비교하여 (가)~(다)와 같이 나타낼 수 있다.

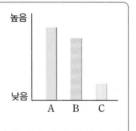

높음
낮음
A B C

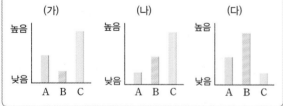

(가)
높음
낮음
A B C

(나)
높음
낮음
A B C

(다)
높음
낮음
A B C

	㉠	㉡	㉢
①	(가)	(나)	(다)
②	(가)	(다)	(나)
③	(나)	(가)	(다)
④	(나)	(다)	(가)
⑤	(다)	(나)	(가)

07 | 수능 기출 |
다음 표는 (가), (나)를 적용하여 A~C의 일반적인 특징을 비교한 것이다. 이에 대한 옳은 설명을 〈보기〉에서 고른 것은? (단, A~C는 농업 사회, 산업 사회, 정보 사회 중 하나이다.)

기준 \ 사회	A	B	C
(가)	+++	+	++
(나)	++	+++	+

*+의 개수가 많을수록 강함 내지 높음을 나타냄.

| 보기 |
ㄱ. (가)가 '가정과 일터의 분리 정도'이면 A는 C보다 관료제 조직의 비중이 높다.
ㄴ. (나)가 '구성원 간의 익명성 정도'이면 A는 B보다 전자 상거래의 비중이 낮다.
ㄷ. (가)가 '사회 변동의 속도'이면 (나)는 '사회의 다원화 정도'가 적절하다.
ㄹ. (나)가 '직업의 동질성 정도'이면, (가)는 '의사 결정의 분권화 정도'가 적절하다.

① ㄱ, ㄴ   ② ㄱ, ㄷ   ③ ㄴ, ㄷ
④ ㄴ, ㄹ   ⑤ ㄷ, ㄹ

08
(가), (나)는 정보 사회에서 나타나는 문제점을 해결하기 위한 노력이다. 이에 대한 설명으로 옳지 않은 것은?

(가) 방송 통신 위원회는 인터넷상의 '비밀번호 변경'을 주요 내용으로 하는 캠페인을 실시한다.
(나) 정부는 정보 취약 계층을 파악하여 정보 인프라 우선 구축을 위한 다양한 재정적 지원을 한다.

① (가)는 네티즌의 정보 보안 확대를 위한 것이다.
② (나)는 정보 접근성을 높이는 데 초점을 두고 있다.
③ (가)는 사이버 범죄 예방에, (나)는 정보 이용자 저변 확대에 도움이 된다.
④ (가)는 (나)와 달리 개인 정보 보호에 주안점을 두고 있다.
⑤ (나)는 (가)와 달리 대면 접촉 부족으로 인한 인간 소외를 문제점으로 삼고 있다.

09 다음 자료에 대한 분석으로 옳은 것은?

> 표는 갑국의 정보 격차 경험자의 학력별, 성별 비율을 나타낸 것이다. 단, 갑국은 농촌과 도시로만 이루어져 있으며 정보 격차 경험자 수는 도시가 농촌의 2배이다.
>
> (단위: %)
>
> | 구분 | 학력 | | | 성별 | |
> |---|---|---|---|---|---|
> | | 중졸 이하 | 고졸 | 대졸 이상 | 남성 | 여성 |
> | 농촌 | 50 | 15 | 35 | 40 | 60 |
> | 도시 | 50 | 25 | 25 | 30 | 70 |

① 도시 전체 인구는 농촌 전체 인구의 2배이다.

② 농촌과 도시에는 모두 학력이 낮을수록 정보 격차 경험자 수가 많아진다.

③ 농촌의 중졸 이하 학력의 정보 격차 경험자 수가 도시의 대졸 이상 학력의 정보 격차 경험자 수의 2배이다.

④ 갑국의 정보 격차 경험자 수는 여성이 남성의 2배이다.

⑤ 정보 격차 경험자 중에서 중졸 이하 학력의 여성이 차지하는 비율은 도시가 농촌보다 높다.

10 (가), (나)에 나타난 문제의 공통점으로 가장 적절한 것은?

> (가) 이산화탄소 흡수 능력의 약화로 인해 지구 온난화 현상이 심화되고 있으며, 이로 인해 기상 이변을 비롯해 다양한 생물 종의 서식지가 파괴되고 있다.
> (나) 식량과 에너지 부족 문제가 심각해지고 있다. 이는 절대적 부족보다는 지역적 소비의 편중으로 인해 부족의 어려움을 겪고 있는 지역이 나타난다는 점에서 문제가 되고 있다.

① 인구 감소로 인해 발생하였다.

② 인종 간 갈등으로 인해 초래되었다.

③ 전 지구적 차원의 공동 대응이 요구된다.

④ 개별 국가의 자율성 강화로 인해 나타났다.

⑤ 지역, 자원, 종교, 영토 등 여러 가지 요인이 복합적으로 작용한 문제이다.

11 (가), (나)에 대한 옳은 설명을 〈보기〉에서 고른 것은?

> [(가)]은/는 서로 대립하는 국가들이나 이에 준하는 집단들이 군사력을 사용해서 상대의 의지를 강제하려는 행위나 상태를 의미한다. [(나)]은/는 특정 목적을 가진 집단이나 조직이 폭력을 써서 상대편을 위협하거나 공포에 빠뜨리는 행위를 의미한다.

┤ 보기 ├

ㄱ. (가)로 인한 피해는 (나)와 달리 전 세계로 파급될 수 있다.

ㄴ. (나)는 (가)와 달리 인명과 재산에 막대한 피해를 입힌다.

ㄷ. (가)와 (나)의 해결을 위해서는 인류 공동의 노력이 필요하다.

ㄹ. (가)와 (나)는 민족 간의 대립이나 종교 갈등, 이념 갈등 등으로 인해 발생한다.

① ㄱ, ㄴ　　　② ㄱ, ㄷ　　　③ ㄴ, ㄷ
④ ㄴ, ㄹ　　　⑤ ㄷ, ㄹ

12 다음 글을 통해 유추할 수 있는 지속 가능한 사회를 위한 노력으로 적절한 것을 〈보기〉에서 고른 것은?

> '에코라이프(ecolife)'는 생태학(ecology)과 생활(life)이 결합된 말이다. 즉, 에코라이프는 친환경적, 생태적 생활 방식을 의미하는 것이다. 유리병 재활용, 적정량의 음식 조리, 자전거 이용, 샤워 시간 줄이기, 일회용품 사용, 집에서 식물 키우기 등이 에코라이프를 실천하는 대표적인 생활 습관으로 제시되고 있다.

┤ 보기 ├

ㄱ. 소속 국가의 발전에 집중한다.

ㄴ. 세계 시민으로서의 역할을 수행한다.

ㄷ. 산업 및 기술에서 국제 경쟁력을 갖추도록 노력한다.

ㄹ. 지구를 현재 세대뿐만 아니라 미래 세대도 살아가야 할 공간으로 인식한다.

① ㄱ, ㄴ　　　② ㄱ, ㄷ　　　③ ㄴ, ㄷ
④ ㄴ, ㄹ　　　⑤ ㄷ, ㄹ

1 # 사회 변동과 사회 운동

사회 변동
진화론　# 순환론
기능론　# 갈등론
사회 운동　# 개혁적 사회 운동
혁명적 사회 운동　# 복고적 사회 운동

❶   인간의 생활 방식, 의식 구조, 사회적 관계, 사회 구조 등이 총체적으로 변화하는 현상

진화론 사회는 단순하고 미분화된 상태에서 복잡하고 분화된 상태로 진화한다는 이론

순환론 사회는 생성, 성장, 쇠퇴, 해체를 반복한다는 이론

기능론 ❷

갈등론 피지배 집단이 기득권을 가진 지배 집단에 도전하여 불평등한 사회 구조를 변화시키려고 하는 과정에서 사회 변동이 발생한다고 보는 이론

사회 운동 ❸

개혁적 사회 운동 기존 사회 질서에 만족하지만 부분적으로 개혁이 필요할 때 발생하는 사회 운동

❹   기존 사회 질서에 불만을 가지고 급진적인 변동을 추구할 때 발생하는 사회 운동

복고적 사회 운동 급격한 사회 변화에 대항하여 기존의 사회 질서를 고수하기 위한 사회 운동

2 # 저출산·고령화와 다문화적 변화

저출산　# 부양 인구
고령화　# 노인 인구　# 고령화율
고령화 사회　# 고령 사회　# 초고령 사회
출산율 증대 정책　# 고령화 대비 정책
다문화 사회

❺   출산율이 적정 수준보다 낮은 현상

고령화 전체 인구에서 노인 인구가 차지하는 비율이 증가하는 현상

노인 인구 65세 이상 인구

고령화율 전체 인구에서 노인 인구가 차지하는 비율

고령화 사회 고령화율이 7% 이상 14% 미만인 사회

고령 사회 고령화율이 14% 이상 20% 미만인 사회

초고령 사회 고령화율이 20% 이상인 사회

출산율 증대 정책 ⑥ _____

고령화 대비 정책 노인 세대의 재취업 기회 확대, 노후 보장을 위한 연금 제도 개선, 여성의 노동 시장 참여 유도, 고령 친화 사업 육성, 외국인 노동자 수용 확대 등

⑦ [_____] 서로 다른 문화적 배경을 가진 집단들이 함께 살아가는 사회

3 # 세계화·정보화와
전 지구적 수준의 문제

\# 세계화
\# 정보화 # 정보 격차
\# 전 지구 수준의 문제 # 환경 문제
\# 자원 문제 # 전쟁 # 테러
\# 지속 가능성 # 지속 가능한 사회 # 세계 시민

⑨ [_____] 국가 간 상호 의존성이 커지고 지구촌 전체가 단일한 체계로 통합되는 현상

정보화 지식과 정보가 사회 활동 전반에서 차지하는 비중이 커지는 현상

정보 격차 새로운 정보 기술에 접근할 수 있는 능력의 정도에 따라 경제적·사회적 격차가 나타나는 현상

전 지구적 수준의 문제 특정 지역의 문제가 다른 국가나 전 지구적 차원에까지 영향을 미치는 문제

환경 문제 지구 온난화 현상, 열대 우림 파괴, 사막화, 황사, 미세 먼지, 토양 오염, 빠르게 사라지는 빙하 등

자원 문제 자원 고갈, 식량 부족, 물 부족 등

전쟁 서로 대립하는 국가들이나 이에 준하는 집단들이 군사력을 사용해서 상대의 의지를 강제하려는 행위나 상태

⑨ [_____] 특정 목적을 가진 집단이나 조직이 살인, 납치 등의 폭력을 써서 상대편을 위협하거나 공포에 빠뜨리는 행위

지속 가능성 현재 세대의 필요를 충족하기 위하여 미래 세대가 사용할 경제, 사회, 환경 등의 자원을 낭비하거나 여건을 저하하지 않고, 서로 조화와 균형을 이루는 상태

지속 가능한 사회 ⑩ _____

⑪ [_____] 세계 공동체 의식을 가지고 지구촌 문제 해결을 위해 협력하는 사람

정답 ❶ 사회 변동 ❷ 사회의 부분이나 전체에 불균형이 나타나면, 이를 조정하여 균형을 찾아가는 과정에서 사회 변동이 발생한다고 보는 이론 ❸ 사회 문제를 해결하거나 사회 체제를 근본적으로 변혁하기 위하여 대중이 자발적으로 하는 집단적이고 지속적인 행위 ❹ 혁명적 사회 운동 ❺ 저출산 ❻ 출산과 양육에 대한 사회적 책임 강화, 일·가정 양립을 위한 제도적 지원 강화 등 ❼ 다문화 사회 ❽ 세계화 ❾ 테러 ❿ 지속 가능성에 기초하여 경제 성장, 사회의 안정과 통합, 환경의 보전이 균형을 이루는 사회 ⓫ 세계 시민

Memo.

개념을 잡아 주는 **자율학습 기본서**

고등 **셀파**

개념을 잡아 주는 **자율학습 기본서**

고등 **셀파**

BOOK **1** | 개념 잡는 알집

사회·문화

개념을 잡아 주는 **자율학습 기본서**

고등 **셀파**

Sherpa

사회·문화

BOOK **2**

믿고 보는 정답 및 해설 **딱 맞는 풀이집**

천재교육

개 념 을 잡 아 주 는 **자율학습 기본서**

고등 셀파

선생님이 옆에서 풀어 주듯 친절한 해설!
오답 해결을 위한 완벽 시스템!

각 문항에 대한 상세한 설명이 필요할 때 | **정답을 찾아가는 셀파 - Tip**

문제와 관련된 개념 정리가 필요할 때 | **내 것으로 만드는 셀파 - Tip**

자료에 대한 분석 방법을 알고 싶을 때 | **자료를 분석하는 셀파 - Tip**

서술형 문제에서 고득점이 필요할 때 | **모범 답안 & 주요 단어**

"정답인 이유, 오답인 이유를 확실하게 분석하여 문제 해결력을 키워 줍니다."

사회·문화

BOOK
2

믿고 보는 정답 및 해설

딱 맞는 풀이집

I 사회·문화 현상의 탐구	02
II 개인과 사회 구조	13
III 문화와 일상생활	24
IV 사회 계층과 불평등	35
V 현대의 사회 변동	46

Ⅰ 사회·문화 현상의 탐구

01 사회·문화 현상의 이해

탄탄 내신 문제 | p. 14 ~ p. 18

01 ②	02 ④	03 ②	04 ③	05 ③	06 ①
07 ②	08 ①	09 ②	10 ④	11 ②	12 ④
13 ③	14 ②	15 ㄴ, ㄹ	16 (가): 기능론, (나): 갈등론		
17 ㉠: 상징적 상호 작용론, ㉡: 상황 정의				18 해설 참조	
19 해설 참조					

01 사회·문화 현상의 특징 ❷ ②

A는 사회·문화 현상이다. 사회·문화 현상은 인간의 의지와 가치가 개입되어 발생하는 현상으로 당위 법칙이 적용된다.

02 자연 현상과 사회·문화 현상의 관계 ❷ ④

제시된 사례에서 자연 현상인 한파로 인해 난방 용품의 수요가 급증하는 사회·문화 현상이 발생하였고, 댐 공사라는 사회·문화 현상으로 인해 주변 지역의 생태계가 파괴되는 자연 현상이 발생하였다. 이를 통해 사회·문화 현상과 자연 현상이 서로 영향을 주고받는다는 것을 알 수 있다.

03 자연 현상과 사회·문화 현상의 구분 ❷ ②

자연 현상은 인간의 의지와 무관하게 발생하며, 사회·문화 현상은 인간의 의지나 가치가 반영되어 나타난다. ㉠, ㉢은 자연 현상, ㉡, ㉣은 사회·문화 현상에 해당한다.

04 자연 현상과 사회·문화 현상의 특징 ❷ ③

㉠, ㉡은 자연 현상, ㉢은 사회·문화 현상이다. 사회·문화 현상은 발생 요인과 그 결과가 법칙으로 대응하기보다 확률적으로 관련을 맺고 있어 예외적인 현상이 나타날 수 있다. 즉, 사회·문화 현상은 개연성의 원리가 작용한다.

정답을 찾아가는 셀파 - Tip

① ㉠과 같은 현상은 가치 함축적이다. (×)
　→ 자연 현상은 몰가치적이다.
② ㉡과 같은 현상은 특수성이 강하다. (×)
　→ 자연 현상은 보편성이 강하다.
③ ㉢과 같은 현상은 개연성의 원리가 작용한다. (○)
④ ㉠과 같은 현상은 ㉡과 같은 현상과 달리 엄격한 인과 법칙을 따른다. (×)
　→ ㉠, ㉡ 모두 자연 현상으로 엄격한 인과 법칙을 따른다.
⑤ ㉡과 같은 현상은 ㉢과 같은 현상과 달리 인간의 가치가 반영되어 나타난다. (×)
　→ 자연 현상은 사회·문화 현상과 달리 인간의 가치가 개입되지 않는다.

05 자연 현상과 사회·문화 현상의 특징 ❷ ③

A는 가치 함축성이 나타나고 B는 그렇지 않으므로, A는 사회·문화 현상, B는 자연 현상이다. 자연 현상은 물이 100℃가 되면 끓는 것처럼 어떤 원인에 따른 결과가 필연적으로 발생한다.

06 자연 현상과 사회·문화 현상의 특징 ❷ ①

(가)는 자연 현상을 대상으로 한 연구이며, (나)는 사회·문화 현상을 대상으로 한 연구이다. 자연 현상은 인간의 가치와 무관하게 발생하므로 몰가치적이며, 확실성의 원리가 작용한다. 반면, 사회·문화 현상은 사회의 규범적 요구가 반영되어 나타나므로 당위 법칙의 지배를 받으며, 자연 현상과 달리 보편성과 특수성이 동시에 나타난다.

자료를 분석하는 셀파 - Tip

(가) 여름철 강수량이 농작물의 수확량에 미치는 영향에 대한 연구
　　인간의 의지와 무관하게 발생함. → 자연 현상
(나) 광고모델의 인지도가 소비자의 심리 변화에 미치는 영향에 대한 연구
　　인간의 의지와 가치, 감정 등이 반영되어 발생함. → 사회·문화 현상

07 사회·문화 현상을 바라보는 관점 ❷ ②

(가)는 거시적 관점, (나)는 미시적 관점이다. 거시적 관점은 사회 제도나 구조에 초점을 두고 사회·문화 현상을 파악하고, 미시적 관점은 사회적 행위자인 구성원 간의 상호 작용에 초점을 맞추어 사회·문화 현상을 바라본다. 거시적 관점에는 기능론과 갈등론이 있고, 미시적 관점에는 상징적 상호 작용론이 있다.

08 기능론의 특징 ❷ ①

사회를 하나의 살아 있는 유기체와 같이 바라보는 관점은 기능론이다. 기능론은 사회의 각 부분이 사회 전체의 질서와 통합을 위해 존재한다고 보므로 사회의 안정과 통합을 중시하는 관점이다.

정답을 찾아가는 셀파 - Tip

① 사회의 안정과 통합을 중시한다. (○)
② 미시적 관점에서 사회·문화 현상을 바라본다. (×)
　→ 기능론은 거시적 관점에서 사회·문화 현상을 바라본다.
③ 사회 구성원 간의 관계를 대립적으로 이해한다. (×)
　→ 갈등론에 대한 설명이다.
④ 사회적 희소가치를 둘러싼 집단 간 갈등 관계에 주목한다. (×)
　→ 갈등론에 대한 설명이다.
⑤ 행위자인 개인의 주관적인 상황 정의에 대한 이해를 중시한다. (×)
　→ 상징적 상호 작용론에 대한 설명이다.

09 갈등론의 특징 ❷ ②

사회를 희소가치를 둘러싼 갈등과 대립의 장으로 이해하는 관점은 갈등론이다. 갈등론은 사회 질서가 특정 집단, 즉 사회적 희소가치를 독점한 집단인 지배 집단의 합의에 근거한다고 본다. 사회의 상호 의존성, 유기적 관계, 균형 등을 강조하는 관점은 기능론이며, 개인 간의 상호 작용을 강조하는 관점은 상징적 상호 작용론이다.

10 사회·문화 현상을 바라보는 관점   답 ④

갑의 관점은 기능론, 을의 관점은 갈등론에 해당한다. 기능론과 달리 갈등론은 교육이 지배 집단에게 유리하게 구성되어 있어 불평등한 사회 구조를 재생산한다고 본다.

정답을 찾아가는 셀파 - Tip

① 갑의 관점은 교육 내용이 특정 집단에게 유리하다고 본다. (×)
→ 교육 내용이 특정 집단, 즉 기득권층에게 유리하다고 보는 입장은 갈등론이다.

② 을의 관점은 교육 제도의 사회 통합 기능을 강조한다. (×)
→ 교육 제도의 사회 통합 기능을 강조하는 입장은 기능론이다.

③ 갑의 관점은 을과 달리 교육이 효율적인 자원 배분을 제한한다고 본다. (×)
→ 기능론은 교육을 통해 효율적인 자원 배분이 가능하다는 입장이다.

④ 을의 관점은 갑과 달리 교육이 불평등한 사회 구조를 재생산한다고 본다. (○)

⑤ 갑, 을의 관점 모두 학생의 가정 배경이 학업 성취에 미치는 영향력을 간과하고 있다. (×)
→ 가정 배경이 학업 성취에 미치는 영향력을 간과한다는 비판을 받는 입장은 기능론만이다.

11 상징적 상호 작용론의 특징   답 ②

개인들이 일상적으로 상호 작용하는 과정에서 나타나는 행위의 주관적인 동기와 의미의 해석에 초점을 두어 사회·문화 현상을 바라보는 관점은 상징적 상호 작용론이다. 상징적 상호 작용론은 사회 구성원이 각자가 처한 상황에 대한 정의를 바탕으로 행동한다고 보며, 개인에 외재하는 사회 구조의 강제력을 간과한다는 비판을 받는다.

12 사회·문화 현상을 바라보는 관점   답 ④

(가)는 갈등론, (나)는 기능론, (다)는 상징적 상호 작용론이다. 상징적 상호 작용론은 사회 구성원인 인간 개인의 능동성을 강조한다.

정답을 찾아가는 셀파 - Tip

① (가) - 사회 구성원들은 상징을 활용하여 의사소통을 한다. (×)
→ (다) 상징적 상호 작용론에 부합하는 진술이다.

② (가) - 집단 간 갈등은 사회 전체의 이익을 해치는 사회 문제이다. (×)
→ (나) 기능론에 부합하는 진술이다.

③ (나) - 사회 변동은 사회 구성원들 사이의 대립과 투쟁의 결과이다. (×)
→ (가) 갈등론에 부합하는 진술이다.

④ (다) - 인간은 능동적인 존재로서 대상과 상황을 규정하는 주체이다. (○)

⑤ (다) - 사회의 각종 규범과 제도는 지배 집단 내부의 합의를 통해 형성된다. (×)
→ (가) 갈등론에 부합하는 진술이다.

13 갈등론의 한계   답 ③

제시문에 나타난 사회·문화 현상을 바라보는 관점은 갈등론이다. 갈등론은 사회를 대립과 투쟁의 장으로 보고 있어 현실 속에 존재하는 협동과 조화의 현상을 경시한다는 비판을 받는다. ①, ②, ④는 기능론에 대한 비판, ⑤는 미시적 관점에 대한 비판이다.

14 사회·문화 현상을 바라보는 관점   답 ②

노인 문제를 해결하기 위해서 가정의 기능을 다시 회복해야 한다는 갑의 관점은 기능론에 해당하며, 사회 구성원이 노인과 어른에 대해 어떻게 이해하는지 의미의 해석에 초점을 두는 을의 관점은 상징적 상호 작용론에 해당한다.

서답형 문제

15 사회·문화 현상의 특징   답 ㄴ, ㄹ

사회·문화 현상은 인간의 가치와 신념이 반영되어 나타난다. 또한, 당위 법칙의 지배를 받으며, 인과 관계가 불명확하고, 개연성과 확률의 원리가 작용한다는 특징이 있다.

16 사회·문화 현상을 바라보는 관점   답 (가): 기능론, (나): 갈등론

(가)는 사회 구성원 모두의 합의가 반영되어 법이 제정된다고 보므로 기능론이며, (나)는 특정 집단의 의도와 가치관을 반영하여 법이 제정된다고 보므로 갈등론이다.

17 상징적 상호 작용론   답 ㉠: 상징적 상호 작용론, ㉡: 상황 정의

사회·문화 현상을 바라보는 관점 중 상징적 상호 작용론은 인간은 자신이 처한 상황에 대한 주관적인 정의, 즉 상황 정의에 기초하여 행동한다고 본다. 따라서 ㉠은 상징적 상호 작용론이며, ㉡은 상황 정의이다.

18 사회·문화 현상을 바라보는 관점

모범 답안 | 두 관점 모두 사회·문화 현상을 사회 구조나 제도와 같은 큰 체계 속에서 파악하는 거시적 관점이라는 점에서 공통점을 지닌다. 그러나 갑은 기능론적 관점에서 사회 구성 요소 간 균형과 조화를 통한 질서 유지를 중시하고, 을은 갈등론적 관점에서 희소가치를 둘러싼 사회 집단 간 대립과 갈등에 초점을 둔다.
주요 단어 | 거시적 관점, 기능론, 질서 유지, 갈등론, 대립과 갈등

채점 기준	배점
갑, 을 두 관점의 공통점과 차이점을 정확하게 서술한 경우	상
갑, 을 두 관점의 공통점과 차이점을 각각 서술하였으나 미흡한 경우	중
갑, 을 두 관점의 공통점과 차이점 중 한 측면만 정확하게 서술한 경우	하

19 기능론

모범 답안 | (1) 기능론
(2) 혁명과 같은 급격한 사회 변동을 설명하기 곤란하다. 사회 질서와 안정을 지나치게 강조하여 기득권층의 이익을 대변하는 논리로 이용될 우려가 있다.
주요 단어 | 혁명, 급격한 사회 변동, 기득권층의 이익 대변

채점 기준	배점
기능론의 한계를 두 가지 정확하게 서술한 경우	상
기능론의 한계를 한 가지만 정확하게 서술한 경우	하

| 01 ③ | 02 ④ | 03 ① | 04 ④ | 05 ④ | 06 ② |
| 07 ④ | 08 ② | 09 ④ | 10 ③ | 11 ② | 12 ③ |

01 자연 현상과 사회·문화 현상의 특징   답③

㉠, ㉡은 자연 현상, ㉢, ㉣은 사회·문화 현상이다. 확실성의 원리가 적용되는 것은 자연 현상이므로 ㉠, ㉡의 응답은 '○'이고, ㉢, ㉣의 응답은 '×'이다.

자료를 분석하는 셀파 - Tip

학생	질문	자연 현상 — ㉠	㉡	㉢	㉣
갑	몰가치적 현상인가? → 자연 현상의 특징	× ○	○	○ ×	×
을	당위 법칙의 적용을 받는가? → 사회·문화 현상의 특징	○ ×	×	○	○
병	확실성의 원리가 적용되는가? → 자연 현상의 특징	○	○	×	×
정	보편성과 특수성이 공존하는가? → 사회·문화 현상의 특징	○ ×	×	× ○	× ○
무	경험적 자료에 의해 연구할 수 있는가? → 자연 현상과 사회·문화 현상의 공통적 특징	○	○	× ○	× ○

02 자연 현상과 사회·문화 현상의 특징   답④

㉠, ㉣은 인간의 의지가 개입된 사회·문화 현상이고, ㉡, ㉢은 자연 현상이다. 사회·문화 현상은 개연성의 원리가 적용되는 현상이며, 보편성과 특수성을 함께 갖는다. 반면, 자연 현상은 인간의 의지와 가치가 개입되지 않은 몰가치적인 현상이며, 존재 법칙의 지배를 받는다. 또한, 자연 현상은 사회·문화 현상과 달리 인과 관계가 확실하며, 보편성이 강하다.

03 자연 현상과 사회·문화 현상의 특징   답①

㉠ 감기약을 먹는 것은 인간의 의지가 반영되어 있으므로 사회·문화 현상이고, ㉡ 자생력은 인간의 의지가 개입되지 않은 자연의 발생 원리이므로 자연 현상이다. 따라서 제시된 자료의 A에는 사회·문화 현상의 특징을 묻는 질문이, B에는 자연 현상의 특징을 묻는 질문이 들어가야 한다.

정답을 찾아가는 셀파 - Tip

① A: 당위 법칙이 적용되는가? (○)

② A: 존재 법칙이 적용되는가? (×)
→ 자연 현상의 특징이다.

③ A: 동일 조건하에서 동일 현상이 발생하는가? (×)
→ 자연 현상의 특징이다.

④ B: 가치 판단이 가능한가? (×)
→ 사회·문화 현상의 특징이다.

⑤ B: 확률의 원리가 적용되는가? (×)
→ 사회·문화 현상의 특징이다.

04 사회·문화 현상을 바라보는 관점   답④

ㄱ. '사회 변동보다 사회 안정을 지향하는가?'는 기능론의 특징을 묻는 질문이므로 (가)에 들어갈 수 있다. ㄴ. '사회 제도가 지배 집단에게 유리하게 구성되었다고 보는가?'는 갈등론의 특징을 묻는 질문이므로 (나)에 들어갈 수 있다. ㄷ. 개인과 개인 간의 언어와 기호를 통한 상호 작용을 중시하는 것은 상징적 상호 작용론이므로 해당 질문에 대한 기능론과 갈등론 입장의 대답은 모두 '아니요'이다. ㄹ. 기능론과 갈등론 모두 거시적 관점으로, 사회적 행위자의 주체적 능동성을 간과하는 경향이 있다는 비판을 받으므로 해당 질문이 (라)에 들어가면 A, B는 모두 '예'이다.

05 사회·문화 현상을 바라보는 관점   답④

A는 갈등론, B는 기능론이다. 갈등론과 달리 기능론은 사회에 존재하는 갈등과 대립을 일시적이고 병리적인 현상으로 본다.

정답을 찾아가는 셀파 - Tip

① A는 사회가 유기체와 같은 존재라고 본다.(×)
→ 사회가 유기체와 같은 존재라고 보는 것은 기능론이다.

② B는 사회가 서로 대립하는 집단들로 구성되어 있다고 본다. (×)
→ 사회가 서로 대립하는 집단들로 보는 것은 갈등론이다.

③ A는 B와 달리 개인에 외재하는 사회 구조의 강제력을 간과한다. (×)
→ 개인에 외재하는 사회 구조의 강제력을 간과하는 것은 미시적 관점으로, 거시적 관점인 갈등론, 기능론과 모두 관련이 없다.

④ B는 A와 달리 갈등을 비정상적인 현상으로 본다. (○)

⑤ (가)에는 '사회 구조에 대한 개인의 자율성을 강조하는가?'가 들어갈 수 있다. (×)
→ 사회 구조에 대한 개인의 자율성을 강조하는 것은 미시적 관점인 상징적 상호 작용론이므로 해당 질문은 (가)에 들어갈 수 없다.

06 사회·문화 현상을 바라보는 관점   답②

을은 '청년 실업'이라는 사회 문제를 일시적인 병리 현상으로 파악하고 있다. 또한, 을은 청년층이 적성에 맞는 능력을 갖추고, 정부의 정책적 지원으로 청년 실업 문제를 해결할 수 있다고 보므로 기능론에 가까운 입장이다. 기능론은 사회가 유기체처럼 각 부분들이 상호 의존적으로 잘 통합된 체계라고 본다.

정답을 찾아가는 셀파 - Tip

① 사회 발전을 위해서는 사회 구조적 변혁이 필수적이라고 본다. (×)
→ 급진적인 변혁을 주장하는 관점은 갈등론이다.

② 사회는 각 부분들이 상호 의존적으로 잘 통합된 체계라고 본다. (○)

③ 사회·문화 현상의 의미가 행위 주체에 따라 다르게 규정된다고 본다. (×)
→ 미시적으로 행위 주체를 강조하는 관점은 상징적 상호 작용론이다.

④ 사회는 자체에 내재된 구조적 모순으로 인해 불안정한 상태라고 본다. (×)
→ 계급 간 갈등이 사회에 내재해 있다고 보는 관점은 갈등론이다.

⑤ 사회적 행위의 동기에 대한 분석을 통해 사회를 이해해야 한다고 본다. (×)
→ 행위의 분석을 강조하는 관점은 상징적 상호 작용론이다.

07 사회·문화 현상을 바라보는 관점 　　답 ④

제시된 대화에서 갑의 관점은 기능론, 을의 관점은 상징적 상호 작용론, 병의 관점은 갈등론이다. 기능론은 갈등론과 달리 사회 구성 요소의 기능과 역할은 사회적으로 합의된 것이라고 본다.

정답을 찾아가는 셀파 - Tip

① 갑의 관점은 상황에 대한 개인의 주관적 의미 부여를 강조한다. (×)
　→ 상황에 대한 개인의 주관적 의미 부여를 강조하는 것은 상징적 상호 작용론이다.
② 을의 관점은 사회가 필연적으로 변화하며 집단 간 갈등이 변화의 동력이라고 본다. (×)
　→ 사회가 필연적으로 변화하며 집단 간 갈등이 변화의 동력이라고 보는 것은 갈등론이다.
③ 병의 관점은 기득권층의 이익을 대변하는 논리로 사용된다는 비판을 받는다. (×)
　→ 기득권층의 이익을 대변하는 논리로 사용된다는 비판을 받는 것은 기능론이다.
④ 갑의 관점은 병의 관점과 달리 사회 구성 요소의 기능과 역할은 사회적으로 합의된 것이라고 본다. (○)
⑤ 을, 병의 관점은 갑의 관점과 달리 사회 문제를 설명하는 데 사회 구조적 요인을 중시한다. (×)
　→ 기능론과 갈등론은 상징적 상호 작용론과 달리 사회 문제를 설명하는 데 사회 구조적 요인을 중시한다.

08 사회·문화 현상을 바라보는 관점 　　답 ②

기능론은 갈등론과 달리 사회가 유기체처럼 안정과 균형을 지향한다고 본다. 또한, 기능론과 갈등론은 모두 거시적 관점으로, 사회 구조에 대한 분석을 전제로 사회·문화 현상을 이해하고자 한다.

자료를 분석하는 셀파 - Tip

질문	대답	
	기능론	갈등론
사회는 본질적으로 균형을 지향하는가? —기능론의 특징	(가) 예	(나) 아니요
사회 구조에 대한 분석을 전제로 사회·문화 현상을 이해하고자 하는가? — 기능론과 갈등론의 공통적 특징	(다) 예	(라) 예

09 사회·문화 현상을 바라보는 관점 　　답 ④

(가)는 기능론, (나)는 갈등론, (다)는 상징적 상호 작용론이다. ㄴ. 갈등론은 갈등과 대립이 현재의 모순된 사회 구조를 변화시키는 사회 변화의 원동력이라고 본다. ㄹ. 미시적 관점인 상징적 상호 작용론과 달리 기능론과 갈등론은 사회 제도와 구조에 초점을 두는 거시적 관점이다.

정답을 찾아가는 셀파 - Tip

ㄱ. (가)는 사회의 통합과 존속을 경시한다.
　→ 기능론은 사회의 통합과 존속을 중요시한다.
ㄷ. (다)는 혁명과 같은 급진적인 사회 변동을 설명하기 용이하다.
　→ 혁명과 같은 급진적인 사회 변동을 설명하기 용이한 관점은 갈등론이다.

10 사회·문화 현상을 바라보는 관점 　　답 ③

(가)는 기능론, (나)는 갈등론, (다)는 상징적 상호 작용론이다. ③ 기

능론에 비해 갈등론은 혁명과 같은 급진적인 사회 변동을 설명하기 용이하다.

정답을 찾아가는 셀파 - Tip

① (나)는 행위 주체인 인간이 상황 속에서 능동적으로 대응하는 존재라고 본다. (×)
　→ 상징적 상호 작용론에 대한 설명이다.
② (다)는 능동적 존재로서의 개인을 간과한다는 비판을 받는다. (×)
　→ 능동적 존재로서 개인을 간과한다는 비판을 받는 관점은 기능론과 갈등론이다.
③ (나)는 (가)에 비해 급진적인 사회 변동을 설명하기 용이하다. (○)
④ (나)는 (가)와 달리 사회의 존속을 위한 사회 각 부분들의 기능에 주목한다. (×)
　→ 사회의 존속을 위해 사회 각 부분들의 기능에 주목하는 관점은 기능론이다.
⑤ (다)는 (나)와 달리 사회 제도 간의 상호 의존적인 관계에 주목한다. (×)
　→ 사회 제도 간의 상호 의존성에 주목하는 관점은 기능론이다.

11 사회·문화 현상을 바라보는 관점 　　답 ②

A는 기능론, B는 상징적 상호 작용론이다. ㄱ. 기능론은 사회가 생명체처럼 스스로 균형을 유지하려는 속성이 있다고 본다. ㄷ. 기능론과 달리 상징적 상호 작용론은 개인이 상황에 부여한 의미, 즉 상황 정의에 기초하여 행동한다고 본다.

자료를 분석하는 셀파 - Tip

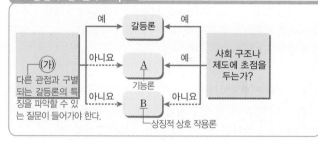

12 사회·문화 현상을 바라보는 관점 　　답 ③

(가)는 상징적 상호 작용론, (나)는 갈등론, (다)는 기능론이다. ③ 갈등론은 기능론과 달리 현재의 사회 구조가 모순되고 불공평하다고 보므로 사회 변동의 불가피성을 강조한다.

정답을 찾아가는 셀파 - Tip

① (가)는 (다)와 달리 사회 갈등과 투쟁이 사회 발전의 원동력이라고 본다. (×)
　→ 사회 갈등과 투쟁을 사회 발전의 원동력으로 보는 것은 갈등론이다.
② (나)는 (가)와 달리 행위자인 개인의 주체적 능동성을 중시한다. (×)
　→ 개인의 주체적 능동성을 중시하는 관점은 상징적 상호 작용론이다.
③ (나)는 (다)와 달리 사회 변동의 불가피성을 강조한다. (○)
④ (다)는 (나)와 달리 주관적인 상황 정의를 중시한다. (×)
　→ 주관적인 상황 정의를 중시하는 것은 상징적 상호 작용론이다.
⑤ (가), (다)는 (나)와 달리 사회 통합을 중시한다. (×)
　→ 사회 통합을 중시하는 것은 기능론이다.

탄탄 내신 문제　　　　　　　　　p. 26 ~ p. 30

01 ②	02 ①	03 ⑤	04 ③	05 ⑤	06 ②
07 ②	08 ①	09 ③	10 ③	11 ⑤	12 ④
13 ④	14 ⑤	15 ③	16 ㄴ, ㄷ	17 가설	
18 (가): 실험 집단, (나): 통제 집단			19 해설 참조		20 해설 참조

01 가설의 요건　　　　　　　　답 ②

(나)에서 '부모와 자녀의 친밀도'는 독립 변수, '자녀의 학업 의욕'은 종속 변수로 변수들 간의 인과 관계가 나타나 있다.

자료를 분석하는 셀파 - Tip

(가) 사람이라면 모름지기 착하게 살아야 한다. ─ 자명한 진리이므로 검증의 필요성이 없다.

(나) 부모와 자녀의 친밀도가 높을수록 자녀의 학업 의욕이 높을 것이다. └독립 변수 └종속 변수

(다) 여성의 가사 노동 시간이 남성의 가사 노동 시간보다 많을 것이다. └ 모두 계량화가 가능하므로 경험적으로 검증할 수 있다.

02 질적 연구 방법　　　　　　　　답 ①

제시문에 나타난 연구 방법은 질적 연구 방법이다. ㄱ, ㄴ. '50대 이상 남성의 은퇴 후 삶에 대한 생애 연구'와 '가출 청소년의 일상생활 모습에 대한 관찰 연구'는 법칙을 발견하는 것보다 현상에 대한 심층적인 이해를 목적으로 하므로 질적 연구 방법이 적합하다. ㄷ, ㄹ. 양적 연구 방법에 적합한 연구 주제이다.

03 양적 연구 방법의 특징　　　　　　　　답 ⑤

제시문의 밑줄 친 '이 연구 방법'은 양적 연구 방법이다. ⑤ 계량화하기 어려운 분야의 연구에 적합한 것은 질적 연구 방법이다.

04 양적 연구 방법의 연구 주제　　　　　　　　답 ③

양적 연구는 계량화된 자료의 통계적 분석을 통해 인과 법칙을 발견하고자 한다. 따라서 두 변수 간의 관계나 차이를 연구하는 데 적합하다. ①, ②, ④, ⑤ 인간의 주관적 영역에 대한 연구이므로 질적 연구 방법에 부합하는 주제이다.

05 질적 연구 방법　　　　　　　　답 ⑤

제시문에 나타난 연구 방법은 질적 연구 방법이다. 질적 연구 방법은 연구 대상자의 주관적 세계에 대한 깊이 있는 이해를 목적으로 한다. 해당 연구에서는 참여 관찰과 심층 면접을 통해 연구자의 직관적 통찰과 감정 이입이 필요한 연구를 진행하였다. ㄱ, ㄴ. 양적 연구 방법에 대한 설명이다.

06 양적 연구 방법과 질적 연구 방법 비교　　　　　　　　답 ②

(가)는 양적 연구 방법, (나)는 질적 연구 방법이다. ② 질적 연구에서도 공식적 자료를 활용한다.

07 질적 연구 방법　　　　　　　　답 ②

제시된 자료에 나타난 연구 방법은 질적 연구 방법이다. 질적 연구 방법은 연구 대상자의 행위 동기와 의도를 심층적으로 파악하는 것을 목적으로 한다.

08 질문지법의 특징　　　　　　　　답 ①

을이 활용하고자 하는 자료 수집 방법은 질문지법이다. 질문지법은 다수를 대상으로 자료를 수집하므로 통계 분석과 비교 분석이 용이하다.

정답을 찾아가는 셀파 - Tip

① 통계 분석과 비교 분석이 용이하다. (○)

② 문맹자에게도 자료를 수집하기 용이하다. (×)
→ 질문지법은 조사 대상자가 글을 읽을 수 있어야 하므로 문맹자로부터 자료를 수집하기 어렵다.

③ 생동감 있고 깊이 있는 정보를 얻는 데 유리하다. (×)
→ 질문지법은 질문이 미리 작성된 질문지를 통해 정보를 수집하므로 생동감 있고 깊이 있는 정보를 얻는 데 불리하다.

④ 자료 수집에 있어 시간과 공간의 제약을 적게 받는다. (×)
→ 자료 수집 시 시간과 공간의 제약을 적게 받는 연구 방법은 문헌 연구법이다.

⑤ 의사소통이 어려운 사람들을 대상으로 자료를 수집하기에 적절하다. (×)
→ 의사소통이 곤란한 사람들을 대상으로 자료를 수집하기에 적절한 연구 방법은 참여 관찰법이다.

09 면접법과 실험법　　　　　　　　답 ③

제시된 자료의 (가)는 면접법, (나)는 실험법이다. ③ 실험법은 일반화 도출을 목적으로 하는 연구, 즉 양적 연구에서 주로 사용된다.

정답을 찾아가는 셀파 - Tip

① (가)는 질문지법이다. (×)
→ (가)는 면접법이다.

② (가)는 양적 연구에서 주로 사용된다. (×)
→ 면접법은 주로 질적 연구에서 사용된다.

③ (나)는 일반화 도출을 목적으로 하는 연구에서 주로 사용된다. (○)

④ (가)는 (나)와 달리 자료 수집 상황에 대한 통제가 필수적이다. (×)
→ 자료 수집 상황에 대한 통제가 필수적인 연구 방법은 실험법이다.

⑤ (나)는 (가)에 비해 연구자의 주관이 개입될 가능성이 높다. (×)
→ 면접법에 비해 실험법은 연구자의 주관이 개입될 가능성이 낮다.

10 문헌 연구법　　　　　　　　답 ③

제시된 사례에서 갑은 보고서, 일상에 대한 기록, 통계 자료 등 기존 문헌에서 자료를 수집하는 문헌 연구법을 활용하였다. 문헌 연구법은 기존 연구의 동향을 살펴보는 목적으로 활용되며, 다른 자료 수집 방법에 비해 시·공간의 제약을 비교적 적게 받는다. ㄱ. 양적 연구에서도 문헌 연구법이 활용된다. ㄹ. 실험법에 대한 설명이다.

11 질문지 작성 시 유의할 점　　　　　　　　답 ⑤

질문지 작성 시 선택지는 특정한 경우가 배제되지 않도록 예측 가능한 모든 경우를 포함해야 하며, 서로 겹치지 않도록 상호 배타적이어야 한다.

12 자료 수집 방법
답 ④

갑은 질문지법, 을은 참여 관찰법, 병은 문헌 연구법을 사용하여 자료를 수집하려고 한다. ① 질문지법은 대량의 구조화된 자료를 얻기 용이하다. ② 참여 관찰법은 수집한 자료의 실제성이 높다. ③ 문헌 연구법은 시간과 장소의 제약을 적게 받는다. ④ 관찰하고자 하는 현상이 나타날 때까지 기다려야 하는 참여 관찰법과 달리 질문지법은 다수를 대상으로 한번에 자료를 수집할 수 있으므로 시간과 비용 측면에서 효율적이다. ⑤ 질문지법은 양적 연구에서, 참여 관찰법은 질적 연구에서 주로 사용된다.

자료를 분석하는 셀파 - Tip

교사 청소년 비행 실태에 관한 각자의 자료 수집 계획에 대해 발표해 보세요.
갑 청소년의 음주와 흡연 실태를 알아보기 위해 <u>우리 학교 학생 전체를 대상으로 설문 조사를 실시할 예정입니다.</u> (질문지법)
을 저는 청소년들이 비행 행동에 대해 어떤 의미를 부여하고, 그 행동에 대해 어떻게 반응하는지 알아보기 위해 <u>함께 생활하며 관찰할 생각입니다.</u> (참여 관찰법)
병 저는 각 지역별 청소년들의 비행 행동 실태에 관한 <u>통계 자료와 관련 논문 등을 찾아 주요 내용을 정리할 계획입니다.</u> (문헌 연구법)

13 참여 관찰법
답 ④

제시문의 밑줄 친 '이 자료 수집 방법'은 참여 관찰법이다. 참여 관찰법은 조사 대상자에게서 생동감 있고 실제성 있는 정보를 얻을 수 있으며, 의사소통이 어려운 집단을 조사할 때 유용하다. ㄱ. 참여 관찰법은 시간과 비용이 비교적 많이 든다. ㄷ. 참여 관찰법은 1차 자료의 수집용으로 활용된다.

14 자료 수집 방법
답 ⑤

제시된 표에서 ⊙은 비언어적 자료 수집의 용이성이 가장 크므로, 의사소통이 곤란한 집단을 대상으로도 자료를 얻을 수 있는 참여 관찰법이다. 또한, 수집 도구의 정형화 정도는 ⓒ이 가장 높으므로 구조화 수준이 가장 높은 질문지법이다. 따라서 ©은 면접법이다.

15 자료 수집 방법
답 ③

(가)는 질문지법, (나)는 참여 관찰법, (다)는 면접법이다. 질문지법은 구조화된 질문지를 통해 자료를 수집하므로 참여 관찰법에 비해 연구자의 주관적 가치가 개입될 가능성이 낮다.

정답을 찾아가는 셀파 - Tip
① (다)는 기존의 연구 동향을 파악하는 데 주로 사용된다. (×)
　→ 기존의 연구 동향을 파악하는 데 주로 사용되는 것은 문헌 연구법이다.
② (가)는 (나)보다 심층적인 자료의 수집에 유리하다. (×)
　→ 참여 관찰법이 질문지법보다 심층적인 자료 수집에 유리하다.
③ (가)는 (나)에 비해 연구자의 주관적 가치가 개입될 가능성이 낮다. (○)
④ (나)는 (가)보다 다수를 대상으로 한 자료 수집에 유리하다. (×)
　→ 질문지법은 참여 관찰법보다 다수를 대상으로 한 자료 수집에 유리하다.
⑤ (다)는 (가)와 달리 언어적 상호 작용이 필수적이다. (×)
　→ 질문지법과 면접법 모두 언어적 상호 작용이 필수적이다.

서답형 문제

16 양적 연구 방법
답 ㄴ, ㄷ

양적 연구 방법은 사회·문화 현상을 계량화하여 법칙을 발견하는 것을 목적으로 하므로 변수 간의 관계를 파악할 수 있는 연구 주제에 사용하기 적합하다. ㄱ, ㄹ은 인간 행위의 동기나 목적을 심층적으로 파악하고 해석하는 연구 주제이므로 질적 연구 방법을 사용하기에 적합하다.

17 양적 연구 방법과 가설
답 가설

가설이란 탐구하고자 하는 주제에 관한 잠정적인 결론으로, 원인과 결과의 관계를 진술한 문장을 말한다. 가설 검증을 통해 가설이 수용되면 이것이 하나의 이론이 될 수 있고, 설령 가설이 기각되더라도 의미 있는 연구가 될 수도 있다. 양적 연구 방법에서는 가설을 세우고 계량화된 자료를 분석하여 증명하는 것을 강조한다.

18 실험법
답 (가): 실험 집단, (나): 통제 집단

실험법은 일정한 조건을 갖춘 상황에서 실험 집단과 통제 집단을 구성하여 실시한다. 이때 실험 집단에 대해서는 독립 변인을 처치하고, 통제 집단에 대해서는 독립 변인을 처치하지 않는다.

19 양적 연구 방법

모범 답안 | (1) (가): 양적 연구 방법, (나): 개념의 조작적 정의
(2) 양적 연구 방법은 일반화나 인과 법칙 발견이 용이하여 사회·문화 현상을 설명하거나 예측할 수 있다는 장점이 있다. 반면, 인간 행위의 주관적인 측면에 대한 깊이 있는 이해와 계량화하기 힘든 내면세계에 대한 연구가 어렵다는 단점이 있다.
주요 단어 | 일반화, 예측, 인간 행위의 주관적 측면, 내면세계

채점 기준	배점
양적 연구 방법의 장점과 단점을 각각 정확하게 서술한 경우	상
양적 연구 방법의 장점과 단점을 각각 서술하였으나 미흡한 경우	중
양적 연구 방법의 장점과 단점 중 한 가지만 정확하게 서술한 경우	하

20 자료 수집 방법

모범 답안 | (1) 질문지법
(2) 자료 수집 시 모집단인 미국인 전체를 대표할 수 있는 표본을 선정하지 못하고, 공화당 지지층이 많은 전화번호부나 자동차 등록 명부에 있는 사람들을 표본으로 선정하였다. 따라서 여론 조사의 응답 결과가 왜곡되었다.
주요 단어 | 모집단, 표본

채점 기준	배점
자료 수집 방법의 문제점을 '모집단'과 '표본'을 모두 포함하여 서술한 경우	상
자료 수집 방법의 문제점을 '모집단'과 '표본' 중 한 단어만 포함하여 서술한 경우	하

| 01 ① | 02 ③ | 03 ② | 04 ① | 05 ⑤ | 06 ① |
| 07 ④ | 08 ⑤ | 09 ③ | 10 ④ | 11 ② | 12 ④ |

01 사회·문화 현상의 연구 방법 　답 ①

(가)는 양적 연구 방법, (나)는 질적 연구 방법이다. ㄱ. 양적 연구는 자연 현상과 사회·문화 현상이 본질적으로 같다는 방법론적 일원론에 근거한다. ㄴ. 질적 연구는 연구자가 감정 이입 등의 방법으로 연구를 하는 과정에서 행위 주체인 연구 대상자에게 주관적 의도가 개입된다는 비판을 받는다.

02 사회·문화 현상의 연구 방법 　답 ③

(가)는 질적 연구 방법, (나)는 양적 연구 방법이다. 양적 연구에서는 추상적인 개념을 측정할 수 있도록 조작적 정의 과정을 거친다.

정답을 찾아가는 셀파 - Tip

① (가)는 일반화 도출을 목적으로 한다. (×)
→ 양적 연구 방법에 대한 설명이다.

② (가)는 사회·문화 현상이 자연 현상과 본질적으로 같다고 전제한다. (×)
→ 양적 연구 방법에 대한 설명이다.

③ (나)는 개념의 조작적 정의 과정을 거친다. (○)

④ (나)는 연구자의 주관이 개입될 가능성이 높다. (×)
→ 질적 연구 방법에 대한 설명이다.

⑤ (나)는 주로 면접법이나 참여 관찰법을 사용하여 자료를 수집한다. (×)
→ 질적 연구 방법에 대한 설명이다.

03 자료 수집 방법 　답 ②

주로 계량화된 자료를 수집하는 데 활용되는 자료 수집 방법은 질문지법, 실험법이다. 따라서 A, C는 각각 질문지법 또는 실험법 중 하나이고, B, D는 각각 면접법 또는 참여 관찰법 중 하나이다. ② 언어적 상호 작용에 의한 자료 수집이 필수적인 것은 질문지법과 면접법이다.

정답을 찾아가는 셀파 - Tip

① (가)는 '인위적으로 통제된 상황에서 변수의 효과를 관찰하는 방법인가?'가 적절하다. (×)
→ 인위적으로 통제된 상황에서 변수의 효과를 관찰하는 방법은 실험법만 해당한다.

② (가)가 '언어적 상호 작용에 의한 자료 수집이 필수적인가?'라면 A는 질문지법, D는 참여 관찰법이다. (○)

③ (가)가 '자료 수집 시 연구 대상자의 응답이 필수적인가?'라면 B는 면접법, C는 질문지법이다. (×)
→ 자료 수집 시 연구 대상자의 응답이 필수적인 것은 면접법과 질문지법이다. 따라서 A는 질문지법, B는 면접법이다.

④ A가 질문지법이라면 (가)는 '다수를 대상으로 한 자료 수집에 주로 사용되는가?'가 적절하다. (×)
→ 다수를 대상으로 한 자료 수집에 주로 사용되는 것은 질문지법이며, 면접법과 참여 관찰법은 모두 '아니요'에 해당한다.

⑤ B가 참여 관찰법이라면 (가)는 '연구자가 현상이 실제로 발생한 현지에 가서 연구해야 하는가?'가 적절하다. (×)
→ 연구자가 현상이 실제로 발생한 현지에 가서 연구해야 하는 것은 참여 관찰법이며, 실험법과 질문지법은 모두 '아니요'에 해당한다.

04 자료 수집 방법 　답 ①

참여 관찰법은 면접법과 달리 의사소통이 곤란한 집단에게 자료를 수집할 수 있으므로 A는 면접법, B는 참여 관찰법이다. ㄱ. 면접법은 연구자와 연구 대상자 간의 공감대, 즉 '라포르(rapport)' 형성이 중요하다. ㄴ. 참여 관찰법은 면접법에 비해 예상하지 못한 상황이 발생할 경우 유연하게 대처하기 곤란하다는 단점이 있다.

정답을 찾아가는 셀파 - Tip

ㄷ. (가)에는 '구조화되고 표준화된 도구로 자료를 수집한다.'가 들어갈 수 있다.
→ 구조화되고 표준화된 도구로 자료를 수집하는 것은 질문지법과 실험법이므로, 해당 내용은 (가)에 들어갈 수 없다.

ㄹ. (나)에는 '1차 자료의 수집을 위해 활용된다.'가 들어갈 수 있다.
→ 면접법과 참여 관찰법 모두 1차 자료의 수집을 위해 활용할 수 있으므로, 해당 내용은 (나)에 들어갈 수 없다.

05 사회·문화 현상의 연구 방법 　답 ⑤

제시된 연구는 참여 관찰법을 사용한 질적 연구이다. ㄱ. 공식 통계로 확인된 폭력 범죄율이 높은 지역과 낮은 지역을 연구 대상으로 선정하였으므로, 수량화된 2차 자료를 활용하였다. ㄴ. 자료 수집 방법으로 참여 관찰법을 사용하였고, 그 결과 폭력 범죄율이 높은 지역에서 폭력에 의존하게 되는 맥락적인 이유를 밝혀 그들만의 문화적 특징을 이해하게 되었으므로 질적 연구에 해당한다. ㄷ. 제시된 연구는 질적 연구로, 계량화하기 어려운 인간 행위의 의미를 직관적 통찰을 통해 파악하였다. ㄹ. 생생한 자료를 얻기 위해 인위적 조작의 정도가 낮은 자료 수집 방법인 참여 관찰법을 활용하였다.

내 것으로 만드는 셀파 - Tip

▶ 자료의 유형

작성 원천	1차 자료	조사자가 직접 수집하거나 작성한 원자료
	2차 자료	다른 사람이 수집한 1차 자료를 가공한 자료
성격	양적 자료	계량화된 자료로, 주로 질문지법과 실험법 등으로 수집함.
	질적 자료	계량화되지 않은 문자나 영상, 음성으로 기록된 자료로, 주로 참여 관찰법과 면접법 등으로 수집함.

06 자료 수집 방법 　답 ①

A는 실험법, B는 참여 관찰법, C는 면접법, D는 질문지법이다.

정답을 찾아가는 셀파 - Tip

① A는 방법론적 일원론에 근거한 연구에서 주로 사용된다. (○)

② B는 면접법, C는 참여 관찰법이다. (×)
→ B는 참여 관찰법, C는 면접법이다.

③ B는 A보다 연구자의 가치 개입 가능성이 작다. (×)
→ 참여 관찰법은 실험법보다 연구자의 가치 개입 가능성이 크다.

④ C는 A에 비해 윤리적인 문제에 직면할 가능성이 크다. (×)
→ 실험법은 인간을 대상으로 실험을 진행하므로 면접법에 비해 윤리적인 문제에 직면할 가능성이 크다.

⑤ C는 D와 달리 구조화된 자료 수집 방법이다. (×)
→ 질문지법은 구조화된 질문지를 통해 자료를 수집하므로 면접법보다 조작화 정도가 높은 구조화된 자료 수집 방법이다.

07 자료 수집 방법 답 ④

제시된 그림에서 A는 질문지법, B는 면접법, C는 참여 관찰법이다. 대면 조사를 통해 연구 대상과 상호 작용을 하는 면접법과 참여 관찰법은 질문지법에 비해 연구자와 연구 대상 간 신뢰감 형성이 자료 수집에도 영향을 미치므로 중요하다. ① 질문지법과 면접법 모두 연구 대상의 주관적인 인식을 파악할 수 있다. ② 질문지법은 면접법에 비해 다수를 대상으로 자료를 수집하기가 용이하다. ③ 참여 관찰법과 면접법은 연구자의 직관적 통찰로 해석해야 하는 자료를 수집할 수 있다. ⑤ 자료 수집 상황에 대한 통제 수준은 A>B>C이다.

08 질문지 작성 시 유의 사항 답 ⑤

현재 정부의 교육 정책에 대해 '어떻게 생각'하는지 묻고 있으므로 5번 문항에 조사자의 가치가 개입되었다고 보기 어렵다.

자료를 분석하는 셀파 - Tip

1. 귀하는 최근에 학원을 다닌 적이 있습니까?
   ① 예   ② 아니요 ─── 시점이 불분명하다.
2. 귀하가 하루 동안 사교육에 의존하는 시간은 얼마나 됩니까?
   ① 0~2시간   ② 2~3시간   ③ 3~4시간   ④ 4시간 이상
   2시간, 3시간, 4시간일 경우 응답 항목 간 중복되므로 배타성이 부족하다.
3. 귀하는 학원 수강과 과외가 성적 향상에 도움이 된다고 생각하십니까? ─── 두 가지 내용을 묻고 있다.
   ① 예   ② 아니요
4. 과도한 사교육비로 인해 각종 부작용이 급증하고 있습니다. 귀하는 학원 수강료에 대한 규제가 필요하다고 생각하십니까?
   ─── 조사 대상에게 특정 응답을 유도하고 있다.
   ① 예   ② 아니요
5. 귀하는 현재 정부의 교육 정책에 대해 어떻게 생각하십니까?
   ① 만족   ② 보통   ③ 불만족

09 자료 수집 방법 답 ③

(나)가 '자료 분석 과정에서 연구자의 가치 개입의 우려가 큰가?'이면, A는 질문지법, B는 면접법이다. 질문지법은 면접법에 비해 다수를 대상으로 한 자료 수집에 유리하다.

정답을 찾아가는 셀파 - Tip

① (가)가 '수집한 자료의 통계 분석이 용이한가?'이면, A는 면접법이다. (×)
→ (가)에 해당 질문이 들어가면 A는 질문지법이다.
② (가)가 '언어를 통해 자료를 수집하는가?'이면, A는 질문지법, B는 면접법이다. (×)
→ 질문지법과 면접법 모두 언어를 통해 자료를 수집한다.
③ (나)가 '자료 분석 과정에서 연구자의 가치 개입의 우려가 큰가?'이면, A는 B에 비해 다수를 대상으로 한 자료 수집에 유리하다. (○)
④ (나)가 '주로 질적 연구에서 활용되는가?'이면, B는 A에 비해 시간과 비용 측면에서 효율적이다. (×)
→ (나)에 해당 질문이 들어가면, A는 질문지법, B는 면접법이다. 질문지법이 면접법보다 시간과 비용 측면에서 효율적이다.
⑤ (나)가 '구조화된 자료 수집 방법인가?'이면, (가)에는 '표본의 대표성 확보가 중요한가?'가 들어갈 수 있다. (×)
→ (나)에 해당 질문이 들어가면, A는 면접법, B는 질문지법이다. 표본의 대표성 확보가 중요한 자료 수집 방법은 질문지법이므로 (가)에는 해당 질문이 들어갈 수 없다.

10 자료 수집 방법 답 ④

A는 면접법, B는 참여 관찰법, C는 질문지법, D는 실험법이다. ㄴ. 질문지법은 참여 관찰법에 비해 효율적이다. ㄷ. 면접법과 참여 관찰법은 질적 연구에서 주로 사용되며, 질문지법과 실험법은 계량화된 자료를 수집하기 용이하므로 양적 연구에서 주로 사용된다.

정답을 찾아가는 셀파 - Tip

ㄱ. A는 D보다 연구자의 주관이 개입될 가능성이 낮다.
→ 면접법은 실험법보다 연구자의 주관이 개입될 가능성이 높다.
ㄷ. B, C는 A와 달리 언어적 상호 작용이 필수적이다.
→ 면접법과 질문지법은 참여 관찰법과 달리 언어적 상호 작용이 필수적이다.

11 자료 수집 방법 답 ②

A는 질문지법, B는 참여 관찰법, C는 문헌 연구법이다.

정답을 찾아가는 셀파 - Tip

ㄴ. B는 C에 비해 접근이 어려운 지역을 조사하기에 용이하다.
→ 참여 관찰법은 연구 대상을 직접 관찰해야 하므로, 접근이 어려운 지역의 연구에는 문헌 연구법이 적합하다.
ㄹ. C는 B에 비해 수집한 자료의 실제성이 더 높다.
→ 직접 현장에서 조사하는 참여 관찰법이 문헌 연구법에 비해 수집한 자료의 실제성이 더 높다.

자료를 분석하는 셀파 - Tip

교사 청소년들의 팬덤 문화를 주제로 각자의 연구 계획을 발표해 보세요.
갑 저는 청소년들의 팬덤 문화와 소비 양식의 관계를 분석해 보기 위해 우리 학교 학생들을 대상으로 설문 조사를 하려고 합니다. ─── 질문지법
을 저는 청소년들의 팬덤 문화가 그들에게 어떤 의미인지 알아보기 위해 팬클럽에 가입하고 공연장과 팬미팅 현장에 가서 직접 느끼고 확인해 볼 생각입니다. ─── 참여 관찰법
병 저는 청소년들의 팬덤 문화 실태를 살펴보기 위해 최근의 언론 자료와 주요 연구 논문 등을 찾아 정리해 보겠습니다. ─── 문헌 연구법
교사 갑은 A, 을은 B, 병은 C를 통해 자료를 수집하겠군요.

12 자료 수집 방법 답 ④

A는 참여 관찰법, B는 면접법, C는 질문지법, D는 실험법이다. 자료 수집 상황에 대한 통제 수준이 높은 순서대로 나열하면 실험법, 질문지법, 면접법, 참여 관찰법이다.

정답을 찾아가는 셀파 - Tip

① A는 문맹자에게 사용하기 어렵다. (×)
→ 문맹자에게 사용하기 어려운 자료 수집 방법은 질문지법이다.
② B는 기존 연구의 경향성 파악에 용이하다. (×)
→ 기존 연구의 경향성 파악에 용이한 자료 수집 방법은 문헌 연구법이다.
③ C는 일상생활을 심층적으로 파악하기에 용이하다. (×)
→ 일상생활을 심층적으로 파악하기 용이한 자료 수집 방법은 참여 관찰법이다.
④ 자료 수집 상황에 대한 통제 수준은 D>C>B>A 순서이다. (○)
⑤ (가)에는 "다수를 대상으로 자료를 수집하기에 용이하다."가 적절하다. (×)
→ 다수를 대상으로 자료를 수집하기에 용이한 자료 수집 방법은 질문지법이다.

은 고등학생에 비해 소비 지향성이 더 높을 것이다.'는 가설을 통해 '아르바이트 경험이 있는 고등학생일수록 소비 지향성이 높다.'는 결론을 도출하였으므로, (나) 단계에서 연구자의 가설은 채택되었다. ㄷ. 추상적인 개념을 측정 가능한 지표로 바꾸는 개념의 조작적 정의는 자료 수집 이전에 실시한다. ㄹ. '아르바이트 경험 여부'는 독립 변수이다.

탄탄 내신 문제 | p. 38 ~ p. 42

01 ④	02 ⑤	03 ④	04 ⑤	05 ⑤	06 ③
07 ②	08 ④	09 ⑤	10 ②	11 ③	12 ⑤
13 ②	14 ⑤	15 ③	16 (라)-(가)-(다)-(나)		

17 ㉠: 연구 설계, ㉡: 실험법 18 (가): 객관적 태도, (나): 개방
적 태도 19 해설 참조 20 해설 참조

01 양적 연구 방법의 탐구 절차 ┃답┃④

A는 양적 연구 방법이다. 양적 연구 방법의 연구 설계 단계에서는 가설을 증명하기 위해 연구 대상, 변수 등을 설정하고, 자료 수집 방법과 분석 방법을 정한다.

02 연역법과 귀납법 ┃답┃⑤

(가)는 연역법, (나)는 귀납법이다. 질적 연구는 일반적으로 구체적인 사례를 바탕으로 자료를 수집하여 결론을 도출하는 귀납법을 주로 사용한다. 반면, 양적 연구는 전체적인 흐름상 주어진 전제인 가설을 검증하기 위해 개별적 사례를 조사하는 추론 방식인 연역법을 주로 사용하지만, 자료 수집과 경험적 일반화 과정에서는 귀납법도 사용한다.

03 질적 연구 방법의 탐구 절차 ┃답┃④

자료 수집에서 결론 도출로 이어지는 과정은 구체적인 사례에서 관찰한 현상의 공통적인 것을 모아서 일반적인 원리를 도출하는 과정이므로 귀납적이다. ① 질적 연구에서는 개념의 조작적 정의가 필수적이지 않다. ② 일반화가 용이한 결론이 도출되는 것은 양적 연구이다. ③ 질적 연구에서는 주로 면접법과 참여 관찰법이 사용된다. ⑤ 연구는 일반적으로 (마)-(가)-(라)-(다)-(나)의 순서로 진행된다.

04 질적 연구 방법의 사례 ┃답┃⑤

제시된 자료는 질적 연구의 사례이다. 질적 연구는 일반적으로 자료 수집과 자료 분석의 단계를 거치는데, 질적 연구의 특성상 이 두 과정이 구분되지 않고 거의 동시에 이루어지기도 한다. 또한, 이 과정에서 양적 연구처럼 가설을 설정해 놓은 것이 아니므로 연구자가 필요하다고 판단하면 연구 문제나 연구 설계를 조정하기도 한다. ㄱ, ㄴ. 가설을 설정하고 연구 결과에 대한 일반화를 시도하는 양적 연구 방법에 대한 설명이다.

05 양적 연구 방법의 사례 ┃답┃⑤

제시된 자료는 양적 연구의 사례이다. ⑤ 연구자의 감정 이입과 직관적 통찰을 통해 현상을 분석하는 것은 질적 연구 방법이다.

06 양적 연구 방법의 탐구 절차 ┃답┃③

(가)는 연구 문제 인식, (나)는 결론 도출, (다)는 자료 수집, (라)는 가설 설정 단계이다. ㄱ. 연구 주제 선정의 단계에서 연구자의 가치 개입은 불가피하다. ㄴ. '아르바이트 경험이 있는 고등학생이 그렇지 않

07 양적 연구 방법의 탐구 절차 ┃답┃②

양적 연구는 일반적으로 '연구 문제 인식-가설 설정-연구 설계-자료 수집-자료 분석-가설 검증 및 결론 도출'의 순서로 진행된다. ② 제시된 연구는 (가) 연구 문제 인식-(라) 가설 설정-(다) 자료 수집-(나) 결론 도출의 과정을 통해 진행된다.

08 연구자의 가치 개입과 가치 중립 ┃답┃④

연구자는 자료 수집, 자료 분석, 가설 검증, 결론 도출의 과정에서는 철저히 가치 중립을 지켜야 한다. 그러나 연구 문제 인식, 가설 설정, 연구 설계, 연구 결과 활용의 단계에서는 가치 개입이 일부 용인된다.

09 성찰적 태도 ┃답┃⑤

A는 사회·문화 현상을 탐구하려는 태도 중 성찰적 태도에 해당한다. 성찰적 태도는 사회·문화 현상을 있는 그대로 받아들이기보다는 현상의 이면에 담겨 있는 발생 원인이나 원리, 그것이 초래할 결과 등에 대하여 적극적으로 살펴보려는 태도를 의미한다.

10 객관적 태도 ┃답┃②

을은 갑이 상황에 따라 다른 두개골을 사용하여 연구하였다고 지적하고 있다. 이는 갑이 자신의 주관적 가치를 탐구 과정에 적용하였음을 의미한다. 따라서 을이 갑에게 강조하는 사회·문화 현상의 탐구 태도는 객관적 태도이다.

11 개방적 태도 ┃답┃③

제시문에서는 편협한 주장이나 이론에 빠지지 않고, 반증의 가능성을 인정하는 개방적 태도의 중요성을 강조하고 있다.

12 사회·문화 현상의 탐구 태도 ┃답┃⑤

(가)에서는 연구자가 사회·문화 현상을 연구할 때 해당 현상이 발생하게 된 사회적 맥락을 고려해야 함을 강조하고 있다. 이는 상대주의적 태도에 해당한다. 반면, (나)는 사회 과학자는 사실을 있는 그대로 판단하기 위해 노력해야 함을 강조하고 있다. 이는 객관적 태도에 해당한다.

13 성찰적 태도 ┃답┃②

제시문은 사회·문화 현상에 대한 연구에서는 존재하는 것을 당연하게 여기는 사고에서 벗어나는 것이 중요함을 언급하고 있다. 이는 사회·문화 현상을 보이는 그대로 받아들이기보다 현상의 이면의 의미를 살펴보거나 다양한 측면을 고려하는 성찰적 태도가 필요함을 의미한다.

14 사회·문화 현상의 탐구 시 지켜야 할 연구 윤리 　답⑤

사회·문화 현상은 탐구 대상이 인간이므로 연구를 할 때 많은 제약이 따르며, 연구 윤리가 엄격하게 지켜져야 한다. 연구자는 연구 대상자에게 사전에 연구 목적과 과정에 관하여 알리고 대상자로부터 연구에 참여하겠다는 동의를 얻어야 한다. 그런데 사전에 연구 대상자가 연구 목적이나 내용을 알게 되면, 이들의 행동에 영향을 주어 정확한 자료 수집이 어려울 수 있다. 이럴 때는 자료 수집 이후라도 반드시 연구에 관한 정보를 알리고 연구 대상자의 양해를 구해야 한다.

15 사회·문화 현상의 탐구 시 지켜야 할 연구 윤리 　답③

연구에서 갑은 자신의 자녀가 다니고 있는 학교에 관한 자료를 조작하였다. 이는 개인적인 이해관계를 연구에 개입시켰음을 의미한다.

서답형 문제

16 양적 연구 방법의 탐구 절차 　답 (라)-(가)-(다)-(나)

(가)는 자료 수집 단계, (나)는 가설 검증을 완료한 단계, (다)는 수집한 자료를 분석하여 가설을 검증하는 단계, (라)는 가설을 설정하는 단계이다. 따라서 탐구 절차는 (라)-(가)-(다)-(나)의 순서대로 진행된다.

17 양적 연구 방법의 탐구 절차 　답 ㉠: 연구 설계, ㉡: 실험법

양적 연구 방법의 탐구 절차 중 연구 설계 단계는 연구 대상, 자료 수집 방법, 자료 분석 방법, 연구 기간 등 연구의 진행에 필요한 세부적인 계획을 설계하는 과정이다. 이때 자료 수집 방법으로는 수집한 자료의 통계적 분석이 용이한 질문지법 또는 실험법이 사용된다.

18 사회·문화 현상의 탐구에 필요한 태도
　답 (가): 객관적 태도, (나): 개방적 태도

사회·문화 현상의 탐구 시 주관적 가치가 연구에 개입되는 것을 방지하기 위해서는 객관적 태도가 필요하다. 또한, 사회·문화 현상의 연구 방법이나 연구 관점이 다양할 수 있으므로 자신의 주장에 대한 비판의 가능성을 허용하기 위해서는 개방적 태도가 필요하다.

19 사회·문화 현상의 연구에서의 가치 중립

모범 답안 | (1) 가치 중립
(2) 양적 연구 방법의 과정 중 자료 수집, 자료 분석, 가설 검증 및 결론 도출 단계에서는 가치 중립을 엄격하게 지켜야 한다.

주요 단어 | 자료 수집, 자료 분석, 가설 검증, 결론 도출

채점 기준	배점
가치 중립을 지켜야 하는 단계를 모두 정확하게 서술한 경우	상
가치 중립을 지켜야 하는 단계를 2개 이상 정확하게 서술한 경우	중
가치 중립을 지켜야 하는 단계를 하나만 정확하게 서술한 경우	하

20 사회·문화 현상의 연구에서의 윤리 문제

모범 답안 | 연구 대상의 동의를 구하지 않고 자료를 수집하였다. 자료 분석 과정에서 특정 방향으로 결론을 유도하기 위한 조작이 이루어졌다. 연구 결과 발표 시 연구 대상의 익명성을 보장하지 않았다.

주요 단어 | 연구 대상의 동의, 조작, 익명성 보장

채점 기준	배점
사례에 나타난 연구 윤리상의 문제점을 모두 정확하게 서술한 경우	상
사례에 나타난 연구 윤리상의 문제점을 두 가지만 정확하게 서술한 경우	중
사례에 나타난 연구 윤리상의 문제점을 한 가지만 정확하게 서술한 경우	하

도전 수능 문제 　　　p. 43 ~ p. 45

| 01 ④ | 02 ⑤ | 03 ③ | 04 ① | 05 ⑤ | 06 ⑤ |
| 07 ③ | 08 ③ | 09 ② | 10 ④ | 11 ⑤ | 12 ④ |

01 양적 연구 방법의 사례 　답④

(가)는 가설 설정, (나)는 자료 수집, (다)는 연구 설계, (라)는 가설 검증 단계이다. (라) 단계에서 유의미하지 않은 가설은 기각되었지만, 유의미한 가설은 수용되었다. 이를 통해 가설이 검증되었음을 알 수 있다.

정답을 찾아가는 셀파 - Tip

① ㉠은 독립 변수, ㉡은 종속 변수이다. (✕)
→ ㉠, ㉡은 모두 독립 변수이다.
② ㉢은 모집단, ㉣은 표본이다. (✕)
→ ㉢, ㉣은 모두 표본 집단이다.
③ ㉤은 ㉠의, ㉥은 ㉡의 조작적 정의에 해당한다. (✕)
→ '부모의 정보 지향적 인터넷 이용 정도'의 조작적 정의는 '인터넷 이용 시간 중 정보 검색 시간 비중'이다.
④ (라)로 보아 가설은 검증되었다. (○)
⑤ (다)-(나)-(가)-(라) 순서로 연구가 진행되었다. (✕)
→ 연구는 (가)-(다)-(나)-(라)의 순서로 진행되었다.

02 사회·문화 현상의 탐구에 필요한 태도 　답⑤

갑에게는 사회·문화 현상이나 다수의 사람들이 믿는 상식 등을 그대로 받아들이지 않고 그 이면을 능동적으로 탐구하려는 성찰적 태도가 필요하다.

03 양적 연구 방법의 사례 　답③

제시된 연구는 실험법이 아닌 질문지법을 사용한 양적 연구이다. ③ '사람들의 인식'이라는 추상적 개념을 '보행자보다 탑승자가 보호되어야 한다.'로 조작적 정의하였다.

정답을 찾아가는 셀파 - Tip

① ㉠에서 A 집단은 실험 집단, B 집단은 통제 집단이다. (✕)
→ 제시된 연구에서는 질문지법을 사용하고 있으므로 실험 집단과 통제 집단이 존재하지 않는다.
② ㉣은 사전 조사, ㉥은 사후 조사이다. (✕)
→ 사전 조사와 사후 조사는 실험법에서 사용한다.
③ ㉥은 ㉢을 조작적으로 정의한 것이다 (○)
④ ㉅은 모집단에 대해 일반화할 수 있다. (✕)
→ 자발적으로 참여한 1,000명이 모집단을 대표한다고 보기 어려우므로 ㉅은 모집단에 대해 일반화할 수 없다.
⑤ ㉆은 ㉡에서 연역적으로 도출되었다. (✕)
→ 자료 수집을 토대로 결론을 도출하는 과정은 귀납적이며, ㉡을 통해 도출한 결론은 ㉆이다.

04 양적 연구 방법의 사례 답 ①

제시된 연구는 다문화 가정 자녀들의 차별 경험 정도가 학교생활 만족도에 미치는 영향을 알아보기 위한 양적 연구이다. 이때 '학교 생활 만족도'는 종속 변수, '차별 경험 정도'는 독립 변수이다.

자료를 분석하는 셀파 - Tip

갑은 다문화 가정 자녀들의 ㉠ 학교생활 만족도(종속 변수)에 ㉡ 차별 경험 정도(독립 변수)가 미치는 영향에 대한 ㉢ 연구를 하였다. 이를 위해 ㉣ ○○ 지역 고등학교 다문화 가정 자녀들 중 ㉤ 설문에 자발적으로 참여한 100명(표본)을 대상으로 설문 조사를 실시하였다. ㉥ 수집한 자료를 분석한 결과, 차별 경험이 적을수록 학교생활 만족도가 높다는(두 변수는 음(-)의 관계이다.) 유의미한 ㉦ 결론을 도출하였다.(귀납적 과정)

05 양적 연구 방법의 탐구 절차 답 ⑤

가설 설정과 검증 단계가 포함되므로 A는 양적 연구 방법의 탐구 절차이다. ㄷ. 문제 인식 및 연구 주제 선정과 가설 설정 단계에서는 연구자의 가치 개입이 제한적으로나마 허용된다. ㄹ. 가설 설정-자료 수집 및 분석-가설 검증-결론 도출 및 일반화의 과정은 연역적 추론 과정이다.

정답을 찾아가는 셀파 - Tip

ㄱ. A는 자연 현상과 사회·문화 현상이 본질적으로 다르다는 관점에 기초한다.
→ 양적 연구 방법은 자연 현상과 사회·문화 현상이 본질적으로 같다는 방법론적 일원론에 기초한다.

ㄴ. 개념의 조작적 정의는 (다) 이후에 실시한다.
→ 개념의 조작적 정의는 (다) 이전에 실시한다.

06 양적 연구 방법의 사례 답 ⑤

제시된 연구는 고등학생의 건전한 인성 형성과 봉사 활동의 관계에 대해 가설을 세우고 이를 검증하는 과정을 진행하였으므로 질문지법을 사용한 양적 연구이다. ㄷ. '타인 배려 정도', '관용 정신 정도'를 지수화하였으므로 종속 변수에 대한 개념의 조작적 정의가 이루어졌다. ㄹ. 응답을 분석하는 과정은 자료 분석에 해당한다. 자료 분석 단계에서는 연구자의 가치 중립이 요구된다.

정답을 찾아가는 셀파 - Tip

ㄱ. ㉠은 독립 변수, ㉡은 종속 변수이다.
→ ㉠은 종속 변수, ㉡은 독립 변수이다.

ㄴ. A 집단은 실험 집단, B 집단은 통제 집단이다.
→ 제시된 연구에서는 질문지법을 사용하였으므로 실험 집단과 통제 집단이 없다.

07 사회·문화 현상을 탐구하는 태도 답 ③

제시문에서는 사회 과학자가 사실과 가치를 구별하는 능력을 키워야 하며, 사실로부터 도출되는 진리를 발견하려는 학문적 의무에 충실해야 함을 강조하고 있다. 이는 사회·문화 현상을 탐구함에 있어 객관적 태도가 필요함을 의미한다.

08 사회·문화 현상의 연구에서의 윤리 문제 답 ③

갑은 연구 대상자와 관련된 윤리 원칙을 강조하고 있으며, 을은 연구 과정과 관련된 윤리 원칙을 강조하고 있다. ㄱ. 공동 연구 성과를 단독 연구 성과로 발표하는 것은 연구 결과 공표와 관련된 윤리 원칙에 어긋난다. ㄴ. 연구 대상자에게 연구 참여에 대한 동의, 즉 사전 동의를 받지 않는 것은 갑이 강조하는 연구 윤리에 어긋난다. ㄷ. 연구 의뢰자의 이익을 위해 자료를 조작하여 분석하는 것은 을이 강조한 연구 과정과 관련된 윤리 원칙에 어긋난다. ㄹ. 갑은 자료를 수집하기 전 단계에서 지켜야 할 연구 윤리를 강조하고 있으며, 을은 자료 수집 및 분석 단계에서 지켜야 할 연구 윤리를 강조하고 있다.

09 사회·문화 현상을 탐구하는 태도 답 ②

제시된 자료에서는 사회·문화 현상을 탐구할 때 '정확하게 보고하는 것', '제삼자의 관점을 취하는 것' 등을 강조하고 있다. 이는 객관적 태도를 의미한다.

정답을 찾아가는 셀파 - Tip

① 사회·문화 현상을 보는 관점이 다양할 수 있음을 인정해야 한다. (×)
→ 개방적 태도에 대한 진술이다.

② 사회·문화 현상의 탐구 시 주관적 가치와 이해관계를 배제해야 한다. (○)

③ 사회·문화 현상의 탐구 시 해당 사회의 문화적 맥락을 고려해야 한다. (×)
→ 상대주의적 태도에 대한 진술이다.

④ 사회·문화 현상의 복잡성을 인정하고 이면의 원인 파악을 위해 노력해야 한다. (×)
→ 성찰적 태도에 대한 진술이다.

⑤ 사회·문화 현상에 대한 연구 결과가 사회에 미칠 수 있는 영향을 고려해야 한다. (×)
→ 성찰적 태도에 대한 진술이다.

10 사회·문화 현상의 연구에서의 윤리 문제 답 ④

제시된 사례에서 갑은 결혼에 호의적인 미혼자만을 대상으로 조사했기 때문에 독신세 도입에 찬성하는 쪽의 결과가 높게 나왔다. 따라서 갑은 자료 수집 단계에서 의도적으로 왜곡된 자료를 수집하였다.

11 사회·문화 현상의 연구에서의 윤리 문제 답 ⑤

교사는 연구 대상자에 관한 비밀 유지를 강조하고 있다. ㄷ, ㄹ. 해당 사례 모두 연구 대상자에 관한 정보가 본인의 의지와는 별개로 타인에게 알려질 수 있다는 점에서 (가)에 들어갈 수 있다.

12 사회·문화 현상의 연구에서의 윤리 문제 답 ④

갑이 연구 대상자의 동의 없이 자료 전부를 학교 측에 전달하였다는 점에서 연구 대상자의 사생활이 노출될 위험에 놓였다. 또한, 해당 학생의 담임 교사에게만 허락을 구하고 당사자에게 동의를 구하는 과정을 거치지 않았다는 점에서 연구 대상자의 자발적 참여를 보장하지 않았다.

II 개인과 사회 구조

01 인간의 사회화

01 ③	02 ③	03 ①	04 ④	05 ⑤	06 ③
07 ④	08 ④	09 ③	10 ⑤	11 ①	12 ②
13 ④	14 ③	15 강제성	16 해설 참조		
17 (가): 귀속 지위, (나): 성취 지위		18 해설 참조		19 해설 참조	

01 사회 구조의 특성   답 ③

빈칸에 들어갈 개념은 사회 구조이다. 사회 구조는 사회 구성원이 바뀌어도 유지되며, 사회 구성원의 사고와 행동에 영향을 미친다.

내 것으로 만드는 셀파 - Tip

▶ 사회 구조의 특성

지속성	사회를 구성하는 구성원이 바뀌어도 계속 유지됨.
안정성	개인들이 구조화된 행동을 함으로써 사회적 관계가 안정적으로 유지됨.
변동성	사회 구성원의 행동, 가치 등이 변할 때 사회 구조의 성격이 달라질 수 있음.
강제성	사회 구성원들의 사고와 행동을 제약할 수 있음.

02 사회 구조의 특성   답 ③

일기의 밑줄 친 부분은 사회 구조가 구성원들의 행동 양식, 가치 규범 등의 변화에 의해 그 성격이 달라질 수 있다는 내용을 담고 있다. 이는 사회 구조의 특성 중 변동성과 관련된다.

03 사회 실재론   답 ①

제시문에 나타난 개인과 사회의 관계를 바라보는 관점은 사회 실재론이다. 사회 실재론은 사회가 개인뿐 아니라 각종 제도와 구조로 구성되어 있으므로 사회는 개인의 단순한 총합 이상이라고 보며, 개인의 행동은 사회 구조에 의해 결정된다고 본다. ㄷ, ㄹ은 사회 명목론의 관점에 대한 설명이다.

04 개인과 사회의 관계를 바라보는 관점   답 ④

갑의 관점은 사회 실재론, 을의 관점은 사회 명목론에 해당한다. ①, ④는 사회 명목론에 해당하는 설명이다. ②, ③은 사회 실재론에 해당하는 설명이다. ⑤ 사회 실재론은 사회 유기체설, 사회 명목론은 사회 계약설과 맥락이 유사하다.

05 사회 실재론   답 ⑤

제시된 대화에서 을의 관점은 사회 실재론에 해당한다. 사회 실재론은 사회 문제의 원인이 제도나 구조에 있다고 보며, 개인의 사고나 행위는 사회 구조의 영향에서 벗어날 수 없다고 본다. ㄱ, ㄴ은 사회 명목론에 해당하는 설명이다.

06 개인과 사회의 관계를 바라보는 관점   답 ③

갑의 관점은 사회 명목론, 을의 관점은 사회 실재론에 해당한다.

정답을 찾아가는 셀파 - Tip

	(가)	(나)
(×)①	개인들은 자유 의지에 따라 행동하는가? → (가)	사회보다 개인이 우선하는가? → (가)
(×)②	집합적 속성은 개인적 속성의 총합과 다른가? → (나)	개인의 행동은 사회에 의해 구속되는가? → (나)
(○)③	사회는 개인들의 집합체에 붙여진 이름에 불과한가? → (가)	개인은 전체를 구성하는 부분에 불과한가? → (나)
(×)④	사회는 개인보다 우위에 있는 독자적인 존재인가? → (나)	사회는 개인 속성의 총합과는 다른 속성을 갖는가? → (나)
(×)⑤	개인은 사회라는 유기체의 한 부분으로 사회를 떠나서는 존재할 수 없는가? → (나)	개인은 사회의 존속과 발전을 위해 존재한다고 보는가? → (나)

07 인간의 사회화   답 ④

밑줄 친 '이것'은 사회화이다. 사회화는 구성원의 자아 정체성과 소속감을 형성하며, 한 사회의 지속성과 안정성을 유지해 주는 역할을 한다. ㄱ. 사회화는 평생 동안 이루어진다. ㄷ. 사회화는 시대나 사회에 따라 내용과 방식이 달라진다.

08 사회화 기관   답 ④

직장은 또래 집단과 달리 전문적인 지식이나 정보를 사회화하는 2차적 사회화 기관이다.

정답을 찾아가는 셀파 - Tip

① ㉠은 재사회화를 주로 담당한다. (×)
→ 가족은 재사회화보다는 초기 사회화를 주로 담당한다.
② ㉡은 청소년기보다 성인기에 더 큰 영향을 미친다. (×)
→ 또래 집단은 성인기보다 청소년기에 더 큰 영향을 미친다.
③ ㉢은 ㉣과 달리 공식적 통제가 일반적이다. (×)
→ 학교와 직장 모두 공식적 통제가 일반적이다.
④ ㉣은 ㉡과 달리 2차적 사회화 기관이다. (○)
⑤ ㉤은 ㉠과 달리 공식적 사회화 기관이다. (×)
→ 대중 매체와 가족 모두 비공식적 사회화 기관이다.

09 사회화 기관의 유형   답 ③

사회화 기관은 사회화의 내용에 따라 1차적 사회화 기관과 2차적 사회화 기관으로, 형성 목적에 따라 공식적 사회화 기관과 비공식적 사회화 기관으로 분류된다.

10 사회화 기관의 유형   답 ⑤

1차적 사회화 기관은 기초적인 사회화가 이루어지는 기관이고, 2차적 사회화 기관은 전문적인 사회화가 이루어지는 기관이다. 공식적 사회화 기관은 사회화를 목적으로 설립된 기관이고, 비공식적 사회화 기관은 설립 목적은 따로 있지만 부수적으로 사회화가 이루어지는 기관이다. ㄱ. 지식과 기능의 습득을 강조하는 것은 (다)이다. ㄴ. (나)에서는 기초적인 사회화가 진행된다.

11 사회화 기관, 사회적 지위와 역할 　　　　🅐①
① 갑이 훈장을 받은 것은 갑의 군 생활 동안의 노고에 대한 보상이므로, 갑의 역할 행동에 대한 보상이다. ② 지역 문화 센터는 전문적인 사회화가 이루어지므로 2차적 사회화 기관이다. ③ 음악 봉사 동아리는 사회화를 목적으로 하지 않으므로 비공식적 사회화 기관이다. ④ 갑이 다양한 곳에서 봉사 활동을 하는 것은 갑의 역할 행동이다. ⑤ 자녀는 귀속 지위, 직업 군인은 성취 지위이다.

12 역할과 역할 행동, 역할 갈등 　　　　🅐②
역할이란 지위에 따라 사회적으로 기대하는 행동 양식을 의미하고, 역할 행동이란 개인이 역할을 실제로 수행하는 방식을 의미한다. 개인의 사회적 지위가 다양한 만큼 그에 따라 사회적 역할도 다양하다. 한 개인이 동시에 두 가지 이상의 서로 다른 지위에 따른 역할을 수행하고자 할 때, 역할 간에 충돌이 발생하는 것을 역할 갈등이라고 한다.

13 사회화 기관, 사회적 지위와 역할 　　　　🅐④
ㄱ. 갑은 진로에 대한 고민을 했을 뿐, 역할 갈등을 경험한 것이 아니다. ㄷ. 을은 역할 행동에 대한 보상을 거부하였다.

14 사회적 지위와 역할 　　　　🅐③
㉠과 ㉢은 성취 지위, ㉡은 귀속 지위에 해당한다. 귀속 지위는 선천적이거나 자연적으로 주어지는 지위로 전통 사회에서 중시되었다. 성취 지위는 후천적 노력이나 능력에 의해 획득한 지위로 현대 사회에서 중시된다. ㉣은 ㉢의 역할 행동에 해당한다.

정답을 찾아가는 셀파 - Tip
① ㉠과 ㉡은 선천적으로 주어지는 귀속 지위에 해당한다. (×)
→ 교사는 성취 지위이고, 아들은 귀속 지위이다.
② ㉡은 ㉢과 달리 후천적 노력에 의해 주어지는 성취 지위에 해당한다. (×)
→ 아들은 귀속 지위이고, 신입생은 성취 지위이다.
③ ㉣은 ㉢이라는 지위에 따른 역할 행동에 해당한다. (○)
④ ㉤은 갑의 아들이 제대로 역할을 수행하지 못해 받은 제재에 해당한다. (×)
→ 지각은 갑의 아들이 신입생으로서 제대로 된 역할을 수행하지 못한 것이다.
⑤ ㉥은 갑이 가진 하나의 지위에 서로 다른 역할이 요구되는 역할 긴장이다. (×)
→ 벌점 부과는 갑의 아들이 제대로 역할 수행을 하지 못한 것에 대한 제재이다.

서답형 문제

15 사회 구조의 특성 　　　　🅐강제성
제시문의 사례는 사회 구조가 사회 구성원들의 행동을 제약할 수 있다는 내용을 나타내고 있다. 이는 사회 구조의 특성 중 강제성에 해당

한다.

16 사회화의 유형
모범 답안 | (1) (가): 재사회화, (나): 예기 사회화
(2) (가): 외국으로 이민을 간 사람이 새로운 사회에 적응하는 과정, 노인을 대상으로 한 평생 교육, 직장 내 재교육 등
(나): 신입생 예비 교육, 신입 사원 연수 등
주요 단어 | 새로운 사회에 적응, 평생 교육, 재교육, 예비 교육, 연수

채점 기준	배점
(가), (나)에 해당하는 사례를 각각 정확하게 서술한 경우	상
(가), (나)에 해당하는 사례를 각각 서술하였으나 미흡한 경우	중
(가), (나)에 해당하는 사례 중 한 유형만 정확하게 서술한 경우	하

17 사회적 지위의 종류 　　　🅐(가): 귀속 지위, (나): 성취 지위
사회적 지위에는 귀속 지위와 성취 지위가 있다. 귀속 지위는 남자와 여자, 장녀와 막내아들처럼 개인의 의지와 노력과 상관없이 선천적으로 주어진 것이고, 성취 지위는 어머니와 아버지, 대학생, 운동선수처럼 개인의 의지와 노력을 통해 후천적으로 획득한 것이다.

18 개인과 사회의 관계를 바라보는 관점
모범 답안 | (1) 사회 실재론은 사회는 개인의 외부에 실제로 존재하며, 독자적인 특성을 지니고 있다고 본다. 사회는 개인들의 합 이상이며, 개인은 사회를 구성하는 요소라고 본다. 사회는 안정적인 구조를 이루고 있고, 개인으로 환원될 수 없는 고유한 성격을 지니고 있다고 본다.
주요 단어 | 사회 실재론, 개인의 외부, 실제 존재, 독자적 특성, 개인들의 합 이상, 안정적 구조

채점 기준	배점
사회 실재론의 특징 두 가지를 정확하게 서술한 경우	상
사회 실재론의 특징을 한 가지만 서술한 경우	하

(2) 사회 명목론은 사회는 단지 개인들이 모여 있는 것으로 실제로 존재하지 않는다고 본다. 사회는 개인들의 집합체에 붙여진 이름에 불과하다고 본다. 사회와 관계없이 개인의 행동은 자신의 자율적인 의지에 따라 이루어진다고 본다.
주요 단어 | 사회 명목론, 개인들의 집합체, 자율적인 의지

채점 기준	배점
사회 명목론의 특징 두 가지를 정확하게 서술한 경우	상
사회 명목론의 특징을 한 가지만 서술한 경우	하

(3) (가): 전체를 위한 개인의 희생을 정당화하고 조장할 우려가 있다. 개인의 주체적이고 능동적인 행위를 설명하기 어렵다.
(나): 극단적인 개인주의로 흐를 우려가 있다. 개인의 행위나 심리 상태만으로는 설명할 수 없는 사회 현상들이 존재한다.
주요 단어 | 개인의 희생 정당화, 개인의 능동적인 행위 설명 곤란, 극단적인 개인주의

채점 기준	배점
사회 실재론과 사회 명목론의 한계점을 각각 정확하게 서술한 경우	상
사회 실재론과 사회 명목론의 한계점을 각각 서술하였으나 미흡한 경우	중
사회 실재론과 사회 명목론 중 한 관점의 한계점만 정확하게 서술한 경우	하

19 역할 갈등

모범 답안 | 역할 갈등 / • 개인적 차원: 개인의 신념과 가치관을 바탕으로 역할의 우선순위를 매겨 더 중요하다고 생각되는 역할부터 수행한다.
• 사회적 차원: 역할 간 중요성에 대한 사회적 합의의 마련, 한 개인이 무리 없이 여러 역할을 동시에 수행할 수 있는 제도적 장치 및 지원책 마련 등을 한다.

주요 단어 | 역할의 우선순위, 사회적 합의, 제도적 장치

채점 기준	배점
역할 갈등을 쓰고, 역할 갈등의 해결 방안을 개인적 차원과 사회적 차원으로 구분하여 정확하게 서술한 경우	상
역할 갈등을 쓰고, 역할 갈등의 해결 방안을 개인적 차원과 사회적 차원 중 한 측면만 정확하게 서술한 경우	중
역할 갈등만 쓴 경우	하

도전 수능 문제
p. 59 ~ p. 61

01 ③	02 ④	03 ②	04 ①	05 ③	06 ②
07 ②	08 ⑤	09 ②	10 ⑤	11 ⑤	12 ③

01 개인과 사회의 관계를 바라보는 관점　　답 ③

(가)는 사회보다 개인을 더 중시하므로 사회 명목론의 관점이고, (나)는 개인보다 사회를 더 중시하므로 사회 실재론의 관점이다. ㄱ. 사회가 개인들의 속성으로 환원될 수 없다고 보는 것은 사회 실재론이다. ㄹ. 개인들이 옳다고 믿기 때문에 사회 규범이 존재한다고 보는 것은 사회 명목론이다.

자료를 분석하는 셀파 - Tip

(가) ── 사회 명목론
에 따르면 결혼, 가족, 종교의 본질은 해당 제도에 대응되는 개인적 욕구인 성적 욕구, 부모의 애정, 종교적 본능 등으로 구성된 것이다. 이 경우 개인의 정신 상태가 ──개인>사회── 유일하게 관찰 가능한 대상이 된다. 그러나 제도란 그 자체로 다양하고 복합적인 역사적 맥락을 가지며 개인의 의식 외부에 ──개인<사회── 실체로서 존재하는 것이다. 실체가 존재하지 않는다면 사회학은 그 자체의 연구 대상을 가질 수가 없기에, **(나)** 을 바탕으로 할 때 사회학이 연구 대상을 가지게 된다. ── 사회 실재론

02 사회 명목론　　답 ④

제시문에 나타난 개인과 사회의 관계를 바라보는 관점은 사회 명목론이다. 사회 명목론은 사회는 개인의 합에 이름을 붙인 것으로 실제로 존재하지 않는다는 관점으로, 사회 현상은 결국 개인의 심리 현상으로 환원된다고 본다. ①, ②, ③, ⑤는 사회 실재론의 관점에 대한 설명이다.

03 개인과 사회의 관계를 바라보는 관점　　답 ②

(가)는 사회 명목론, (나)는 사회 실재론에 해당한다. ㄴ. 사회는 개인의 삶을 규제하고 구속한다고 보는 것은 사회 실재론의 입장이다. ㄹ. 행위 주체인 개인의 이익이 사회 전체의 이익이라고 보는 것은 사

회 명목론의 입장이다.

04 개인과 사회의 관계를 바라보는 관점　　답 ①

제시된 대화에서 갑은 직원 개개인의 능력을 높여야 회사 실적이 높아진다고 보므로 사회 명목론의 입장이다. 반면, 을은 동기를 부여하는 조직 문화를 되살리는 것이 시급하다고 보므로 사회 실재론의 입장이다.

정답을 찾아가는 셀파 - Tip

① 갑의 관점은 개인의 주체적·능동적 측면을 중시한다. (○)

② 을의 관점은 사회 발전은 개개인의 발전을 가리키는 개념에 불과하다고 본다. (×)
→ 사회 발전은 개개인의 발전을 가리키는 개념에 불과하다고 보는 것은 사회 명목론이다.

③ 갑의 관점은 을의 관점과 달리 사회를 개인의 단순한 집합체 그 이상으로 본다. (×)
→ 사회 실재론은 사회 명목론과 달리 사회를 개인의 단순한 집합체 그 이상으로 본다.

④ 을의 관점은 갑의 관점과 달리 사회 구조보다 개인에 초점을 두고 사회 현상을 이해한다. (×)
→ 사회 명목론은 사회 실재론과 달리 사회 구조보다 개인에 초점을 두고 사회 현상을 이해한다.

⑤ 갑은 거시적 관점에서, 을은 미시적 관점에서 개인과 사회의 관계를 바라본다. (×)
→ 사회 명목론은 미시적 관점에서, 사회 실재론은 거시적 관점에서 개인과 사회의 관계를 바라본다.

05 사회 실재론　　답 ③

〈자료 1〉에 나타난 개인과 사회의 관계를 바라보는 관점은 사회 실재론이다. ③은 사회 명목론과 관련된 사례에 해당한다.

06 사회화 기관　　답 ②

제시된 그림에서 A는 공식적 사회화 기관이자 2차적 사회화 기관, B는 비공식적 사회화 기관이자 2차적 사회화 기관, C는 비공식적 사회화 기관이자 1차적 사회화 기관이다.

07 사회화 기관　　답 ②

㉠은 사회화를 목적으로 설립하여 체계적으로 사회화를 수행하는 기관이므로 공식적 사회화 기관, ㉡은 본연의 목적이 따로 있으나 부수적으로 사회화를 담당하는 기관이므로 비공식적 사회화 기관이다.

정답을 찾아가는 셀파 - Tip

① ㉠은 1차적 사회화 기관이다. (×)
→ 1차적 사회화 기관은 기초적인 사회화가 이루어지는 사회화 기관이다. 가족은 1차적 사회화 기관이지만 비공식적 사회화 기관이다.

② ㉡에는 또래 집단과 대중 매체가 해당된다. (○)

③ ㉠은 ㉡과 달리 성인기의 재사회화를 담당한다. (×)
→ 성인기의 재사회화는 공식적 사회화 기관과 비공식적 사회화 기관 모두에서 수행할 수 있다.

④ ㉠은 ㉡과 달리 정서적인 부분의 사회화를 담당한다. (×)
→ 정서적인 부분의 사회화는 일반적으로 1차적 사회화 기관에서 이루어진다.

⑤ ㉡은 ㉠과 달리 전문적 사회화를 담당한다. (×)
→ 전문적 사회화는 공식적 사회화 기관 또는 2차적 사회화 기관에서 이루어진다.

08 사회화 기관
답 ⑤

A는 가족, B는 또래 집단, C는 학교이다. ㄱ. 가족과 또래 집단은 비공식적 사회화 기관이다. ㄴ. 또래 집단과 같은 1차적 사회화 기관에서는 기초적인 생활 양식을 사회화한다.

09 사회화 기관, 사회적 지위와 역할
답 ②

ⓒ A인터넷 쇼핑몰은 사회화를 목적으로 설립된 기관이 아니므로 비공식적 사회화 기관이고, ⓔ 연기 학원은 전문적인 수준의 사회화를 담당하므로 2차적 사회화 기관이다.

정답을 찾아가는 셀파 - Tip

① ㉠, ㉢ 모두 개인의 능력과 노력에 의해 획득한 지위이다. (×)
→ 연예인 2세는 귀속 지위이며, 가수는 성취 지위이다.

② ⓒ은 비공식적 사회화 기관, ⓔ은 2차적 사회화 기관이다. (○)

③ ㉣은 갑의 외집단이자 준거 집단이다. (×)
→ 제시된 자료로는 시청자 평가단이 갑의 준거 집단인지 여부를 파악하기 어렵다.

④ ㉫은 재사회화에 해당한다. (×)
→ TV 프로그램에 지원하는 것은 재사회화로 보기 어렵다.

⑤ ㉦은 갑의 역할 갈등에 해당한다. (×)
→ 가수와 배우 중에서 고민하는 것은 역할 간의 충돌이 아니기 때문에 해당 고민은 역할 갈등에 해당하지 않는다.

10 사회화, 사회적 지위와 역할
답 ⑤

ⓜ 자원봉사자는 갑이 능력이나 노력에 의해 후천적으로 획득한 지위이므로 갑의 성취 지위이다.

정답을 찾아가는 셀파 - Tip

① ㉠은 갑의 내집단이자 준거 집단이다. (×)
→ 갑은 현재 ○○방송사를 그만두었기 때문에 ○○방송사를 갑의 내집단이자 준거 집단으로 보기 어렵다.

② ㉡은 갑이 겪었던 역할 갈등이다. (×)
→ 해당 고민은 갑의 진로에 대한 고민으로 서로 다른 역할 간 충돌이 발생하지 않으므로 역할 갈등에 해당하지 않는다.

③ ㉢이 되기 위해 갑은 ㉠에서 재사회화를 경험하였다. (×)
→ 제시된 자료로는 갑이 재사회화를 경험하였다고 단정할 수 없다.

④ ㉣은 ㉢으로서의 갑의 역할에 대한 보상이다. (×)
→ 대중의 인기는 갑의 역할 행동에 대한 보상이다.

⑤ ㉫은 갑의 성취 지위이다. (○)

11 사회화, 사회적 지위와 역할
답 ⑤

ㄱ. 장남은 귀속 지위, 대표는 성취 지위이다. ㄴ. 회사에 합격한 것과 경영인상을 수상한 것 모두 갑의 역할 행동에 대한 보상이다. ㄷ. 예기 사회화는 미래에 속하게 될 집단에서 요구되는 행동 양식을 미리 학습하는 과정을 의미한다. 갑이 입사 전 받은 신입 사원 연수는 예기 사회화에 해당한다. ㄹ. 갑의 진로에 대한 고민으로 서로 다른 역할 간 충돌이 발생하지 않으므로 역할 갈등으로 볼 수 없다.

12 사회화 기관, 사회적 지위와 역할
답 ③

ⓒ 직업 훈련소와 ㉣ 야간 대학은 사회화를 목적으로 하므로 공식적 사회화 기관, ⓔ 회사는 사회화를 목적으로 하지 않으므로 비공식적 사회화 기관이다.

정답을 찾아가는 셀파 - Tip

① ㉠은 ㉫과 달리 귀속 지위이다. (×)
→ 아버지와 아내는 모두 성취 지위이다.

② ㉡은 ㉢과 달리 2차적 사회화 기관이다. (×)
→ 직업 훈련소와 회사는 모두 2차적 사회화 기관이다.

③ ㉡, ㉣은 공식적 사회화 기관, ㉢은 비공식적 사회화 기관이다. (○)

④ ㉫은 갑의 역할 행동이다. (×)
→ 해외 지사 근무는 갑의 역할이다.

⑤ ㉦은 갑의 서로 다른 지위 사이에서 발생하는 역할 갈등이다. (×)
→ 해당 고민은 하나의 지위에서 발생하는 고민이다.

02 사회 집단과 사회 조직

탄탄 내신 문제
p. 66 ~ p. 70

01 ②	02 ①	03 ②	04 ⑤	05 ②	06 ②
07 ④	08 ⑤	09 ②	10 ④	11 ①	12 ②
13 ⑤	14 ③	15 ㉠: 둘, ㉡: 상호 작용, ㉢: 소속감			
16 (가): 이익 사회(결사체), (나): 내집단, (다): 1차 집단					17 ㄴ, ㄷ
18 해설 참조		19 해설 참조			

01 사회 집단의 성립 요건
답 ②

사회 집단은 둘 이상의 사람이 소속감과 공동체 의식을 가지고 지속적인 상호 작용을 하는 모임을 의미한다. ㄴ, ㄷ. □□역의 승객들이나 야구 경기장의 관중들은 소속감과 공동체 의식이 없으며, 구성원 간 지속적인 상호 작용이 나타나지 않는다는 점에서 사회 집단으로 볼 수 없다.

02 내집단과 외집단
답 ①

사례에서 5반 학생들은 교내 피구 대회 결승전에서 8반이 지길 바랐다. 이때 5반 학생들에게 5반은 내집단, 8반은 외집단으로 작용한다.

내 것으로 만드는 셀파 - Tip

▶ 내집단과 외집단

구분	내집단	외집단
의미	내가 그 집단의 일부라는 소속감을 가진 집단	소속감이 없는 집단
특징	• 강한 소속감과 공동체 의식, 유대감과 동료애, 애착심을 가진 집단 • 자아 정체감 형성, 판단과 행동의 기준을 학습	• 이질감과 적대감을 가지는 집단 • 내집단 의식을 강화시키는 요인으로 작용
사례	우리나라, 우리 학교	축구 경기의 상대 팀, 전쟁 중의 적군

03 1차 집단과 2차 집단 답②

사회 집단은 구성원 간의 접촉 방식과 친밀도에 따라 1차 집단과 2차 집단으로 구분할 수 있다.

▶ **1차 집단과 2차 집단**

구분	1차 집단	2차 집단
의미	대면적 접촉과 친밀감을 바탕으로 구성원 간의 전인격적 관계를 이루는 집단	구성원 간의 간접적인 접촉과 부분적인 관계를 바탕으로 특정 목적을 위해 결합한 집단
특징	• 구성원끼리 강한 연대감과 친밀감을 형성하여 정서적 안정감을 줌. • 개인의 인성 형성에 큰 영향을 미침. → 원초 집단이라고도 함. • 구성원 간의 인간관계 자체가 목적으로 관계 지향적임. • 비공식적 제재를 통해 구성원을 통제함.	• 특정 목적 달성을 위해 의도적으로 형성됨. • 공식적·형식적·부분적 인간관계가 나타남. • 규칙, 법률 등에 의한 공식적 통제가 이루어짐. • 사회의 복잡화·전문화로 필요성이 증대되고 있음.
사례	가족, 또래 집단	회사, 학교, 정당

04 준거 집단 답⑤

밑줄 친 '이 집단'은 준거 집단이다.

05 사회 조직의 유형 답②

일반적으로 사회 조직은 공식 조직을 의미한다. 공식 조직은 특정 목적을 달성하기 위해 의도적으로 만들어진 조직으로, 학교, 회사 등이 이에 해당한다. 이와 달리 비공식 조직은 공식 조직 내에서 구성원들이 친밀한 인간관계를 바탕으로 서로 상호 작용을 하며 형성된 조직으로, 회사 내에 만들어진 동창회, 향우회, 동호회 등이 이에 해당한다.

① (가)는 2차 집단, (다)는 1차 집단이다. (×)
　→ (가)는 공식 조직, (다)는 비공식 조직이다.
② (나)에는 '학교'나 '군대'가 들어갈 수 있다. (○)
③ (다)이면서 이익 사회인 경우는 없다. (×)
　→ 모든 비공식 조직은 이익 사회에 해당한다.
④ (다)는 (가)와 달리 조직의 목적이 분명하고 규칙과 규범이 엄격하다. (×)
　→ 공식 조직은 비공식 조직과 달리 조직의 목적이 분명하고 규칙과 규범이 엄격하다.
⑤ (라)에는 '고등학교 동문회'가 들어갈 수 있다. (×)
　→ '고등학교 동문회'는 비공식 조직에 해당하지 않는다.

06 사회 집단과 사회 조직 답②

ㄱ. '결합 의지'를 기준으로 분류할 때, 교내 영어 토론 자율 동아리는 선택 의지에 따라 결합한 이익 사회에 해당하고, 가족은 본질 의지에 따라 결합한 공동 사회에 해당한다. ㄴ. 1차 집단은 구성원 간에 친밀한 관계를 형성하는 전인격적인 집단으로, 학생회는 1차 집단에 해당하지 않는다. ㄷ. 교내 영어 토론 자율 동아리는 비공식 조직이다.

ㄹ. 군대는 구성원의 역할이 명확하고 분명한 위계와 절차에 따라 운영되므로 공식 조직이다.

07 자발적 결사체 답④

표는 자발적 결사체의 의미와 등장 배경, 사례, 특징을 정리한 것이다. ④ 학교나 회사는 자발적 결사체에 해당하지 않는다.

▶ **자발적 결사체의 종류**

친목 집단	• 오락, 취미 생활 • 취미 모임, 동창회 등
이익 집단	• 특수한 공통의 이익 추구 • 노동조합, 각종 직능 단체 등
시민 단체	• 사회 문제 해결, 정치 민주화 등의 공익 추구 • 소비자 단체, 동물 보호 단체 등

08 사회 조직의 유형 답⑤

그림에서 C는 A에 포함되므로, C는 비공식 조직, A는 자발적 결사체이다. 또한, A이면서 B인 경우가 있는데, 시민 단체나 노동조합과 같은 자발적 결사체는 공식 조직에 해당한다. 따라서 B는 공식 조직이다.

09 사회 집단의 유형 답②

② (가)에 해당 질문이 들어가면, A는 이익 사회, B는 공동 사회에 해당한다. 이익 사회의 사례로는 시민 단체, 공동 사회의 사례로는 가족을 들 수 있다.

	(가)	A	B
(×)①	구성원의 의도와 무관하게 형성된 집단인가? → A: 공동 사회, B: 이익 사회	종친회 → B	군대 → B
(○)②	구성원들의 의지와 선택에 따라 형성된 집단인가? → A: 이익 사회, B: 공동 사회	시민 단체 → A	가족 → B
(×)③	구성원 간의 전인격적 인간관계가 형성되는 집단인가? → A: 1차 집단, B: 2차 집단	군대 → B	정당 → B
(×)④	공통의 이해관계와 관심을 가진 사람들이 자발적으로 만든 집단인가? → A: 자발적 결사체, B: 자발적 결사체가 아닌 집단	가족 → B	회사 → B
(×)⑤	공식 조직 내에서 친밀감과 공통의 관심사를 중심으로 생겨난 집단인가? → A: 비공식 조직, B: 비공식 조직이 아닌 집단	고등학교 동문회 → B	테니스 동호회 → B

10 사회 집단과 사회 조직 답④

ㄱ. 제시된 내용으로는 갑과 을이 공동 사회에 속해 있는지 여부를 알 수 없다. ㄷ. △△군청과 ○○ 환경 단체 모두 공식 조직이다.

11 사회 집단과 사회 조직　　　　답 ①
ㄱ. 가족은 회사와 달리 1차 집단이므로 해당 질문은 (가)에 들어갈 수 있다. ㄴ. 가족과 회사 모두 두 명 이상의 구성원이 소속감과 공동체 의식을 느끼고, 지속적인 상호 작용을 하므로, 사회 집단에 해당한다. 따라서 해당 질문은 (나)에 들어갈 수 있다. ㄷ. 회사는 가족과 달리 공식 조직이므로 해당 질문은 (다)에 들어갈 수 있다.

12 관료제 조직의 역기능　　　　답 ②
제시된 자료의 '과두제의 법칙', '피터의 원리', '레드 테이프 현상'은 관료제 조직의 운영 과정에서 발생할 수 있는 각종 비효율·비능률적 현상을 나타낸다.

13 관료제와 탈관료제 조직　　　　답 ⑤
A는 관료제 조직, B는 탈관료제 조직이다. ⑤ 관료제 조직은 탈관료제 조직에 비해 표준화된 절차와 규약을 중시하는 정도가 높으므로, (나)에 해당 질문이 들어가면, (다)는 'A>B'이다.

정답을 찾아가는 셀파 - Tip
① A는 B에 비해 구성원들의 창의성이 발휘될 가능성이 높다. (×)
→ 탈관료제 조직은 관료제 조직에 비해 구성원들의 창의성이 발휘될 가능성이 높다.
② B는 A에 비해 업무 수행의 유연성이 낮다. (×)
→ 관료제 조직은 탈관료제 조직에 비해 업무 수행의 유연성이 낮다.
③ B는 A와 달리 조직의 위계가 분명하고, 책임 소재가 명확하다. (×)
→ 관료제 조직은 탈관료제 조직과 달리 조직의 위계가 분명하고, 책임 소재가 명확하다.
④ (가)에는 '연공서열을 중시하는 정도'가 들어갈 수 있다. (×)
→ 관료제 조직은 탈관료제 조직에 비해 연공서열을 중시하므로 해당 내용은 (가)에 들어갈 수 없다.
⑤ (나)에 '표준화된 절차와 규약을 중시하는 정도'가 들어가면, (다)는 'A>B'이다. (○)

14 관료제와 탈관료제 조직　　　　답 ③
A는 탈관료제 조직, B는 관료제 조직이다.

정답을 찾아가는 셀파 - Tip
① (가) - 의사 결정 권한의 분산보다 집중을 지향하는가? (×)
→ 의사 결정 권한의 분산보다 집중을 지향하는 것은 관료제 조직이므로, 해당 질문은 (나)에 들어갈 수 있다.
② (나) - 업무 담당자의 재량권이 중시되는가? (×)
→ 업무 담당자의 재량권이 중시되는 것은 탈관료제 조직이므로, 해당 질문은 (가)에 들어갈 수 있다.
③ (나) - 창의적 과업 수행보다 규약에 따른 과업 수행을 중시하는가? (○)
④ (다) - 업무 처리의 효율성을 지향하는가? (×)
→ 탈관료제와 관료제 조직 모두 업무 처리의 효율성을 지향하므로, 해당 질문은 (다)에 들어갈 수 없다.
⑤ (다) - 비공식적 통제보다 공식적 통제가 일반적인가? (×)
→ 탈관료제와 관료제 조직 모두 공식적 통제가 일반적이므로, 해당 질문은 (다)에 들어갈 수 없다.

15 사회 집단의 의미　　　　답 ㉠: 둘, ㉡: 상호 작용, ㉢: 소속감
사회 집단은 같은 집단의 구성원이라는 정체성을 가지고 지속적으로 상호 작용하는 사람들의 무리를 말한다. 사회 집단의 성립 요건은 다음과 같다. 첫째, 둘 이상의 사람으로 구성된다. 둘째, 구성원들의 상호 작용이 지속적으로 이루어진다. 셋째, 구성원들이 집단에 대한 소속감을 지니고 있다.

16 사회 집단의 유형　　　　답 (가): 이익 사회(결사체), (나): 내집단, (다): 1차 집단
(가)는 이익 사회(결사체), (나)는 내집단, (다)는 1차 집단이다.

17 사회 조직　　　　답 ㄴ, ㄷ
자발적 결사체이면서 공식 조직에 해당하는 사례에는 노동조합과 시민 단체가 있다.

18 비공식 조직의 기능
모범 답안 | 비공식 조직은 공식 조직의 과업 달성과 조직의 효율성을 높이는 데 기여할 수 있는 순기능이 있지만, 개인적 친분 관계가 공식 조직의 업무나 인사에 부정적인 영향을 미칠 수 있다는 역기능이 있다.
주요 단어 | 과업 달성, 조직의 효율성, 개인적 친분 관계, 업무나 인사에 부정적 영향

채점 기준	배점
비공식 조직의 순기능과 역기능을 각각 정확하게 서술한 경우	상
비공식 조직의 순기능과 역기능을 각각 서술하였으나 미흡한 경우	중
비공식 조직의 순기능과 역기능 중 한 측면만 정확하게 서술한 경우	하

19 관료제와 탈관료제 조직
모범 답안 | (1) A는 관료제 조직이다. 관료제 조직의 특징에는 규칙과 절차에 따른 업무 수행, 엄격한 위계질서, 연공서열에 따른 보상, 지위 획득의 공평한 기회 보장 등이 있다.
주요 단어 | 관료제, 규칙과 절차, 위계질서, 연공서열, 지위 획득의 공평한 기회

채점 기준	배점
관료제 조직을 쓰고, 관료제 조직의 특징 두 가지를 정확하게 서술한 경우	상
관료제 조직을 쓰고, 관료제 조직의 특징을 한 가지만 서술한 경우	중
관료제 조직만 쓴 경우	하

(2) 관료제 조직의 문제점에는 목적 전치 현상, 인간 소외 현상, 자율성과 창의성 저해, 권력의 독점과 남용, 무사안일주의 등이 있다.
주요 단어 | 목적 전치, 인간 소외, 자율성과 창의성 저해, 권력의 독점과 남용, 무사안일주의

채점 기준	배점
관료제 조직의 문제점 두 가지를 정확하게 서술한 경우	상
관료제 조직의 문제점을 한 가지만 서술한 경우	하

(3) 관료제 조직의 문제점을 극복하기 위해 등장한 조직 체계인 탈관료제 조직의 특징에는 의사 결정 권한의 분산, 유연한 조직 구조, 능력에

따른 보상, 중간 관리층의 역할 비중 감소 등이 있다.

주요 단어 | 탈관료제 조직, 의사 결정 권한 분산, 유연한 조직 구조, 능력에 따른 보상, 중간 관리층의 역할 감소

채점 기준	배점
탈관료제 조직의 특징 두 가지를 정확하게 서술한 경우	상
탈관료제 조직의 특징을 한 가지만 서술한 경우	중
탈관료제 조직이라고만 쓴 경우	하

도전 수능 문제
p. 71 ~ p. 73

01 ②	02 ②	03 ②	04 ⑤	05 ②	06 ④
07 ③	08 ②	09 ②	10 ①	11 ④	12 ③

01 사회 집단과 사회 조직
답 ②

ㄱ. 시민 단체와 학교의 학급은 구성원 간의 선택적 의지에 의해 형성되는 이익 사회이다. ㄴ. 갑~병 모두 자발적 결사체에 소속되어 있다. ㄷ. 을만 비공식 조직에 소속되어 있다. ㄹ. 갑은 가족, 대학원, 시민 단체에, 을은 가족, 노동조합에, 병은 가족, 학교의 학급에 소속되어 있으므로, 갑~병 모두 공동 사회와 공식 조직에 소속되어 있다.

자료를 분석하는 셀파 - Tip

우리 가족 주간 일정

- 공식 조직, 이익 사회 ← 갑(교사)
- 화: 교육청 출장
- 수: 대학원 수업 참석
- 금: 지역 ㉠ 시민 단체 대표자 회의 참석 → 이익 사회, 자발적 결사체, 공식 조직
- 토: 가족 외식 → 공동 사회

- 을(회사원)
- 월: 사내 야구 동호회 경기 참가 → 비공식 조직, 자발적 결사체, 이익 사회
- 수: 노동조합 조합원 총회 참석 → 이익 사회, 자발적 결사체, 공식 조직
- 토: 가족 외식 → 공동 사회

- 병(중학생)
- 수: 청소년 봉사 단체 정기 모임 참석 → 이익 사회, 자발적 결사체
- 금: ㉡ 학급 소풍 참가 → 공식 조직, 이익 사회
- 토: 가족 외식 → 공동 사회

02 사회 집단과 사회 조직
답 ②

② 제시된 사례에서 이익 사회는 소속된 기획사의 봉사 동아리, ○○방송국, 국세청, △△대학교 총학생회, 연예인 야구단으로서 총 5개이다.

자료를 분석하는 셀파 - Tip

- 월: ㉠ 소속된 기획사의 봉사 동아리 회원들과 봉사 활동 참가 → 비공식 조직, 이익 사회, 자발적 결사체
- 화: ㉡ ○○방송국의 예능 프로그램 녹화 → 이익 사회, 2차 집단, 공식 조직
- 수: ㉢ 국세청의 모범 납세자 시상식 참여 → 이익 사회, 2차 집단, 공식 조직
- 목: 어머니 생신 축하를 위한 ㉣ 가족 모임 참석 → 공동 사회, 1차 집단
- 금: ㉤ △△대학교 총학생회 주관 축제 행사 공연 → 이익 사회, 2차 집단, 공식 조직
- 토: ㉥ 연예인 야구단 시합 참가 → 이익 사회, 자발적 결사체

03 사회 집단과 사회 조직
답 ②

② 팬클럽은 선택 의지에 의해 구성원들이 자발적으로 결성한 사회 집단이므로 자발적 결사체이자 이익 사회에 해당한다.

정답을 찾아가는 셀파 - Tip

① ㉠은 갑의 준거 집단이자 내집단이다. (×)
→ 갑이 아이돌 그룹의 멤버인 것은 아니므로, 아이돌 그룹이 갑의 내집단이라고 볼 수 없다.
② ㉡은 자발적 결사체이자 이익 사회이다. (○)
③ ㉢은 전인격적인 인간관계를 바탕으로 한다. (×)
→ ◇◇ 단체는 전인격적인 인간관계보다 형식적인 인간관계를 바탕으로 한다.
④ ㉣과 ㉤은 모두 2차 집단이자 공식 조직이다. (×)
→ △△ 기획사는 댄스 모임과 달리 2차 집단이자 공식 조직이다.
⑤ ㉢과 ㉥은 각각 갑의 역할에 대한 제재와 보상이다. (×)
→ 예선 탈락과 공개 오디션 합격은 갑의 역할 행동에 대한 결과이다.

04 사회 집단과 사회 조직의 유형
답 ⑤

(가)는 공동 사회, (나)는 공식 조직, (다)는 이익 사회, (라)는 비공식 조직에 해당한다. ㄱ. 비공식적 사회화 기관이면서 공동 사회에 해당하는 사례에는 가족이 있다. ㄴ. 2차적 사회화 기관이면서 공식 조직에 해당하는 사례에는 회사와 군대가 있다. ㄷ. 모든 비공식 조직은 인위적으로 형성된 집단이므로, 공동 사회와 비공식 조직 모두에 해당하는 사례는 존재하지 않는다. ㄹ. 모든 비공식 조직은 이익 사회에 포함되므로, 비공식 조직의 구성원은 모두 이익 사회의 구성원이다.

05 사회 집단과 사회 조직의 유형
답 ②

ㄴ. (다)는 가입과 탈퇴가 자유로우나, (나)는 그렇지 않다. ㄷ. 전인격적 인간관계를 중시하는 것은 (나)이다.

자료를 분석하는 셀파 - Tip

(가) 구성원의 <u>선택 의지</u>에 따라 인위적으로 형성된 집단 → 이익 사회
(나) 구성원의 선택과 무관하게 본질 의지에 따라 자연적으로 형성된 집단 → 공동 사회
(다) 공통의 이익이나 목표를 추구하는 사람들이 모여 자발적으로 형성한 조직 → 자발적 결사체
(라) 공식 조직 내에서 구성원 간의 친밀한 인간관계를 바탕으로 서로 상호 작용을 하며 형성된 조직 → 비공식 조직
(마) 구성원의 지위와 역할이 명확하게 규정되고, 정해진 절차에 의해 특정 목적을 달성하기 위한 조직 → 공식 조직

06 사회 집단과 사회 조직
답 ④

ㄱ. (가)가 '구성원의 본질 의지에 의해 형성된 집단인가?'이면, A는 공동 사회이다. ㄷ. 학교는 자발적 결사체에 해당하지 않으므로, 학교가 A에 해당하면, (가)에는 해당 질문이 들어갈 수 없다.

07 관료제와 탈관료제 조직
답 ③

(가)는 관료제 조직, (나)는 탈관료제 조직이다. ③ 관료제와 탈관료제 조직 모두 공식적 통제 방식으로 갈등을 해결한다.

08 관료제와 탈관료제 조직
답 ②

A는 탈관료제 조직, B는 관료제 조직이다. 탈관료제 조직은 경력에 따른 보상을 중시하는 관료제 조직에 비해 능력과 성과에 따른 보상을

중시한다.

① A는 B에 비해 하향식 의사 결정 방식이 일반적이다. (×)
→ 탈관료제 조직은 관료제 조직에 비해 상향식 의사 결정 방식이 일반적이다.

② A는 B에 비해 능력과 성과에 따른 보상을 중시한다. (○)

③ B는 A에 비해 부서 간의 경계가 느슨하다. (×)
→ 관료제 조직은 탈관료제 조직에 비해 부서 간의 경계가 엄격하다.

④ B는 A와 달리 정보 사회의 특성을 반영하고 있다. (×)
→ 정보 사회에 더 적합한 조직은 탈관료제 조직이다.

⑤ (가)에는 '업무 담당자에게 재량권이 부여되는 정도'가 들어갈 수 있다. (×)
→ 탈관료제 조직은 관료제 조직에 비해 업무 담당자에게 재량권이 많이 부여되므로 해당 내용은 (가)에 들어갈 수 없다.

09 관료제와 탈관료제 조직 답 ②

(가)는 관료제 조직, (나)는 탈관료제 조직이다.

① (가)는 자유롭고 평등한 분위기 속에서의 의사소통을 추구한다. (×)
→ 업무에 대한 구성원 간 자유로운 의사소통이 이루어지는 조직은 탈관료제 조직이다.

② (나)는 규약에 따른 과업 수행보다 창의적 과업 수행을 중시한다. (○)

③ (나)는 (가)에 비해 목적 전치 현상이 발생할 가능성이 높다. (×)
→ 탈관료제 조직에 비해 관료제 조직에서 목적 전치 현상이 발생할 가능성이 높다.

④ A에는 '구성원 간 2차적 관계가 지배적인가?'가 들어갈 수 있다. (×)
→ 관료제와 탈관료제 조직 모두 구성원 간 2차적 관계가 지배적이므로, 해당 질문은 A에 들어갈 수 없다.

⑤ B에는 '소수에 의한 의사 결정 권한의 독점과 남용이 발생할 가능성이 높은가?'가 들어갈 수 있다. (×)
→ 소수에 의한 의사 결정 권한의 독점과 남용이 발생할 가능성이 높은 것은 관료제 조직이므로, 해당 질문은 B에 들어갈 수 없다.

10 관료제 조직의 역기능 답 ①

(가)는 무능력자가 능력 이상의 자리를 차지하는 현상인 피터의 원리를, (나)는 목적 전치 현상을 설명하고 있다. ㄷ. (가)는 지위 획득에서의 경쟁 원리 대신 경력을 중시한 것, (나)는 지나친 절차와 규칙을 강조한 것이 일차적 원인이다. ㄹ. (가)는 성과급 제도의 실시로 문제를 해결할 수 있지만, (나)는 회사 내 비공식 조직의 활성화가 아닌 업무 재량권을 확대해야 문제를 해결할 수 있다.

11 관료제와 탈관료제 조직 답 ④

A는 탈관료제 조직, B는 관료제 조직이다. ㄱ. 탈관료제 조직은 관료제 조직에 비해 경력보다 업적에 따른 보상을 중시한다. ㄷ. 관료제 조직은 탈관료제 조직에 비해 권한과 책임이 분명하다.

12 관료제와 탈관료제 조직 답 ③

A는 관료제 조직, B는 탈관료제 조직이다.

① A는 B에 비해 상향식 의사 결정을 중시한다. (×)
→ 관료제 조직은 탈관료제 조직에 비해 하향식 의사 결정이 일반적이다.

② B는 A에 비해 조직 운영의 유연성이 낮다. (×)
→ 탈관료제 조직은 관료제 조직에 비해 조직 운영의 유연성이 높다.

③ (가)에는 '성과에 따른 보상을 중시하는 정도'가 들어갈 수 있다. (○)

④ (나)에는 '조직 운영의 효율성 추구 정도'가 들어갈 수 있다. (×)
→ 관료제와 탈관료제 조직 모두 조직 운영의 효율성을 추구하므로 해당 내용은 (나)에 들어갈 수 없다.

⑤ (다)에는 '업무의 표준화 정도'가 들어갈 수 있다. (×)
→ 관료제 조직은 탈관료제 조직에 비해 업무의 표준화 정도가 높으므로, 해당 내용은 (다)에 들어갈 수 없다.

03 일탈 행동의 원인과 대책

p. 76 ~ p. 80

01 ⑤	02 ⑤	03 ⑤	04 ③	05 ③	06 ②
07 ④	08 ①	09 ⑤	10 ②	11 ⑤	12 ③
13 ③	14 ②	15 상대성	16 ㉠: 1차적 일탈, ㉡: 2차적 일탈		
탈	17 해설 참조		18 해설 참조		19 해설 참조

01 일탈 행동의 의미와 특성 답 ⑤

(가)는 일탈 행동이다. ㄱ. 범죄는 법을 위반하는 행위를 의미한다. 범죄는 일탈 행동에 속하지만, 모든 일탈 행동이 범죄인 것은 아니다. ㄴ. 일탈 행동에 대한 규정은 시대나 장소에 따라 다르다.

▶ 일탈 행동의 의미와 특성

일탈 행동	사회에서 규정한 제도나 규범에서 벗어난 행위
일탈 행동의 상대성	일탈 행동에 대한 기준은 시대와 지역에 따라 달라짐.
일탈 행동의 기능	• 순기능: 그 사회의 문제를 표출함으로써 사회 변화의 계기가 될 수도 있음. • 역기능: 사회적으로 바람직하지 못한 행동으로 그 사회의 통합과 존속을 저해함.

02 일탈 행동의 상대성 답 ⑤

첫 번째 사례는 공간에 따라, 두 번째 사례는 시간에 따라 어떤 행동이 일탈 행동일 수도 있고 그렇지 않을 수도 있음을 나타낸다. 이는 일탈 행동에 대한 규정이 사회적 상황에 따라 달라짐을 의미한다.

03 일탈 행동의 의미 답 ⑤

어떤 행위가 일탈 행동인지 여부는 한 개인이 구체적으로 무엇을 했는지보다 그 행위가 어떤 상황에서 발생했는지, 특정 시대와 사회 구성원이 그것을 어떻게 보는지에 따라 결정된다.

04 일탈 행동의 영향

閏 ③

③ 개인이 일탈 행동을 반복적으로 행할 경우 사회에 적응하기 어려워진다.

내 것으로 만드는 셀파 - Tip

▶ **일탈 행동의 영향**

긍정적 영향	일탈 행동에 대처하는 과정에서 집단의 결속력 강화, 사회가 가진 문제점을 표출시킴으로써 대비책 마련, 사회 변동의 원동력으로 작용 등
부정적 영향	사회생활을 유지하는 데 필요한 신뢰감 저하, 사회 불안정 초래, 사회 구성원의 규범 준수 동기나 의지 약화, 개인의 삶 황폐화, 사회적 자원 낭비 등

05 일탈 행동을 설명하는 이론

閏 ③

ㄱ. 법을 어기는 행위와 규범을 어기는 행위 모두 일탈 행동에 해당한다. ㄴ. 아노미 이론은 일탈 행동을 판단하는 절대적 기준이 있다고 본다. ㄷ. 일탈 행동을 판단하는 절대적 기준이 없다는 관점은 낙인 이론이다. 낙인 이론은 주로 한 사회에서 특정 행동이 일탈 행동으로 규정되는 과정에 대해 관심을 갖는다. ㄹ. ⓒ은 거시적 관점, ⓒ은 미시적 관점이다.

06 뒤르켐의 아노미 이론

閏 ②

제시문에 나타난 일탈 이론은 뒤르켐의 아노미 이론이다. ①, ③은 낙인 이론에 대한 설명이다.

내 것으로 만드는 셀파 - Tip

▶ **뒤르켐의 아노미 이론**

일탈 행동의 원인	급격한 사회 변동으로 기존의 지배적인 규범이나 가치관이 무너지고, 이를 대체할 새로운 가치관이 정립되지 않은 혼란한 무규범 상태를 아노미로 규정하고, 사회가 이러한 아노미 상태에 빠질 때 일탈 행동이 증가한다고 설명함.
일탈 행동의 해결 방안	사회적 합의에 바탕을 둔 지배적 규범을 확립하여 사회 통제 기능을 강화해야 함.

07 머튼의 아노미 이론

閏 ④

제시문에 나타난 일탈 이론은 머튼의 아노미 이론이다. ㄴ. 머튼의 아노미 이론은 사회 구조적 측면, 즉 거시적 관점에서 일탈 행동에 주목한다. ㄷ. 차별적 교제 이론에 대한 설명이다. ㄹ. 머튼의 아노미 이론은 기회 구조가 차단된 집단의 범죄를 설명하는 데 유용하다.

내 것으로 만드는 셀파 - Tip

▶ **머튼의 아노미 이론**

일탈 행동의 원인	'문화적 목표'와 '제도적 수단' 간의 괴리에 따른 가치관의 혼란 상태를 아노미로 규정하고, 이러한 아노미적 상황에서 비합법적인 수단을 사용해서 문화적 목표를 달성하려고 할 때 일탈 행동이 발생한다고 봄.
일탈 행동의 해결 방안	사회적 목표를 달성할 수 있는 기회를 공평하게 보장하기 위한 제도를 마련하여 아노미가 발생할 수 있는 상황을 막아야 한다고 강조함.

08 낙인 이론과 차별 교제 이론

閏 ①

(가)는 낙인 이론, (나)는 차별 교제 이론이다.

자료를 분석하는 셀파 - Tip

(가) 우연히 작은 잘못을 저지른 사람에게 '범죄자'라는 딱지를 붙이면, ─사회적 낙인의 부여
1차적 일탈 행위자는 스스로를 범죄자로 규정하고 또 다른 범죄 행위를 하게 된다. ─2차적 일탈 ─사회적 낙인의 내면화

(나) 범죄는 다른 사회적 행위와 마찬가지로 학습의 결과로 나타나는 행동이다. <u>범죄자 또는 범죄 집단과의 교류를 통해 범죄에 필요한 기술과 그것을 정당화하는 태도를 내면화</u>하여 범죄를 저지르게 되는 것이다. ─학습에 따른 일탈 행동 발생

09 차별 교제 이론

閏 ④

제시된 속담 또는 사자성어와 관련된 일탈 이론은 차별 교제 이론이다. 차별 교제 이론에서는 일탈 집단과의 상호 작용으로 인해 일탈 기술을 학습하고 이에 대한 우호적 가치를 내면화하기 때문에 일탈 행동이 발생한다고 본다. 그러나 일탈 행동을 하는 집단과 접촉했음에도 일탈 행동을 하지 않는 경우를 설명하기 어렵다는 한계가 있다. ㄱ, ㄷ은 낙인 이론에 대한 설명이다.

10 낙인 이론

閏 ②

제시된 대화에서 을의 이론은 낙인 이론이다. 낙인 이론은 일탈 행동보다 그에 대한 사회적 반응, 즉 낙인이 부여되는 과정을 중시한다.

11 아노미 이론

閏 ⑤

ㄱ. (가)는 머튼의 아노미 이론, (나)는 뒤르켐의 아노미 이론이다. ㄴ. (가), (나) 모두 거시적 관점에서 일탈 행동을 바라본다. ㄷ. 절도와 같은 비합법적 수단을 이용하여 경제적 풍요를 누리고 싶은 욕망이 일탈 행동의 원인이 된다고 본 것은 머튼의 아노미 이론으로 설명할 수 있는 일탈 행동의 사례이다. ㄹ. 뒤르켐의 아노미 이론은 일탈 행동의 해결 방안으로 사회 규범의 통제력 회복 또는 새로운 사회 규범의 마련 등을 제시한다.

12 낙인 이론

閏 ③

그림에 나타난 일탈 이론은 낙인 이론이다. 낙인 이론은 일탈을 규정하는 객관적 규범은 존재하지 않는다고 본다.

정답을 찾아가는 셀파 - Tip

① 차별 교제 이론을 도식화한 것이다. (×)
→ 낙인 이론을 도식화한 것이다.

② 거시적 차원에서 일탈 행동의 원인을 분석한다. (×)
→ 미시적 차원에서 일탈 행동을 분석한다.

③ 일탈을 규정하는 객관적 규범은 존재하지 않는다고 본다. (○)

④ 일탈 행동의 해결 방안으로 일탈자와의 접촉 차단을 제시한다. (×)
→ 차별 교제 이론에 대한 설명이다.

⑤ 급격한 사회 변동 과정에서 해당 사회의 규범이 미처 정립되지 못할 때 일탈이 발생한다고 본다. (×)
→ 뒤르켐의 아노미 이론에 대한 설명이다.

13 차별 교제 이론　　　　　답 ③

제시된 내용은 차별 교제 이론에 대한 설명이다. ①, ⑤는 뒤르켐의 아노미 이론, ④는 낙인 이론에 대한 설명이다.

14 낙인 이론과 차별 교제 이론　　　　　답 ②

A는 낙인 이론, B는 차별 교제 이론이다. ㄱ. 낙인 이론은 자신의 일탈이 사회적 시선에 의해 발생하게 된 것이라고 합리화할 수 있다는 한계가 있다. ㄴ. 무규범 상태로 인해 일탈 행동이 발생한다고 보는 것은 뒤르켐의 아노미 이론이다. ㄷ. 일탈 행동의 대책으로 새로운 가치관의 확립을 강조하는 것은 뒤르켐의 아노미 이론이므로 ㉠, ㉡은 모두 '아니요'이다. ㄹ. ㉢은 '예', ㉣은 '아니요'이다.

서답형 문제

15 일탈 행동의 특성　　　　　답 상대성

일탈 행동은 상황에 따라 다르게 규정되는 상대성을 지닌다.

16 낙인 이론　　　　답 ㉠: 1차적 일탈, ㉡: 2차적 일탈

낙인 이론은 1차적 일탈이 2차적 일탈로 이어진다고 본다.

17 아노미 이론

모범 답안 | 사회 구성원이 추구하는 문화적 목표와 이를 달성하기 위한 제도적 수단이 일치하지 않는 상태라고 보았다.
주요 단어 | 문화적 목표, 제도적 수단, 불일치

채점 기준	배점
'문화적 목표'와 '제도적 수단'을 모두 포함하여 서술한 경우	상
'문화적 목표'와 '제도적 수단' 중 한 단어만 포함하여 서술한 경우	하

18 일탈 행동의 의미와 영향

모범 답안 | (1) 일탈 행동
(2) • 긍정적 영향: 일탈 행동에 대처하는 과정에서 일탈 방지를 위한 사회적 합의나 대안이 마련될 수 있다. 사회 문제를 표출함으로써 이에 대한 대책을 마련할 수 있는 기회를 제공한다. 사회 변동의 원동력으로 작용한다.
• 부정적 영향: 사회 조직의 해체나 사회 질서의 붕괴로 인한 사회 불안정이 초래될 수 있다. 사회 구성원들의 규범 준수 동기나 의지가 약화된다. 개인의 삶이 황폐화되고 사회적 자원이 낭비된다.
주요 단어 | 사회적 합의나 대안 마련, 사회 변동의 원동력, 사회 불안정, 의지 약화, 사회적 자원 낭비

채점 기준	배점
일탈 행동의 긍정적 영향과 부정적 영향을 각각 정확하게 서술한 경우	상
일탈 행동의 긍정적 영향과 부정적 영향을 각각 서술하였으나 미흡한 경우	중
일탈 행동의 긍정적 영향과 부정적 영향 중 한 측면만 정확하게 서술한 경우	하

19 일탈 행동을 설명하는 이론

모범 답안 | (1) (가): 낙인 이론, (나): 뒤르켐의 아노미 이론, (다): 차별

교제 이론
(2) (가): 사회적 낙인에 대한 신중한 접근, (나): 사회 규범의 통제력 회복, 새로운 가치관의 확립, (다): 일탈자와의 접촉 차단, 정상적인 사회 집단과의 교류 촉진
주요 단어 | 낙인에 대한 신중한 접근, 통제력 회복, 접촉 차단, 교류 촉진

채점 기준	배점
(가)~(다)에 해당하는 일탈 이론이 제시하는 해결 방안을 모두 정확하게 서술한 경우	상
(가)~(다)에 해당하는 일탈 이론이 제시하는 해결 방안을 두 이론만 정확하게 서술한 경우	중
(가)~(다)에 해당하는 일탈 이론이 제시하는 해결 방안을 한 이론만 정확하게 서술한 경우	하

도전 수능 문제　　　　　p. 81 ~ p. 83

01 ③	02 ④	03 ④	04 ①	05 ②	06 ⑤
07 ①	08 ⑤	09 ③	10 ④	11 ②	

01 일탈 행동의 상대성　　　　　답 ③

제시문은 일탈 행동에 대한 규정이 시대와 지역에 따라 달라진다는 것을 나타내고 있다. 즉, 일탈 행동의 상대성을 말하고 있는 것이다.

02 일탈 행동의 영향　　　　　답 ④

첫 번째 사례는 청년 세대의 일탈 행동이 계속되면서 갑국의 구조적 모순이 드러나 사회가 변화한 사례를 나타내고, 두 번째 사례는 여성들의 일탈 행동이 계속되면서 여성에 대한 차별이 당연시되던 을국 사회가 변화한 사례를 나타낸다. 이를 통해 일탈 행동은 사회의 모순을 해결하는 계기를 마련하기도 함을 알 수 있다.

03 일탈 행동을 설명하는 이론　　　　　답 ④

(가)는 낙인 이론, (나)는 머튼의 아노미 이론, (다)는 차별 교제 이론이다. ② 일탈 행동의 발생에 있어 타인과의 상호 작용을 통한 학습 과정을 강조하는 것은 차별 교제 이론이다. ③ 일탈 행동을 초래하는 사회 구조의 영향력을 강조하는 것은 머튼의 아노미 이론이다.

자료를 분석하는 셀파 - Tip

(가) 공식적으로 일탈자라고 규정되면 성공을 위한 합법적 수단으로부터 배제되고 <u>일탈자라는 자아 개념을 가지게 되어</u>, 미래의 일탈 가능성이 증가하게 된다. 결국 <u>일탈자라고 규정짓는</u> └부정적 자아 형성 것은 사회적 지위를 부여하는 것과 같다. └낙인

(나) 경제적 성공을 강조하는 문화를 구성원 모두가 공유하는 사회 목표┘ 에서, <u>제도화된 수단</u>이 부족한 특정 계층은 성공에 어려움을 수단┘ 겪게 된다. 따라서 이들은 불법적인 방법을 통해서라도 성공하려고 시도함으로써 일탈 행동을 하게 된다.

(다) 하층에 속한 사람들이 일탈 행동을 많이 한다는 주장이 있지만, 하층에서도 일부만 일탈 행동을 한다. 이들이 일탈 행동을 하는 것은 일탈자와의 상호 작용을 통해 일탈적 가치와 태도를 수용하기 때문이다. └학습

04 차별 교제 이론

답 ①

밑줄 친 '이 이론'은 차별 교제 이론이다. 차별 교제 이론에서는 일탈 행동의 해결 방안으로 일탈 집단과의 교류 차단 또는 정상적인 사회 집단과의 교류 확대를 제시한다. ②, ④는 뒤르켐의 아노미 이론, ③은 낙인 이론, ⑤는 머튼의 아노미 이론에서 제시하는 해결 방안이다.

05 아노미 이론과 낙인 이론

답 ②

갑은 머튼의 아노미 이론, 을은 낙인 이론이다.

정답을 찾아가는 셀파 - Tip

① 갑의 이론은 일탈 행동이 타인과의 상호 작용에서 비롯된다고 본다. (×)
→ 일탈 행동이 타인과의 상호 작용에서 비롯된다고 보는 것은 낙인 이론이다.

② 을의 이론은 부정적 자아가 형성되어 일탈 행동이 반복된다고 본다. (○)

③ 갑의 이론은 을의 이론과 달리 일탈 행동을 미시적 관점에서 바라보고 있다. (×)
→ 머튼의 아노미 이론은 거시적 관점, 낙인 이론은 미시적 관점이다.

④ 을의 이론은 갑의 이론과 달리 일탈을 규정하는 객관적 기준이 존재한다고 본다. (×)
→ 낙인 이론은 일탈을 규정하는 객관적 기준이 존재하지 않는다고 본다.

⑤ 갑, 을의 이론 모두 일탈 행동에 대한 대책으로 강력한 사회 통제를 강조한다. (×)
→ 일탈 행동에 대한 대책으로 강력한 사회 통제를 강조하는 것은 뒤르켐의 아노미 이론이다.

06 낙인 이론

답 ⑤

제시문의 A이론은 낙인 이론이다. 낙인 이론에서는 일탈 행동이 자신의 행위에 대한 타인의 부정적 시선(낙인)을 내면화한 결과라고 본다.

07 일탈 행동을 설명하는 이론

답 ①

(가)는 뒤르켐의 아노미 이론, (나)는 낙인 이론, (다)는 차별 교제 이론이다. ② 낙인 이론은 일탈을 규정하는 객관적 기준이 존재하지 않는다고 본다. ③ 일탈 행동 자체보다 일탈 행동에 대한 사회적 반응을 중시하는 것은 낙인 이론이다. ⑤ 일탈 행동이 문화적 목표와 제도적 수단 간의 괴리에서 비롯된다고 보는 것은 머튼의 아노미 이론이다.

자료를 분석하는 셀파 - Tip

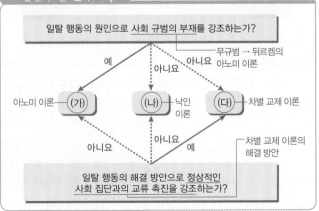

08 일탈 행동을 설명하는 이론

답 ⑤

A는 아노미 이론, B는 차별 교제 이론, C는 낙인 이론이다. ㄱ. 아노미 이론은 일탈 행동의 원인을 사회 구조적인 차원에서 파악하고 있다. ㄴ. 차별 교제 이론과 관련 깊은 속담 또는 사자성어로는 '까마귀 노는 곳에 백로야 가지 마라.', '근묵자흑(近墨者黑): 검은 먹을 가까이 하다보면 자신도 모르게 검어진다.' 등이 있다. ㄷ. 법 위반에 대한 우호적 가치를 습득, 즉 학습하는 것을 일탈 행동의 원인으로 보는 것은 차별 교제 이론이다. ㄹ. 낙인 이론은 최초의 일탈에 대한 주위 사람들의 부정적 반응이 2차적 일탈을 초래한다고 본다. 따라서 일탈 행동에 대한 규정을 신중하게 할 필요가 있다는 것을 강조한다.

09 일탈 행동을 설명하는 이론

답 ③

ㄱ. A가 아노미 이론, B가 차별 교제 이론이라면, C는 낙인 이론이다. 타인들과의 상호 작용이 일탈 발생 과정에 미치는 영향을 중시하는 것은 낙인 이론과 차별 교제 이론이므로, 해당 질문은 (다)에 들어갈 수 없다. ㄴ. B가 낙인 이론, C가 아노미 이론이라면, A는 차별 교제 이론이다. 일탈자와의 접촉 차단을 일탈에 대한 대책으로 보는 것은 차별 교제 이론이므로, 해당 질문이 (가)에 적절하다. ㄷ. (가)에 해당 질문이 들어가면, A는 아노미 이론이므로 "일탈의 원인으로 구조적인 요인을 강조하는가?"는 (나)에 들어갈 수 없다. ㄹ. (가)에 해당 질문이 들어가면, A는 낙인 이론이다. (다)에 해당 질문이 들어가면, B는 아노미 이론이다. 따라서 C는 차별 교제 이론이다.

10 차별 교제 이론

답 ④

제시문에 나타난 일탈 이론은 차별 교제 이론이다. 차별 교제 이론은 일탈 집단과의 사회화를 통한 일탈 행동의 발생 과정에 초점을 둔다. ①, ②, ③은 낙인 이론에 대한 설명이다.

11 일탈 행동을 설명하는 이론

답 ②

A는 낙인 이론, B는 뒤르켐의 아노미 이론, C는 차별 교제 이론이다. 상호 작용을 통한 일탈의 발생에 초점을 두는 것은 낙인 이론과 차별 교제 이론이므로, (가)는 '예', (나)는 '아니요', (다)는 '예'이다.

자료를 분석하는 셀파 - Tip

A: 사회가 누군가를 일탈자라고 규정하면 그 사람은 이를 동일시하여 내면화 과정을 거치면서 규정된 것과 같은 특성을 보이게 된다. 일탈은 행위 자체의 속성에 있는 것이 아니라 행위에 대한 사회적 반응의 결과이다. → 낙인 이론

B: 산업화 단계로 접어들면서 대도시로의 인구 유입, 분업, 개인의 고립 등을 특징으로 하는 변화가 나타난다. 이 과정에서 사람들은 규범과 역할의 혼란을 겪게 되고 욕구를 통제하지 못하게 되면서 일탈을 저지른다. → 뒤르켐의 아노미 이론

C: 개인이 법 위반에 우호적인 태도를 가진 사람들과 밀접한 관계를 맺으면서 일탈을 저지를 수 있다. 일탈은 개인이나 사회의 특성에서 비롯되는 것이 아니라 개인이 경험한 학습 과정의 결과로 나타난다. → 차별 교제 이론

III 문화와 일상생활

01 문화의 이해

탄탄 내신 문제
| | | | | | | p. 92 ~ p. 96 |

01 ④	02 ②	03 ③	04 ③	05 ⑤	06 ②
07 ③	08 ②	09 ④	10 ⑤	11 ①	12 ③
13 ④	14 ②	15 ㄴ, ㄷ, ㄹ	16 (가): 공유성, (나): 축적성		
17 (가): 자문화 중심주의, (나): 문화 상대주의			18 해설 참조		
19 해설 참조					

01 문화의 의미 　　　　　　　　답 ④

좁은 의미의 문화는 교양 있거나 세련된 상태 또는 예술적인 것을 의미하고, 넓은 의미의 문화는 한 사회의 구성원들이 만들어 낸 공통의 생활 양식을 의미한다.

정답을 찾아가는 셀파 - Tip

① ㉠의 문화는 생활 양식의 총체를 의미한다. (×)
　→ '문화인'에서의 문화는 교양 있는 상태를 의미한다.
② ㉡의 문화는 고급스러운 것을 의미한다. (×)
　→ '한국 문화'에서의 문화는 생활 양식의 총체를 의미한다.
③ ㉢에는 선천적이고 본능적인 행위가 포함된다. (×)
　→ 선천적이고 본능적인 행위는 문화에 해당하지 않는다.
④ ㉣의 사례로 신문의 '문화면'의 문화가 해당한다. (○)
⑤ ㉤에는 예술적인 것이 포함되지 않는다. (×)
　→ 넓은 의미의 문화에도 예술적인 것이 포함된다.

02 문화의 의미와 특성 　　　　　　답 ②

㉡은 문화의 보편성, ㉢은 문화의 특수성이다. ㉠, ㉡, ㉢의 문화는 모두 넓은 의미의 문화이다.

03 문화의 의미 　　　　　　　　　답 ③

㉠, ㉣의 문화는 좁은 의미의 문화이고, ㉡, ㉢의 문화는 넓은 의미의 문화이다.

04 문화의 속성 　　　　　　　　　답 ③

①, ④는 공유성, ②는 변동성, ③은 축적성, ⑤는 총체성에 해당한다.

내 것으로 만드는 셀파 - Tip

▶ 문화의 속성

학습성	문화는 타고나는 것이 아니라 후천적으로 습득됨.
공유성	문화는 한 사회의 구성원들이 공통으로 가지고 있는 생활 양식임.
변동성	문화는 시간이 흐르면서 그 모습이나 내용, 의미 등이 변화함.
축적성	문화는 다음 세대로 전승되면서 기존의 문화에 새로운 문화 요소가 추가됨.
총체성 (전체성)	문화는 여러 구성 요소가 상호 유기적인 관련을 맺으며, 부분이 아닌 하나의 전체로서 존재함.

05 문화의 속성 　　　　　　　　　답 ⑤

제시문에 나타난 문화의 속성은 총체성이다. ①, ②는 공유성, ③은 변동성, ④는 축적성에 대한 설명이다.

06 문화의 속성 　　　　　　　　　답 ②

제시문에 나타난 문화의 속성은 공유성이다. 문화의 공유성은 한 사회의 구성원들이 공통으로 가지고 있는 생활 양식으로서, 구성원의 사고와 행동을 구속하며, 특정 상황에서 상대방의 행동을 예측 가능하게 한다. ㄴ은 총체성, ㄹ은 변동성에 대한 설명이다.

07 문화의 속성 　　　　　　　　　답 ③

(가)는 문화의 공유성, (나)는 문화의 학습성이다. 첫 번째 사례에서는 우리나라와 중국이 축의금에 대해 서로 다른 문화를 공유하고 있음을 알 수 있으며, 두 번째 사례에서는 문화는 태어날 때부터 지니고 있는 것이 아니라 후천적으로 습득되는 것임을 알 수 있다.

08 문화를 바라보는 관점 　　　　　답 ②

갑은 총체론적 관점, 을은 비교론적 관점에서 우리 학교의 문화를 바라보고 있다. 총체론적 관점은 특정 문화 요소를 그 사회의 전체적 맥락에서 종합적으로 이해하는 데 유용하다. 비교론적 관점은 다른 문화를 거울로 삼아 자기 문화를 객관적으로 파악하는 데 유용하다.

자료를 분석하는 셀파 - Tip

우리 학교의 규칙이 엄격함에도 잘 지켜지는 현상을 이해하기 위해 우리 학교의 전통, 지역 사회에서의 평판, 규칙 제정의 절차, 학생회의 노력 등을 종합하여 살펴볼 계획입니다. → 문화의 여러 요소가 상호 유기적인 관계를 맺고 있음을 전제로 함: 총체론적 관점

'우리 학교의 문화'에 대한 조사 계획을 발표해 볼까요?

우리 학교와 라이벌 관계인 ○○고의 문화를 비교하여 공통점과 차이점을 파악한 뒤 우리 학교 문화의 특징을 정리할 계획입니다. → 문화 간에 나타나는 공통점과 차이점을 파악함: 비교론적 관점

갑　　　을

09 문화를 바라보는 관점 　　　　　답 ④

비교론적 관점은 서로 다른 문화에 나타나는 공통점과 차이점을 살펴봄으로써 자기 문화를 객관적으로 이해하는 데 기여한다.

10 문화를 바라보는 관점 　　　　　답 ⑤

제시된 자료는 중국, 일본, 한국 젓가락의 공통점과 차이점을 설명하고 있다. 이를 통해 비교론적 관점을 파악할 수 있다. 비교론적 관점은 문화 간 비교를 통해 문화의 보편성과 특수성을 파악한다.

11 문화 이해의 태도 답 ①

ㄱ. 자문화 중심주의는 문화 제국주의로 변질될 수 있으므로, 해당 질문은 (가)에 들어갈 수 있다. ㄴ. 자문화 중심주의와 문화 사대주의 모두 문화를 평가의 대상으로 인식하므로, 해당 질문은 (나)에 들어갈 수 있다. ㄷ. 문화 사대주의는 자문화의 정체성을 상실할 수 있으므로, 해당 질문은 (다)에 들어갈 수 있다. ㄹ. 각 문화의 사회적 맥락과 의미를 중시하는 것은 문화 상대주의이다.

내 것으로 만드는 셀파 - Tip

▶ 문화 이해의 태도

자문화 중심주의	자기 문화를 가장 우수한 것으로 여기면서, 그것을 기준으로 다른 문화를 수준이 낮거나 미개하다고 판단하는 태도
문화 사대주의	다른 문화의 문화를 우월한 것으로 여기고 추종하면서, 자기 문화를 열등하다고 생각하는 태도
문화 상대주의	어떤 사회의 특수한 자연환경, 역사적 전통, 사회적 맥락 등을 고려하여 그 사회의 문화를 이해하는 태도

12 문화 이해의 태도 답 ③

'천하도'는 문화 사대주의적 관점으로 그려진 지도이다. ③은 자문화 중심주의에 대한 설명이다. 자문화 중심주의는 자기 문화를 가장 우수한 것으로 여기면서 그것을 기준으로 다른 문화를 수준이 낮거나 미개하다고 판단하는 태도이다.

13 문화 이해의 태도 답 ④

자문화 중심주의는 집단 내의 일체감과 자부심을 강화시킬 수 있지만, 국수주의를 초래할 수 있다. 문화 사대주의는 다른 문화 수용에 적극적이지만 자기 문화에 대한 정체성을 잃게 하거나 고유문화의 유지를 어렵게 할 수 있다. 문화 상대주의는 어떤 사회의 특수한 자연환경, 역사적 전통, 사회적 맥락 등을 고려하여 그 사회의 문화를 이해하는 태도이다.

자료를 분석하는 셀파 - Tip

설명 \ 학생	갑	을	병	정	무
자문화 중심주의는 다른 문화 수용에 적극적이다. (문화 사대주의)	V				V
문화 사대주의는 집단 내의 일체감과 자부심을 강화시킨다. (자문화 중심주의)		V			
문화 사대주의는 국수주의를 초래할 우려가 있다. (자문화 중심주의)	V		V		
문화 상대주의는 문화에는 우열이 존재하지 않는다고 본다.			V	Ⓥ	V

14 문화 이해의 태도 답 ②

자문화 중심주의는 자문화의 우수성을 내세워 다른 문화를 일정 수

준 이하로 평가하는 태도로, 국수주의를 초래하여 국제적 고립을 가져올 가능성이 높다는 비판을 받는다.

서답형 문제

15 문화의 의미 답 ㄴ, ㄷ, ㄹ

좁은 의미의 문화는 교양 있고 세련된 것을 의미하며, 넓은 의미의 문화는 한 사회의 구성원들이 만들어 낸 공통의 생활 양식을 의미한다. ㄴ, ㄷ, ㄹ은 넓은 의미의 문화이고, ㄱ은 좁은 의미의 문화이다.

16 문화의 속성 답 (가): 공유성, (나): 축적성

(가)는 공유성, (나)는 축적성과 관련된 사례이다.

17 문화 이해의 태도 답 (가): 자문화 중심주의, (나): 문화 상대주의

(가)는 자문화 중심주의, (나)는 문화 상대주의이다.

18 문화를 바라보는 관점

모범 답안 | (1) (가): 총체론적 관점, (나): 비교론적 관점
(2) 비교론적 관점을 통해 자기 문화를 보다 객관적이고 명료하게 이해할 수 있다.
주요 단어 | 자기 문화, 객관적, 이해

채점 기준	배점
비교론적 관점의 의의를 정확하게 서술한 경우	상
비교론적 관점의 의의를 미흡하게 서술한 경우	하

19 문화 이해의 태도

모범 답안 | (1) A: 자문화 중심주의, B: 문화 사대주의, C: 문화 상대주의
(2) ㉠: 아니요, ㉡: 아니요
(3) A: 자기 문화에 대한 자부심과 집단 내의 일체감을 강화시켜 사회 통합에 기여한다. 고유한 전통문화의 계승 및 보전에 유리하다.
B: 자기 문화의 낙후성을 개선하는 데 기여한다. 선진 문물의 수용에 기여한다.
주요 단어 | 자부심, 일체감, 사회 통합, 전통문화, 낙후성, 선진 문물

채점 기준	배점
자문화 중심주의와 문화 사대주의의 순기능을 각각 정확하게 서술한 경우	상
자문화 중심주의와 문화 사대주의의 순기능을 각각 서술하였으나 미흡한 경우	중
자문화 중심주의와 문화 사대주의의 순기능 중 한 가지만 정확하게 서술한 경우	하

(4) A: 다른 문화에 대한 이해와 수용을 어렵게 한다. 국수주의에 빠져 국제적 고립을 초래할 수 있다.
B: 자기 문화의 정체성이나 주체성을 상실할 우려가 있다. 고유문화가 소멸되거나 외래문화에 종속될 수 있다.
주요 단어 | 국수주의, 국제적 고립, 정체성 상실, 고유문화 소멸

채점 기준	배점
자문화 중심주의와 문화 사대주의의 역기능을 각각 정확하게 서술한 경우	상
자문화 중심주의와 문화 사대주의의 역기능 각각 서술하였으나 미흡한 경우	중
자문화 중심주의와 문화 사대주의의 역기능 중 한 가지만 정확하게 서술한 경우	하

도전 수능 문제
p. 97 ~ p. 99

01 ②	02 ①	03 ④	04 ⑤	05 ①	06 ①
07 ③	08 ⑤	09 ③	10 ③	11 ⑤	12 ③

01 문화의 속성　　　　　　답 ②

제시된 사례에서 공통적으로 부각된 문화의 속성은 공유성과 학습성이다. 문화의 학습성은 문화가 타고나는 것이 아니라 후천적인 사회화의 과정을 통해 습득되는 것이고, 문화의 공유성은 문화가 사회 구성원 간 원활한 상호 작용의 토대가 됨을 의미한다. ㄴ은 문화의 변동성, ㄹ은 문화의 축적성에 대한 진술이다.

자료를 분석하는 셀파 - Tip

- 주니족은 절제의 미덕을 중시한다. 이들은 남에게 해를 끼치지 않기 위해 어릴 때부터 집단의 행동 규범을 따라야 하고 개인적인 권위나 카리스마를 내세울 수 없다. 아이들은 일상생활 속에서 원한, 억눌림, 야심, 야망 등이 없이 자라난다. 어른이 되어도 그들은 권력을 쥐고 무언가 해 보겠다는 식의 권력 의지가 없다. (공유성/학습성)
- 야노마모족에게 근본적이고 중요한 관심사는 "누가 진짜 인간인가?"라는 것이다. 그들은 스스로 '진짜로 문명화된' 유일한 존재라고 생각하며, 외부인들을 '야만적' 존재로 간주한다. 선조들로부터 구전되어 오는 그들의 기원 신화에 따르면, 최초로 창조된 사람은 야노마모족이며 그 외의 다른 사람들은 모두 열등한 존재이다. (공유성/학습성)

02 문화의 속성　　　　　　답 ①

(가)는 공유성, (나)는 축적성, (다)는 변동성, (라)는 총체성이다.

자료를 분석하는 셀파 - Tip

문화의 속성	사례
(가)	우리나라 사람들은 명절에 가족들이 모이면 자연스레 윷놀이를 한다. → 공유성
(나)	윷놀이는 세대를 이어 전해지고, 놀이법은 시간이 지나면서 새로운 방식이 추가되기도 한다. → 축적성
(다)	윷은 과거에는 나무토막으로 만들었지만 요즘에는 플라스틱으로 만들기도 한다. → 변동성
(라)	윷놀이에서 윷판은 농지를, 윷말이 윷판을 한 바퀴 돌아 나오는 것은 계절의 변화를 상징한다. 이는 풍년을 기원하는 소망을 담은 것이다. → 총체성

03 문화의 속성　　　　　　답 ④

㉠은 문화의 변동성과 축적성, ㉡은 문화의 공유성, ㉢은 문화의 학습성, ㉣은 문화의 공유성과 변동성에 해당한다.

04 문화의 의미와 속성　　　　　　답 ⑤

㉠ '이민자 집단의 문화'에서의 문화는 넓은 의미의 문화이다. ㉡ '문화인'에서의 문화는 좁은 의미로 사용되었다. 평가적 의미를 내포하고 있는 것은 좁은 의미의 문화이다. ㉢ 갑국에서 토마토소스를 사용한 요리가 보편적 음식이 된 사례에서는 문화의 공유성이 나타나 있다. ㉣ 과거 저속하다고 여기던 재즈와 블루스가 대중음악으로 자리 잡은 사례에는 문화 현상이 고정된 것이 아니라 변화할 수 있다는 문화의 변동성이 나타나 있다.

05 문화를 바라보는 관점　　　　　　답 ①

갑의 관점은 총체론적 관점, 을의 관점은 비교론적 관점이다. 총체론적 관점은 어떤 문화 현상의 의미를 다른 문화 요소나 전체의 맥락 속에서 이해하는 관점이다. 비교론적 관점은 서로 다른 문화에 나타나는 유사성과 차이점을 비교하여 문화의 보편성과 특수성을 파악하는 관점이다.

정답을 찾아가는 셀파 - Tip

- ㄷ. 갑의 관점은 을의 관점과 달리 자문화를 객관적으로 파악해야 한다고 본다.
  → 자문화를 객관적으로 파악해야 한다고 보는 것은 비교론적 관점이다.
- ㄹ. 을의 관점은 갑의 관점과 달리 모든 문화는 고유한 가치를 지닌다고 본다.
  → 문화는 고유한 가치를 지닌다고 보는 것은 상대론적 관점이다.

06 문화를 바라보는 관점　　　　　　답 ①

(가)에는 비교론적 관점, (나)에는 총체론적 관점이 나타나 있다. 비교론적 관점은 다양한 문화에 대한 이해를 통해 문화 간의 유사성과 차이점을 파악하고, 다른 문화와의 비교를 통해 자기 문화에 대한 객관적 이해를 가능하게 한다. 총체론적 관점은 문화가 부분이 아닌 전체로서의 의미를 갖는 생활 양식임을 강조한다.

07 문화 이해의 태도　　　　　　답 ③

갑의 태도는 자문화 중심주의, 을의 태도는 문화 상대주의이다.

정답을 찾아가는 셀파 - Tip

① 갑의 태도는 모든 문화가 동등한 가치를 지닌다고 본다. (×)
  → 모든 문화가 동등한 가치를 지닌다고 보는 것은 문화 상대주의이다.
② 을의 태도는 자문화 정체성을 상실할 우려가 있다는 비판을 받는다. (×)
  → 자문화의 정체성을 상실할 우려가 있다는 비판을 받는 것은 문화 사대주의이다.
③ 갑의 태도는 을의 태도와 달리 특정 사회의 문화를 기준으로 타 문화를 평가할 수 있다고 본다. (○)
④ 을의 태도는 갑의 태도와 달리 국수주의로 변질될 수 있다는 비판을 받는다. (×)
  → 국수주의로 변질될 수 있다는 비판을 받는 것은 자문화 중심주의이다.
⑤ 갑, 을의 태도는 모두 문화의 다양성 보존에 기여한다. (×)
  → 문화의 다양성 보존에 기여하는 것은 문화 상대주의이다.

08 문화 이해의 태도
답 ⑤

A는 문화 사대주의, B는 자문화 중심주의, C는 문화 상대주의이다. 문화 사대주의는 자문화의 정체성을 상실할 우려가 있고, 자문화 중심주의는 타문화와의 문화적 마찰을 초래할 가능성이 높다. 반면, 문화 상대주의는 타문화의 고유한 가치를 존중하고 문화 다양성을 유지하는 데 기여한다.

09 문화 이해의 태도
답 ③

갑과 을의 태도는 자문화 중심주의이고, 병의 태도는 문화 상대주의이다. 자문화 중심주의와 문화 사대주의는 특정 문화를 기준으로 다른 문화를 평가한다. 자문화 중심주의는 문화에 대한 자부심과 집단 구성원 간의 결속력을 높일 수 있지만, 다양한 문화를 존중하기 어렵다는 문제가 있다. 문화 사대주의는 다른 사회의 선진 문물 수용에는 유리하지만, 문화의 주체성을 상실할 가능성이 높다. 반면, 문화 상대주의는 문화를 평가가 아닌 이해의 대상으로 여기므로 문화적 다양성을 보존하는 데 유리하다.

10 문화 이해의 태도
답 ③

A는 자문화 중심주의, B는 문화 사대주의이다.

정답을 찾아가는 셀파 - Tip

질문	대답 A	대답 B
외래문화를 수용함에 있어 부정적인가?	예	아니요
절대적 기준에 비추어 문화를 평가하는가?	예	예
자기 문화의 정체성을 약화시킬 가능성이 높은가?	아니요	예
다문화 사회에서 문화 다양성을 보존하는 데 기여하는가?	아니요	아니요
외부 사회와의 접촉 과정에서 문화적 마찰이 발생할 가능성이 높은가?	예	아니요

11 문화 이해의 태도
답 ⑤

(가)에 들어가는 질문에 한 가지 태도만 '예'라고 답할 수 있어야 한다. ㄱ. 특정 문화의 우수성을 내세워서 문화를 평가하는 것은 자문화 중심주의와 문화 사대주의이므로, 해당 질문은 (가)에 들어갈 수 없다. ㄴ. 문화를 이해의 대상이 아닌 평가의 대상으로 보는 것은 자문화 중심주의와 문화 사대주의이므로, 해당 질문은 (가)에 들어갈 수 없다. ㄷ. 자문화 중심주의는 문화 사대주의, 문화 상대주의와 달리 문화 제국주의를 정당화하는 근거가 되어 문화적 마찰을 발생시킬 수 있으므로, 해당 질문은 (가)에 들어갈 수 있다. ㄹ. 문화 상대주의는 자문화 중심주의, 문화 사대주의와 달리 타문화를 올바르게 이해함으로써 문화적 다양성을 보존하는 데 기여할 수 있으므로, 해당 질문은 (가)에 들어갈 수 있다.

12 문화 이해의 태도
답 ③

A는 문화 상대주의, B는 자문화 중심주의, C는 문화 사대주의이다.

정답을 찾아가는 셀파 - Tip

① A가 국수주의적 태도로 이어지면 발전이 지체될 수 있다. (×)
→ 국수주의적 태도로 이어질 수 있는 것은 자문화 중심주의이다.

② C는 문화 제국주의로 변질될 수 있다. (×)
→ 문화 제국주의로 변질될 수 있는 것은 자문화 중심주의이다.

③ C는 자문화보다 앞선 선진 문화를 배워야 자국의 발전이 가능하다고 본다. (○)

④ A는 B, C와 달리 문화 다양성을 저해하는 요인이 된다. (×)
→ 문화 상대주의는 문화 다양성을 높이는 요인이 된다.

⑤ '자문화에 대한 자부심으로 타문화를 낮게 바라보는가?'의 질문에 대해 A, B는 '아니요', C는 '예'의 답을 한다. (×)
→ 해당 질문에 대해 A, C는 '아니요', B는 '예'로 답을 한다.

02 하위문화와 대중문화

탄탄 내신 문제　　p. 104 ~ p. 108

01 ⑤	02 ④	03 ①	04 ④	05 ②	06 ①
07 ②	08 ④	09 ②	10 ①	11 ⑤	12 ④
13 ①	14 ③	15 ㄱ, ㄷ	16 (가): 지역 문화, (나): 세대 문화		
17 (가): 뉴 미디어, (나): SNS, IPTV 등		18 해설 참조		19 해설 참조	

01 주류 문화와 하위문화
답 ⑤

(가)는 주류 문화 또는 전체 문화, (나)는 하위문화이다. 주류 문화와 하위문화는 시간과 공간에 따라 상대적인 성격을 띤다. 원래 하위문화였던 것이 나중에 주류 문화가 되기도 하고, 한 나라에서는 하위문화인 것이 다른 나라에서는 주류 문화인 경우도 있다.

정답을 찾아가는 셀파 - Tip

① 한 사회에 (가)는 한 가지만 존재한다. (×)
→ 한 사회에 주류 문화는 여러 개 존재할 수 있다.

② (나)는 지배 문화 또는 주류 문화이다. (×)
→ (나)는 하위문화이다.

③ (나)가 다양할수록 사회 전체의 동질성이 높아진다. (×)
→ 하위문화가 적을수록 사회 전체의 동질성이 높아진다.

④ 지역 문화는 (가)에, 세대 문화는 (나)에 해당한다. (×)
→ 지역 문화와 세대 문화는 하위문화에 해당한다.

⑤ (가)와 (나)는 시간과 공간에 따라 상대적으로 규정된다. (○)

02 하위문화의 유형
답 ④

(가)는 제주도의 전통 혼례에 대한 사례라는 점에서 지역 문화에, (나)는 천주교가 조선 시대에는 주류 문화에 반했다는 점에서 반문화에 해당한다.

03 주류 문화와 하위문화
답 ①

A는 주류 문화, B는 하위문화이다. 주류 문화는 한 사회의 구성원 대다수가 공유하는 문화로, 서로 다른 하위문화를 더한다고 해도 그것이 전체 문화가 된다고 할 수 없다.

① A는 B의 총합이 아니다. (○)
② B에는 A의 문화 요소가 존재하지 않는다. (×)
→ 하위문화에는 주류 문화의 요소가 존재한다. 예를 들어, 청소년 문화를 누리는 청소년은 그 사회의 언어, 음식 등의 주류 문화를 공유하고 있다.
③ A는 B와 달리 집단 간 갈등을 초래할 수 있다. (×)
→ 하위문화는 집단 간 갈등을 초래할 수 있다.
④ A와 B를 구분하는 기준은 시대에 상관없이 절대적이다. (×)
→ 주류 문화와 하위문화를 구분하는 기준은 시대에 따라 달라질 수 있다.
⑤ (가)에는 '세대 문화가 포함되는가?'가 들어갈 수 있다. (×)
→ 하위문화에는 세대 문화가 들어가므로 (가)에는 '세대 문화가 포함되는가?' 질문이 들어갈 수 없다.

04 하위문화의 유형　　　　　　　답 ④

제시된 자료는 우리나라의 노인 문화, 영남 지역 문화, 운동권 문화, 직장인 문화를 다루고 있으므로 빈칸에 들어갈 내용으로는 '우리나라의 다양한 하위문화'가 적절하다.

▶ 다양한 하위문화

지역 문화	• 한 나라를 구성하는 여러 지역 사회에서 각각 나타나는 고유한 생활 양식 • 지역 주민의 동질감과 유대감을 높여 지역 통합에 기여함.
세대 문화	• 공통의 의식을 가진 비슷한 연령대의 사람들이 공유하는 문화 • 같은 세대에 속하는 사람들 간의 일체감과 정체성 형성에 기여함.
반문화	• 한 사회의 주류 문화를 거부하거나 저항하는 사람들이 공유하는 문화 • 기존 문화의 보수성과 문제점을 노출시켜 사회 발전의 계기를 제공함.

05 지역 문화　　　　　　　답 ②

밑줄 친 문화는 지역 문화이다. 지역 문화는 해당 지역 주민의 유대감 강화에 기여하며, 전체 사회의 문화적 다양성을 높이는 데 기여한다. ㄴ은 세대 문화에 대한 설명이고, ㄹ은 제시문과 거리가 먼 설명이다.

06 세대 문화와 지역 문화　　　　　　　답 ①

A는 세대 문화, B는 지역 문화이다. A, B는 대표적인 하위문화에 해당한다.

07 반문화　　　　　　　답 ②

천주교가 시간과 공간에 따라 반문화가 되기도 하고 주류 문화가 되기도 한다는 것을 통해 반문화에 대한 규정은 상대적임을 알 수 있다.

08 반문화　　　　　　　답 ④

(가)는 반문화, (나)는 주류 문화이다. 반문화는 하위문화의 유형 중 하나로, 한 사회의 주류 문화를 거부하거나 저항하는 성격을 가지고 있다. 반문화가 주류 문화와 대립하는 과정에서 충돌을 일으키기도 하지만, 사회가 바람직한 방향으로 변화하는 데 도움을 주기도 한다. ㄴ. 장년 문화, 노년 문화는 세대 문화에 해당한다.

09 대중문화의 등장 배경　　　　　　　답 ②

밑줄 친 '이것'은 대중문화이다. 대중문화는 대중이 즐기고 누리는 문화로, 산업 사회에 대량 생산 체제가 등장하고, 대중 매체가 발달하면서 형성되었다. 또한, 의무 교육의 확대와 보통 선거의 도입으로 인해 대중의 지위가 상승된 것도 대중문화 발달의 중요한 배경이다.

10 대중문화　　　　　　　답 ①

대중문화는 한 사회 내에 존재하는 불특정 다수가 공유하는 문화를 의미한다.

▶ 대중문화

의미	한 사회 내에 존재하는 불특정 다수가 공유하는 문화
등장 배경	• 산업화로 대량 생산 체제가 형성되면서 대중문화가 퍼지기 시작함. • 국민 소득의 증대로 물질적 여유와 여가 시간이 증대됨. • 의무 교육이 확대되고 보통 선거가 확립됨에 따라 대중의 지위가 상승됨. • 대중 매체가 보급됨.
순기능	• 계층 간 문화적 차이를 줄임. • 사회에 대한 비판적 욕구를 표출하고 공유하는 기회를 제공하여 사회의 민주화에 기여함. • 새로운 여가 문화 및 놀이 문화 확산에 기여함.
역기능	• 생활 양식 및 가치관의 획일화 • 문화의 질적 수준 저하 • 정치적 무관심 조장 • 정보 왜곡 및 여론 조작 가능

11 대중 매체의 유형　　　　　　　답 ⑤

(가)는 인쇄 매체, (나)는 음성 매체, (다)는 영상 매체, (라)는 뉴 미디어에 해당한다.

▶ 대중 매체의 종류

인쇄 매체	• 활자를 통해 정보를 전달하는 매체 • 복잡하고 깊이 있는 정보 전달에 유리함. • 정보 전달 속도가 상대적으로 느림.
음성 매체	• 소리를 통해 정보를 전달하는 매체 • 적은 비용으로 정보 전달이 가능함. • 시각 정보를 다루기 어려움.
영상 매체	• 소리와 영상을 통해 정보를 전달하는 매체 • 다수의 사람에게 동시에 빠른 속도로 공감각적인 정보 전달이 가능함. • 상대적으로 깊이 있는 정보 전달에 한계가 있음.
뉴 미디어	• 정보의 생산자와 소비자 간 쌍방향 의사소통이 가능함. • 기존 매체보다 신속하게 정보 전달이 이루어짐. • 무책임하고 왜곡된 정보를 양산할 수 있음.

12 대중문화의 기능　　　　　　　답 ④

정. 대중문화는 대중이 문화의 생산과 소비에 직접 참여할 수 있는 기회를 제공한다.

13 대중문화의 문제점   답 ①

대중 매체의 영향으로 대중들이 동일한 문화를 향유하는 문화의 획일화가 공통으로 나타나 있다.

14 대중문화의 문제점   답 ③

ㄴ. 을은 대중문화가 현실 사회의 주요 쟁점과는 거리가 먼 소재를 다루고 있음을 비판하고 있으므로 '대중문화는 대중의 정치적 무관심을 높일 우려가 있다.'는 주장에 동의할 것이다. ㄷ. 갑과 을 모두 대중문화의 문제점을 언급하고 있다.

서답형 문제

15 하위문화의 특징   답 ㄱ, ㄷ

하위문화란 한 사회 내의 일부 구성원들이 공유하는 문화로, 전체문화의 다양성을 형성하는 원천이 되며, 해당 하위문화를 향유하는 집단 구성원의 소속감을 높이는 데 기여한다. 하지만 하위문화가 다양한 사회일수록 사회 통합의 가능성은 낮을 수 있다. 사회가 다원화되고 복잡해질수록 하위문화의 수는 증가한다.

16 하위문화의 유형   답 (가): 지역 문화, (나): 세대 문화

(가)는 지역 문화, (나)는 세대 문화에 대한 설명이다.

17 대중 매체의 종류   답 (가): 뉴 미디어, (나): SNS, IPTV 등

대중 매체는 인쇄 매체를 시작으로 음성 매체, 영상 매체를 거쳐 뉴미디어로 발달하였다. 뉴 미디어는 인터넷, 이동 통신 기술 등을 활용하여 소리, 사진, 영상, 문자 등 다양한 수단으로 정보를 공유하고 소통하는 매체이다.

18 반문화의 기능

모범 답안 | (1) 반문화
(2) 순기능: 기존 문화의 보수성과 문제점을 노출시켜 사회 발전을 가져오기도 한다.
역기능: 집단 간 갈등을 조장함으로써 사회 혼란을 가져오기도 한다.
주요 단어 | 보수성, 문제점, 사회 발전, 갈등 조장, 사회 혼란

채점 기준	배점
반문화의 순기능과 역기능을 각각 정확하게 서술한 경우	상
반문화의 순기능과 역기능을 각각 서술하였으나 미흡한 경우	중
반문화의 순기능과 역기능 중 한 가지만 정확하게 서술한 경우	하

19 대중문화의 기능

모범 답안 | (1) 대중문화
(2) 순기능: 오락 및 여가의 기능을 제공하여 삶에 활력을 준다. 사회에 대한 관심이나 비판적 욕구를 표출하고 공유하는 기회를 제공하여 사회의 민주화에 기여한다.
역기능: 문화의 상업화와 획일화를 조장할 우려가 있다. 지배층의 대중 조작 수단으로 악용될 우려가 있다.
주요 단어 | 오락 및 여가, 삶의 활력소, 비판적 욕구, 민주화, 상업화, 획일화, 대중 조작

채점 기준	배점
대중문화의 순기능과 역기능을 각각 정확하게 서술한 경우	상
대중문화의 순기능과 역기능을 각각 서술하였으나 미흡한 경우	중
대중문화의 순기능과 역기능 중 한가지만 정확하게 서술한 경우	하

도전 수능 문제   p. 109 ~ p. 111

| 01 ③ | 02 ③ | 03 ③ | 04 ① | 05 ① | 06 ② |
| 07 ④ | 08 ③ | 09 ① | 10 ④ | 11 ④ | 12 ② |

01 전체 문화와 하위문화   답 ③

A는 반문화, B는 반문화의 성격이 없는 하위문화, C는 전체 문화이다. ③ 반문화를 공유하는 구성원은 전체 문화의 문화 요소 중 일부를 공유한다. 예를 들어, 범죄자 문화를 누리는 범죄자도 그 사회의 언어, 음식과 같은 전체 문화를 공유한다.

정답을 찾아가는 셀파 - Tip

① A는 B와 달리 기존의 지배적인 문화를 대체하기도 한다. (×)
→ A, B 모두 기존의 지배적인 문화를 대체하기도 한다.
② B는 A와 달리 주류 집단에 의해 일탈로 규정되기도 한다. (×)
→ 반문화는 주류 집단에 의해 일탈로 규정되기도 한다.
③ A를 공유하는 구성원은 C의 문화 요소 중 일부를 공유한다. (○)
④ A, B는 C와 달리 해당 문화를 향유하는 구성원들 공통의 정체성 형성에 기여한다. (×)
→ A~C 모두 해당 문화를 향유하는 구성원 공통의 정체성 형성에 기여한다.
⑤ B, C는 A와 달리 사회에 따라 상대적으로 규정된다. (×)
→ A~C 모두 사회에 따라 상대적으로 규정된다.

02 하위문화의 유형   답 ③

A 문화는 반문화, B 문화는 하위문화이다. ③ 전체 문화의 범주를 어떻게 규정하느냐에 따라 하위문화의 범주는 달라진다. 반문화에 대한 규정도 사회나 시대에 따라 달라진다.

정답을 찾아가는 셀파 - Tip

① A 문화는 B 문화와 달리 전체 사회에 문화 다양성을 제공한다. (×)
→ 반문화와 하위문화 모두 전체 사회에 문화 다양성을 제공한다.
② B 문화는 A 문화와 달리 기존 문화에 저항하는 특징을 보인다. (×)
→ 기존 문화에 저항하는 특징을 보이는 것은 반문화이다.
③ A 문화나 B 문화에 속하는 것을 구분하는 기준은 상대적이다. (○)
④ A 문화는 사회 통합에, B 문화는 사회 변동에 기여한다. (×)
→ 반문화는 사회 통합이 아닌 집단 간 갈등을 유발하여 사회 혼란을 초래하기도 하며, 하위 문화는 사회 변동에 기여할 수도 있고, 그렇지 않을 수도 있다.
⑤ A 문화와 B 문화의 총합은 전체 문화이다. (×)
→ 반문화와 하위문화의 총합이 전체 문화가 되는 것은 아니다.

03 하위문화의 특징   답 ③

(가)는 인터넷 및 스마트폰의 보급으로 하위문화였던 온라인 게임이 전 세대가 즐기는 전체 문화로 변화하였다는 내용이다. (나)는 청소년의 언어문화가 세대 문화 간의 이질성을 심화시켰다는 내용이다.

① ㉠, ㉢은 반문화이다. (×)
→ 온라인 게임과 청소년들의 언어문화 모두 반문화에 해당한다고 보기 어렵다.

② ㉡에서의 문화는 넓은 의미, ㉢에서의 문화는 좁은 의미로 사용되었다. (×)
→ ㉡과 ㉢에서의 문화는 모두 넓은 의미로 사용되었다.

③ (가)에서는 기술의 발전으로 인해 하위문화가 전체 문화로 변화하였다. (○)

④ 하위문화로 인해 세대 문화 간의 이질성이 약화된 경우를 설명할 때는 (가)보다 (나)의 사례가 적합하다. (×)
→ 하위문화로 인해 세대 문화 간의 이질성이 약화된 경우를 설명할 때는 (나)보다 (가)의 사례가 적합하다.

⑤ 특정 하위문화가 기존의 주류 문화에 동화된 경우를 설명할 때는 (나)보다 (가)의 사례가 적합하다. (×)
→ (가)는 특정 하위문화가 기존의 주류 문화에 동화된 경우가 아니라, 특정 하위문화가 전체 문화로 변화된 사례이다.

04 전체 문화와 하위문화의 특징 　　답 ①

A는 전체 문화, B는 하위문화, C는 반문화이다. ① 하위문화의 총합이 전체 문화가 되는 것은 아니다.

정답을 찾아가는 셀파 - Tip

① A 문화는 B 문화의 총합으로 설명할 수 없다. (○)

② B 문화에는 A 문화의 문화 요소가 존재하지 않는다. (×)
→ 전체 문화는 사회 구성원 대다수가 누리는 문화이다. 따라서 하위문화에도 전체 문화의 요소가 존재한다.

③ B 문화와 달리 C 문화는 집단 간 갈등을 초래하여 사회 통합을 저해할 수 있다. (×)
→ 하위문화와 반문화 모두 집단 간 갈등을 초래하여 사회 통합을 저해할 수 있다.

④ 사회가 다원화될수록 C 문화는 A 문화로 수렴되는 경향을 보인다. (×)
→ 사회가 다원화될수록 하위문화가 더욱 다양하게 나타난다.

⑤ C 문화와 달리 B 문화는 사회 변화에 따라 A 문화가 되기도 한다. (×)
→ 하위문화와 반문화 모두 사회 변화에 따라 전체 문화가 되기도 한다.

05 전체 문화와 하위문화 　　답 ①

A 문화는 하위문화, B 문화는 반문화, C 문화는 전체 문화이다. 전체 문화와 하위문화는 고정된 것이 아닌, 사회 변동에 따라 전체 문화가 하위문화가 되기도 하고, 하위문화가 전체 문화가 되기도 한다.

정답을 찾아가는 셀파 - Tip

ㄷ. 한 사회에서 B 문화는 C 문화와 공존이 불가능하다.
→ 한 사회에서 반문화와 전체 문화의 공존은 가능하다.

ㄹ. 한 사회에서 C 문화는 A 문화의 총합으로 설명할 수 있다.
→ 전체 문화는 하위문화의 총합으로 설명할 수 없다.

06 하위문화와 반문화 　　답 ②

A는 하위문화, B는 반문화이다. 한 사회 내의 일부 구성원들이 공유하는 문화를 하위문화라고 하고, 다양한 하위문화 중 한 사회의 주류 문화를 거부하거나 저항하는 사람들이 공유하는 문화를 반문화라고 한다.

07 전체 문화와 하위문화 　　답 ④

한 사회의 대부분이 ◆ 문화 요소를 공유하고 있고, 사회의 일부가 △ 문화 요소를 공유하고 있다는 점에서 (가)는 전체 문화, (나)는 하위문화임을 알 수 있다.

정답을 찾아가는 셀파 - Tip

ㄱ. 반문화는 (가) 문화가 될 수 없다.
→ 사회 변화에 따라 반문화가 전체 문화가 되기도 한다.

ㄷ. 한 사회의 모든 (나) 문화의 총합이 (가) 문화이다.
→ 하위문화의 총합이 전체 문화가 되는 것은 아니다.

08 뉴 미디어의 특징 　　답 ③

제시문에 나타난 대중 매체는 뉴 미디어이다. 뉴 미디어는 인터넷, 이동 통신 기술 등을 이용하여 소리, 사진, 영상, 문자 등 다양한 수단으로 정보를 공유하며 소통하는 매체이다. 뉴 미디어를 통해 정보의 생산자와 소비자 간 쌍방향 의사소통이 가능하고, 기존 매체보다 신속하게 정보 전달이 이루어진다.

09 대중문화의 영향 　　답 ①

갑은 대중문화의 긍정적 측면을, 을은 부정적 측면을 말하고 있다. 갑은 대중문화의 발달이 고급문화의 대중화에 기여했다고 보고, 을은 대중문화로 인해 문화적 다양성이 약화될 수 있다고 본다.

정답을 찾아가는 셀파 - Tip

ㄷ. 갑은 을과 달리 대중 매체가 대중문화의 확산에 영향을 미친다고 본다.
→ 을은 대중 매체가 대중문화의 확산에 영향을 미친다고 본다.

ㄹ. 을은 갑과 달리 대중문화가 사회 구성원 대다수에게 영향을 미친다고 본다.
→ 갑, 을 모두 대중문화가 사회 구성원 대다수에게 영향을 미친다고 본다.

10 대중문화의 등장 배경 　　답 ④

대중문화는 산업화에 따른 대량 생산과 대량 소비, 의무 교육의 확대, 대중 매체의 발달 등을 배경으로 등장하였다.

정답을 찾아가는 셀파 - Tip

ㄱ. ㉠이 진행됨에 따라 소량 생산 체제가 확대되었다.
→ 산업화로 대량 생산 체제가 형성되면서 대중문화가 퍼지기 시작하였다.

ㄷ. ㉢은 고급문화, ㉣은 반문화이다.
→ ㉢은 고급문화, ㉣은 대중문화이다.

11 대중문화의 영향 　　답 ④

대중문화의 발달은 계층 간 문화적 차이를 줄이고, 사회의 민주화에 기여하였다. 하지만 생활 양식의 획일화, 지나친 상업성 추구, 정치적 무관심 조장과 같은 부정적 측면도 있다. (가)는 대중문화 발달의 긍정적 측면을, (나)는 부정적 측면을 설명하고 있다. ㄱ. 교향곡과 시는 일부 집단의 하위문화에서 많은 사람들이 즐길 수 있는 전체 문화로 변화하였다. ㄷ. 다원화된 사회일수록 획일화보다는 개성을 추구하는 모습이 확산한다.

12 대중문화의 기능   답 ②

제시문은 미혼모 가정을 다룬 드라마의 인기로 인해, 미혼모 가정에 대한 대중들의 관심이 높아지고, 이로 인한 변화를 언급하고 있다. 이를 통해 대중문화가 사회 문제에 대한 대중의 관심을 환기시키는 기능을 하고 있음을 추론할 수 있다.

---

03   문화의 변동

01 ①	02 ③	03 ⑤	04 ①	05 ④	06 ①
07 ④	08 ④	09 ②	10 ⑤	11 ②	12 ⑤
13 ④	14 ⑤	15 자극 전파		16 (가): 문화 접변,	

(나): 강제적 문화 접변   17 (가): 문화 융합, (나): 문화 병존(문화 공존)
18 해설 참조   19 해설 참조

01 문화 변동의 요인   답 ①

문화 변동의 요인 중 발명과 발견은 내재적 요인에 해당한다. 발명은 그동안 존재하지 않았던 새로운 문화 요소를 만들어 내는 것으로 사상이나 가치관처럼 비물질적인 것도 그 대상이 될 수 있다. 발견은 이미 존재하고 있었지만 알려지지 않았던 것을 찾아내는 것으로, 불이나 바이러스, 만유인력의 법칙 등을 찾아낸 것이 그 예라고 할 수 있다. 병. 발명이나 발견이 이루어진다고 해서 반드시 문화 변동이 일어나는 것은 아니다. 발명이나 발견이 이루어져도 사회에 널리 받아들여져 활용되지 않으면 문화 변동이 일어나지 않는다.

내 것으로 만드는 셀파 - Tip

▶ 문화 변동의 요인

내재적 요인	발명	그동안 존재하지 않았던 새로운 문화 요소를 만들어 내는 것
	발견	이미 존재하고 있었지만 알려지지 않았던 것을 찾아내는 것
외재적 요인 (전파)	직접 전파	사람이 다른 문화와 직접 접촉하여 문화 요소가 전해지는 것
	간접 전파	매개체를 통해 문화 요소가 전해지는 것
	자극 전파	다른 사회의 문화 요소에서 아이디어를 얻어 새로운 문화 요소를 만들어 내는 것

02 문화 변동의 요인   답 ③

A는 발명이나 발견, B는 자극 전파, C는 직접 전파 또는 간접 전파이다.

정답을 찾아가는 셀파 - Tip

ㄱ. 발명과 달리 발견은 A에 해당한다.
　→ 발명과 발견은 모두 A에 해당한다.
ㄹ. B와 달리 C의 대상은 비물질적인 것만 해당한다.
　→ B와 C의 대상은 물질적인 것과 비물질적인 것 모두 해당한다.

03 문화 변동의 요인   답 ⑤

(가)는 직접 전파, (나)는 간접 전파, (다)는 발명, (라)는 발견이다.

자료를 분석하는 셀파 - Tip

• 7세기 초 고구려의 담징은 일본에 종이와 먹의 제조 방법을 전하였다. → 사람의 직접적 접촉에 의한 전파: 직접 전파
• 한국의 드라마와 노래가 인터넷 등을 통해 전 세계로 퍼지면서 한류 열풍이 불고 있다. → 매개체에 의한 전파: 간접 전파
• 말을 탈 때 발을 거는 등자가 개발되어 전쟁 문화가 변화하였고, 유목민의 전투력 향상에도 영향을 미쳤다. → 새로운 문화 요소를 만듦: 발명
• 1928년 스코틀랜드 생물학자 플레밍이 찾은 페니실린 덕분에 전염병의 치료와 수술 방식이 크게 변화하였다. → 기존에 존재하던 문화 요소를 찾음: 발견

04 간접 전파   답 ①

제시문은 이란에서 텔레비전을 통해 한국 드라마가 인기를 끌게 된 현상인 자극 전파에 대해 설명하고 있다.

05 문화 접변의 종류   답 ④

(가)는 강제적 문화 접변, (나)는 자발적 문화 접변의 사례이다.

정답을 찾아가는 셀파 - Tip

ㄱ. (가)에서는 문화 융합이 나타났다.
　→ (가)에서는 문화 동화가 나타났다.
ㄷ. (나)에서는 새로운 문화 요소가 출현하였다.
　→ 제시된 자료로는 새로운 문화 요소의 출현 여부를 파악할 수 없다.

06 문화 접변의 종류   답 ①

강제성의 유무에 따라 강제적 문화 접변과 자발적 문화 접변으로 구분할 수 있다.

자료를 분석하는 셀파 - Tip

〈서술형 평가〉
◎ 문제: 강제적 문화 접변과 자발적 문화 접변의 의미와 사례를 서술하시오.
◎ 학생 답안　　　　　직접 전파에 대한 설명이다.
　문화 접변 과정은 강제적 문화 접변과 자발적 문화 접변으로 구분할 수 있다. 강제적 문화 접변과 자발적 문화 접변을 구분하는 기준은 ㉠'강제성의 유무'이다. 강제적 문화 접변은 ㉡ 이주, 무역, 전쟁 등을 통해 사람이 다른 문화와 직접 접촉하여 문화 요소가 전해지는 것으로, ㉢ 과학 법칙을 발견하거나 첨단 제조 기술을 발명하는 경우를 사례로 들 수 있다. 자발적 문화 접변은 서로 다른 문화가 교류하는 과정에서 자신의 필요에 의해 다른 문화 요소를 받아들이는 것으로, ㉣ 일제 강점기 시대의 신사 참배를 사례로 들 수 있다. ㉤ 자발적 문화 접변은 강제적 문화 접변과 달리 문화 변동 과정에서 새로운 문화 요소가 만들어진다.
　　　　　　　　　　　　발명의 사례이다.
　　　　　　　　　　　　강제적 문화 접변의 사례이다.
└ 강제적 문화 접변과 자발적 문화 접변 모두 새로운 문화 요소가 만들어질 수 있다.

07 문화 변동   답 ④

(가)는 자극 전파, (나)는 문화 융합의 사례이므로, 두 사례 모두 외재적 요인에 의한 문화 변동이다. 자극 전파는 문화 변동의 외재적 요인으로, 다른 문화에서 아이디어를 얻어 기존에 없던 새로운 문화 요소를 만들어 내는 것이다. 문화 융합은 문화 접변의 결과 나타나는 변동 양상으로, 서로 다른 사회의 문화 요소가 결합하여 두 문화 요소의 성격을 지니면서도 두 문화 요소와는 다른 성격을 지닌 새로운 문화가 나타나는 것이다.

정답을 찾아가는 셀파 - Tip

ㄱ. (가)는 발명, (나)는 자극 전파의 사례이다.
→ (가)는 자극 전파, (나)는 문화 융합의 사례이다.

ㄷ. (가)는 자발적, (나)는 강제적으로 발생한 문화 접변의 사례이다.
→ (가)와 (나) 모두 자발적 문화 접변인지, 강제적 문화 접변인지 제시문을 통해 알 수 없다.

08 문화 접변의 결과   답 ④

A는 문화 융합, B는 문화 병존, C는 문화 동화이다.

정답을 찾아가는 셀파 - Tip

① A는 문화 동화이다. (×)
→ A는 문화 융합이다.

② B는 문화 융합이다. (×)
→ B는 문화 병존이다.

③ C는 A, B와 달리 강제적 문화 접변을 통해 나타난다. (×)
→ 문화 융합, 문화 병존, 문화 동화는 강제적 문화 접변뿐만 아니라 자발적 문화 접변을 통해서도 나타날 수 있다.

④ ㉠은 '아니요'이다. (○)

⑤ (가)가 '기존 문화 요소와 성격이 다른 새로운 문화 요소가 만들어지는가?'이면, A는 '아니요', B와 C는 '예'이다. (×)
→ (가)에 해당 질문이 들어가면, A는 '예', B, C는 '아니요'이다.

09 문화 융합의 사례   답 ②

밑줄 친 '이것'은 문화 융합에 해당한다. ㄱ, ㄷ은 문화 융합의 사례이고, ㄴ, ㄹ은 문화 병존의 사례이다.

내 것으로 만드는 셀파 - Tip

▶ 문화 접변의 결과

문화 병존 (문화 공존)	• 서로 다른 사회의 문화가 한 사회의 문화 속에서 나란히 존재하는 현상 • 우리나라에 토착 종교와 외래 종교가 함께 존재하는 것
문화 동화	• 한 사회의 문화가 다른 사회의 문화로 흡수되거나 대체되어 정체성을 상실하는 현상 • 라틴 아메리카 원주민들이 원래 사용하던 언어 대신 포르투갈어나 에스파냐어를 사용하는 것
문화 융합	• 서로 다른 사회의 문화 요소가 결합하여, 두 문화 요소의 성격을 지니면서도 두 문화 요소와는 다른 성격을 지닌 새로운 문화가 나타나는 현상 • 미국에서 아프리카의 흑인 음악과 유럽의 백인 음악의 요소가 결합하여 재즈가 탄생한 것

10 문화 접변의 결과   답 ⑤

A는 문화 동화, B는 문화 융합, C는 문화 병존이다. (가)는 문화 병존, (나)는 문화 융합, (다)는 문화 동화의 사례이다. 따라서 (가)는 C, (나)는 B, (다)는 A에 해당한다.

11 문화 접변의 결과   답 ②

(가)는 새로운 문화 요소가 만들어지므로 문화 융합, (나)는 한 사회의 문화가 다른 사회의 문화 체계 속에 흡수되어 정체성을 상실하므로 문화 동화이다. 따라서 (다)는 문화 병존이다.

12 문화 변동으로 인한 문제   답 ⑤

스마트폰 보급이 확대되고 있음에도 이에 대한 제도나 규범이 뒷받침되지 않아 교통사고가 증가하고 있다는 제시문의 내용을 통해 문화 지체 현상을 도출할 수 있다. 문화 지체 현상이란 물질문화의 빠른 변동 속도를 비물질문화가 따라가지 못하여 생기는 부조화 현상이다. ④ 아노미 현상은 급격한 문화 변동으로 전통적 규범과 가치관을 대체할 새로운 규범과 가치관이 적립되지 못하여 사회가 혼란과 무규범 상태에 빠지는 것이다.

13 문화 변동으로 인한 문제   답 ④

A는 물질문화의 변동 속도를 비물질문화가 따라가지 못하는 문화 지체 현상에 해당한다. ㄹ은 비물질문화의 속도를 물질문화가 따라가지 못해 발생하는 부조화 현상이다.

14 문화 변동으로 인한 문제   답 ⑤

제시문의 '이를 규제할 도덕적 규범의 통제력이 약하여, 이로 인한 문제가 심각해지고 있다.'는 내용을 통해 급속한 사회 변동으로 아노미 현상이 발생했음을 알 수 있다.

내 것으로 만드는 셀파 - Tip

▶ **문화 변동 과정에서 발생하는 문제점**
• **집단 간 갈등**: 새로운 문화 요소가 유입되는 과정에서 이를 받아들여 기존 문화를 대체하려는 집단과 기존 문화를 유지하려는 집단 간에 갈등이 발생할 수 있음.
• **아노미 현상**: 급격한 문화 변동으로 전통적 규범과 가치관을 대체할 새로운 규범과 가치관이 아직 정립되지 못하여 사회가 혼란과 무규범 상태에 빠질 수 있음.
• **문화 충격 및 정체성 혼란**: 급격하게 외래문화가 유입되면서 문화 정체성이 약화되거나 혼란이 생길 수 있음.
• **문화 지체 현상**: 물질문화의 빠른 변동 속도를 비물질문화가 따라가지 못하여 부조화 현상이 나타날 수 있음.

서답형 문제

15 문화 변동의 요인   답 자극 전파

다른 사회의 문화 요소에서 아이디어를 얻어 새로운 문화 요소를 만들어 내는 것을 자극 전파라고 한다.

16 문화 접변의 의미　　　**답** (가): 문화 접변, (나): 강제적 문화 접변
(가)는 문화 접변, (나)는 강제적 문화 접변에 해당한다.

17 문화 접변의 결과　　　**답** (가): 문화 융합, (나): 문화 병존(문화 공존)
(가)는 문화 융합의 사례에, (나)는 문화 병존(문화 공존)의 사례에 해당한다.

18 문화 접변의 결과
모범 답안 | (1) (가): 문화 동화, (나): 문화 병존(문화 공존), (다): 문화 융합
(2) (가): 라틴 아메리카의 원주민들이 원래 사용하던 언어 대신 에스파냐어나 포르투갈어를 사용하는 것, (나): 우리나라에 여러 토착 종교와 외래 종교가 함께 존재하는 것, (다): 미국에서 아프리카 흑인 음악과 유럽 백인 음악의 요소가 어우러져 재즈가 탄생한 것
주요 단어 | 라틴 아메리카 원주민, 에스파냐어, 포르투갈어, 토착 종교, 외래 종교, 공존, 아프리카 흑인 음악, 유럽 백인 음악, 재즈

채점 기준	배점
문화 동화, 문화 병존, 문화 융합에 해당하는 사례를 정확하게 서술한 경우	상
문화 동화, 문화 병존, 문화 융합 중 두 가지에 해당하는 사례를 정확하게 서술한 경우	중
문화 동화, 문화 병존, 문화 융합 중 한 가지에 해당하는 사례를 정확하게 서술한 경우	하

19 문화 변동으로 인한 문제
모범 답안 | (1) 문화 지체
(2) 물질문화의 빠른 변동 속도를 비물질문화가 따라가지 못하여 나타나는 문화 요소 간의 부조화 현상
주요 단어 | 물질문화, 변동 속도, 비물질문화, 부조화

채점 기준	배점
문화 지체의 의미를 정확하게 서술한 경우	상
문화 지체의 의미를 서술하였으나 미흡한 경우	하

(3) 기술 발전에 따라 자동차 수는 증가하지만, 교통질서가 제대로 지켜지지 않는 경우, 에너지 소비량은 증가하지만 에너지 소비문화가 정착되지 않는 경우 등
주요 단어 | 기술 발전, 교통 질서, 에너지 소비량, 에너지 소비문화

채점 기준	배점
문화 지체의 사례를 정확하게 서술한 경우	상
문화 지체의 사례를 서술하였으나 미흡한 경우	하

도전 수능 문제　　　　　　　　　　　p. 121 ~ p. 123

01 ③	02 ①	03 ④	04 ④	05 ①	06 ②
07 ⑤	08 ③	09 ①	10 ②	11 ⑤	12 ①

---

01 문화 변동의 요인　　　**답** ③
A는 발명, B는 자극 전파, C는 간접 전파, D는 직접 전파이다.

┌─ 정답을 찾아가는 **셀파 - Tip** ─┐
ㄱ. A는 B와 달리 문화 변동의 외재적 요인이다.
　→ 발명은 문화 변동의 내재적 요인이다.
ㄹ. ㉠은 '예', ㉡은 '아니요'이다.
　→ ㉠은 '아니요', ㉡은 '예'이다.

02 문화 변동의 요인　　　**답** ①
A국 언어는 B국과 C국에 모두 직접적으로 전달되었다. 하지만 전달되는 과정에서 차이가 있다. B국에서는 강제적 문화 접변을 통해 문화 동화가 발생한 반면, C국에서는 자발적 문화 접변을 통해 문화 병존이 발생하였다.

┌─ 정답을 찾아가는 **셀파 - Tip** ─┐
① B국에서는 외재적 요인에 의한 문화 변동이 발생하였다. (○)
② C국에서는 강제적 문화 접변이 발생하였다. (×)
　→ C국에서는 자발적 문화 접변이 발생하였다.
③ A국 언어는 B국에는 직접 전파, C국에는 간접 전파를 통해 전달되었다. (×)
　→ A국 언어는 B국과 C국에 모두 직접적으로 전달되었다.
④ B국과 달리 C국에서는 문화 동화가 발생하였다. (×)
　→ C국에서는 문화 병존이 발생하였다.
⑤ C국과 달리 B국에서는 문화 융합이 발생하였다. (×)
　→ B국에서는 문화 동화가 발생하였다.

03 문화 접변의 결과　　　**답** ④
A는 문화 병존, B는 문화 융합이다. 문화 병존은 서로 다른 사회의 문화가 한 사회의 문화 속에서 나란히 존재하는 것이고, 문화 융합은 서로 다른 사회의 문화 요소가 결합하여 두 문화 요소의 성격을 지니면서도 두 문화 요소와는 다른 성격을 지닌 새로운 문화가 나타나는 것이다. 문화 병존과 문화 융합은 모두 강제적으로 나타날 수도 있고 자발적으로 나타날 수도 있다.

┌─ 자료를 분석하는 **셀파 - Tip** ─┐

구분	A	B
의미	서로 다른 사회의 문화가 한 사회의 문화 속에서 나란히 존재함.	서로 다른 두 문화가 결합하여 새로운 문화를 형성함.
사례	○○국에서 고유 언어와 외래 언어를 모두 공용어로 사용함.	미국에서 아프리카 음악과 유럽 음악의 요소가 결합하여 재즈가 등장함.
공통점	기존 문화의 정체성이 남아 있음.	

04 문화 변동의 양상과 결과　　　**답** ④
A국에서는 문화 병존, B국에서는 문화 동화, C국에서는 문화 융합이 발생하였다. ④ 문화 병존과 문화 융합 모두 자문화의 요소가 유지되므로, A, C국에서는 문화 접변 후에도 자문화 요소가 유지되고 있다.

① A국의 문화 변동 결과에 해당하는 사례로는 서양의 결혼 예식과 전통 폐백 의례가 결합된 현재 한국의 결혼식을 들 수 있다. (×)
→ 서양의 결혼 예식과 전통 폐백 의례가 결합된 현재 한국의 결혼식은 문화 융합의 사례이다.

② B국의 문화 변동 결과는 자발적이 아닌 강제적 문화 접변에 의해 나타났다. (×)
→ 문화 동화는 강제적 문화 접변뿐만 아니라 자발적 문화 접변을 통해서도 나타날 수 있다.

③ C국의 문화 변동 결과에 해당하는 사례로는 한국에서 전통 시장과 별도로 온라인 쇼핑몰이 자리 잡은 것을 들 수 있다. (×)
→ 한국에서 전통 시장과 별도로 온라인 쇼핑몰이 자리 잡은 것은 문화 병존의 사례이다.

④ A, C국에서는 문화 접변 후에도 자문화 요소가 유지되고 있다. (○)

⑤ A, B국에서는 C국과 달리 외래문화 요소를 수용하였다. (×)
→ A, B, C국 모두 외래문화 요소를 수용하였다.

05 문화 변동의 요인 　답 ①

A는 발명, B는 발견, C는 자극 전파, D는 간접 전파, E는 직접 전파이다. ① 물질문화와 비물질문화 모두 발명을 통해 만들어질 수 있다.

06 문화 접변의 결과 　답 ②

A, B는 자문화의 정체성이 남아 있다는 공통점이 있으므로 문화 융합, 문화 병존 중 하나이며, C는 자문화의 정체성이 남아있지 않다는 점에서 문화 동화이다.

07 문화 변동의 양상과 결과 　답 ⑤

(가)는 발명, (나)는 자극 전파, (다)는 직접 전파이다. 갑국은 1차 변동 요인인 발명을 통해 □가 나타났고, 2차 변동 요인인 자극 전파를 통해 ☆이 생겨났다. 갑은 을국 이외에 교류하지 않는다는 점에서 ☆은 을국의 영향을 받았을 것이다. 을국은 1차 변동 때 자극 전파로 인해 △라는 문화 요소가 등장하였다. 을국은 갑국과만 교류하였다는 점에서, △는 갑국의 문화 요소에서 아이디어를 얻어 발명된 문화 요소이다. 을국의 □은 갑국에서 직접 전파된 문화 요소이다. ◎은 갑국의 문화 요소인 ○와 을국의 문화 요소인 ●가 결합하여 나타난 제3의 문화 요소라는 점에서, 을국에서는 직접 전파로 인해 문화 융합이 나타났다고 볼 수 있다.

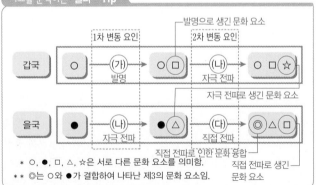

* ○, ●, □, △, ☆은 서로 다른 문화 요소를 의미함.
** ◎는 ○와 ●가 결합하여 나타난 제3의 문화 요소임.

08 문화 접변의 결과 　답 ③

사례는 각각 문화 병존과 문화 융합에 해당한다. 따라서 그림의 (가)에는 문화 병존과 문화 융합을 구분할 수 있는 질문이 들어가야 한다. 문화 융합은 문화 병존과 달리 문화 변동의 결과 새로운 문화 요소가 창조된다.

09 문화 접변의 결과 　답 ①

ㄱ. (가)에 해당 내용이 들어가면 A는 문화 동화이므로, B와 C는 각각 문화 융합, 문화 병존 중 하나이다. ㄴ. (나)에 해당 내용이 들어가면 B와 C는 각각 문화 융합과 문화 병존 중 하나이므로, A는 문화 동화이다.

ㄷ. (나)가 '외부적 요인에 의한 문화 변동인가?'이면, B, C는 각각 문화 병존, 문화 동화 중 하나이다.
→ 문화 동화, 문화 접변, 문화 병존 모두 외부적 요인에 의한 문화 변동이다.

ㄹ. A가 문화 융합이면, (가)에는 '새로운 문화 요소가 형성되었는가?'가 들어갈 수 없다.
→ A가 문화 융합이면 (가)에는 해당 내용이 들어갈 수 있다.

10 문화 접변의 결과 　답 ②

A는 아프리카의 세네갈과 코트디부아르의 사람들이 프랑스의 식민 지배 후 자신들의 고유 언어를 잃고 프랑스어를 사용한다는 점에서 문화 동화이다. B는 미국 재미 교포 사회에서 미국 명절인 추수 감사절과 한국 고유의 명절인 추석을 함께 챙긴다는 점에서 문화 병존이다. 나머지 C는 문화 융합에 해당한다. ㄱ의 (가) 질문은 문화 동화 여부를 묻는 질문이다. ㄴ의 (가) 질문과 ㄷ의 (나) 질문은 문화 융합 여부를, ㄹ의 (나) 질문은 문화 병존 여부를 묻는 질문이다.

11 문화 변동 　답 ⑤

밥과 햄버거가 결합하여 라이스 버거라는 새로운 문화 요소를 만들어 냈으므로 문화 융합의 사례에 해당한다.

① ⊙은 직접 전파, ⊎은 간접 전파의 사례이다. (×)
→ ⊙, ⊎ 모두 직접 전파의 사례이다.

② ⓒ은 강제적 문화 접변의 사례이다. (×)
→ 강제적 문화 접변의 여부를 판단할 수 없다.

③ ⓒ은 ⓓ과 달리 자극 전파의 사례이다. (×)
→ ⓒ, ⓓ 모두 외부의 문화 요소에서 아이디어를 얻어 새로운 문화 요소를 만들어 낸 것이 아니므로 자극 전파의 사례가 아니다.

④ ⑩은 문화 동화의 사례이다. (×)
→ 타타르족의 음식과는 다른 형태를 띤 햄버거가 탄생했으므로, 문화 동화의 사례가 아니다.

⑤ ⑤은 문화 융합의 사례이다. (○)

12 문화 변동으로 인한 문제 　답 ①

문화 지체 현상은 물질문화의 변동 속도를 비물질문화가 따라가지 못해 발생하는 현상이다. 기술 지체 현상은 비물질문화의 변동 속도가 물질문화의 변동 속도보다 빠른 경우를 말한다.

Ⅳ 사회 계층과 불평등

01 사회 불평등 현상과 계층

탄탄 내신 문제				p. 132 ~ p. 136	
01 ⑤	02 ⑤	03 ④	04 ③	05 ④	06 ⑤
07 ③	08 ③	09 ①	10 ⑤	11 ④	12 ②
13 ④	14 ④	15 지위 불일치		16 ㄱ, ㄷ, ㄹ, ㅁ, ㅂ	
17 해설 참조		18 해설 참조		19 해설 참조	

01 사회 불평등 현상   답 ⑤

㉠은 사회 불평등 현상이다. 대부분의 사회에서 희소 자원을 갖고자 하는 욕망은 크지만 희소 자원은 한정되어 있기 때문에 사회 불평등 현상은 보편적으로 나타난다. ① 사회 불평등 현상은 개인의 노력 등과 같은 후천적 요인에 의해서도 발생한다. ② 사회 불평등 현상은 사회적 희소 자원의 차등 분배로 개인 및 집단이 서열화하는 현상이다. ③ 사회 불평등 현상은 재산이나 소득의 차이, 권력의 소유와 행사의 차이, 사회·문화적 생활의 기회와 수준의 차이 등 다양한 변인이 작용하여 나타난다. ④ 사회마다 서열화의 정도는 다르다.

02 사회 불평등의 상호 연관성   답 ⑤

각각의 불평등은 다른 불평등에 영향을 끼치거나 깊이 연관되어 있다. 그래프를 보면 소득 수준이 높을수록 암 검진율이 높으며(소득 수준 상: 위암 검진율 65.3%, 간암 검진율 36.9%) 소득 수준이 낮을수록 검진율이 낮다(소득 수준 하: 위암 검진율 47.2%, 간암 검진율 22.4%). 높은 검진율은 빠른 치료로 연결되어 건강 유지에 유리하다.

내 것으로 만드는 셀파 - Tip

▶ **건강 불평등**

사회학에서는 건강 불평등을 사회적 과정을 산물로 간주한다. 사회 자본이 계층에 따라 달라 건강상의 격차가 나타나는 것으로 보며 '건강 불공평', '건강의 사회 경제적 불평등'과 같은 표현을 사용하기도 한다. 즉, 건강은 사회 경제적 조건에 따라 수준이 결정되는 것으로 본다.

03 사회 불평등 현상의 유형   답 ④

사회 불평등 현상의 유형은 크게 정치적 불평등, 경제적 불평등, 사회·문화적 불평등으로 구분할 수 있다. (가)는 소득 격차에 의한 불평등이므로 경제적 불평등이고, (나)는 정치권력 행사에서 여성과 남성의 격차가 크게 나타나는 사례이므로 정치적 불평등이다. (다)는 스마트폰 사용 수준의 차이로 나타나는 사회·문화적 불평등이다.

04 기능론과 갈등론   답 ③

임금 격차가 협상력이나 생산성 수치를 유리하게 조정할 수 있는 권력 때문에 불공정하게 발생한다고 보는 입장은 갈등론적 관점이다. 반면, 기능론적 관점에서는 최고 경영자와 근로자의 임금 격차를 생산성의 차이로 파악하며, 차등 분배는 정당하고 효율적인 자원 배분을 가능하게 한다고 본다.

05 기능론과 갈등론   답 ④

변호사와 청소부의 임금 격차가 개인의 능력에 따라 합리적으로 분배된 결과라고 바라보는 관점은 기능론이다. 기능론에서는 변호사와 청소부의 임금이 비슷하다면 인재가 적재적소에 배치되지 않을 것이라고 본다. ㄱ, ㄷ은 사회 불평등을 갈등론적 관점에서 설명한 것이다.

06 기능론과 갈등론   답 ⑤

같은 재능을 가진 학생이라면 부모의 부에 의해 미래를 선택할 수 있는 범위가 결정될 것이라고 보는 관점은 갈등론이다. 갈등론은 개인의 노력보다 사회·경제적 배경이 사회 불평등에 미치는 영향을 중시한다.

내 것으로 만드는 셀파 - Tip

▶ **사회 불평등 현상을 바라보는 기능론과 갈등론적 관점**

기능론	보편적 현상, 성취동기 부여, 사회 발전에 기여, 희소가치 분배에 대한 사회적 합의가 있다고 봄.
갈등론	보편적이나 필연적인 것은 아님, 사회 발전에 장애, 희소가치 분배에 대해 권력자의 합의가 있음.

07 계급 이론과 계층 이론   답 ③

(가)는 베버의 계층 이론이고 (나)는 마르크스의 계급 이론이다. 계급 이론은 생산 수단의 소유 여부에 따라 자본가와 노동자가 나뉘며 이들은 서로 대립적 관계에 있다고 본다.

08 계급 이론   답 ③

제시문에서는 사회 불평등 현상을 이분법적이고 불연속적으로 바라보고 있으므로 계급 이론에 가깝다. 계급 이론에서는 계급 의식 형성이 역사적 필연이라고 본다.

09 계층 구조와 계층 이동   답 ①

카스트 제도에서는 개인이 출생할 때부터 계층적으로 위치가 정해지며 신분 간 이동이 완전히 차단되는 폐쇄형 계층 구조이다. 오늘날 카스트 제도는 법률적으로 폐지되었지만, 그 영향력은 여전히 남아 있다. 폐쇄형 계층 구조에서는 성취 지위보다 귀속 지위가 더 중시된다.

10 계층 구성원의 비율에 따른 계층 구조   답 ⑤

(가)는 피라미드형 계층 구조, (나)는 다이아몬드형 계층 구조이다. 다이아몬드형 계층 구조는 중층이 하층과 상층의 완충 역할을 하므로 상대적으로 안정된 특성을 보인다. 피라미드형 계층 구조는 현대 사회의 저개발 국가에서도 나타난다.

11 사회 계층 의식 변화   답 ④

실제 계층에 대한 조사가 아닌 계층 의식에 관한 조사 결과이며, 각 연도의 실제 응답자 수가 제시되지 않았다는 점에 유의하며 도표를 해석해야 한다. ㄴ. 2013년에 중층(51.4%)이라는 의식이 상층과 하층의 합(48.6%)보다 크고, 2015년에도 중층(53.0%)이라는 의식이 상층과 하층의 합(47%)보다 크다. ㄹ. 2013년에 비해 2015년에 상층이라는 의식 비율은 0.5%, 중층은 1.6%로 소폭 증가하였다.

ㄱ. 중층이 두터워 사회 안정에 유리하다.
→ 중층이라고 응답을 한 것이지 실제 소득 수준이 중층인 것은 아니다.

ㄷ. 2013년에 비해 2015년에 하층이라고 응답한 사람의 수가 감소하였다.
→ 2013년과 2015년에 응답한 사람 수가 제시되어 있지 않으므로 알 수 없다.

12 정보 통신 기술 발달과 계층 구조의 변화　답 ②

제시문은 정보 통신 기술 발달이 미치는 영향을 비관적으로 보고 있다. 비관적 전망에 따르면 인공 지능의 발달로 일자리가 감소하여 중층이 몰락하고 하층이 증가하여 빈부 격차가 심화될 것이다. 즉, 사회가 20대 80으로 양극화된 모래시계형 계층 구조가 될 것이라고 예상한다.

13 사회 계층 이동에 대한 주관적 인식 변화　답 ④

세대 내 및 세대 간 실제 이동이 아닌 상향 이동에 대한 응답자의 인식에 대한 조사이다. ㄴ. 세대 내 및 세대 간 모두 상향 이동에 대한 기대가 2009년 이후로 감소하고 있다. ㄹ. 모든 연도에서 세대 간 상향 이동에 대한 긍정 응답 비율이 세대 내 상향 이동에 대한 긍정 응답 비율보다 높게 나타나고 있다.

ㄱ. 2012년에는 세대 간 이동이 세대 내 이동보다 활발하게 이루어졌다.
→ 실제 사회 이동의 비율은 알 수 없다.

ㄷ. 세대 내 상향 이동의 긍정적 응답자 수는 2006년에 비해 2009년이 더 많다.
→ 2006년에 비해 2009년에 세대 내 상향 이동에 대한 긍정적 응답 비율이 높다. 하지만 2006년도와 2009년도의 전체 응답자 수를 알 수 없어 긍정적 응답자 수는 알 수 없다.

14 사회 계층 구조의 유형　답 ④

지역별 계층 구성비를 상층, 중층, 하층의 비율로 표현하면 다음과 같다.

구분	A 지역	B 지역	C 지역
상층	1(33.3%)	2(20%)	1(20%)
중층	1(33.3%)	3(30%)	2(40%)
하층	1(33.3%)	5(50%)	1(20%)

A 지역은 계층별 인구 구성이 동일한 것인지 평등한 것이 아니다. B 지역은 피라미드형, C 지역은 다이아몬드형 계층 구조이므로 B 지역이 상대적으로 계층 갈등의 가능성이 크다.

서답형 문제

15 지위 불일치 현상　답 지위 불일치

계층 이론은 사회 불평등이 경제적(계급), 정치적(권력), 사회적(지위) 요인이 복합적으로 작용하여 형성된다고 본다. 따라서 경제적으로 는 많은 부를 축적하고 있지만, 사회적 지위가 낮은 것처럼 한 개인이 가진 여러 지위들이 수준이 일치하지 않는 지위 불일치 현상이 나타날 수 있다고 설명한다.

16 사회 이동의 유형　답 ㄱ, ㄷ, ㄹ, ㅁ, ㅂ

백정의 아들로 태어나서 자란 박서양이 한국인 최초의 의사가 된 것에서 수직 이동, 세대 내 이동, 세대 간 이동을 찾아낼 수 있다. 또한, 박서양이 경험한 사회 이동은 갑오개혁 이후 신분제가 철폐되고, 서양 의학 기술 및 평등사상이 점차 확산되어가는 사회 변동을 배경으로 나타났다는 점에서 구조적 이동에 해당하는 동시에 끈기 있게 학업에 임한 본인의 노력에 의한 것이라는 점에서 개인적 이동에도 해당한다.

17 사회 불평등 현상의 유형

모범 답안 | (가)는 권력의 소유와 행사의 차이로 나타나는 정치적 불평등이다. (나)는 재산이나 소득의 차이로 나타나는 경제적 불평등이다.
주요 단어 | 권력, 정치적 불평등, 재산, 경제적 불평등

채점 기준	배점
(가), (나)의 유형과 그 원인을 함께 서술한 경우	상
(가), (나)의 유형을 쓰고 그 중 한 가지의 원인만 서술한 경우	중
(가), (나)의 유형만 쓴 경우	하

18 사회 불평등을 바라보는 관점

모범 답안 | (1) 갈등론
(2) 지배 집단이 자신의 기득권을 유지하기 위해 사회적 자원을 불공정하게 분배하여 사회 불평등 현상이 나타난다고 본다.
주요 단어 | 지배 집단, 기득권, 불공정한 분배

채점 기준	배점
주요 단어 3개를 모두 사용하여 서술한 경우	상
주요 단어 중 2개를 사용하여 서술한 경우	중
단순히 불공정하게 분배했다는 점만 서술한 경우	하

19 사회 계층 이동

모범 답안 | (1) 중산층의 비율이 9.9% 감소하였고, 고소득층과 저소득층의 비율이 각각 2.7%, 7.2% 증가하였다.
주요 단어 | 중산층 감소, 고소득층 및 저소득층 증가

채점 기준	배점
중산층 감소와 고소득층 및 저소득층 증가를 구체적 수치를 들어 정확하게 서술한 경우	상
중산층 감소와 고소득층 및 저소득층 증가 중 한 가지만 서술한 경우	중
계층별 비율 변화를 제대로 서술하지 못한 경우	하

(2) 고소득층과 저소득층의 비율이 늘어나는 양극화 현상이 나타나고 있다. 빈부 격차가 심화되면 사회가 불안정해질 수 있다.
주요 단어 | 양극화, 빈부 격차, 사회 불안정

채점 기준	배점
표를 해석하여 문제점을 적절하게 제시한 경우	상
표를 해석하여 문제점을 제시하였지만 미흡한 경우	중
적절한 문제점을 제시하지 않은 경우	하

01 계층 이론　　　　　　　　　답 ①

A 이론은 생산 수단의 소유 여부뿐만 아니라, 소득이나 부의 크기, 지위, 파당 등 다양한 요인을 고려하여 사회 불평등을 설명한다고 하였으므로 계층 이론이다. ㄱ. 계층 이론에서는 개인이 가진 여러 지위가 일치하지 않는 지위 불일치의 가능성을 인정한다. ㄴ. 계층 이론은 베버의 다원적 불평등론에 근거한 것으로 사회 불평등을 다차원적인 측면에서 파악한다.

정답을 찾아가는 셀파 - Tip

ㄷ. 동일 집단 구성원 간의 강한 연대 의식을 강조한다.
→ 마르크스의 계급 이론에 관련된 진술이다.

ㄹ. 사회 불평등 현상을 불연속적으로 구분되어 있는 상태로 본다.
→ 계층 이론에서는 사회 불평등 현상이 연속적으로 범주화된 개념이라고 파악한다.

02 계층 이론　　　　　　　　　답 ⑤

제시문의 내용은 생산 수단의 소유 여부뿐 아니라 명예, 위신 등 다른 차원의 불평등도 사회 불평등 현상을 가져오는 점을 강조하고 있으므로 계층 이론이다. ㄱ, ㄴ. 계급 투쟁을 강조하고 사회 불평등을 이분법적으로 파악하는 것은 계급 이론에 해당한다. ㄷ, ㄹ. 사회 불평등 현상을 다원적 요인이 복합적으로 작용하여 연속적으로 서열화되었다고 보는 것은 계층 이론이다.

03 계급 이론　　　　　　　　　답 ②

제시문은 마르크스의 계급 이론이다. 마르크스는 생산 수단의 소유 여부에 따라 계급 갈등이 발생하고 인류 역사는 계급 간 갈등의 모순이 심화되면 이에 따른 사회 변동 과정을 거친다고 보았다.

정답을 찾아가는 셀파 - Tip

① 궁극적으로 불평등의 원인을 정치로 본다. (×)
→ 궁극적으로 불평등의 원인을 경제적 요인으로 본다.

② 갈등과 투쟁에 의한 사회 발전을 강조한다. (○)

③ 사회 불평등 현상을 예외적 현상으로 본다. (×)
→ 자본주의 사회에서는 생산 수단의 소유 여부에 따라 불평등 현상이 보편적으로 나타난다고 보았다.

④ 불평등을 다원적 관점에서 설명하고자 한다. (×)
→ 사회 불평등을 경제적 요인이라는 일원론적 관점에서 설명한다.

⑤ 지위 불일치 현상을 설명하기에 적합한 이론이다. (×)
→ 지위 불일치 현상을 설명하기에 적합한 것은 계층 이론이다.

내 것으로 만드는 셀파 - Tip

▶ **계급 이론과 계층 이론**

| 계급 이론 | 마르크스의 주장, 일원론적 관점, 생산 수단의 소유 여부에 따라 계급 결정, 노동자 계급의 연대 의식 강조 |
| 계층 이론 | 베버의 주장, 다원론적 관점, 경제적 계급·사회적 위신·정치적 권력 등 다차원적으로 불평등 분석, 지위 불일치 설명에 적합, 계층의 연대 의식 약함. |

04 사회 불평등 현상을 보는 갈등론적 관점　　　답 ③

지배 집단이 기득권을 유지하기 위해 희소 자원을 불공정하게 분배한 결과로 사회 불평등이 발생한다고 보는 입장은 갈등론적 관점이다.

05 사회 불평등 현상을 보는 기능론과 갈등론　　답 ①

갑은 일의 난이도에 따라 보상의 차등을 강조하는 기능론의 입장이고, 을은 이를 비판하는 갈등론이다.

정답을 찾아가는 셀파 - Tip

ㄷ. 을은 차등적 보상이 성취동기를 자극한다고 본다.
→ 갈등론은 차등적 보상의 기준이 명확하지 않으므로 공정하지 않다고 본다.

ㄹ. 을은 차등적 보상이 권력 집단의 합의에 의해 이루어져야 한다고 본다.
→ 갈등론은 차등적 보상이 권력 집단의 합의에 의해 이루어지는 점을 비판한다.

06 사회 불평등 현상을 보는 기능론과 갈등론　　답 ③

사회 불평등을 필연적이라고 보는 (나)는 기능론, 사회 불평등을 극복해야 할 대상이라고 보는 (가)는 갈등론이다.

07 세대 간 계층 이동　　　　　　　　답 ④

부모 세대의 계층 구조가 다이아몬드형이고 A가 B+C의 1.5배이므로 A가 중층이다. 또한, A가 C보다 높다고 했으므로 B가 상층, C가 하층이다. A가 B+C의 1.5배이므로 A=60%, B+C=40%이다. 자녀 세대의 경우 상층은 부모 세대의 0.5배이므로 30%이다. 또한, 자녀 세대의 상층은 부모 세대의 상층과 비율이 같으므로 B(부모 세대 상층 비율)로 두고, 자녀 세대의 하층은 부모 세대의 2배이므로 2C(부모 세대 하층 비율)로 두면 B+C=40%, B+2C=60%와 같은 방정식을 도출할 수 있다. 즉, B는 10%, C는 30%이다. 이를 토대로 부모와 자녀 세대의 계층 불일치 비율을 고려하면 다음과 같은 표를 완성할 수 있다.

구분		부모 세대			
		상층	중층	하층	계
자녀 세대	상층	10	0	0 상승 이동 (15%)	10
	중층	0	15	15	30
	하층	0	45	15 계층 대물림	60
	계	10 하강 이동 (45%)	60	30 (40%)	100

ㄴ. 계층 대물림 비율은 상층은 (10/10)×100=100%, 중층은 (30/60)×100=50%, 하층은 (15/60)×100=25%로 하층이 가장 낮다. ㄹ. 중층 부모를 두고 계층 이동을 한 자녀는 45%이고, 하층 부모를 두고 계층 이동을 한 자녀는 15%로 3배이다.

정답을 찾아가는 셀파 - Tip

ㄱ. 세대 간 상승 이동한 자녀가 세대 간 하강 이동한 자녀의 3배이다.
→ 하강 이동한 자녀가 45%, 상승 이동한 자녀가 15%이다.

ㄷ. 중층으로 세대 간 상승 이동한 자녀와 중층으로 세대 간 하강 이동한 자녀의 수는 같다.
→ 중층으로 세대 간 상승 이동한 자녀는 15%, 중층으로 세대 간 하강 이동한 자녀는 0%이다.

08 계층 구조

⑤ B의 중층 인구 비율과 C의 상층 인구 비율이 30%로 동일하므로 전체 인구수가 동일할 경우, B의 중층 인구수와 C의 상층 인구수는 같다. ① 제시된 자료만으로는 계층 간 이동 가능성을 파악할 수 없다. ③ D는 각 계층별 인구 비율이 동일할 뿐이지, 계층이라는 서열 자체는 존재한다. ③ 상층의 비율은 A가 25%, C가 10%이다. ④ 소득 재분배 정책을 강화하면 계층 구조는 A와 같은 다이아몬드형 계층 구조로 변화한다.

09 세대 간 계층 이동
정답 ④

④ 세대 간 상승 이동한 인구는 25%, 하강 이동한 인구는 40%로 하강 이동한 인구가 더 많다.

자료를 분석하는 셀파 - Tip

〈세대별 계층 간 상대적 비율〉

구분	부모 세대	자녀 세대
상층+하층/전체 계층	$\frac{1}{2}$ 중층 비율은 1/2	$\frac{4}{5}$ 중층 비율은 1/5
상층/중층+하층	$\frac{1}{4}$ 상층 비율은 1/5	$\frac{1}{3}$ 상층 비율은 1/4

표를 통해 부모 세대의 중층은 50%(1/2), 상층은 20%(1/5)이므로 하층은 30%임을 알 수 있다. 또한, 자녀 세대는 중층이 20%(1/5), 상층이 25%(1/4)이므로 하층은 55%이다.

〈자녀 세대 계층 대비 부모와 자녀 계층 일치의 상대적 비율〉

상층	중층	하층
$\frac{1}{5}$	$\frac{1}{2}$	$\frac{4}{11}$

*모든 부모의 자녀는 1명이고, 갑국의 계층은 상층, 중층, 하층으로만 구성된다.
*상층 부모를 둔 하층 자녀 인구와 하층 부모를 둔 중층 자녀의 인구의 비는 2:1임.

상층의 경우 '부모와 자녀가 모두 상층인 비율/자녀 세대 상층 비율'은 1/5이다. 부모와 자녀가 모두 상층인 비율을 a라고 하면 a/25=1/5이므로 부모와 자녀가 모두 상층인 비율은 5%이다. 이와 같이 중, 하층도 계산하면 중층 일치 비율은 10%, 하층 일치 비율은 20%이다.

하층 부모를 둔 중층 자녀를 b라 하면 상층 부모를 둔 하층 자녀는 b의 두 배이므로 2b다. 상층 부모를 둔 중층 자녀를 c라 하면 5+c+2b=20, c+10+b=20의 방정식을 도출하여 b가 5%라는 것을 알 수 있다. 이를 표로 다시 나타내어 값을 구하면 아래와 같다.

구분(단위: %)		부모 세대			
		상층	중층	하층	계
자녀 세대	상층	5(a)	15	5	25
	중층	5(c)	10	5(b)	20
	하층	10(2b)	25	20	55
	계	20	50	30	100

정답을 찾아가는 셀파 - Tip

① 세대 간 계층 일치 비율이 이동 비율보다 크다. (×)
→ 세대 간 계층 이동 비율은 65%로 계층 일치 비율 35%보다 크다.

② 개방형 계층 구조에서 폐쇄형 계층 구조로 변하고 있다. (×)
→ 세대 간 수직 이동이 발생하고 있으므로 개방형 계층 구조이다.

③ 자녀 세대의 계층 구조가 부모 세대보다 안정되어 있다. (×)
→ 부모 세대의 계층 구조가 다이아몬드형으로 자녀 세대보다 안정되어 있다.

④ 세대 간 상승 이동한 인구보다 하강 이동한 인구가 더 많다. (○)

⑤ 부모 세대 계층 대비 부모와 자녀의 계층 일치 비율은 상층이 제일 크다. (×)
→ 부모 세대 계층 대비 부모와 자녀의 계층 일치 비율은 상층이 25%, 중층이 30%, 하층이 16%로 중층이 제일 크다.

10 부모 세대와 자녀 세대의 계층 구성 비율
정답 ⑤

⑤ 부모 세대 계층 대비 부모와 자녀의 계층 불일치 비율은 상층 60%, 중층 20%, 하층 73%로 하층이 가장 높다.

정답을 찾아가는 셀파 - Tip

① 계층 대물림의 비율은 하층이 가장 높다. (×)
→ 중층(24%)이 가장 높다.

② 계층을 대물림한 비율이 이동한 비율보다 높다. (×)
→ 대물림한 비율은 44%, 이동한 비율은 46%이다.

③ 자녀 세대의 계층 구조는 전근대 사회의 전형적 계층 구조이다. (×)
→ 자녀 세대 계층 구조는 다이아몬드형으로, 산업 사회에서 주로 나타난다.

④ 자녀 세대 중 상승 이동한 사람보다 하강 이동한 사람이 더 많다. (×)
→ 상승 이동한 사람은 46%, 하강 이동한 사람은 10%로, 상승 이동한 사람이 더 많다.

⑤ 부모 세대 계층 대비 부모와 자녀의 계층 불일치 비율은 하층이 가장 높다. (○)

11 부모 세대와 자녀 세대의 계층 구성 비율
정답 ③

부모 세대 계층 A는 하강 이동이 0%이므로 하층이다. 부모 세대 계층 C는 상승 이동이 없으므로 상층이다. 따라서 부모 세대 계층 B는 중층이다. 부모 세대 A+B는 90%이므로 C(상층)는 10%고, B+C는 50%이므로 A(하층)는 50%, 중층은 40%이다. 이와 같은 방법으로 자녀 세대의 계층 비율을 구하면 자녀 세대 상층은 30%, 중층은 40%, 하층은 30%이다. 또한, 〈부모 세대 계층 대비 계층 이동 비율〉 표를 통해 계층 대물림 비율을 먼저 구할 수 있다. 부모 세대가 중층일 때 자녀 세대가 상승 이동한 비율이 25%이므로, 부모 세대가 중층이면서 자녀 세대가 상층일 비율은 10%(40×0.25)이다. 동일하게 부모 세대가 중층이면서 자녀 세대가 하층일 비율은 10%(40×0.25)이다. 부모 세대가 하층일 때 상승 이동(상층+중층)한 비율이 60%이므로 부모 세대가 하층이면서 자녀 세대가 하층인 비율은 20%(50×0.4)이다. 이와 같은 방법으로 계층 기본 표를 다음과 같이 완성할 수 있다.

구분 (단위: %)		부모 세대			
		상층	중층	하층	계
자녀 세대	상층	8	10	12	30
	중층	2	20	18	40
	하층	0	10	20 계층 대물림(48%)	30
	계	10	40	50	100

└─ 부모 세대 상층 → 자녀 세대 하층

ㄴ. 계층을 대물림한 비율은 48%, 이동한 비율은 52%로 이동한 사람이 더 많다. ㄷ. 부모 세대 상층에서 자녀 세대 하층으로 이동한 비율은 0%이다.

정답을 찾아가는 셀파 - Tip

ㄱ. 부모 세대와 자녀 세대 모두 중층의 비율이 가장 높다.
→ 부모 세대에서는 하층이 50%로 가장 높다.

ㄹ. 자녀 세대 계층 대비 부모와 자녀 간 계층 불일치 비율은 하층이 상층보다 높다.
→ 자녀 세대 계층 대비 하층의 불일치 비율은 10/300이고 상층의 불일치 비율은 22/300이므로, 상층의 불일치 비율이 더 높다.

38 딱 맞는 풀이집

02 다양한 사회 불평등 양상

탄탄 내신 문제   p. 144 ～ p. 148

01 ③	02 ⑤	03 ④	04 ⑤	05 ③	06 ③
07 ②	08 ④	09 ⑤	10 ⑤	11 ③	12 ③
13 ⑤	14 ③	15 해설 참조		16 해설 참조	
17 해설 참조		18 해설 참조			

01 사회적 소수자의 의미   답 ③

여성은 전체 인구 대비 51%로 절반에 가깝지만 차별받는 존재로 사회적 소수자에 해당된다. 즉, 사회적 소수자는 반드시 수적 소수를 의미하는 것이 아니다. 또한, 여성이면서 결혼 이민자(혹은 외국인 노동자)가 있을 수 있으므로 사회적 소수자는 53.8% 이상일 수 있다.

내 것으로 만드는 셀파 - Tip

▶ **사회적 소수자의 성립 요건**
- **구별 가능성**: 신체적 또는 문화적으로 구별되는 차이
- **권력의 열세**: 정치, 경제, 사회적 영향력에서 열세
- **차별적 대우**: 특정 집단에 있다는 이유만으로 차별
- **집단의식**: 스스로 차별받는 집단 구성원이라는 인식

02 사회적 소수자 차별 양상   답 ⑤

(가)는 제도적 차별의 사례이고, (나)는 문화적(의식적) 차별의 사례이다. 사회적 소수자에 대한 차별이 심화되면 주류 집단과 소수자 집단 간 대립과 갈등으로 사회 통합을 저해할 수 있다. ③ '여성이 제사에 참여하지 못하는 것'은 (나)와 같은 문화적 차별의 사례에 해당한다.

03 사회적 소수자 문제 해결 방안   답 ④

'장애인 고용 촉진 및 직업 재활법'은 장애인에 대한 차별을 개선하여 기회의 평등을 제고하기 위한 적극적 차별 시정 조치의 일종이다. 적극적 차별 시정 조치는 법적·제도적 해결책이다. 장애인을 일정 비율 고용하는 것은 실질적 평등과 관련이 있으나 역차별의 문제가 발생할 수 있다.

04 생물학적 성과 사회학적 성의 차이   답 ⑤

성 불평등은 생물학적 성과 사회적 성의 두 가지에 기반하여 이루어진다. 시몬 드 보부아르는 여성성(性)이 생물학적 성(sex)이 아니라 사회학적 성(gender)에 의해 만들어지며, 이는 곧 성 불평등으로 이어진다고 보았다.

자료를 분석하는 셀파 - Tip

시몬 드 보부아르는 그녀의 책 『제2의 성』에서 "남성이 여성에게 신비함이라는 거짓된 아우라를 주입시켜 여성을 사회적 타자로 만들었다."라고 주장하였다. 또한, <u>여성은 태어나는 것이 아니고 그렇게 만들어지는 것</u>이라고 말하였다.
    └─ 성별에 따른 선입견이나 편견을 토대로 성 역할을 차별적으로 사회화한 결과, 사회적 성으로서 '여성다움'과 '남성다움'이 만들어지고 구분된다.

05 성 불평등 현상   답 ③

여성을 양육자로서의 역할에 한정시켜 바라보는 것은 성 역할에 대한 고정 관념이다. 이는 의식적 측면의 개선을 통해 해결할 수 있다.

06 고용률을 통해 살펴본 성 불평등   답 ③

여성은 25~39세까지 출산과 육아 때문에 경력이 단절된다. 고용률은 알 수 있어도 연령 구간의 인구를 알 수 없으므로 취업자 수는 알 수 없다. 소득은 주어진 정보가 없으므로 알 수 없다.

자료를 분석하는 셀파 - Tip

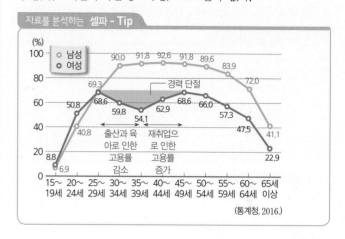

(통계청, 2016.)

07 성 불평등 현상의 해결 방안   답 ②

비례 대표 여성 추천 할당제는 여성의 정치적 불평등을 제도적으로 해결하려는 노력이다. 여성 인구를 전체 인구의 50%라고 보았을 때 여성 국회 의원이 이에 못 미치는 것은 성별 과소 대표이다.

08 성 불평등 현상의 해결 방안   답 ④

(가)는 가사 노동에 있어 여성의 고통을, (나)는 남성다움을 강요받는 남성의 고통을 보여 주고 있다. 양성평등을 위해서는 의식적, 제도적 개선의 노력을 함께 해야 한다.

09 빈곤   답 ⑤

노래 가사에는 가난한 유년기를 보냈던 화자의 상황이 나타나 있다. 빈곤은 인간의 기본적 욕구와 관련된 물질적 결핍이 만성적으로 지속되는 경제적 상태를 의미하며, 국가가 사회적 안전망 구축을 통해 해결해야 할 대상이다.

정답을 찾아가는 셀파 - Tip

ㄱ. 개발 도상국에만 존재하는 현상이다.
    → 빈곤은 나타나는 비율이 다를 뿐, 대부분의 사회에서 발생하는 사회적 현상이다.

ㄴ. 주로 정신적 결핍과 깊은 관련이 있다.
    → 의식주와 같은 물질적 결핍과 깊은 관련이 있다.

10 절대적 빈곤과 상대적 빈곤   답 ⑤

(가)는 절대적 빈곤 (나)는 상대적 빈곤이다. 상대적 빈곤은 중위 소득의 50%(우리나라, OECD 기준) 미만을 말한다. 절대적 빈곤은 우리나라의 경우 최저 생계비 미만에 해당된다. 빈곤 문제가 심화되면 사회 통합을 저해하므로 국가들은 빈곤 개선을 주요 정책 목표로 삼는다. ① 절대적 빈곤은 경제가 성장해도 분배가 제대로 이루어지지 않

으면 해결할 수 없다. ② 우리나라의 절대적 빈곤선은 최저 생계비 미만이다. ③ 상대적 빈곤은 우리나라의 경우 중위 소득의 50% 미만이라는 객관적 기준에 의해 결정된다. ④ 절대적 빈곤과 상대적 빈곤을 측정하는 객관적 기준이 존재한다.

11 빈곤율과 빈곤선 답 ③

ㄴ. 절대적 빈곤율과 상대적 빈곤율이 모두 하락하고 있으므로 빈곤이 완화되고 있다고 볼 수 있다. ㄷ. 모든 연도에서 상대적 빈곤율이 절대적 빈곤율보다 높으므로, 상대적 빈곤선은 절대적 빈곤선보다 크다.

정답을 찾아가는 셀파 - Tip

ㄱ. 2007년과 2009년의 절대적 빈곤선은 일치한다.
→ 절대적 빈곤율이 7.0%로 같아도 상대적 빈곤선은 다를 수 있다. 최저 생계비는 매년 다르기 때문이다.

ㄹ. 2007년에 비해 2011년에 절대 빈곤 가구 수가 줄어들었다.
→ 절대적 빈곤율은 줄어들었지만, 가구 수가 줄어들었는지는 알 수 없다.

내 것으로 만드는 셀파 - Tip

▶ 절대적 빈곤과 상대적 빈곤

절대적 빈곤	빈곤선	최저 생계비
	빈곤율	전체 가구 중 절대적 빈곤 가구의 비율
상대적 빈곤	빈곤선	중위 소득의 50%
	빈곤율	전체 가구 중 상대적 빈곤 가구의 비율

12 빈곤율과 빈곤선 답 ③

ㄴ. A국과 B국의 2010년 절대적 빈곤율은 각각 5%, 10%이다. A국의 전체 가구 수는 B국 전체 가구 수의 두 배이므로 2010년 A국과 B국의 절대적 빈곤 가구 수는 같다. ㄷ. 2015년 A국과 B국의 절대적 빈곤율은 7%로 같지만, A국이 B국보다 전체 가구 수가 두 배 많으므로 절대적 빈곤 가구 수도 많다.

정답을 찾아가는 셀파 - Tip

ㄱ. A국의 절대적 빈곤 가구 수가 증가하였다.
→ 절대적 빈곤율이 5%에서 7%로 증가했지만 전체 가구 수 변화를 알 수 없으므로 절대 빈곤 가구 수가 증가했는지는 알 수 없다.

ㄹ. A국의 2010년 절대적 빈곤선과 B국의 2010년 상대적 빈곤선은 같다.
→ 빈곤율이 둘 다 5%로 같지만 빈곤선은 다를 수 있다.

13 빈곤의 영향 답 ⑤

빈곤은 주거, 건강, 교육, 인간관계 등 개인의 삶에 영향을 미치며, 사회 구조적으로 다양한 불평등 현상과 밀접하게 연관되어 나타나는 다차원적이고 복합적인 현상이다.

14 빈곤 문제의 해결 방안 답 ③

(가)는 빈곤 문제의 개인적 차원의 해결책을, (나)는 사회적 차원의 해결책을 제시하고 있다. (가)와 같은 해결책을 주장하는 사람은 빈곤의 원인을 게으름, 무기력, 무절제 등으로 보며, (나)와 같은 해결책을 주장하는 사람은 사회 구조적 모순을 원인으로 본다. ① '누진세 적용' 및 '기초 연금 제도' 등은 사회적 해결책이다.

15 사회적 소수자 차별 문제

모범 답안 | 외국인 노동자 증가라는 사회적 변화에 맞춰 관련 법과 제도를 재정비한다. 외국인 노동자를 대상으로 한국어와 한국 문화에 대한 강좌를 개설한다.

주요 단어 | 법과 제도의 재정비

채점 기준	배점
외국인 노동자 차별 문제를 해결하기 위한 해결책 두 가지를 모두 정확하게 서술한 경우	상
외국인 노동자 차별 문제를 해결하기 위한 해결책을 한 가지만 정확하게 서술한 경우	중
사회적 소수자 문제에 대한 해결책을 서술한 경우	하

16 성 불평등 현상

모범 답안 | (1) 성 불평등 현상

(2) 남성다움과 여성다움을 유지하도록 요구하는 차별적 사회화와 가부장제에 바탕을 둔 사회 구조가 성 불평등 현상을 발생 및 심화시킨다.

주요 단어 | 성 역할, 차별적 사회화, 가부장제, 사회 구조

채점 기준	배점
성 불평등 현상의 원인을 두 가지 모두 정확하게 서술한 경우	상
성 불평등 현상의 원인을 한 가지만 정확하게 서술한 경우	하

17 절대적 빈곤율과 상대적 빈곤율

모범 답안 | (1) 빈곤선이 다르더라도 두 개의 빈곤선 사이에 빈곤 가구가 존재하지 않는다면 동일한 빈곤율이 나올 수 있다.

주요 단어 | 빈곤율, 빈곤선

채점 기준	배점
빈곤율과 빈곤선의 개념을 정확히 이해하고 근거를 정확하게 서술한 경우	상
빈곤율과 빈곤선의 개념에 대한 이해가 부족하여 미흡하게 서술한 경우	하

(2) 모든 연도에서 절대적 빈곤율과 상대적 빈곤율이 감소하고 있다. 제시된 모든 연도의 전체 가구 수는 동일하고 최저 생계비의 변화가 없으므로 소득 불평등이 완화되었다고 볼 수 있다.

주요 단어 | 절대적 빈곤율, 상대적 빈곤율, 감소

채점 기준	배점
전체 가구 수가 동일하고 최저 생계비의 변화가 없다는 점을 빈곤율 감소와 연결하여 서술한 경우	상
전체 가구 수가 동일하고 최저 생계비의 변화가 없다는 점을 빈곤율 감소와 같이 연결하였으나 미흡하게 서술한 경우	중
빈곤율이 감소하였다고만 서술한 경우	하

18 빈곤 문제의 해결 방안

모범 답안 | 빈곤의 원인이 특정 집단의 빈곤 탈출을 어렵게 하는 사회 구조에 있다고 보았다. 따라서 빈곤 탈출을 어렵게 하는 구조적 모순을 제거하고 적절한 제도를 마련하여 빈곤 문제를 해결하고자 하였다.

주요 단어 | 사회 구조, 구조적 모순, 제도 마련

채점 기준	배점
사회 구조적 차원의 개선을 통해 빈곤 문제를 해결해야 한다고 서술한 경우	상
사회 구조적 차원에서 빈곤 문제를 해결해야 한다고 서술하였지만, 그 내용이 미흡한 경우	중
개인적 차원에서 빈곤 문제 해결을 서술한 경우	하

도전 수능 문제

p. 149 ~ p. 151

| 01 ① | 02 ② | 03 ① | 04 ④ | 05 ① | 06 ③ |
| 07 ⑤ | 08 ③ | 09 ② | 10 ⑤ | 11 ⑤ | 12 ④ |

01 사회적 소수자의 성립 요건 　답①

한 사회에서 어떤 종교가 국교인지에 따라 국교가 아닌 다른 종교의 신자는 사회적 소수자가 될 수 있다. 즉, 사회적 소수자는 사회에 의해 규정되는 상대적인 개념이다.

정답을 찾아가는 셀파 - Tip

① 사회적 소수자는 사회에 의해 규정된다. (○)

② 사회적 소수자는 역차별에 의한 결과이다. (×)
→ 사회적 소수자는 역차별이 아닌 차별적 대우를 받는 집단이다.

③ 한 사회 안에서 지배 집단이 사회적 소수자가 되기도 한다. (×)
→ 제시문에서는 한 사회의 지배 집단이 다른 사회에서 사회적 소수자가 되는 상황을 설명하고 있다.

④ 사회적 소수자는 권력 관계보다는 집단의 크기에 의해 결정된다. (×)
→ 사회적 소수자는 지배 집단에 비해 권력의 열세에 놓여 있으며, 반드시 수적 소수를 의미하는 것은 아니다.

⑤ 사회적 소수자 집단 내에서도 또 다른 사회적 소수자가 존재한다. (×)
→ 제시문과 관계없는 내용이다.

02 사회적 소수자에 대한 차별 사례 　답②

제시문의 사례를 통해 공통적으로 비정규직 근로자가 직장 내에서 정규직 근로자에 비해 차별 대우를 받고 있음을 도출할 수 있다.

03 사회적 소수자 　답①

(가)는 사회적 소수자 개념의 상대성을 보여 주는 사례이다. ① 역차별은 소수자 집단을 위해 마련한 제도나 장치로 오히려 소수자가 아닌 사람들이 차별받는 것을 말한다.

04 성 불평등 현상 　답④

'유리 천장'은 여성이라는 이유로 직장에서 고위직으로 승진하는 과정에서 보이지 않는 장벽에 부딪히는 현상을 비유적으로 이르는 말이다. ㄴ. 유리 천장이 제거되면 직장에서 여성이 남성과 동등한 승진 기회를 가질 수 있을 것이다. ㄹ. 남성 중심의 조직 문화를 양성평등 중심으로 개선하면 여성의 진급을 가로막는 유리 천장 현상이 완화될 것이다.

05 절대적 빈곤선과 상대적 빈곤선 　답①

ㄱ. 빈곤율의 차이가 있을 뿐 대부분의 사회에서 절대적 빈곤이 나타난다. ㄴ. 절대적 빈곤선에 해당하는 최소한의 생활 수준이 어느 정도여야 하는지는 사회마다 다르다. 또한, 상대적 빈곤의 기준이 되는 기준선도 중위 소득의 50%(OECD)부터 60%(EU)까지 사회마다 다르게 나타난다.

정답을 찾아가는 셀파 - Tip

ㄷ. ㉡에 해당하는 사람은 항상 ㉠에 해당한다.
→ 절대적 빈곤선과 상대적 빈곤선에 따라 사회마다 다르게 나타나므로 상대적 빈곤에 해당하는 사람이 절대적 빈곤에 해당할 수도 있고 아닐 수도 있다.

ㄹ. ㉡에 속한 인구가 감소해야 ㉠에 속한 인구가 감소한다.
→ 상대적 빈곤선과 절대적 빈곤선에 따라 상대적 빈곤에 속한 인구가 감소하면 절대적 빈곤에 속한 인구가 감소할 수도 있고 아닐 수도 있다.

06 절대적 빈곤율과 상대적 빈곤율 　답③

C 시점에서 상대적 빈곤율이 절대적 빈곤율보다 높으므로 상대적 빈곤의 기준 금액(상대적 빈곤선)이 최저 생계비(절대적 빈곤선)보다 크다. 상대적 빈곤선은 중위 소득의 50%에 해당되므로 최저 생계비의 두 배는 중위 소득보다 적다.

자료를 분석하는 셀파 - Tip

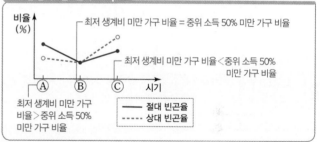

정답을 찾아가는 셀파 - Tip

① C 시점은 B 시점보다 상대적 빈곤 가구 수가 많다. (×)
→ 상대적 빈곤율이 높아졌으나 전체 가구 수의 변화를 알 수 없으므로 빈곤 가구 수도 알 수 없다.

② B 시점의 절대적 빈곤선과 상대적 빈곤선은 일치한다. (×)
→ 빈곤율이 일치한다고 빈곤선이 일치하는 것은 아니다. 빈곤선이 다르더라도 두 개의 빈곤선 사이에 빈곤 가구가 없으면 빈곤율이 동일하다.

③ C 시점에서 최저 생계비의 2배는 중위 소득보다 적다. (○)

④ A 시점에 비해 C 시점에 절대적 빈곤 가구 수가 감소하였다. (×)
→ 절대 빈곤율은 감소했으나 시기별 전체 가구 수를 알 수 없으므로 빈곤 가구 수의 감소 여부는 알 수 없다.

⑤ 절대적 빈곤과 상대적 빈곤 모두에 해당되는 가구 비율은 A 시점이 가장 높다. (×)
→ 절대적 빈곤과 상대적 빈곤 모두에 해당하는 비율을 C 시점이 가장 높다.

07 절대적 빈곤율과 상대적 빈곤율 　답⑤

ㄷ. 2010년 절대적 빈곤율이 상대적 빈곤율보다 크므로 상대적 빈곤 가구는 모두 절대적 빈곤 가구에 해당한다. ㄹ. 상대적 빈곤율과 절대적 빈곤율이 모두 8%이므로 전체 가구 수가 동일하다면 빈곤 가구 수는 같다.

ㄱ. 최저 생계비 기준 금액이 점점 적어지고 있다.
→ 절대적 빈곤율이 감소하고 있으나 그것이 빈곤 탈출 가구가 많아서 그런 것인지, 전체 가구 수가 증가해서 그런 것인지, 최저 생계비 기준(절대적 빈곤선)이 감소해서 그런 것인지 알 수 없다.

ㄴ. 2013년에는 중위 소득이 최저 생계비의 2배이다.
→ 상대적 빈곤율과 절대적 빈곤율이 5%로 동일하다. 상대적 빈곤선과 절대적 빈곤선 사이에 빈곤 가구가 존재하지 않을 수도 있으므로 빈곤선이 다른 경우도 빈곤율이 동일할 수 있다. 그러므로 중위 소득이 최저 생계비의 2배라고 단정할 수 없다.

08 절대적 빈곤율과 상대적 빈곤율   답 ③

절대적 빈곤율/상대적 빈곤율이 1이면 상대적 빈곤율과 절대적 빈곤율이 같다는 뜻이다. 만약 절대적 빈곤율/상대적 빈곤율이 1보다 작으면 상대적 빈곤율이 절대적 빈곤율보다 큰 경우를 말한다. ㄷ, ㄹ. 절대적 빈곤율/상대적 빈곤율<1이면 상대적 빈곤선이 절대적 빈곤선보다 크므로 절대적 빈곤 가구가 모두 상대적 빈곤 가구에 포함된다. 또한, 중위 소득의 50%(상대적 빈곤선)가 최저 생계비(절대적 빈곤선)보다 크다.

ㄱ. 1990년부터 2000년까지 B국의 상대적 빈곤 가구 수는 증가하였고, C국의 상대적 빈곤 가구 수는 감소하였다.
→ B국의 경우 1990년부터 2000년까지 절대적 빈곤 가구의 증가율보다 상대적 빈곤 가구의 증가율이 더 크므로 상대적 빈곤 가구 수는 증가하였다. (단서에 절대적 빈곤 가구 수가 지속적으로 증가하였다고 나타나 있다.) 반면, C국의 경우 상대적 빈곤 가구 수가 감소하여도 절대적 빈곤율의 증가율이 더 크면 절대적 빈곤율/상대적 빈곤율 값이 커질 수 있으므로 단정할 수 없다.

ㄴ. 1990년부터 2010년까지 A국에서 절대적 빈곤 가구 수의 증가율보다 상대적 빈곤 가구 수의 증가율이 더 낮다.
→ 절대적 빈곤율/상대적 빈곤율이 지속적으로 감소하고 있으므로 절대적 빈곤 가구 수의 증가율보다 상대적 빈곤 가구 수의 증가율이 더 크다.

09 절대적 빈곤선과 상대적 빈곤선   답 ②

② 갑국은 2000년부터 지속적으로 절대적 가구 수 대비 상대적 빈곤 가구 수가 증가하고 있다. 이는 절대적 가구 수보다 상대적 가구 수가 더 많아졌음을 의미하고, 최저 생계비(절대적 빈곤선)가 지속적으로 증가하므로 상대적 빈곤선도 높아졌다.

① 2000년에 갑국의 절대적 빈곤선은 상대적 빈곤선의 2배이다. (×)
→ 빈곤 가구 수의 격차가 2배이지만, 빈곤선의 정확한 크기는 알 수 없다.

② 2000년부터 갑국은 절대적 빈곤선과 상대적 빈곤선이 모두 높아졌다. (○)

③ 2005년 갑국과 을국의 절대 빈곤 가구 수는 동일하다. (×)
→ 갑국과 을국의 절대적 빈곤 가구 수 대비 상대적 빈곤 가구 수의 비율이 동일한 것이지 빈곤 가구 수가 동일한 것은 아니다.

④ 2010년 갑국에서 중위 소득 대비 최저 생계비의 비율은 50% 이상이다. (×)
→ 상대적 빈곤선이 절대적 빈곤선 이상이므로 최저 생계비는 50% 이하이다.

⑤ 을국은 빈부 격차가 꾸준히 개선되고 있다. (×)
→ 빈곤선의 움직임만 알 수 있다. 빈곤율의 변화는 알 수 없다.

10 절대적 빈곤율과 상대적 빈곤율   답 ⑤

모든 연도에서 상대적 빈곤율이 절대적 빈곤율보다 크다. 그러므로 상대적 빈곤선 금액이 절대적 빈곤선 금액보다 높다. 즉, 최저 생계비는 중위 소득의 50% 미만에 해당된다.

11 절대적 빈곤율과 상대적 빈곤율   답 ⑤

2010년에 상대적 빈곤선이 절대적 빈곤선보다 더 크므로 A는 상대적 빈곤율, B는 절대적 빈곤율이다. ㄱ. 2000년에는 절대적 빈곤율이 상대적 빈곤율보다 높아서 절대적 빈곤선이 상대적 빈곤선보다 컸다. 그런데 2005년에 절대적 빈곤율과 상대적 빈곤율이 같아졌으므로 상대적 빈곤선에 비례하는 중위 소득 증가율이 최저 생계비 증가율보다 크다는 점을 알 수 있다. ㄷ. A는 중위 소득의 50% 미만인 상대적 빈곤 가구에 해당하므로 전체 가구 소득 중에서 5% 미만의 소득을 점유한다. ㄹ. 상대적 빈곤율이 절대적 빈곤율보다 높으므로 상대적 빈곤선도 절대적 빈곤선보다 높다.

ㄴ. 2000년에 절대적 빈곤 가구는 모두 상대적 빈곤 가구에 속한다.
→ 절대적 빈곤율이 상대적 빈곤율보다 크므로 절대적 빈곤 가구가 상대적 빈곤 가구를 포함한다.

12 빈곤 갭   답 ④

빈곤 갭은 상대적 빈곤선 금액과 상대적 빈곤 가구들의 평균 소득과의 격차를 말하는데, 빈곤층이 빈곤에서 벗어나기 위해 얼마의 소득이 필요한지 보여 주는 지표이다. 빈곤층을 대상으로 한 재정 지원은 빈곤 갭의 격차를 좁히는 데 도움이 된다.

03   사회 복지와 복지 제도

01 ⑤	02 ④	03 ④	04 ③	05 ②	06 ⑤
07 ②	08 ⑤	09 ①	10 ②	11 ②	12 ②
13 ④	14 ④	15 (가): 공공 부조, (나): 사회 보험			
16 (가): 모든 국민, (나): 빈곤층의 개인적 책임 강조				17 해설 참조	
18 해설 참조		19 해설 참조			

01 사회 복지의 의미   답 ⑤

자유방임주의에 기초한 초기 자본주의 시대에는 빈곤과 같은 어려움의 책임이 개인에게 있다고 여겼기 때문에 빈민 구제도 민간의 자선 차원에서 이루어졌다.

02 베버리지 보고서의 의의   답 ④

베버리지 보고서에는 빈곤층뿐만 아니라 국민 전체를 대상으로 한 보편적 복지를 지향하는 내용이 담겨 있다. 베버리지 보고서의 내용을 정책으로 실현한 영국 정부는 빈곤층을 위한 최저 생활 수준 보장을 전체 국민이 마땅히 가져야 할 권리의 문제로 보아 국민의 생존권을 확보하였으며, 임금 노동자에 한정하였던 이전의 복지 제도를 전체 국민으로까지 확대하는 등 보편적 복지 제도의 기틀을 마련하였다.

03 사회 보험과 공공 부조의 특징   답 ④

(가)는 산업 재해 보상 보험으로 사회 보험, (나)는 기초 연금으로 공공 부조에 해당한다. 사회 보험은 미래의 위험에 대비하는 사전 예방적 성격을 지니며, 가입자 간 상호 부조의 성격을 지닌다. 공공 부조는 이미 발생한 어려움에 대한 사후 처방적 성격을 지니며, 국민들이 납부한 세금을 재원으로 하여 소득 및 재산이 일정 수준 이하인 계층에게 무상으로 지원하므로 소득을 재분배하는 효과가 크다. 사회 보험과 공공 부조는 모두 금전적 지원을 원칙으로 하는 사회 보장 제도이다.

04 사회 보험의 특징   답 ③

그림과 같이 기업, 정부, 그리고 보험 가입자(개인)가 함께 재원을 마련하고 사회적 위험이 발생했을 때 비슷한 수준의 급여를 받는 제도는 사회 보험이다. 사회 보험은 사전 예방적 성격을 지닌다.

정답을 찾아가는 셀파 - Tip

① 비금전적 지원을 원칙으로 한다. (×)
  → 사회 보험은 금전적 지원을 원칙으로 한다.
② 조세 수입으로 저소득층을 지원한다. (×)
  → 공공 부조에 대한 설명이다.
③ 미래의 위험에 대비하기 위한 제도이다. (○)
④ 수혜 정도에 따라 보험료를 차등적으로 납부한다. (×)
  → 경제적 능력에 따라 보험료를 차등적으로 납부한다.
⑤ 빈곤층의 자립과 자활을 촉진한다는 목적을 가지고 있다. (×)
  → 사회 보험은 빈곤층이 아닌 보험료 부담 능력이 있는 모든 국민을 대상으로 한다.

내 것으로 만드는 셀파 - Tip

▶ **사회 보험의 특징**
· 금전적 지원을 원칙으로 함.
· 사전 예방적 성격을 지님.
· 상호 부조의 원리를 기반으로 함.
· 강제 가입을 원칙으로 함.
· 원칙적으로 수혜 정도와 무관하게 각자의 능력에 따라 비용을 부담함.
· 비용은 사업주, 근로자 또는 자영업자가 부담하고, 국가도 일부 부담함.

05 맞춤형 급여 체계   답 ②

국민 기초 생활 보장 제도는 2015년에 맞춤형 급여로 새롭게 개편되었다. 개편 전에는 최저 생계비 단일 기준에 의한 포괄 지원이었으나, 개편 후에는 기초 생활 수급권자의 가구 여건에 맞는 지원을 하기 위하여 생계 급여, 의료 급여, 주거 급여, 교육 급여 등 급여별로 선정 기준을 다층화하였다.

정답을 찾아가는 셀파 - Tip

ㄴ. 개편 전에는 상대적 빈곤층을, 개편 후에는 절대적 빈곤층을 대상으로 하고 있다.
  → 개편 전에는 절대적 빈곤층을, 개편 후에는 상대적 빈곤층을 대상으로 하고 있다.
ㄷ. 개편 후 중위 소득의 43% 초과 50% 이하인 가구는 교육, 주거 급여의 수급권자가 된다.
  → 교육 급여만 받을 수 있다.

06 사회 서비스의 특징   답 ⑤

드림 스타트 사업은 사회 서비스의 일환이다. 사회 서비스의 경우에는 민간 부문이 복지 제공에 참여하기도 한다.

07 사회 보험의 특징   답 ②

산업 재해를 당하여 공단으로부터 요양 급여와 휴업 급여를 받았다는 점에서 산업 재해 보상 보험임을 알 수 있다. 산업 재해 보상 보험은 사회 보험에 속한다. 사회 보험은 강제 가입이 원칙이며, 개인의 부담 능력에 따라 보험료를 납부하고 사회적 위험이 발생하였을 때 비슷한 수준의 보험 급여를 지급하므로 소득 재분배 효과가 있다.

08 사회 보험과 공공 부조의 특징   답 ⑤

A는 공공 부조, B는 사회 보험에 해당한다. 사회 보험의 비용 부담 주체는 사업주, 근로자 또는 자영업자가 부담하고, 국가도 일부 부담한다. 수혜 대상자의 범위는 사회 보험이 공공 부조보다 크다.

09 사회 보험과 공공 부조의 특징   답 ①

(가)는 사회 보험, (나)는 공공 부조이다. 사회 보험은 강제 가입을 원칙으로 한다.

10 사회 보험과 민간 보험의 차이   답 ②

㉠은 사회 보험, ㉡은 민간 보험이다. 사회 보험은 국가가, 민간 보험은 기업이 운영하며, 사회 보험과 민간 보험 모두 가입한 사람이 일정 비용을 부담해야 한다.

11 복지 제도의 한계   답 ②

복지 제도를 운영하는 과정에서 부정 수급, 복지 사각지대, 사회적 수요 대비 복지 예산의 부족, 생산성과 효율성의 저하 등의 한계가 나타날 수 있다. ② 복지 정책이 강화되면 빈부 격차가 완화되는 효과가 있다.

12 복지 제도의 한계   답 ②

제시문을 통해 우리나라의 복지 수준이 낮고 국민의 세금 부담 역시 적다는 것을 알 수 있다. 따라서 복지 제도를 개선하기 위해서는 세금을 줄이는 것이 바람직한 해결책이 아니라 오히려 세금을 늘려야 한다. 성장은 둔화하고 복지 수요는 증가하는 현재 상황에서는 세금을 늘리는 것을 방법으로 해야 하는데, 그에 앞서 행정이 투명하고 세금 혜택이 나에게 돌아온다는 사회적 신뢰가 필요하다.

13 생산적 복지 답 ④

복지와 경제 성장이 양립 가능함을 전제로 근로 의욕을 강화하는 생산적 복지를 통해 취약 계층의 자립과 자활을 강조하는 글이다.

14 생산적 복지 답 ④

경제적 효율과 사회적 약자 보호를 동시에 강조하는 제3의 길은 개인의 자활 노력과 국가 복지를 연계하는 생산적 복지 이념에 해당한다.

서답형 문제

15 우리나라 사회 보장 제도의 유형
답 (가): 공공 부조, (나): 사회 보험

(가)는 노인 세대의 안정된 노후 생활을 지원하기 위하여 65세 이상인 노인 중 가구 소득 인정액이 선정 기준 이하인 노인에게 매월 연금을 지급하는 기초 연금으로 공공 부조에 해당한다. (나)는 실업 보험 사업을 비롯하여 고용 안정 사업과 직업 능력 사업 등을 통합적으로 실시하는 고용 보험으로 사회 보험에 해당한다.

16 복지 이념의 변화
답 (가): 모든 국민, (나): 빈곤층의 개인적 책임 강조

근대 사회에서는 빈곤의 책임이 개인에게 있다고 여기며, 여유 있는 사람들이 자선하는 시혜적인 방식으로 빈곤 문제를 해결하였다. 그러나 사회 복지의 개념이 발달한 현대 사회에서는 빈곤의 사회적 책임을 강조하며 모든 국민을 대상으로 복지 정책을 시행하고 있다.

17 복지병과 생산적 복지

모범 답안 | ⊙은 복지병이다. 이에 따라 최근에는 복지 정책의 방향이 개인의 자활 노력과 국가 복지를 연계하는 생산적 복지 또는 근로 복지로 바뀌고 있다.

주요 단어 | 복지병, 생산적 복지, 근로 복지

채점 기준	배점
복지병을 쓰고, 복지병의 해결 방안을 바르게 서술한 경우	상
복지병을 쓰고, 복지병의 해결 방안을 서술하였지만 미흡한 경우	중
복지병만 쓴 경우	하

18 공공 부조의 사례

모범 답안 | (1) 국민 기초 생활 보장 제도, 공공 부조
(2) 국민 기초 생활 보장 제도의 수급 대상은 소득이 일정 수준 이하인 저소득 계층이며, 급여 지급과 운영에 필요한 비용은 전액 국가 부담으로 이루어진다.

주요 단어 | 저소득 계층, 국가 부담

채점 기준	배점
제도의 수급 대상과 비용 부담 주체를 모두 바르게 서술한 경우	상
제도의 수급 대상과 비용 부담 주체를 서술하였지만 미흡한 경우	중
수급 대상 또는 비용 부담 주체 중 한 가지만 바르게 서술한 경우	하

19 생산적 복지의 사례

모범 답안 | 근로 장려 세제 지급 체계를 보면 모든 구간에서 근로자가 열심히 일하여 소득을 늘리면 가구의 소득과 근로 장려금의 총합이 커진다. 이를 통해 제도 수혜자에게 근로 유인을 제공하여, 경제적 생산성과 복지를 동시에 달성할 수 있다.

주요 단어 | 근로 유인, 생산성, 복지

채점 기준	배점
근로 장려 세제의 효과를 그래프 분석을 통해 서술한 경우	상
근로 장려 세제의 일반적 효과를 서술한 경우	하

도전 수능 문제 p. 159 ~ p. 161

01 ⑤	02 ⑤	03 ①	04 ⑤	05 ②	06 ①
07 ④	08 ④	09 ④	10 ①	11 ⑤	

01 우리나라 사회 보장 제도 답 ⑤

(가)는 국민 기초 생활 보장 제도, (나)는 국민연금 제도, (다)는 노인 장기 요양 보험 제도이다. (가)는 공공 부조, (나)와 (다)는 사회 보험에 해당한다. ⑤ 수혜자 비용 부담 원칙이 적용되지 않는 제도는 (가)이고, (가)는 남성 노인 인구 중 수급자 비율은 4.6%, 여성 노인 인구 중 수급자 비율은 7.0%로 여성 노인 수급자 비율이 더 높다.

정답을 찾아가는 셀파 - Tip

① (나)는 (다)와 달리 상호 부조 원리가 적용된다. (×)
→ (나), (다) 모두 상호 부조 원리가 적용된다.

② (다)는 (가)와 달리 사후 처방적 성격을 지닌다. (×)
→ 사후 처방적 성격이 강한 것은 (가)이다.

③ (가)~(다) 중 강제 가입 원칙이 적용되는 제도의 경우, 전체 노인 수급자 중에서 성별 비율은 남성이 여성의 2배 이상이다. (×)
→ 강제 가입 원칙이 적용되는 (나), (다)는 중복되는 경우도 있기 때문에, 전체 노인 수급자 중에서 남성이 여성의 2배 이상이 된다고 할 수 없다. 전체 노인 인구 수도 제시되지 않아 정확한 성별 노인 수급자를 파악할 수 없다.

④ (가)~(다) 중 소득 재분배 효과가 있는 제도의 경우, 남성 노인 인구 중에서 수급자 비율과 여성 노인 인구 중에서 수급자 비율은 모두 10% 미만이다. (×)
→ (가)~(다) 모두 소득 재분배 효과가 있다.

⑤ (가)~(다) 중 수혜자 비용 부담 원칙이 적용되지 않는 제도의 경우, 여성 노인 인구 중에서 수급자 비율이 남성 노인 인구 중에서 수급자 비율보다 높다. (○)

02 우리나라 사회 보장 제도 답 ⑤

⊙은 노인 장기 요양 보험 제도이고, ⓒ은 사회 보험이다. 사회 보험은 소득 재분배 효과가 있다.

03 우리나라 사회 보장 제도 답 ①

A는 공공 부조, B는 사회 보험, C는 사회 서비스이다. ① 사회 보험은 사전 예방적 성격이 강하나, 공공 부조는 사후 처방적 성격이 강하다. ② 대상자의 수혜 정도에 따른 비용 부담을 원칙으로 하는 것은 민간 보험 상품이다. ③ 강제 가입을 원칙으로 하는 것은 사회 보험이다. ④ 사회 보험, 공공 부조 모두 소득 재분배 효과가 있다. ⑤ 수혜 대상자의 범위가 가장 좁은 것은 공공 부조이다.

04 우리나라 사회 보장 제도 답 ⑤

A는 공공 부조, B는 사회 서비스, C는 사회 보험이다. ⑤ 공공 부조의 수혜 대상자는 빈곤층으로 사회 보험과 사회 서비스보다 대상자 범위가 작고, 공공 부조의 소득 재분배 효과는 사회 보험보다 크다.

정답을 찾아가는 셀파 - Tip

① A는 C보다 상호 부조의 성격이 강하다. (×)
→ 상호 부조의 성격이 강한 사회 보장 제도는 사회 보험이다.

② A, B 모두 수혜자 부담의 원칙이 적용된다. (×)
→ 공공 부조는 수혜자 부담의 원칙이 적용되지 않는다.

③ B는 빈곤층의 최저 생활 보장을 목적으로 한다. (×)
→ 빈곤층의 최저 생활 보장을 목적으로 하는 사회 보장 제도는 공공 부조이다.

④ B는 사전 예방, C는 사후 처방의 성격이 강하다. (×)
→ 사회 보험은 사전 예방적 성격이 강하다.

⑤ A는 B, C보다 수혜 대상자의 범위는 작고, 소득 재분배 효과는 크다. (○)

05 우리나라 사회 보장 제도 답 ②

② A가 사회 보험이면, (가)에는 '강제 가입을 원칙으로 하는가?'가 들어 갈 수 있다. 공공 부조와 사회 서비스와 달리 사회 보험은 강제 가입을 원칙으로 하기 때문이다.

정답을 찾아가는 셀파 - Tip

① A가 공공 부조이면, (가)에는 '금전적 지원을 원칙으로 하는가?'가 적절하다. (×)
→ 공공 부조는 물론 사회 보험 또한 금전적 지원을 원칙으로 하므로 (가)에는 해당 질문이 들어갈 수 없다.

② A가 사회 보험이면, (가)에는 '강제 가입을 원칙으로 하는가?'가 적절하다. (○)

③ A가 사회 서비스이면, (가)에는 '상호 부조의 성격이 강한가?'가 적절하다. (×)
→ 상호 부조의 성격이 강한 것은 사회 보험이므로 (가)에는 해당 질문이 들어갈 수 없다.

④ (가)가 '소득 재분배 효과가 가장 큰 제도인가?'이면, 기초 연금과 고용 보험은 각각 B, C 중 하나에 속한다. (×)
→ 소득 재분배 효과가 가장 큰 제도는 공공 부조이므로 B와 C에는 사회 보험과 사회 서비스에 해당하는 제도가 속한다.

⑤ (가)가 '상담, 재활, 사회 복지 시설 이용 등의 지원을 기본으로 하는가?'이면, B와 C의 대상자는 상호 배타적이다. (×)
→ (가)에 해당 질문이 들어가면, B와 C는 사회 보험과 공공 부조 중 하나이다. 기초 연금 수급자가 국민 건강 보험 대상자가 될 수 있으므로 사회 보험과 공공 부조의 대상자는 상호 배타적이지 않다.

06 우리나라 사회 보장 제도 답 ①

A는 사회 보험, B는 공공 부조이다. 사회 보험은 상호 부조의 원리를 기반으로 하며, 공공 부조가 사회 보험에 비해 소득 재분배 효과가 크다.

07 우리나라 사회 보장 제도 답 ④

㉠이 속한 유형은 공공 부조, ㉡이 속한 유형은 사회 보험이다. ④ 공공 부조와 사회 보험 모두 소득 재분배 효과가 나타난다.

정답을 찾아가는 셀파 - Tip

① ㉠이 속한 유형은 사전 예방적 성격이 강하다. (×)
→ 공공 부조는 사후 처방적 성격이 강하다.

② ㉡이 속한 유형은 수혜 정도에 따라 비용을 부담한다. (×)
→ 사회 보험은 경제적 능력에 따라 비용을 부담한다.

③ ㉡이 속한 유형은 ㉠이 속한 유형과 달리 임의 가입이 원칙이다. (×)
→ 공공 부조는 국가와 지방 자치 단체의 책임하에 생활을 유지할 능력이 없거나 생활이 어려운 국민을 선정하는 것이며, 사회 보험은 강제 가입이 원칙이다.

④ ㉠, ㉡이 속한 유형 모두 소득 재분배 효과가 나타난다. (○)

⑤ ㉠, ㉡이 속한 유형 모두 비용 부담자와 수혜자가 일치한다. (×)
→ 공공 부조는 비용 부담자와 수혜자가 일치하지 않는다.

08 생산적 복지 제도 답 ④

희망 키움 통장 제도는 근로와 복지를 연계한 생산적 복지를 실현하기 위한 제도이다.

09 우리나라 사회 보장 제도 답 ④

A는 공공 부조, B는 사회 보험이다. ④ 사회 보험은 수혜 정도와 무관하게 소득 수준 등 부담 능력에 따라 비용을 부담한다.

10 생산적 복지 제도 답 ①

A국과 B국 정부 모두 근로를 조건으로 복지 혜택을 제공하고 있다. 이는 복지 수혜자의 자활 노력을 복지와 연계하고자 하는 노력이다.

11 우리나라 사회 보장 제도 답 ⑤

(가)는 사회 서비스, (나)는 사회 보험, (다)는 공공 부조이다. ㄱ. 2014년에 소득 재분배 효과가 가장 큰 제도, 즉 공공 부조의 수혜자는 60%이다. 비금전적 지원이 원칙인 사회 서비스 제도의 수혜자는 12%이다. 따라서 두 제도의 수혜자 수는 5배 차이가 난다. ㄴ. 수혜 정도와 무관하게 능력에 따른 비용 부담이 원칙인 제도는 사회 보험으로, 2015년 사회보험 수혜자 중 남자는 55%, 여자는 45%로 남자가 더 많다. ㄷ. 상호 부조의 원리에 기반을 둔 제도는 사회 보험이고, 최저 생활 보장을 목적으로 하는 제도는 공공 부조이다. 2015년 65세 이상 인구는 2014년 10,000명에서 -5% 증가하였으므로 9,500명이다. 이를 기준으로 수혜자 비율을 각각 계산하면 사회 보험의 여자 수혜자 수와 공공 부조의 남자 수혜자 수는 1,710명으로 동일하다. ㄹ. 강제 가입이 원칙인 제도는 사회 보험이다. 2014년 사회 보험 여자 수혜자 수는 1,680명, 2015년 여자 수혜자 수는 1,710명으로 2015년이 더 많다.

V 현대의 사회 변동

01 사회 변동과 사회 운동

탄탄 내신 문제
p. 170 ~ p. 174

01 ③	02 ①	03 ①	04 ③	05 ⑤	06 ②
07 ③	08 ②	09 ⑤	10 ②	11 ②	12 ⑤
13 ④	14 ⑤	15 (나)	16 신사회 운동		
17 개혁적 사회 운동		18 해설 참조		19 해설 참조	

01 사회 변동의 특성　　답 ③

사회 변동은 인간의 생활 방식, 의식 구조, 사회적 관계, 사회 구조 등이 총체적으로 변화하는 현상을 의미한다. 사회 변동은 사회마다 그 속도나 방향에서 차이가 있지만 어느 사회에서나 찾아볼 수 있는 보편적인 현상이다.

정답을 찾아가는 셀파 - Tip

ㄱ. 현대 사회에서의 사회 변동 속도는 과거에 비하여 느려졌다.
　→ 현대 사회에서의 사회 변동 속도는 과거보다 훨씬 빨라졌다.
ㄹ. 자연환경의 변화는 인간의 의지가 개입되지 않았으므로 사회 변동의 요인에 해당하지 않는다.
　→ 자연환경의 변화도 사회 변동의 요인으로 작용할 수 있다.

02 사회 변동의 특성　　답 ①

제시문은 현대 사회로 올수록 사회 변동 속도가 빨라지고 있음을 설명하고 있다. 현대 사회는 과학 기술과 교통·통신의 발달로 변동 속도가 더욱 빨라지고 있다.

03 사회 변동의 요인　　답 ①

제시문에서는 농촌의 젊은이들이 도시로 이주하는 이촌 향도 현상으로 인한 사회 변동을 보여 주고 있다. 이는 인구의 변화에 따른 사회 변동이다.

내 것으로 만드는 셀파 - Tip

▶ 사회 변동 요인

과학과 기술의 발달	• 증기 기관의 발명으로 대량 생산이 가능하게 되어 산업화가 촉진됨. • 정보 통신 기술의 발전이 정보 사회로의 변화를 촉발함.
가치관과 이념의 변화	• 계몽사상이나 천부 인권 사상은 시민 혁명이 일어나는 데 영향을 끼침. • 프로테스탄트 윤리는 자본주의 발전을 촉진시킴.
인구의 변화	• 외국인의 유입이 증가하면서 다문화 사회로 변화함. • 노인 인구 비중이 늘어나면서 사회 정책과 산업 구조 등이 변화함.
자연환경의 변화	기후 변화가 진행되면서 친환경적인 생활 양식이 확산함.
사회 운동	참정권 확대 운동으로 보통 선거제가 확립됨.

04 사회 변동 이론　　답 ③

제시문은 진화론에 해당한다. 진화론에서는 사회가 단순하고 미분화된 상태에서 복잡하고 분화한 상태로 발전한다고 본다.

정답을 찾아가는 셀파 - Tip

① 점진적인 사회 변동을 설명하는 데 유용하다. (×)
　→ 기능론
② 사회는 생명을 가진 유기체와 마찬가지로 순환한다. (×)
　→ 순환론
③ 사회는 미분화된 상태에서 복잡한 상태로 발전한다고 본다. (○)
④ 현대 사회가 과거 사회보다 모든 면에서 우월하다고 보지 않는다. (×)
　→ 순환론
⑤ 사회 변동을 갈등과 대립의 산물로만 이해한다는 비판이 존재한다. (×)
　→ 갈등론

05 사회 변동 이론　　답 ⑤

제시문에 나타난 관점은 순환론이다. '서로 다른 유형의 엘리트가 번갈아가며 인류 역사를 주도한다.'는 시각은 지난 역사 속에서 반복되는 사회 변동을 설명하는 방식이다. 순환론은 사회가 생명을 가진 유기체와 마찬가지로 생성, 성장, 쇠퇴, 해체를 반복한다고 보기 때문에 지난 역사 속에서 반복되는 사회 변동을 설명하고 해석하는 데 유용하다. 하지만 앞으로의 사회 변동을 예측하고 대응하기에는 적합하지 않다는 비판을 받는다.

내 것으로 만드는 셀파 - Tip

▶ 사회 변동의 방향을 설명하는 이론

이론	특성
진화론	• 사회 변동은 일정한 방향을 가짐. • 사회 변동이 곧 진보를 의미하며 긍정적인 것임. • 사회는 단순하고 미분화된 상태(낡고 비합리적인 것)에서 복잡하고 분화된 상태(새롭고 합리적인 것)를 향하여 변화함. • 현대 사회가 과거 사회보다 모든 면에서 발전된 것은 아니며, 퇴보한 사회를 설명할 수 없음.
순환론	• 사회 변동은 순환(생성, 성장, 쇠퇴, 해체)함. • 사회의 발전과 쇠퇴 가능성까지 설명하고, 지난 역사의 반복되는 사회 변동을 설명하기에 유리함. • 미래 사회의 변동을 예측하는 데 적합하지 않고, 숙명론에 빠져 인간의 노력을 과소평가한다는 비판이 있음.

06 사회 변동 이론　　답 ②

정답을 찾아가는 셀파 - Tip

ㄴ. B가 순환론이면, (나)에는 '서구 중심적이라는 비판을 받는가?' 질문이 들어갈 수 있다.
　→ 서구 중심적이라는 비판을 받는 이론은 진화론이다.
ㄷ. (가)가 '사회 발전 양상을 설명하는 데 유용한가?'이면, A는 순환론이다.
　→ 사회 발전 양상을 설명하는 데 유용한 이론은 진화론이다.

07 사회 변동 이론　　　　답 ③

(가)는 기능적 불균형을 조정하는 과정에서 사회 변동이 나타난다고 보는 기능론이다. (나)는 갈등과 마찰을 극복하면서 균형의 상태를 찾아간다고 보는 갈등론이다.

▶ 사회 변동에 대한 구조적인 관점

이론	특성
기능론	• 사회는 통합과 안정을 추구하며 유기체와 같이 균형을 유지하고자 함. • 사회 변동은 일시적으로 불균형한 상황을 극복하고 사회 구조가 다시 안정을 찾는 과정임. • 점진적인 사회 변동을 설명하기에 유리하나 전쟁, 혁명 등 급진적인 변화를 설명할 수 없음.
갈등론	• 사회는 지배 집단이 기득권을 유지하려는 것에 대한 피지배 집단의 도전이 나타나는 구조이므로 갈등이 항상 존재함. • 사회적 희소가치를 둘러싼 집단 간의 갈등 속에서 사회 변동은 자연스럽게 나타남. • 급격한 사회 변동을 설명하는 데 유리하지만 사회 변동을 갈등과 대립의 산물로만 간주함.

08 사회 변동 이론　　　　답 ②

갑은 '역할 분화가 가족 통합의 토대가 되었다.'고 보므로 균형과 안정을 강조하는 기능론적 관점에서 부부의 역할 변화를 해석하고 있다. 반면, 을은 '남성 지배적인 가치'를 언급하므로 갈등론적 관점에서 역할 변화를 해석하고 있다. 갑과 을 모두 진화론적 관점이나 순환론적 관점 여부를 파악할 수 없다.

산업화 과정에서 나타난 남편과 아내의 역할 분화는 가족 통합의 토대가 되었어요.
→ 기능론적 관점

산업화 이후 나타난 부부간 역할 변화를 어떻게 볼 수 있을까요?

산업화 과정에서의 성 역할 분담은 기존의 남성 지배적인 가족 관계와 가치를 그대로 반영한 것이라고 봅니다.
→ 갈등론적 관점

갑　　사회자　　을

09 사회 변동 이론　　　　답 ⑤

(가)는 기능론, (나)는 갈등론이다. 기능론은 점진적인 사회 변동을 설명하는 데 유리하지만, 급격한 사회 변동을 설명하기에는 한계가 있다. 갈등론은 급격한 사회 변동을 설명하기에는 유리하지만, 사회 통합이나 사회 구성 요소 간 상호 의존성을 설명하는 데 한계가 있다.

〈수행평가〉

◎ 문제: 사회 변동을 설명하는 이론 (가), (나)를 비교하여 설명하시오. (단, (가), (나)는 각각 기능론과 갈등론 중 하나이다.)

이론 질문	기능론 (가)	갈등론 (나)
사회가 균형을 이루면서 안정적으로 유지된다고 전제합니까?	예	아니요
사회가 강제와 억압으로 유지된다고 전제합니까?	아니요	예

◎ 답: (가)는 ⊙ 지배 집단이 기득권을 유지하려고 하지만 피지배
　　　→ (가)는 기능론이 맞지만 갈등론의 입장을 서술하였다.
집단이 이에 도전하여 불평등한 구조를 변화시키려고 하는 과정
에서 사회 변동이 발생한다고 보는 기능론이다. 이 이론은 ⓒ 사
회 변동을 긍정적이고 유익한 것으로 보며, ⓒ 문명의 흥망성쇠
　　　　　　　　　　　　　　　　　　　→ 진화론에 대한 설명이다.
를 확인하고 설명하는 데 유용하다. (나)는 ② 사회를 구성하는
　　　　　　　　　　　　　　　　→ 순환론에 대한 설명이다.
부분들 간에 불균형이 발생하면 이를 조정하는 과정에서 사회
　　　　　　　　　　　　　　　→ (나)는 갈등론이 맞지만, 기능론의 입장을 서술하였다.
변동이 발생한다고 보는 갈등론이다. 이 이론은 ⑩ 급격한 사회
변동을 설명하기에는 유리하지만, 사회 통합을 설명하는 데 한
계가 있다.

10 사회 운동의 의미　　　　답 ②

(가)는 사회 운동에 대한 설명이고, (나)는 국제 시민 단체로서 비정부 기구에 해당한다.

▶ 사회 운동

의미	사회 문제를 해결하거나 사회 체제를 근본적으로 변혁하기 위하여 대중이 자발적으로 하는 집단적이고 지속적인 행위
특징	뚜렷한 목표, 목표를 달성하기 위한 구체적인 활동 방법, 목표와 활동 방식을 정당화하는 이념, 체계적인 조직
양상	전통적 사회 운동: 경제적 불평등이나 노동 문제 해결을 목적으로 하는 사회 운동 → 신사회 운동: 시민들의 다양한 요구를 충족하고 대안적인 가치를 제시하는 운동

11 사회 운동의 의미　　　　답 ②

6월 민주 항쟁은 우리나라의 대표적인 민주화 운동으로, 민주주의 정치 질서가 자리 잡는 데 큰 기여를 하였다. 사회 운동은 구체적인 사회 문제를 해결하거나 사회 체제를 근본적으로 변화시키기 위하여 대중이 자발적으로 하는 집단적이고 지속적인 행위를 말한다. 일반적으로 사회 운동은 사회 구성원들이 뚜렷한 목표를 가지고 이를 달성하기 위한 구체적인 계획이 존재한다. 우발적이고 일시적인 움직임이 아닌, 구성원들 간의 비교적 지속적인 상호 작용이 이루어지고 체계적인 조직과 공식적 역할 분담이 나타나는 경우가 많다.

12 신사회 운동

답 ⑤

기존의 사회 운동은 경제적 불평등이나 노동 문제 해결을 목적으로 하였지만, 신사회 운동은 환경, 평화, 여성, 반핵 등 기존의 사회 운동에서 볼 수 없었던 영역에서 새롭게 등장한 사회 운동이다.

13 사회 운동의 특성

답 ④

사회 구성원들이 우발적으로 집단 행위를 하는 것은 사회 운동으로 보기 어렵다. 사회 운동은 일반적으로 뚜렷한 목표를 가지고, 의식적이고 조직적인 활동을 하는 것을 일컫기 때문이다. 대부분의 사회 운동은 기존 질서의 변동을 목적으로 하지만 복고적(반동적) 사회 운동처럼 기존의 질서를 유지하기 위한 사회 운동도 있다.

14 사회 운동의 영향

답 ⑤

제시된 사례들을 통해 사회 운동이 바람직한 방향으로 사회 변동을 촉진하여 사회 발전에 기여할 수 있다는 추론이 가능하다.

자료를 분석하는 셀파 - Tip

• 우리나라의 4·19혁명(1960년), 5·18 민주화 운동(1980년)은 민주주의 정치 질서가 자리 잡는 데 크게 기여하였다.
  → 4·19 혁명, 5·18 민주화 운동이 민주화라는 사회 변동을 이끌어 냈다.
• 케냐의 환경 운동가인 왕가리 마타이는 1977년 환경 단체를 창설하여 아프리카 전역에서 나무 심기 운동을 전개하여 생태계를 회복하고, 인권과 민주화 운동에도 힘써 여성 및 빈곤층의 삶의 질을 개선하였다.
  → 나무 심기 운동과 인권 운동, 민주화 운동이 생태계 회복과 여성 및 빈곤층의 삶의 질 개선을 가져왔다.

서답형 문제

15 사회 변동 이론

답 (나)

(가)는 진화론, (나)는 순환론과 관련한 그래프이다. 진화론은 사회가 일정한 방향으로 변동한다고 본 반면, 순환론은 사회가 생성, 성장, 쇠퇴, 해체를 반복한다고 보았다.

16 신사회 운동

답 신사회 운동

신사회 운동은 시민들의 다양한 요구를 충족하고 대안적인 가치를 제시하는 운동이다.

17 사회 운동의 유형

답 개혁적 사회 운동

기존 사회 질서에 만족하지만 부분적으로 개혁이 필요할 때 발생하는 사회 운동을 개혁적 사회 운동이라고 한다.

18 사회 변동 이론

모범 답안 | (1) 진화론
(2) 현대 사회가 과거 사회보다 모든 면에서 발전된 것이라고 볼 수 없다. 과거에 비해 퇴보한 사회의 변동 과정을 설명하기 어렵다. 서구 중심적이라는 비판을 받는다.

주요 단어 | 발전, 퇴보, 변동 과정, 서구 중심적

채점 기준	배점
진화론의 한계점 두 가지를 정확하게 서술한 경우	상
진화론의 한계점 한 가지를 정확하게 서술한 경우	하

19 사회 변동 이론

모범 답안 | (1) 기능론. 사회 문제인 농촌 총각이나 노동력 부족 문제를 외국인 유입으로 해결하여 사회의 균형과 안정을 되찾으려 한다는 점에서 기능론으로 볼 수 있다.
주요 단어 | 기능론, 사회 문제, 농촌 총각, 노동력 부족, 외국인, 사회 균형, 안정

채점 기준	배점
기능론을 쓰고, 그 이유를 올바른 근거를 바탕으로 서술한 경우	상
기능론을 쓰고, 그 이유를 썼지만 근거가 부족한 경우	중
기능론만 쓴 경우	하

(2) 급격한 사회 변동을 설명하는 데 적합하지 않다.
주요 단어 | 급격, 사회 변동

채점 기준	배점
기능론의 한계점을 정확하게 서술한 경우	상
기능론의 한계점을 서술하였으나 미흡한 경우	하

도전 수능 문제

p. 175 ~ p. 177

01 ②	02 ⑤	03 ①	04 ⑤	05 ③	06 ①
07 ②	08 ④	09 ③	10 ③	11 ④	12 ⑤

01 사회 변동의 요인

답 ②

제시문에서는 냉장고의 보급으로 가정 내에서 음식을 오랜 기간 보존할 수 있게 되었고, 텔레비전의 보급으로 흥미 있는 오락이 가정에 도입되었다고 설명한다. 이를 통해 기술의 발전으로 냉장고와 텔레비전이 도입되어 사회 변동이 나타났음을 추론할 수 있다.

02 사회 변동의 요인

답 ⑤

사회 변동은 과학과 기술의 발전, 가치관과 이념의 변화, 인구 변화, 자연환경의 변화, 사회 운동 등으로 발생한다. 제시문에서는 프로테스탄트 윤리의 자본주의 정신이 자본주의 문화의 탄생이라는 사회 변동을 일으켰음을 설명하고 있다.

03 사회 변동 이론

답 ①

(가)는 진화론, (나)는 순환론이다. 진화론은 사회 변동을 진보로 인식한다. 하지만 현대 사회가 과거 사회보다 모든 면에서 발전된 것이라고 볼 수 없다는 점에서 한계가 있다.

① (가)는 사회 변동이 항상 진보를 의미하지는 않는다는 점을 간과한다. (○)

② (나)는 사회가 이전보다 복잡하고 분화된 모습으로 변동한다고 본다. (×)
→ (가)에 대한 설명이다.

③ (가)는 (나)와 달리 미래의 사회 변동에 대한 역동적 대응이 곤란하다는 비판을 받는다. (×)
→ 미래의 사회 변동에 대한 역동적 대응이 곤란하다는 비판을 받는 이론은 (나)이다.

④ (나)는 (가)와 달리 사회 변동을 긍정적으로 본다. (×)
→ (가)는 사회 변동을 긍정적으로 본다.

⑤ (가), (나) 모두 특정 국가의 지속적인 저발전 상태를 설명하는 데 적합하다. (×)
→ (가), (나)와 관련이 없는 설명이다.

04 사회 변동 이론　　　　답 ⑤

A는 사회가 항상 발전하는 것은 아니라고 보므로 사회의 발전과 쇠퇴를 모두 설명하는 순환론에 해당한다. 순환론은 사회 변동에는 일정한 주기가 있다고 보기 때문에 지난 역사 속에서 반복된 사회 변동을 설명하기 용이하다.

05 사회 변동 이론　　　　답 ③

갑의 관점은 진화론, 을의 관점은 순환론에 해당한다.

ㄱ. 갑의 관점은 사회 변동을 비관적으로 바라본다.
→ 진화론은 사회 변동을 낙관적으로 바라본다.

ㄹ. 을의 관점은 갑과 달리 모든 발전은 곧 서구화임을 전제로 하여 제국주의의 지배를 정당화한다.
→ 모든 발전의 방향성을 서구 사회에 맞추어서 비판을 받는 관점은 진화론이다.

06 사회 변동 이론　　　　답 ①

A는 진화론, B는 순환론이다.

ㄷ. A, B 모두 사회 변동을 비관적으로 바라본다.
→ 진화론은 사회 변동을 긍정적으로 본다.

ㄹ. A는 B와 달리 사회 변동이 항상 발전을 의미하지는 않는다고 본다.
→ 진화론은 사회 변동을 진보와 발전이라고 본다.

07 사회 변동 이론　　　　답 ②

(가)는 '사회 제도와 기능이 분화되어 복잡성이 증대되는 방향으로 사회가 변동한다.'고 서술하므로 진화론에 해당하고, (나)는 '성쇠가 주기적으로 반복된다.'고 서술하므로 순환론에 해당한다. 진화론은 사회 변동이 반드시 진보로 나아가는 방향이 아닐 수 있다는 점을 간과했다는 한계점이 있다.

08 사회 변동 이론　　　　답 ④

④ (가)에 해당 질문이 들어가면 A는 기능론, B는 갈등론이다.

① A가 기능론이면, (가)에는 '사회는 새로운 균형을 찾으려는 방향으로 변화가 나타나는가?'가 적절하다. (×)
→ A가 기능론이면, 해당 질문은 (나)에 들어가는 것이 적절하다.

② B가 갈등론이면, (나)에는 '사회 변동은 불평등한 구조를 변화시키려고 하는 과정에서 발생하는 것인가?'가 적절하다. (×)
→ B가 갈등론이면, 해당 질문은 (가)에 들어가는 것이 적절하다.

③ (가)가 '사회 구성 요소 간 상호 의존성을 설명하는 데 한계가 있나?'이면, B는 기능론이다. (×)
→ (가)에 해당 질문이 들어가면 B는 갈등론이다.

④ (가)가 '급격한 사회 변동을 설명하는 데 유용한가?'이면, (나)에는 '사회 질서와 안정을 강조하는 보수적인 관점인가?'가 적절하다. (○)

⑤ (다)에는 사회 변동 방향을 기준으로 사회 변동을 설명하는 이론인가?'가 적절하다. (×)
→ (다)에는 '사회 변동을 설명하는 구조적 이론인가?'가 적절하다.

09 사회 변동 이론　　　　답 ③

갑은 기능론, 을은 갈등론에 해당한다. 갈등론은 사회 변동을 사회적 희소가치를 둘러싼 집단 간의 갈등 속에서 나타나는 자연스러운 현상으로 본다.

① 갑의 관점은 사회는 발전과 퇴보를 반복한다고 본다. (×)
→ 사회가 발전과 퇴보를 반복한다고 보는 이론은 순환론이다.

② 갑의 관점은 을의 관점과 달리 사회 변동을 갈등과 대립으로만 이해한다. (×)
→ 사회 변동을 갈등과 대립으로만 이해하는 관점은 갈등론이다.

③ 을의 관점은 사회가 변동하는 것을 자연스러운 현상으로 본다. (○)

④ 을의 관점은 갑의 관점과 달리 급격한 사회 변동을 설명하기 어렵다는 한계가 있다. (×)
→ 급격한 사회 변동을 설명하기 어려운 관점은 기능론이다.

⑤ 갑과 을의 관점은 사회 변동 방향을 기준으로 사회 변동을 설명하는 이론이다. (×)
→ 기능론과 갈등론은 사회 변동을 설명하는 구조적 이론에 해당한다.

10 사회 변동 이론　　　　답 ③

ㄱ. (가)가 '사회 변동이 일정한 방향을 가지고 있나?'라면, A는 B와 달리 문명의 성장과 쇠퇴를 이해하는 데 유용하다.
→ (가)에 해당 질문이 들어가면 A는 진화론, B는 순환론이다. 문명의 성장과 쇠퇴를 이해하는 데 유용한 이론은 순환론이다.

ㄹ. D가 갈등론이면, (나)에는 '사회 속에 존재하는 협력과 안정을 경시한다는 비판을 받나?'가 적절하다.
→ (나)에 해당 질문이 들어가면 D는 기능론이다.

11 사회 운동　　　　답 ④

〈수행평가〉

◎ 문제: 다음은 사회 운동에 대한 설명이다. 옳은 설명은 ○, 옳지 않은 설명은 ×로 표시하시오. (맞으면 1점, 틀리면 0점)

설명	답안
모든 사회 운동은 사회 체제를 근본적으로 변혁하려는 노력에서 출발한다. → 사회 운동 중에는 위정척사 운동과 같이 기존의 사회 질서를 지키려는 운동도 있다.	×
사회 운동은 사회 변동을 달성 또는 제지하려는 인간의 의식적인 노력이다.	○
우리나라의 민주화 운동은 사회 운동에 해당한다.	○
사회 운동은 항상 사회 전체의 이익을 향상시키고 공동체의 삶에 긍정적 영향을 가져온다. → 사회 운동이 바람직하지 않은 목표나 이념을 추구하면 사회 전체의 이익을 저해하거나 공동체의 삶에 위험을 가져오기도 한다.	×

12 사회 운동   답 ⑤

사회 운동의 성립 요건으로는 뚜렷한 목표, 지속적인 행동, 체계적인 조직의 운영 등이 있다. 제시문은 노동 운동에 대한 설명이다. 노동 운동은 노동자의 권익 향상이라는 뚜렷한 목표와 이를 실천하기 위한 계획이 존재하고 있고, 일시적인 집단행동이 아닌 지속적인 행동에 해당한다. 체계적인 조직을 창설했기 때문에 구성원 간의 상호 작용이 지속성을 가지고 있을 것이다.

02   저출산·고령화와 다문화적 변화

01 ③	02 ③	03 ③	04 ②	05 ④	06 ①
07 ⑤	08 ①	09 ④	10 ③	11 ③	12 ③
13 ㄴ, ㄷ	14 해설 참조		15 해설 참조		

01 저출산 현상의 원인   답 ③

저출산 현상은 결혼과 출산에 대한 가치관의 변화, 자녀 양육에 따른 경제적 부담 증가, 여성의 사회 진출 증가 등으로 인해 나타난다. ㄱ은 고령화로 인한 변화이고, ㄹ은 고령화의 원인이다.

02 저출산·고령화의 영향   답 ③

그래프는 우리나라의 저출산·고령화 현상을 보여 주고 있다.

ㄱ. 우리나라는 2015년에 초고령 사회에 진입하였다.
　→ 초고령 사회는 노인 인구 비율이 전체 인구의 20% 이상인 사회이다.
ㄹ. 사회적 의사 결정 과정에서 노인층의 영향력이 줄어들 것이다.
　→ 노인층의 영향력이 증대될 것이다.

03 고령화의 영향   답 ③

고령화로 인해 청장년층의 노인 인구 부양 부담이 증가할 것이다.

▶ **저출산·고령화의 영향**
• 생산 가능 인구의 감소에 따른 노동력 부족 및 소비 위축 → 국민 경제의 성장 둔화
• 부양 인구 감소 → 복지 지출 증가로 인한 정부의 재정 건전성 악화 및 부양 부담을 둘러싼 세대 간 갈등 심화
• 인구 및 산업 구조의 변화 → 노인층을 대상으로 한 새로운 산업의 성장
• 사회적 의사 결정 과정에서 노인층의 영향력이 증대됨.
• 노후 소득 감소로 인한 노인 빈곤 문제 발생

04 고령화의 영향   답 ②

노인 부양비가 지속적으로 증가하고 인구 구성비에서 노인 인구의 비중이 늘어나고 있으므로 고령화 현상이 나타남을 파악할 수 있다. 고령화에 따라 노인층을 대상으로 하는 실버산업이 성장할 것이라고 추론할 수 있다.

① 인구가 급격하게 증가할 것이다. (×)
　→ 그래프를 통해 알 수 없다.
② 노인층을 대상으로 하는 실버산업이 성장할 것이다. (○)
③ 기대 수명이 증가하면서 노후 소득이 증가할 것이다. (×)
　→ 노후 소득이 증가할 것이라는 것은 그래프를 통해 추측할 수 없다.
④ 사회적 의사 결정 과정에서 30대의 영향력이 증대될 것이다. (×)
　→ 노인층의 영향력이 증대될 것이다.
⑤ 사회 복지 지출 감소로 인하여 정부의 재정 건전성이 악화될 것이다. (×)
　→ 노인을 대상으로 한 사회 복지 지출이 증대할 것이다.

05 저출산의 대응 방안   답 ④

주거 대책, 출생에 관한 사회적 책임 실현, 돌봄 확대, 아이 키우기 좋은 환경 등과 같은 제도는 저출산 현상을 해결하기 위한 대책으로 제시된 것이다.

▶ **저출산·고령화의 대응 방안**

제도적 측면	• 출산 장려 정책: 출산과 양육에 대한 사회적 책임 강화, 일·가정 양립을 위한 제도적 지원 강화 등 • 고령화 대비 정책: 노인의 재취업 기회 확대, 여성의 노동 시장 참여 유도, 고령 친화 사업 육성, 노후 소득 보장을 위한 연금 제도 개선, 외국인 노동자 수용 확대 등
개인적 측면	• 육아에 대한 책임이 부부 모두에게 있음을 인식함. • 고령화에 대비한 개인의 자산 관리 등

06 고령화 현상   답 ①

신문은 우리나라 고령화 현상을 보여 주고 있다. 고령화의 원인으로는 생활 수준의 향상, 의료 기술의 발전으로 인한 기대 수명 증가, 저출산 등이 있다. 고령화 현상은 노후 소득을 확보하지 못한 노인 빈곤 문제, 보건 의료비 지출 증가, 노인 부양 책임을 둘러싼 세대 간 갈등 등의 문제가 일어날 수 있다.

07 다문화 사회의 의미   답 ⑤

그래프에서 우리나라에 거주하는 외국인 수가 증가하고 있음을 알수 있다. 다양한 문화적 배경을 지닌 사람들이 공존하는 사회를 다문화 사회라고 한다.

08 다문화적 변화에 따른 과제   답 ①

제시문에서 한국인들이 선진국 출신 남성과 개발 도상국 출신 남성을 차별적으로 대우하고 있음을 알 수 있다. 이는 이주민의 국가와 문화에 대한 편견을 바탕으로 한 것이며, 인간의 존엄성을 훼손하고 사회 통합을 저해하므로 사회 구성원을 대상으로 한 다문화 교육을 실시하는 것이 필요하다.

09 다문화적 변화에 따른 과제   답 ④

그림에서 외국인 여성과 다른 가족 구성원 간의 문화 차이로 인한 갈등이 발생하고 있음을 알 수 있다. 이주민 며느리의 출산과 관련된 문화를 존중하거나 파악하지 못하였다. 이를 해결하기 위해서는 다문화 가정 내 의사소통이 원활하게 이루어질 수 있도록 다문화 수용성을 높이는 교육 프로그램 운영이 필요하다.

10 저출산 및 다문화적 변화에 따른 대응 방안   답 ③

(가)는 맞벌이 부부가 양육의 어려움으로 인해 출산을 포기하는 문제를 해결하기 위하여 등장한 정책이다. (나)는 다문화 사회에서 사회 통합을 이루고자 등장한 정책이다. ㄴ. 양질의 일자리 확대 및 신혼부부에 대한 지원 강화, 맞춤형 돌봄 운영 강화를 통한 맞벌이 부부의 양육 도움 제공 모두 저출산 현상을 해결하기 위한 제도적 노력에 해당한다. ㄷ. (나)는 「다문화 가족 지원법」에 대한 설명이다.

11 다문화 정책   답 ③

동화주의 관점, 혹은 용광로 관점은 사회 주류 문화의 유지와 존속이 더 중요하므로 이주민의 문화적 다양성보다는 기존 주류 문화로의 편입을 더 강조한다. 이에 해당하는 관점은 갑, 병이다.

내 것으로 만드는 셀파 - Tip

▶ **다문화 사회에서의 통합을 바라보는 관점**

동화주의 관점 (용광로 관점)	문화 다원주의 관점 (샐러드 볼 관점)
• 이주민들이 주류 문화에 통합되기를 요구하며 해당 사회의 언어, 역사 등을 배워야 한다고 봄. • 다양한 소수 문화에 대한 차별 우려가 있음.	• 이주민들의 다양한 문화를 모두 존중해야 한다고 봄. • 주류 문화를 인정하지 않는다는 비현실적인 측면이 있음. • 동화주의적 관점에 비해 사회적 연대감이 떨어짐.

12 다문화 정책   답 ③

갑은 동화주의 관점, 을은 문화 다원주의 관점이므로, 갑은 주류 문화인 한국어 교육을 하는 데 찬성할 것이다. 을은 다양한 문화를 존중하는 방향에 기반한 정책 운영에 찬성할 것이다. ㄷ. 갑은 통합 교육에 찬성할 것이고, 을은 반대할 것이다.

서답형 문제

13 고령화의 영향   답 ㄴ, ㄷ

ㄱ. 부양 인구는 부양 부담을 지는 인구로, 고령화에 따라 부양 인구는 감소할 것이다. ㄹ. 사회 복지 지출 부담이 증가할 것이다.

14 저출산 현상

모범 답안 | (1) 저출산

(2) 출산 보조금과 양육 수당 지급, 국공립 어린이집 개설, 청년 일자리 및 신혼부부 주거 문제 해결, 출산과 육아에 대한 친화적인 기업 문화 조성 등

주요 단어 | 출산 보조금, 양육 수당, 일자리 지원, 주거 문제 해결, 육아 친화적인 기업 문화

채점 기준	배점
저출산 현상을 해결하기 위한 대책 두 가지를 정확하게 서술한 경우	상
저출산 현상을 해결하기 위한 대책 한 가지를 정확하게 서술한 경우	하

15 다문화적 변화

모범 답안 | 사회 구성원 전체를 대상으로 한 다양한 다문화 교육 기회를 제공한다. 이주민이 겪는 차별을 해결하고 인권을 보호하기 위한 법을 마련한다.

주요 단어 | 다문화 교육, 차별 해결, 인권 보호, 법 마련

채점 기준	배점
제시된 사회 현상을 해결하기 위한 제도적 노력을 정확하게 서술한 경우	상
제시된 사회 현상을 해결하기 위한 제도적 노력을 서술하였으나 미흡한 경우	하

도전 수능 문제   p. 184 ~ p. 185

01 ⑤	02 ⑤	03 ⑤	04 ③	05 ④	06 ③
07 ③	08 ④				

01 고령화의 영향   답 ⑤

그래프에서 국민연금 기금 적립금 추이가 2060년에는 마이너스(−)가 되고, 국민 건강 보험 재정 수지 적자 규모는 점차 커지고 있는 것은 사회 복지 비용 부담이 많이 늘어나고 있음을 보여 준다. 이는 부양 인구가 감소하고, 사회 복지 지원이 필요한 계층 혹은 연령층이 늘어나고 있는 현상과 관련되어 있다.

02 저출산 현상   답 ⑤

ㄷ. B 시기 갑국의 합계 출산율은 대체 출산율보다 높으므로 인구 증가 요인이며, 을국의 합계 출산율은 대체 출산율보다 낮으므로 인구 감소 요인이다. ㄹ. 갑국의 합계 출산율 감소폭은 1.0명, 을국의 합계 출산율 감소폭은 1.2명으로 갑국보다 을국이 크다.

정답을 찾아가는 셀파 - Tip

ㄱ. A 시기 갑국에서 여성 100명당 출생아 수는 5명이다.
→ 합계 출산율은 여성 100명당 출생아 수가 아닌 여성 1명이 가임 기간 동안 낳은 평균 출생아 수와 관련이 있다.

ㄴ. A 시기에 출생아 수는 갑국이 을국보다 많다.
→ 갑국과 을국의 전체 여성 인구수를 알 수 없기 때문에 합계 출산율만으로 출생아 수를 확인하기 어렵다.

03 인구 부양비

답 ⑤

A 국의 인구 부양비를 통해 다음과 같이 추론할 수 있다.

(단위: 명)

구분	1990년	2000년	2010년
0~14세 인구	40	33	20
15~64세 인구	100	100	100
65세 이상 인구	10	12	20
총인구	150	145	140

총인구 중 65세 이상 인구가 차지하는 비율은 2010년이 $(20/140)\times$ $100=$약 14.3%, 1990년이 $(10/150)\times100=$약 6.7%로, 2배보다 크다.

정답을 찾아가는 셀파 - Tip

① 1990년에는 총인구 중 0~14세 인구와 65세 이상 인구가 차지하는 비율이 50%이다. (×)
→ 1990년에는 총인구 중 0~14세 인구와 65세 이상 인구가 차지하는 비율이 $(50/150)\times100=$약 33.3%이다.

② 2000년에는 0~14세 인구 100명을 부양하는 데 15~64세 인구는 33명이 필요하다. (×)
→ 2000년에는 0~14세 인구 33명을 부양하는 데 15~64세 인구 100명이 필요하다.

③ 0~14세 인구 대비 65세 이상 인구 비율은 1990년이 2010년보다 높다. (×)
→ 0~14세 인구 대비 65세 이상 인구 비율은 1990년이 $(10/40)\times100=25$%로, 2010년$(20/20)\times100=100$%보다 낮다.

④ 총인구 중 15~64세 인구가 차지하는 비율은 2000년이 2010년보다 높다. (×)
→ 총인구 중 15~64세 인구가 차지하는 비율은 2000년이 $(100/145)\times100=$약 69%로, 2010년 $(100/140)\times100=$약 71.4% 보다 낮다.

⑤ 총인구 중 65세 이상 인구가 차지하는 비율은 2010년이 1990년의 2배보다 크다. (○)

04 저출산 현상의 대응 방안

답 ③

자료는 출산 휴가 지원, 육아 휴직 권리 보장 등과 관련된 내용으로 일과 가정의 양립을 위한 지원책에 해당한다. 맞벌이 부부들이 경력 단절 및 양육의 어려움으로 인하여 출산을 기피하는 문제를 해결하기 위한 것이다.

05 다문화 사회로의 변화

답 ④

ㄴ. 여성 응답자는 2010년 대인 관계에서의 어려움을 호소한 비율이 22.5%였는데, 2015년에는 10%로 줄어서 그 비율이 가장 크게 변화하였다. ㄹ. 2010년에 남성 응답자는 '대인 관계'에서 45.0%, 2015년에는 37.0%로 가장 많았다. 여성은 2010년에 '경제적 어려움'이 45.0%, 2015년에는 50.0%로 가장 많았다.

06 다문화 정책

답 ③

갑은 문화의 다양성을 강조하는 입장이므로 문화 다원주의 관점이고, 을은 이주민들에게 우리의 전통문화를 강요해야 한다고 보므로 동화주의 관점에 해당한다. ㄴ. 을은 이주민에게 우리 문화를 강요하고 있으므로 우리 사회로 이주해 온 이주민의 문화를 우리 문화에 동화시키자는 입장이다. ㄷ. 갑은 을과 달리 이주민의 문화를 존중하고 있으므로 이주민과의 문화적 공존을 중시하고 있다.

07 다문화 정책

답 ③

글쓴이는 다문화 정책에 대해 문화 다원주의 관점을 취하고 있다. 따라서 이주민의 언어 사용을 허용할 것이고, 이주민이 자신의 전통 예절을 계승해 나갈 수 있도록 지원할 것이다.

08 다문화 정책

답 ④

필자는 문화 다양성 실현으로 세계화 시대에 걸맞은 문화 창조 능력을 제고해야 한다고 주장하고 있으므로, 다문화 정책의 실시로 인해 문화적 자산이 풍부해질 수 있음을 추론할 수 있다.

03 세계화 · 정보화와 전 지구적 수준의 문제

탄탄 내신 문제
p. 190 ~ p. 194

01 ③	02 ④	03 ④	04 ④	05 ⑤	06 ④
07 ⑤	08 ③	09 ④	10 ③	11 ⑤	12 ③
13 ⑤	14 ③	15 ㄷ, ㄹ	16 세계 시민	17 해설 참조	
18 해설 참조		19 해설 참조			

01 세계화의 의미

답 ③

①은 사막화, ②는 고령화, ④는 지구 온난화, ⑤는 정보 격차에 대한 설명이다.

자료를 분석하는 셀파 - Tip

(크로스워드 퍼즐)
ㄱ정
보
ㄴ세 계 화
대

⟨가로 열쇠⟩

ㄴ 국가 간 상호 의존성이 커지고 지구촌 전체가 단일한 체계로 통합되는 현상

⟨세로 열쇠⟩

ㄱ 지식과 정보가 사회 활동 전반에서 차지하는 비중이 커지는 현상
ㄴ 같은 시대에 살면서 공통의 의식을 가진 비슷한 연령대의 사람들

52 딱 맞는 풀이집

02 세계화로 나타나는 변화 양상   답 ④

세계화가 진전되면서 문화 다양성이 약화되고, 전 세계의 문화가 획일화될 우려가 있다.

내 것으로 만드는 셀파 - Tip

▶ **세계화로 나타나는 변화 양상**

사회·문화적 측면	정보 통신 기술의 발달로 세계 여러 지역의 생활 양식이 빠르게 확산됨. → 세계인이 특정 문화를 공유하는 경우가 많아짐.
경제적 측면	국가 간 무역 장벽이 철폐되면서 전 세계가 단일한 시장으로 통합되고 있음. → 생산자는 넓은 시장을 확보하고, 소비자는 다양한 상품을 저렴한 가격에 구매하게 됨.
정치적 측면	외교, 안보, 환경, 테러 등과 같은 지구촌 문제에 공동으로 대응함. → 민주주의나 인권 등과 같은 인류 보편적인 가치가 확산됨.

03 세계화로 나타나는 변화 양상   답 ④

미국의 영화 제작 산업이 전 세계로 확산되고 있으며, 다른 나라로의 영화 시장 진출을 통해 미국 문화의 영향력이 커지고 있다. 이는 강대국의 문화가 일방적으로 확산되면서 전 세계적으로 문화 획일화를 우려하는 시각과 관련이 있다.

04 세계화의 영향   답 ④

세계화 과정에서 빈부 격차가 심화되고 경제 논리에 따라 선진국에 유리한 불평등한 무역 구조가 발생할 수 있다. 그 결과, 개발 도상국의 생산자가 노동 착취를 당하기도 하고, 경제적인 어려움을 겪기도 한다.

05 세계화를 바라보는 관점   답 ⑤

갑은 세계화를 긍정적 측면에서, 을은 부정적 측면에서 바라보고 있다.

정답을 찾아가는 셀파 - Tip

ㄱ. 시간과 공간의 제약이 확대된다.
→ 세계화로 인해 시간과 공간의 제약이 줄어든다.

ㄴ. 다양한 문화를 접할 기회가 늘어난다.
→ 세계화의 긍정적 측면이다.

06 세계화에 따른 대응 방안   답 ④

ㄱ. 세계화는 거스를 수 없는 전 지구적 변화이므로 사회·문화적, 경제적, 정치적 측면에서 문제점에 따른 대응 방안을 마련하는 것이 필요하다. ㄷ. 약소국이라고 하더라도 문화 다양성을 지키기 위한 노력이 필요하다.

내 것으로 만드는 셀파 - Tip

▶ **세계화에 따른 대응 방안**

사회·문화적 측면	다른 문화를 존중하는 관용의 자세와 문화 상대주의적 태도 함양
경제적 측면	• 세계 시장에서 개인과 기업의 경쟁력 확보 • 개발 도상국의 생산자를 보호하기 위한 활동 필요
정치적 측면	세계 시민 의식을 바탕으로 인류 전체의 보편적 가치 추구

07 정보화의 요인   답 ⑤

정보화는 정보 통신 기술의 발전과 사람들이 지식과 정보가 부가 가치의 원천이라고 인식하게 되면서 등장한 사회 현상이다. ㄱ. 산업 혁명 당시에 나타났던 현상으로 정보화 이전의 일이다. ㄴ. 정보화로 인한 부정적 영향이다.

08 정보화로 나타나는 변화 양상   답 ③

정보화 시대에는 다품종 소량 생산 방식이 확산된다. 또한, 온라인 네트워크에 의한 의사소통이 활발해져 비대면 접촉이 증대되고 사이버 공동체가 형성된다.

내 것으로 만드는 셀파 - Tip

▶ **정보화로 나타나는 변화 양상**

• **쌍방향 의사소통**: 뉴 미디어의 등장으로 대중은 정보 생산자와 소비자의 역할을 동시에 수행하게 됨.

• **산업 구조의 변화**: 다품종 소량 생산 방식 확산, 정보 관련 서비스업 발달, 경제 활동의 양상 변화

• **온라인 네트워크에 의한 의사소통 증대**: 비대면적 접촉 증가, 사이버 공동체 형성, 탈관료제와 같은 수평적 사회 조직 증가

• **정치 참여의 활성화**: 사이버 공론장 활성화, 전자 투표 확대

09 정보화로 인한 문제   답 ④

제시문은 정보 격차에 대한 설명이다. 정보 격차란, 정보 사회에서 장애인, 저소득층, 장노년층, 농어민 등이 정보 활용 능력의 부족, 정보 통신 기기나 통신비 부족으로 인하여 정보 접근이 제한되는 문제를 의미한다. 이는 특정 계층만이 가치 있는 정보를 활용할 수 있게 되어 계층 대물림 현상이 나타날 수 있고 사회 불평등을 심화시킨다.

내 것으로 만드는 셀파 - Tip

▶ **정보화로 인한 문제**

• **정보의 오남용**: 질이 낮고, 정확하지 않은 정보로 인한 폐해 증가

• **사이버 범죄**: 개인 정보 유출, 해킹, 악성 루머 유포, 저작권 침해 등

• **정보 격차**: 새로운 정보 기술에 접근할 수 있는 능력에 따라 경제적·사회적 격차가 심화됨.

• **정보 통제와 감시**: 빅브라더가 나타나 시민의 자유와 권리를 위축시킬 수 있음.

• **인간 소외**: 인터넷을 매개로 한 형식적이고 피상적 인간관계가 확산됨.

10 정보화로 인한 문제   답 ③

정보화에 따른 기술 발달로 구축될 수 있는 감시 체계에 대한 글이다. 정보화가 진행되면서 정보 기술이 대중을 통제하고 관리하는 도구로 잘못 사용되면 사회적 통제와 감시가 이루어질 수 있게 된다.

11 정보화에 따른 대응 방안   답 ⑤

정보화 시대에는 빅 데이터를 통한 개인의 자유와 권리가 위축될 수 있다는 문제점이 있다.

구분	세계화	정보화
문제점	• 문화 다양성 약화 • 문화 획일화 • 국가 간 빈부 격차 심화 • 약소국의 자율성 침해	• 정보 오남용 • 사이버 범죄 • 정보 격차 • 정보의 통제와 감시
대응 방안	• 상품 경쟁력 강화 • 상대주의적 태도와 관 용의 자세 함양	정보 윤리 함양, 올바른 정보 문화 확립, 취약 계층에게 정보 기기 지 원, 사이버 범죄에 대응하는 법률 마련

12 전 지구적 수준의 문제   답 ③

테러와 환경 문제 모두 국제적 협력과 연대를 통한 해결이 필요한
전 지구적 수준의 문제이다.

▶ **전 지구적 수준의 문제**

환경
문제
	• 지구 온난화 현상: 해수면 상승, 기상 이변 현상 발생
	• 열대 우림 파괴: 생물 다양성 훼손, 기상 이변 증가, 지구 온난
	  화 현상 가속화
	• 사막화, 황사 및 미세 먼지, 토양 오염, 빠르게 사라지는 빙
	  하 등

자원 문제	• 자원 고갈: 재생 불가능한 에너지 자원이 줄어듦. • 식량 부족: 사막화와 이상 기후로 인한 곡물 생산 감소 • 물 부족: 지구 온난화로 인한 물 공급 감소
전쟁과 테러	• 전쟁: 대규모의 인명 및 재산 피해 발생, 인간의 존엄성 파괴, 인류 문명과 자연환경 파괴 • 테러: 사람들의 일상을 위협함.

13 전 지구적 수준의 문제   답 ⑤

전쟁과 테러는 어느 하나가 요인이 되기보다는 지역, 자원, 종교, 영
토 등 여러 가지 요인이 복합적으로 작용하여 나타난다.

14 지속 가능한 발전   답 ③

지속 가능한 사회는 환경 문제를 해결하기 위한 국제 사회의 논의에
서 등장한 개념으로 미래 세대의 필요를 충족시킬 능력을 저해시키지
않으면서, 현재 세대의 필요를 충족시키는 사회를 의미한다.

서답형 문제

15 세계화의 요인   답 ㄷ, ㄹ

세계화의 요인으로 교통·통신 기술의 발달, 다국적 기업의 등장, 상
품·자본·노동의 자유로운 이동, 자유 무역 협정(FTA) 체결 등이 있다.

16 세계 시민의 의미   답 세계 시민

제시된 자료는 세계 시민에 대한 설명이다.

17 세계화로 나타나는 변화 양상

모범 답안 | 세계화로 인해 서구 문화가 전 세계로 확산하면서 문화 다
양성이 약화되고, 전 세계의 문화가 획일화될 수 있기 때문이다.
주요 단어 | 서구 문화 확산, 문화 다양성 약화, 문화 획일화

채점 기준	배점
문화 다양성 협약이 채택된 이유를 '문화 다양성의 약화'와 '전 세계 문 화의 획일화 현상'과 연관지어 서술한 경우	상
문화 다양성 협약이 채택된 이유를 '문화 다양성의 약화'와 '전 세계 문 화의 획일화 현상' 중 하나만 연관지어 서술한 경우	중
문화 다양성 협약이 채택된 이유를 '문화 다양성의 약화'와 '전 세계 문 화의 획일화 현상'과 연관지어 서술하지 못한 경우	하

18 정보화로 인한 문제

모범 답안 | 개인 신상 정보가 불법적으로 유출될 수 있다. 정치적인 감
시와 통제가 이루어질 수 있다.
주요 단어 | 개인 신상 정보, 불법 유출, 감시, 통제

채점 기준	배점
빅 데이터 환경 구축에 따른 문제점을 정확하게 서술한 경우	상
빅 데이터 환경 구축에 따른 문제점을 서술하였지만 미흡한 경우	중
정보화로 인한 문제점을 서술한 경우	하

19 정보화에 따른 대응 방안

모범 답안 | 각종 사이버 범죄에 대응하는 법률을 마련한다. 시민을 대
상으로 하는 정보 통신 윤리 교육을 실시한다.
주요 단어 | 사이버 범죄, 법률 마련, 윤리 교육

채점 기준	배점
제시된 문제점을 해결할 수 있는 대응 방안을 제도적 차원에서 정확하 게 서술한 경우	상
제시된 문제점을 해결할 수 있는 대응 방안을 제도적 차원에서 서술하 였지만 미흡한 경우	중
제시된 문제점을 해결할 수 있는 대응 방안을 서술하였지만 제도적 차 원이 아닌 경우	하

도전 수능 문제   p. 195 ~ p. 197

01 ④	02 ⑤	03 ④	04 ③	05 ①	06 ④
07 ①	08 ⑤	09 ④	10 ③	11 ⑤	12 ④

01 세계화로 나타나는 변화 양상   답 ④

갑은 세계화의 긍정적 측면을, 을은 세계화의 부정적 측면을 주장
하고 있다. ㄹ. 선진국 문화의 확산으로 문화의 다양성이 확대될 수 있
다고 보는 것은 세계화의 긍정적 측면으로 갑의 주장에 부합한다.

02 세계화로 나타나는 변화 양상   답 ⑤

갑은 세계화의 긍정적인 측면에 대하여 말하고 있는 반면, 을은 문
제점을 지적한다. 세계화로 인한 경제적 문제점은 선진국과 개발 도상
국 간의 빈부 격차가 심화되는 점을 들 수 있다.

03 세계화 현상
답 ④

제시문은 전 세계 국가들 간의 상호 의존성이 커졌음을 보여 준다. 이는 교통과 통신 기술의 발달로 인하여 세계가 하나로 연결되었고 특히 국제 무역이 활성화되고 단일화된 시장으로 편성된 결과 나타난 현상이다.

04 정보 사회의 특징
답 ③

제시문은 정보 사회에서 지식과 정보의 공유가 활발해지고 있음을 설명하고 있다.

05 산업 사회와 정보 사회의 구분
답 ①

A는 전자 상거래의 비중이 높은 반면, B는 낮다. 따라서 A는 정보 사회, B는 산업 사회이다. 정보 사회는 지식과 정보가 부가 가치의 주요 원천인 사회로서, 전자 상거래의 비중 확대, 다품종 소량 생산 방식의 증대, 가정과 일터의 통합 확산, 대면 접촉 비중의 감소 등을 특징으로 한다.

06 농업 사회, 산업 사회, 정보 사회의 구분
답 ④

사회 조직의 관료화 정도는 산업 사회, 정보 사회, 농업 사회 순으로 높다. 따라서 A는 산업 사회, B는 정보 사회, C는 농업 사회이다.

자료를 분석하는 셀파 - Tip

A~C는 각각 농업 사회, 산업 사회, 정보 사회 중 하나이다. 세 사회를 사회 조직의 관료화 정도에 따라 비교하면 오른쪽 그래프와 같이 나타낼 수 있다. 마찬가지로 ㉠ 가정과 일터의 결합 정도, ㉡ 구성원 간의 비대면 접촉 정도, ㉢ 직업의 동질성 정도도 이러한 방법으로 비교하여 (가)~(다)와 같이 나타낼 수 있다.

산업>정보>농업

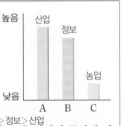

┗ 농업>정보>산업
┗ 정보>산업>농업
┗ 농업>산업>정보

(가) 농업>산업>정보　(나) 농업>정보>산업　(다) 정보>산업>농업

 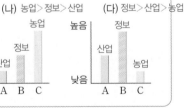

07 농업 사회, 산업 사회, 정보 사회의 구분
답 ①

ㄱ. 가정과 일터의 분리 정도는 '산업 사회＞정보 사회＞농업 사회' 순으로 나타나기 때문에 A는 산업 사회, B는 농업 사회, C는 정보 사회이다. 따라서 산업 사회는 정보 사회보다 관료제 조직의 비중이 높다. ㄴ. 구성원 간의 익명성 정도는 '정보 사회＞산업 사회＞농업 사회' 순으로 나타나기 때문에 A는 산업 사회, B는 정보 사회, C는 농업 사회이다. 따라서 산업 사회는 정보 사회보다 전자 상거래의 비중이 낮다.

내 것으로 만드는 셀파 - Tip

▶ 농업 사회, 산업 사회, 정보 사회 비교

가정과 일터의 분리 정도	산업＞정보＞농업
관료제 조직의 비중	산업＞정보＞농업
구성원의 비대면 접촉 정도	정보＞산업＞농업
구성원 간의 익명성 정도	정보＞산업＞농업
사회 변동 속도	정보＞산업＞농업
사회의 다원화 정도	정보＞산업＞농업
직업의 동질성 정도	농업＞산업＞정보
의사 결정의 분권화 정도	정보＞산업＞농업

08 정보화로 인한 문제
답 ⑤

(가)는 사이버 범죄 등으로 인하여 개인의 정보가 보호되지 못하는 문제를, (나)는 정보 격차 문제를 해결하기 위한 것이다.

09 정보 격차
답 ④

갑국의 정보 격차 경험자 수는 도시가 농촌의 2배이므로 농촌의 정보 격차 경험자 수를 100명이라고 가정했을 때, 도시의 정보 격차 경험자 수는 200명이 된다. 이 경우, 갑국의 정보 격차 경험자는 남성이 100명, 여성이 200명이다.

정답을 찾아가는 셀파 - Tip

① 도시 전체의 인구는 농촌 전체 인구의 2배이다. (×)
→ 제시된 자료를 통해서는 도시 전체 인구와 농촌 전체 인구를 알 수 없다.

② 농촌과 도시에서는 모두 학력이 낮을수록 정보 격차 경험자 수가 많아진다. (×)
→ 농촌의 정보 격차 경험자 중 대졸 이상인 사람보다 고졸인 사람의 수가 적다. 도시의 정보 격차 경험자 중 대졸 이상인 사람과 고졸인 사람의 수가 같다.

③ 농촌의 중졸 이하 학력의 정보 격차 경험자 수가 도시의 대졸 이상 학력의 정보 격차 경험자 수의 2배이다. (×)
→ 농촌의 중졸 이하 학력의 정보 격차 경험자 수는 도시의 대졸 이상 학력의 정보 격차 경험자 수와 같다.

④ 갑국의 정보 격차 경험자 수는 여성이 남성의 2배이다. (○)

⑤ 정보 격차 경험자 중에서 중졸 이하 학력의 여성이 차지하는 비율은 도시가 농촌보다 높다. (×)
→ 제시된 자료를 통해서는 농촌과 도시의 정보 격차 경험자 중에서 중졸 이하 학력의 여성이 차지하는 비율은 알 수 없다.

10 전 지구적 수준의 문제
답 ③

지구 온난화 현상과 식량과 에너지 부족 문제는 전 지구적 수준의 문제로 전 지구적 차원의 공동 대응이 요구된다.

11 전쟁과 테러
답 ⑤

(가)는 전쟁, (나)는 테러에 해당한다.

12 지속 가능한 사회
답 ④

제시문은 지속 가능한 사회를 이루기 위한 활동이다. 지속 가능한 사회를 이루기 위해서는 세계 시민으로서의 자질을 함양하고, 지구를 지속 가능성에 비추어 인식하는 것이 필요하다.

Memo.

찐 천재님들의 거짓없는 솔직 후기

천재교육 도서의 사용 후기를 남겨주세요!

이벤트 혜택

매월 | **100명 추첨** | **상품권 5천원권**

이벤트 참여 방법

STEP 1
온라인 서점 또는 블로그에 리뷰(서평) 작성하기!

STEP 2
왼쪽 QR코드 접속 후 작성한 리뷰의 URL을 남기면 끝!

※ 상기 내용은 변동될 수 있으며, 자세한 내용은 QR코드 페이지를 참고해주세요.

개념을 잡아 주는 **자율학습 기본서**

고등 **셀파**

사회·문화

개념을 잡아 주는 **자율학습 기본서**

고등 **셀파**

Sherpa

사회·문화

BOOK **3**

학교 시험 기간에 활용하는 **시험 대비 문제집**

천재교육

Sherpa

사회·문화

BOOK 3

학교 시험 기간에 활용하는

내신 대비 단원 평가

		주제별 정리	단원 평가
I	사회·문화 현상의 탐구	02	03
II	개인과 사회 구조	10	11
III	문화와 일상생활	18	19
IV	사회 계층과 불평등	26	27
V	현대의 사회 변동	34	35
	■ 정답 및 해설		42

I 단원 사회·문화 현상의 탐구

주제 01 사회·문화 현상의 특성

가치 함축성	인간의 의지와 가치가 개입되어 나타남.
보편성과 특수성	시대와 장소에 상관없이 나타나는 동시에 시대나 사회적 상황에 따라 차이가 있음.
개연성과 확률의 원리	원인과 결과가 어느 정도 관련되어 있기는 하지만, 필연적인 관계는 아님.
당위 법칙	인간이라면 마땅히 따라야 한다고 여기는 규범적 요구가 적용됨.

주제 02 기능론, 갈등론, 상징적 상호 작용론

구분	거시적 관점		미시적 관점
	기능론	갈등론	상징적 상호 작용론
기본 입장	사회를 이루는 사회 제도나 집단 등이 상호 연관성을 갖고 일정한 기능을 수행하면서 사회가 유지된다고 보는 관점	희소가치를 많이 가진 집단과 그렇지 않은 집단이 한 사회에서 지배와 피지배 관계를 이루고 있다고 보는 관점	개인들이 상호 작용하는 과정에서 나타나는 행위의 주관적인 동기와 의미의 해석에 초점을 두어 현상을 보는 관점
장점	사회 질서와 통합이 나타나는 사회·문화 현상을 설명하기에 적합함.	집단 간 지배와 억압이 나타나는 사회·문화 현상을 설명하기에 적합함.	인간이 가진 상징과 사회 구성원인 인간 개인의 능동성을 강조함.
한계	사회 갈등이나 변동의 중요성을 간과함.	사회가 안정적으로 유지되는 상황을 설명하기 어려움.	사회 구조나 제도의 힘을 경시함.

주제 03 양적 연구 방법과 질적 연구 방법

구분	양적 연구 방법	질적 연구 방법
의미	경험적 자료를 토대로 사회·문화 현상의 법칙을 발견하고 증명하는 연구 방법	경험적 자료를 토대로 사회·문화 현상에 담긴 인간 행위의 동기나 목적을 파악하는 연구 방법
전제	방법론적 일원론	방법론적 이원론
특성	가설을 세우고 계량화된 자료를 분석하여 증명하는 과정을 강조함. → 실증적 연구 방법	연구 과정에서 직관적 통찰을 통한 해석적 이해가 필요하다고 봄. → 해석적 연구 방법
탐구 절차	연구 문제 인식 → 가설 설정 → 연구 설계 → 자료 수집 및 분석 → 가설 검증 및 결론 도출	연구 문제 인식 → 연구 설계 → 자료 수집 및 분석 → 결론 도출
장점	• 일반화와 인과 법칙 발견이 용이함. • 통계 분석을 하므로 정확하고 정밀한 연구가 가능함.	• 행위 이면의 심층적 이해가 가능함. • 계량화하기 어려운 영역을 탐구할 수 있음.
단점	사회·문화 현상을 지나치게 단순화하고 기계적으로 인식함.	연구자의 주관이 개입될 가능성이 큼.

주제 04 자료 수집 방법

구분	의미	장점	단점
문헌 연구법	기존 문헌에서 자료를 수집하는 방법	시간과 비용 절약, 시·공간 제약 극복	문헌 자료의 신뢰성 문제
실험법	실험 집단에 일정한 조작을 가하고, 처치에 따른 효과를 통제 집단의 것과 비교하는 방법	인과 관계 파악을 통한 법칙 발견에 유리	외부 변수 개입 통제의 어려움, 윤리적 문제 발생 우려
질문지법	조사 내용을 질문으로 구성한 후 연구 대상자에게 답변을 얻어 자료를 수집하는 방법	시간과 비용 절약, 통계 및 비교 분석 용이	질문 구성 및 응답률에 따른 결과 왜곡의 가능성
면접법	연구자가 연구 대상자와의 대화를 통해 자료를 수집하는 방법	심층적인 정보 수집 가능	연구자의 주관 개입 가능
참여 관찰법	연구자가 연구 대상과 함께 생활하면서 현상을 직접 관찰하여 자료를 수집하는 방법	생동감 있고 실제성 높은 정보 파악 가능	많은 시간과 비용 소모, 연구자의 주관 개입 가능

주제 05 사회·문화 현상의 탐구 태도

객관적 태도	연구 과정에서 주관이나 가치, 이해관계를 떠나 제삼자의 관점에서 있는 그대로 현상을 관찰하려는 태도
개방적 태도	연구를 진행하면서 편협한 주장이나 이론에 빠지지 않고, 연구 결과에 대하여 다른 연구자의 비판을 허용하는 태도
상대주의적 태도	사회·문화 현상이 지닌 고유한 의미와 가치를 해당 사회 집단의 맥락이나 환경을 고려하여 이해하려는 태도
성찰적 태도	사회·문화 현상의 이면의 의미를 살펴보거나 연구 진행 과정을 제대로 수행하고 있는지 되짚어 보려는 태도

주제 06 가치 중립과 가치 개입

문제 인식, 가설 설정, 연구 설계 **가치 개입** → 자료 수집, 자료 분석, 가설 검증 및 결론 도출 **가치 중립** → 연구 결과 활용 **가치 개입**

주제 07 연구 윤리

연구 대상자	인권 보장, 사전에 연구 목적과 방법 고지, 개인 정보 보호, 사생활 보호 등
연구 과정	자료 수집·분석 과정과 결과 발표 과정에서의 진실성, 저작권 침해 금지, 연구 결과의 윤리적 활용 등

사회·문화

01 밑줄 친 ㉠~㉣과 같은 현상의 일반적인 특징에 대한 설명으로 옳은 것은?

> 지구 온난화로 빙하가 점점 줄어들고 있다. 그런데 ㉠ 지구 온난화로 인해 빙하가 무너져 내릴수록 ㉡ 빙하 주변 지역의 관광객은 오히려 증가하고 있다. 즉, ㉢ 이산화 탄소를 배출하는 인간의 활동에 의해 지구 온난화가 일어나고, ㉣ 지구 온난화에 따라 변화하는 자연의 모습을 보려고 사람들은 자동차와 비행기를 타고 오면서 또다시 이산화 탄소를 배출한다.

① ㉠과 같은 현상은 당위 법칙의 지배를 받는다.
② ㉡과 같은 현상은 인간의 의지가 개입되어 나타난다.
③ ㉢과 같은 현상은 확실성의 원리를 따른다.
④ ㉡과 같은 현상은 ㉢과 같은 현상과 달리 과학적 연구가 가능하다.
⑤ ㉣과 같은 현상은 ㉠과 같은 현상과 달리 인과 관계가 명확하다.

02 (가), (나) 현상의 일반적인 특징에 대한 설명으로 옳은 것은?

> 우리 생활에 영향을 미치는 현상은 크게 (가) 현상과 (나) 현상으로 구분할 수 있다. (가) 현상은 (나) 현상과 달리 인간의 의지와 관계없이 나타난다는 특징이 있다. (나) 현상은 인간이 (가) 현상을 이용하거나 극복하기 위해 노력하는 과정에서 나타나기도 한다.

① (가) 현상은 가치 함축적이다.
② (나) 현상은 존재 법칙의 지배를 받는다.
③ (가) 현상은 (나) 현상과 달리 몰가치적이다.
④ (가) 현상은 (나) 현상과 달리 당위 법칙의 지배를 받는다.
⑤ (나) 현상은 (가) 현상에 비해 특정 현상의 반복과 재현이 용이하다.

03 다음 글에 대한 옳은 설명을 〈보기〉에서 있는 대로 고른 것은?

> 우리는 살면서 다양한 현상을 접하고, 그 현상들과 영향을 주고받으며 살아간다. 이렇게 우리 생활에 영향을 미치는 현상은 [(가)] 에 따라 ㉠ 자연 현상과 ㉡ 사회·문화 현상으로 구분할 수 있다.

┤ 보기 ├
ㄱ. ㉠은 필연성의 원리가 적용된다.
ㄴ. ㉠은 ㉡과 달리 경험적 자료를 통해 연구할 수 있다.
ㄷ. '행성의 이동'은 ㉠의 사례, '행성에 이름을 붙이는 것'은 ㉡의 사례이다.
ㄹ. (가)에는 '인간의 의지가 개입되어 나타나는지 여부'가 들어갈 수 있다.

① ㄱ, ㄴ   ② ㄱ, ㄹ   ③ ㄴ, ㄷ
④ ㄱ, ㄷ, ㄹ   ⑤ ㄴ, ㄷ, ㄹ

04 표는 사회·문화 현상을 바라보는 관점 A, B를 비교한 것이다. (가)~(다)에 들어갈 수 있는 내용으로 옳은 것은?

구분	A	B
각 관점에 해당하는 주장	사회 전체 구성원 간의 합의에 의해 사회 규범과 제도가 형성되었다.	사회적 합의는 특정 계급이 다른 계급을 억압하는 수단에 불과한 허구이다.
	(가)	(나)
두 관점 모두에 해당하는 주장	(다)	

① (가) – 인간은 사회 구조로부터 자유로운 존재이다.
② (가) – 사회 구조나 제도는 계급 재생산의 수단에 불과하다.
③ (나) – 사회는 각 부분들이 유기적으로 결합한 하나의 체계이다.
④ (나) – 희소가치의 배분과 관련하여 각 계급의 이익은 양립할 수 없다.
⑤ (다) – 사회·문화 현상을 이해할 때 사회 구조보다 개인의 행위에 초점을 맞추어야 한다.

05 사회·문화 현상을 바라보는 갑과 을의 관점에 대한 설명으로 옳은 것은?

갑: 학교에서는 지배 계급의 이데올로기를 교육 과정에 담아 학생들에게 주입시킵니다.

을: 학교의 교육 과정은 그 사회 전체가 중요시하는 가치, 규범, 행동 양식 등으로 이루어져 있습니다.

① 갑은 사회의 안정과 통합을 중시한다.
② 갑은 사회 구성원 간의 관계를 대립적으로 이해한다.
③ 을은 학교 교육에 대한 교사와 학생 간의 상황 정의에 주목한다.
④ 갑은 을과 달리 사회 구조나 제도의 영향을 중시한다.
⑤ 을은 갑과 달리 인간 행위의 자율성과 능동성을 강조한다.

06 다음 글에 나타난 사회·문화 현상을 바라보는 관점에 대한 설명으로 옳은 것은?

> 취업에 영향을 미치는 것은 개인의 지식 수준이 아니라, 개인의 가정 배경이나 인맥과 같은 요소이다. 최근 실업이 증가하고 있는 현상은 구직자의 능력이 부족해서 발생하는 것이 아니라, 특정 계층에게만 유리한 경제 구조의 모순으로 구직자의 능력에 걸맞은 일자리가 충분히 공급되지 못하기 때문에 발생하고 있는 것이다.

① 사회는 스스로 균형을 유지하려는 속성이 있다고 본다.
② 사회 유지에 필요한 기능의 상호 의존성에 관심을 둔다.
③ 희소가치를 둘러싼 집단 간 이해관계의 대립을 강조한다.
④ 사회적 행위자의 능동적 사고와 자율적 행위의 측면을 강조한다.
⑤ 상징을 매개로 한 타인과의 상호 작용을 통해 사회·문화 현상이 발생한다고 본다.

07 밑줄 친 '이 관점'에 대한 설명으로 옳은 것은?

> 이 관점에 따르면 사회 문제는 실제로 존재하는 현상이 아니라 상황에 대한 정의에 따라 달라지는 것이다. 따라서 이 관점은 사회 문제의 개념 정의에 관심을 두기보다는, 사회 문제가 정의되는 과정에 더 많은 관심을 둔다. 즉, 사회 문제라는 것은 대부분의 사회 구성원이 어떤 바람직하지 못한 상황이나 조건을 하나의 문제로 규정하고, 개선이 필요하다고 인식할 때 비로소 문제로 존재하는 것이다.

① 인간을 자율성을 지닌 능동적 존재로 본다.
② 사회가 살아 있는 유기체와 같다고 전제한다.
③ 사회 구조에 초점을 두어 사회·문화 현상을 분석한다.
④ 사회의 유지와 존속을 위한 사회 각 부분들의 기능에 주목한다.
⑤ 사회 제도는 특정 계급의 이익을 재생산하는 수단에 불과하다고 본다.

08 다음은 토론회 내용을 사회·문화 현상을 바라보는 관점에 따라 정리한 것이다. (가)~(다)에 대한 설명으로 옳은 것은?

〈주제: 오늘날의 이혼 문제〉

관점	관점에 따른 진술
(가)	이혼은 가족의 전통적인 역할과 기능이 쇠퇴하였기 때문에 발생하는 것이다.
(나)	이혼은 남성과 여성 간의 불평등한 권력 구조를 만들어 내는 가부장적인 가족 제도로 인해 발생하는 것이다.
(다)	이혼을 문제로 보기 전에 이혼한 사람들의 결혼 생활 속에서 이혼 동기가 형성되는 과정에 대한 이해가 우선되어야 한다.

① (가)는 사회 질서가 특정 집단의 합의에 근거한다고 본다.
② (나)는 사회 안정보다 사회 변동을 중시한다.
③ (다)는 사회 제도 간의 유기적 관련성에 주목한다.
④ (가)는 (다)와 달리 사회 구조로부터 자유로운 능동적 개인에 의해 사회·문화 현상이 발생한다고 본다.
⑤ (나)는 (가)와 달리 사회에서 지배적으로 인정되는 규범을 따르는 것이 사회의 유지와 존속에 필수적이라고 본다.

09 다음 입장과 관련된 연구 방법에 대한 옳은 설명을 〈보기〉에서 고른 것은?

> 모든 현상은 그 안에 담긴 법칙에 의해 지배받고 있다. 과학적 탐구의 목표는 이러한 법칙을 발견하는 것이 되어야 하며, 단순히 현상을 기술하는 것만으로는 과학이 될 수 없다.

┤ 보기 ├
ㄱ. 직관적 통찰을 통한 자료 수집을 강조한다.
ㄴ. 연구 대상자가 구성해 내는 생활 세계를 중시한다.
ㄷ. 사회·문화 현상과 자연 현상이 본질적으로 같다고 본다.
ㄹ. 사회·문화 현상의 계량화를 통한 통계적 분석을 선호한다.

① ㄱ, ㄴ   ② ㄱ, ㄷ   ③ ㄴ, ㄷ
④ ㄴ, ㄹ   ⑤ ㄷ, ㄹ

11 다음 사례에 적용된 사회·문화 현상의 연구 방법에 대한 옳은 설명을 〈보기〉에서 고른 것은?

> 연구자 갑은 인터넷 게임 과몰입 어린이를 대상으로 개발된 독서 치료 프로그램이 게임 과몰입을 극복하는 데 도움이 되는지 알아보고자 하였다. 이를 위해 전국 주요 도시에 거주하고 있는 초등학생을 대상으로 '게임 행동 진단 척도' 검사를 통해 게임 과몰입 학생을 학년별로 10명씩 선정하였다. 그리고 그들을 대상으로 총 12회로 구성된 게임 과몰입 극복 독서 치료 프로그램을 적용하였다.

┤ 보기 ├
ㄱ. 감정 이입과 직관적 통찰을 통한 이해를 중시한다.
ㄴ. 연구자가 연구 대상으로부터 분리될 수 있다고 본다.
ㄷ. 사회·문화 현상의 연구에 자연 과학적 연구 방법을 사용한다.
ㄹ. 방법론적 이원론에 기반하며, 해석적 연구 방법이라고도 한다.

① ㄱ, ㄴ   ② ㄱ, ㄷ   ③ ㄴ, ㄷ
④ ㄴ, ㄹ   ⑤ ㄷ, ㄹ

10 표는 사회·문화 현상의 연구 방법 A, B를 사용한 연구 보고서를 정리한 것이다. 이에 대한 설명으로 옳은 것은?

연구 방법	연구 보고서 제목
A	• 학생의 가정 배경이 학업 성취도에 미치는 영향 연구 • (가)
B	• 발달 지연 아동을 키우는 부모가 느끼는 심리적 상태 연구 • (나)

① A는 현상에 대한 감정 이입적 이해를 중시한다.
② B는 A와 달리 사회·문화 현상 연구에 자연 과학적 연구 방법을 사용한다.
③ B는 A보다 연구 대상자의 주관적 가치 및 행위의 동기를 파악하는 데 유리하다.
④ (가)에는 '한부모 가정의 자녀가 느끼는 고독감 연구'가 들어갈 수 있다.
⑤ (나)에는 '주당 평균 노동 시간이 삶의 만족도에 미치는 영향 연구'가 들어갈 수 있다.

12 다음 대화에서 갑과 을이 공통으로 사용한 자료 수집 방법의 일반적인 특징에 대한 설명으로 옳은 것은?

난 학교 유형별 학생회 활동 실태를 알아보기 위해 교육청에서 관련 보고서를 찾아봤어.

난 동아리 활동 여부가 학교생활 만족도에 미치는 영향을 알아보기 위해 관련 논문을 찾아봤어.

갑 / 을

① 시간과 비용이 많이 소요된다.
② 공간과 시간의 제약을 많이 받는다.
③ 2차 자료를 수집하는 데 활용하기 곤란하다.
④ 기존 연구 동향이나 성과를 파악하는 데 유용하다.
⑤ 양적 연구와 달리 질적 연구에서는 활용할 수 없다.

13 다음 사례에서 사용된 사회·문화 현상의 연구 방법에 대한 설명으로 옳은 것은?

> 갑은 오케스트라 활동을 하고 있는 고등학생의 심리 변화를 심도 있게 살펴보고자 ○○ 고등학교 오케스트라 단원 5명을 대상으로 심층 면접을 실시하는 한편, 이들의 활동을 1년간 깊이 있게 관찰하였다. 이 과정에서 갑은 연구 대상 학생이 오케스트라 활동을 때때로 어려워하고 지루해하는 것을 알 수 있었다. 그러나 한편으로는 학교 안팎의 다양한 경험을 통해 내적 성장의 변화를 스스로 경험하고 있다는 것도 파악할 수 있었다.

① 가설 설정과 가설 검증을 중시한다.
② 방법론적 일원론에 근거하여 사회·문화 현상을 연구한다.
③ 사회·문화 현상에서 인과 법칙을 파악하는 것이 중요하다고 본다.
④ 사회·문화 현상에 대한 연구 대상자의 주관적 인식과 대응에 주목한다.
⑤ 연구자 스스로를 연구 대상이 되는 현상으로부터 철저하게 분리하고자 한다.

14 (가)~(마)는 어떤 자료 수집 방법의 일반적인 절차를 순서 없이 나열한 것이다. 이에 대한 설명으로 옳은 것은?

> (가) 연구 집단을 A, B 집단으로 구분한다.
> (나) A 집단에 대해서는 ⊙ 변수를 처치하고, B 집단에 대해서는 처치하지 않는다.
> (다) A 집단과 B 집단을 대상으로 ⓒ 변수의 상태에 대해 사전 검사를 실시한다.
> (라) A 집단과 B 집단을 상대로 ⓒ 변수의 변화를 알아보기 위해 사후 검사를 실시한다.
> (마) 사후 검사 결과 두 집단의 ⓔ 변수 상태에 변화가 나타났는지를 알아본다.

① ⊙, ⓒ은 독립 변수, ⓒ, ⓔ은 종속 변수이다.
② A 집단은 실험 집단, B 집단은 통제 집단이다.
③ 일반적으로 실험은 (가)-(나)-(다)-(라)-(마)의 순서로 진행된다.
④ (마)에서 A 집단에 유의미한 변화가 있으면 가설은 반드시 채택된다.
⑤ 이 자료 수집 방법은 주로 방법론적 이원론을 전제로 한 연구에서 사용된다.

15 다음은 전 국민을 대상으로 여가 활동에 대한 실태 조사를 하기 위해 만든 질문지의 일부이다. 이에 대한 평가로 옳지 않은 것은?

> 1. 귀하의 나이는?
>   ① 20세 이하 ② 20세~40세 ③ 41세 이상
> 2. 귀하의 TV 시청 시간은? (   ) 시간
> 3. 청소년이 놀지 못하고 공부만 하면 인간관계에 문제가 생긴다고 합니다. 귀하는 청소년의 여가 활동을 늘려야 한다는 주장에 찬성하십니까?
>   ① 예   ② 아니요   ③ 잘 모르겠다.
> 4. 귀하의 여가 생활에 대한 만족도를 평가한다면?
>   ① 매우 만족 ② 만족 ③ 보통 ④ 매우 불만족
> 5. 현재 귀하의 여가 시간과 여가 비용은 적절합니까?
>   ① 예   ② 아니요   ③ 잘 모르겠다.

① 1번 문항－응답 항목 간 배타성이 부족하다.
② 2번 문항－묻는 내용이 명료하지 않아 혼동을 줄 수 있다.
③ 3번 문항－응답 항목에 있어 포괄성이 부족하다.
④ 4번 문항－응답 항목이 특정 방향으로 치우쳐 있어 균형성이 떨어진다.
⑤ 5번 문항－한 문항에서 두 가지 내용을 묻고 있다.

16 자료 수집 방법 A, B의 일반적인 특징에 대한 옳은 설명을 〈보기〉에서 고른 것은?

> • A, B는 각각 면접법과 실험법 중 하나이다.
> • A는 B에 비해 연구자의 주관이 개입될 가능성이 높다.
> • B는 A와 달리 통제된 상황에서 인위적인 처치를 가한다.

> **┤ 보기 ├**
> ㄱ. B는 변수 간의 관계를 파악하는 데 주로 사용된다.
> ㄴ. A는 B에 비해 수집된 자료의 통계 처리에 유리하다.
> ㄷ. A는 B에 비해 자료 수집 과정에서 연구자의 유연성이 높다.
> ㄹ. B는 A에 비해 연구자의 직관적 통찰로 해석해야 하는 자료를 수집하기 용이하다.

① ㄱ, ㄴ   ② ㄱ, ㄷ   ③ ㄴ, ㄷ
④ ㄴ, ㄹ   ⑤ ㄷ, ㄹ

17 (가)~(다)에 들어갈 수 있는 질문을 〈보기〉에서 골라 옳게 연결한 것은?

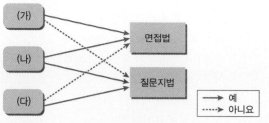

| 보기 |
ㄱ. 언어적 상호 작용이 필수적인가?
ㄴ. 주로 양적 연구에서 사용되는가?
ㄷ. 연구 대상자와의 정서적 교감을 중시하는가?
ㄹ. 주로 기존 연구 동향을 파악하기 위해 사용되는가?

	(가)	(나)	(다)
①	ㄱ	ㄴ	ㄷ
②	ㄱ	ㄷ	ㄹ
③	ㄴ	ㄷ	ㄹ
④	ㄷ	ㄱ	ㄴ
⑤	ㄹ	ㄴ	ㄱ

18 〈자료 2〉는 〈자료 1〉에서 갑이 사용한 자료 수집 방법의 장점과 단점을 나타낸 것이다. (가), (나)에 들어갈 수 있는 옳은 내용을 〈보기〉에서 고른 것은?

〈자료 1〉
　갑은 직장인의 근무 환경에 따른 근무 만족감을 알아보기 위해 ○○ 기업 직원들과 함께 출퇴근을 하면서 그들의 근무 환경 및 근무 실태를 관찰하였다.

〈자료 2〉

장점	(가)
단점	(나)

| 보기 |
ㄱ. (가)-자료의 실제성을 확보하는 데 유리하다.
ㄴ. (가)-수량화된 자료이므로 정확성과 객관성이 높다.
ㄷ. (나)-의사소통이 어려운 집단을 대상으로 활용하기 곤란하다.
ㄹ. (나)-예상하지 못한 상황이 발생할 경우 유연한 대처가 어렵다.

① ㄱ, ㄴ　　　② ㄱ, ㄹ　　　③ ㄴ, ㄷ
④ ㄴ, ㄹ　　　⑤ ㄷ, ㄹ

[19~20] (가)~(바)는 양적 연구의 일반적인 절차를 순서 없이 나열한 것이다. 이를 보고 물음에 답하시오.

(가) 가설 설정
(나) 연구 설계
(다) 자료 수집
(라) 자료 분석
(마) 연구 문제 인식
(바) 가설 검증 및 결론 도출

19 (가)~(바)에 대한 설명으로 옳은 것은?

① 개념의 조작적 정의는 (가) 이전에 실시한다.
② (나)에서는 가설의 채택 여부를 결정한다.
③ (다)에서는 주로 면접법이 사용된다.
④ (다) → (라) → (바)의 과정은 귀납적이다.
⑤ (라)에서는 (다), (바)에서와 달리 연구자의 엄격한 가치 중립이 필수적이다.

20 (가)~(바)를 양적 연구의 일반적인 순서대로 나열한 것은?

① (가)-(나)-(다)-(라)-(바)-(마)
② (나)-(다)-(라)-(바)-(마)-(가)
③ (다)-(라)-(바)-(마)-(가)-(나)
④ (라)-(바)-(마)-(가)-(다)-(나)
⑤ (마)-(가)-(나)-(다)-(라)-(바)

21 밑줄 친 '이 태도'로 가장 적절한 것은?

　다수의 사람이 상식이라고 여기는 주장 중에는 사실과 다른 것들이 많다. 이는 현상과 현상 사이의 원인과 결과에 대한 치밀한 분석이나 깊이 있는 연구를 하지 않고 현상을 대강 보아 넘기거나 미루어 짐작한 탓이다. 따라서 연구자는 당연하게 여겨지는 현상이라도 그 원인과 전개 과정을 하나하나 살펴보는 이 태도를 지녀야 한다.

① 성찰적으로 바라보는 태도
② 타인의 비판을 허용하는 태도
③ 주관적 가치와 편견을 배제하는 태도
④ 사실과 가치를 엄격히 구분하는 태도
⑤ 다른 결론의 가능성의 존재를 인정하는 태도

22 사회·문화 현상의 탐구 과정에서 가치 중립이 의미하는 바를 가장 적절하게 설명한 것은?

① 연구자가 개인적 가치를 가져서는 안 된다는 의미이다.
② 연구자가 자신의 가치를 연구 과정에 개입시키는 것을 의미한다.
③ 사회·문화 현상은 가치를 함축하고 있지 않은 현상이라는 의미이다.
④ 연구 주제를 선정할 때에 가치 중립적 입장에서 선택해야 함을 의미한다.
⑤ 연구자가 기대하는 연구 결과를 얻기 위해서 연구 과정과 내용을 조작하거나 왜곡시켜서는 안 된다는 의미이다.

23 다음 글에서 강조하고 있는 사회·문화 현상의 탐구 태도로 옳은 것은?

> 사회·문화 현상을 연구하는 사회 과학자는 자신의 주관적 가치나 이해관계에서 벗어나 사실과 가치의 영역을 정확하게 구별하는 능력을 키워야 한다. 또한, 사실로부터 도출되는 진리를 발견하려는 학문적 의무에 충실해야 한다.

① 객관적 태도
② 개방적 태도
③ 성찰적 태도
④ 상대주의적 태도
⑤ 조화를 중시하는 태도

24 다음은 어떤 연구 과정을 순서 없이 나열한 것이다. 이에 대한 설명으로 옳은 것은?

> (가) 형제자매가 있는 청소년이 그렇지 않은 청소년보다 더 행복하다는 결론을 내렸다.
> (나) 형제자매의 유무가 청소년의 행복감에 미치는 영향이 궁금해졌다.
> (다) 설문지를 통해 자료를 수집하고, 이를 통계적 기법을 사용하여 분석하였다.
> (라) 청소년 1,000명을 대상으로 설문지를 사용하여 자료를 수집하기로 하였다.
> (마) 형제자매가 있는 청소년이 그렇지 않은 청소년보다 더 행복할 것이라는 가설을 설정하였다.

① 개념의 조작적 정의는 (나) 이전에 실시한다.
② (라)에서 선택한 자료 수집 방법은 질적 연구에서 주로 사용한다.
③ (마)에서 형제자매가 있는 청소년은 실험 집단, 형제자매가 없는 청소년은 통제 집단이다.
④ (가), (다)에서는 연구자의 엄격한 가치 중립이 요구된다.
⑤ 일반적으로 연구는 (나)-(마)-(가)-(다)-(라)의 순서로 진행된다.

25 연구 윤리의 측면에서 다음 사례에 대한 비판으로 가장 적절한 것은?

> 교사 갑은 자신의 수업을 듣는 모든 학생들에게 자신의 연구에 참여하지 않으면 수행 평가 점수를 좋게 받을 수 없다고 공지하였다. 그 후 연구 참여를 거부한 학생에게는 연구에 참여한 학생에 비해 수행 평가 점수를 10% 낮게 부여하였다.

① 연구 대상자의 사생활을 침해하였다.
② 특정 결론을 얻기 위해 자료를 조작하였다.
③ 연구 결과의 일부를 의도적으로 은폐하였다.
④ 연구 대상자의 자발적 참여를 보장하지 않았다.
⑤ 연구 결과가 사회에 미칠 영향을 충분히 고려하지 않았다.

26 다음 대화에서 을이 강조하고 있는 사회·문화 현상의 탐구 태도에 대한 진술로 가장 적절한 것은?

> A 학자의 주장이라면 믿음이 가. 그는 학계에서 가장 유명할뿐더러 그의 예측은 한 번도 틀린 적이 없거든.

갑

> 그렇다고 해도 그의 주장이 과학적 탐구 절차를 거쳐 검증되기 전까지는 하나의 가설로 여겨야 해.

을

① 자신과 관련된 이해관계에서 벗어나 탐구해야 한다.
② 사회·문화 현상의 이면에 존재하는 원리를 능동적으로 탐구해야 한다.
③ 사회·문화 현상의 탐구 시 해당 사회의 문화적 맥락이나 배경을 고려해야 한다.
④ 사회·문화 현상의 탐구 시 자신의 연구 결과에 대한 다른 연구자의 비판을 허용해야 한다.
⑤ 연구 절차나 방법, 연구 윤리 등을 제대로 지키고 있는지 연구자 스스로 되짚어 보아야 한다.

27 다음 갑의 연구에 대한 비판으로 가장 적절한 것은?

> 연구자 갑은 ○○ 주식회사의 의뢰로 해당 기업에 근무하고 있는 직원들의 근무 실태에 대한 연구를 수행하였다. 전체 직원을 대상으로 설문 조사를 실시하였고, 설문지에는 이름과 직급을 기록하게 하였다. 조사 결과 전체 직원의 60%가 근무 규정을 위반하였음이 밝혀졌다. 갑은 연구 결과 공표 시 발생할 기업의 이미지 하락을 우려하여 최종 보고서에 전체 직원의 10%만이 근무 규정을 위반하였다고 기록하였으며, 해당 직원의 개인 정보를 명시하였다.

┤ 보기 ├
ㄱ. 피조사자의 익명성을 보장하지 않았다.
ㄴ. 연구 결과를 연구 목적 이외의 용도로 사용하였다.
ㄷ. 연구 결과의 작성 과정에서 가치 개입이 이루어졌다.
ㄹ. 모집단을 대표할 수 없는 특정 집단에 대해서만 자료 수집이 이루어졌다.

① ㄱ, ㄴ   ② ㄱ, ㄷ   ③ ㄴ, ㄷ
④ ㄴ, ㄹ   ⑤ ㄷ, ㄹ

서답형 문제

28 다음과 같은 특징을 지닌 사회·문화 현상을 바라보는 관점을 쓰고, 이 관점의 한계점을 서술하시오.

> • 동물과 달리 인간은 사고 능력을 갖고 있다.
> • 인간은 고유의 사고를 가능하게 해 주는 의미와 상징을 학습할 수 있다.
> • 의미와 상징은 인간 고유의 행위를 수행하게 해 주며, 인간은 상황에 대한 해석에 근거하여 행동한다.

29 표는 자료 수집 방법의 일반적인 특징을 비교한 것이다. 이를 보고 물음에 답하시오. (단, (가)~(다)는 각각 실험법, 질문지법, 참여 관찰법 중 하나이다.)

자료 수집 방법	경제성	자료 수집 상황에 대한 통제 정도
면접법	낮음	낮음
(가)	낮음	매우 낮음
(나)	낮음	매우 높음
(다)	높음	높음

(1) (가)~(다)에 해당하는 자료 수집 방법을 쓰시오.

(2) (가)~(다)의 장점을 각각 서술하시오.

(3) (가)~(다)의 단점을 각각 서술하시오.

II 단원 개인과 사회 구조

주제 01 사회 실재론과 사회 명목론

구분	사회 실재론	사회 명목론
기본 입장	• 사회는 개인 외부에 실제로 존재함. • 사회는 개인의 총합 이상으로, 개인으로 환원될 수 없는 고유한 성격을 지님.	• 사회는 단지 개인들이 모여 있는 것으로 실제로 존재하지 않음. • 사회는 개인들의 집합체에 붙여진 이름에 불과함.
장점	개인이 사회의 영향을 받아 사고하고 행동한다는 점을 잘 설명함.	개인이 자유 의지를 가진 능동적인 존재이며 사회를 변화시키는 원동력이 될 수 있다는 점을 인정함.
단점	개인이 사회의 구속으로부터 자율성을 갖고 사회를 변화시킬 수 있는 존재라는 점을 간과함.	사회가 개인에게 미치는 영향을 간과할 수 있음.

주제 02 사회화

의미	사회 속에서 성장하면서 자신이 속한 사회의 행동 방식과 사고 방식을 학습하는 과정	
중요성	개인적 차원	사회생활에 필요한 규칙과 규범 습득, 사회적 존재로서 생존하는 데 필요한 기술과 지식 학습, 자아 정체성 및 인성 형성
	사회적 차원	기존 사회의 가치, 규범 등을 학습함으로써 한 사회의 지속성 유지

주제 03 사회화 기관

의미	개인의 사회화에 영향을 미치는 기관	
종류	가족, 또래 집단, 학교, 직장, 대중 매체 등	
유형	형성 목적	공식적 사회화 기관, 비공식적 사회화 기관
	사회화의 내용	1차적 사회화 기관, 2차적 사회화 기관

주제 04 사회적 지위

의미	개인이 사회 속에서 차지하는 위치	
종류	귀속 지위	개인의 의지나 노력과 상관없이 선천적으로 주어진 것
	성취 지위	개인의 의지와 노력을 통해 후천적으로 획득한 것

주제 05 역할, 역할 행동, 역할 갈등

역할	지위에 따라 사회적으로 기대하는 행동 양식		
역할 행동	개인이 사회적 역할을 실제로 수행하는 방식		
역할 갈등	의미	한 개인이 동시에 두 가지 이상의 서로 다른 지위에 따른 역할을 수행하고자 할 때, 역할 간에 충돌이 발생하는 것	
	해결 방안	개인적 차원	역할의 우선순위를 정하여 더 중요한 역할을 선택함.
		사회적 차원	역할 갈등을 예방하고 지원하는 제도나 시설을 마련함.

주제 06 사회 집단

의미	같은 집단의 구성원이라는 정체성을 가지고 지속적으로 상호 작용하는 사람들의 무리		
유형	접촉 방식과 친밀도	1차 집단	구성원들이 장기간 직접 접촉하며 친밀한 관계를 형성하는 전인격적인 집단
		2차 집단	구성원들이 간접적이고 부분적으로 접촉하며 상호 친밀감이 약한 집단
	결합 의지	공동 사회	본질적이고 자연적인 의지에 따라 자연 발생적으로 형성된 집단
		이익 사회	합리적이고 선택적인 의지에 따라 특정 목적을 위해 의도적으로 만들어진 집단
	소속감	내집단	개인이 소속되어 있으며 소속감을 느끼고 있는 집단
		외집단	개인이 소속되어 있지 않으면서 소속감을 느끼지 못하는 집단
	준거 집단		한 개인이 자신의 행동과 판단의 기준으로 삼는 집단

주제 07 공식 조직, 비공식 조직, 자발적 결사체

공식 조직	특정 목적을 달성하기 위해 의도적으로 만들어진 조직
비공식 조직	공식 조직 내에서 구성원들이 친밀한 인간관계를 바탕으로 서로 상호 작용을 하며 형성된 조직
자발적 결사체	공동의 관심사나 이해관계를 가진 사람들이 공동의 목표를 달성하기 위하여 자발적으로 형성한 조직

주제 08 관료제 조직

의미	특정 목표를 달성하기 위해 구성원의 역할을 명확하게 구분하고 공식적인 규칙과 규정에 따라 운영하는 대규모 위계 조직		
특징	업무의 세분화 및 전문화	문제점	인간 소외 현상
	지위의 위계 서열화		조직의 경직성
	규칙과 절차에 따른 업무 수행		목적 전치 현상
	연공서열에 따른 보상과 승진		무사안일주의
대안	탈관료제 조직		

주제 09 일탈 행동

의미	사회 규범에 어긋나는 행동		
원인 및 해결 방안	아노미 이론	원인	사회 규범의 부재, 목표와 수단 간의 괴리
		해결 방안	사회적으로 합의된 지배 규범 확립, 목표 달성을 위한 공정한 기회 제공
	차별 교제 이론	원인	일탈자와의 상호 작용
		해결 방안	정상적인 사회 집단과의 교류 촉진, 일탈자와의 접촉 차단
	낙인 이론	원인	특정 행위에 대한 낙인
		해결 방안	일탈 행동을 신중하게 규정하려는 사회적 합의 필요, 재사회화

사회·문화

01 사회 구조에 대한 옳은 설명을 〈보기〉에서 고른 것은?

┤ 보기 ├
ㄱ. 고정된 것이 아니라 성격이 달라질 수 있다.
ㄴ. 사회 구성원의 행위를 예측하는 데 장애가 된다.
ㄷ. 상호 관계를 맺는 방식이 안정된 틀을 이루고 있는 상태이다.
ㄹ. 사회를 구성하는 개별 구성원이 바뀌면, 사회 구조의 유지가 어렵다.

① ㄱ, ㄴ ② ㄱ, ㄷ ③ ㄴ, ㄷ
④ ㄴ, ㄹ ⑤ ㄷ, ㄹ

02 다음 글을 읽고 내릴 수 있는 결론으로 적절한 것은?

오랫동안 안정적으로 지속되어 온 사회 구조는 18세기에 큰 변화를 맞는다. 프랑스 대혁명을 비롯한 시민 혁명이 발생한 것이다. 시민은 불과 몇 년 전까지만 해도 국가 그 자체라고 불리던 왕을 끌어내렸다. 이와 같은 변화의 원동력은 새로운 사상의 등장이다. 사회 계약설을 비롯한 새로운 사상으로 시민은 국가를 시민의 필요에 의해 만들어진 하나의 조직에 불과하다고 인식하게 되었다.

① 사회 구조는 구성원의 개혁 의지에 따라 변동한다.
② 사회 구조는 모든 구성원이 바뀌어도 계속 유지된다.
③ 사회 구조는 구성원의 일상생활을 구속하는 힘이 있다.
④ 사회 구조는 구성원의 지지 여부와 관계없이 유지된다.
⑤ 사회 구조는 지배 집단의 가치를 정당화하는 수단이다.

03 개인과 사회의 관계를 바라보는 다음 글의 관점에 부합하는 진술로 가장 적절한 것은?

우리나라의 청년 실업률이 높은 것은 우리나라의 대학 진학률이 너무 높은 사회 구조적 문제와 관련이 있다. 고등학교 졸업자의 대부분이 대학에 진학하고 대학 졸업자는 자신의 학력 수준에 맞는 직장에 들어가기를 원한다. 하지만 대학 졸업자들이 들어가고 싶어 하는 회사에서 필요로 하는 인력의 수는 대학 졸업자 수에 훨씬 못 미친다. 따라서 청년 실업 증가 문제를 해결하려면 산업 수요에 맞게 교육 체계를 바꾸어야 하고, 관련 제도를 정비해야 한다.

① 사회는 개인의 총합에 불과하다.
② 사회는 개인의 외부에서 독자적으로 작동한다.
③ 사회 현상은 개인의 심리적 현상으로 환원된다.
④ 개인의 행위는 사회 구조의 변화를 이끌어 낸다.
⑤ 사회는 개인의 행동에 대해 구속력을 갖지 못한다.

04 〈자료 2〉는 〈자료 1〉에 나타난 개인과 사회의 관계를 바라보는 관점 A, B를 구분한 것이다. (가)~(다)에 들어갈 수 있는 질문으로 옳은 것은?

〈자료 1〉
A: 사회는 개인의 합에 붙여진 또 다른 이름에 불과하고, 개인으로 환원될 수 있다.
B: 사회는 개인의 합과는 다른 실체적 존재이고, 개인과는 다른 독자적 성질을 지닌다.

〈자료 2〉

질문	A	B
(가)	예	아니요
(나)	아니요	예
(다)	아니요	아니요

① (가) – 개인보다 사회가 우선하는가?
② (가) – 개인의 행동은 사회 구조에 의해 결정되는가?
③ (나) – 사회는 개인과 달리 영속성을 가진 존재인가?
④ (나) – 사회와 관계없이 개인은 자율적으로 행동하는가?
⑤ (다) – 사회 규범은 개인들에 의해 형성되고 변화하는가?

05 개인과 사회의 관계를 바라보는 관점 (가), (나)에 대한 옳은 설명을 〈보기〉에서 고른 것은?

> (가) 도덕심은 개인적 양심에서 나오는 것이 아니라, 사회로부터 주어지는 것이다.
> (나) 도덕심은 개인이 선하고 올바른 것이라고 판단하는 데서 만들어지는 것이다.

┤ 보기 ├

ㄱ. (가)는 사회 현상이 인간의 자율적 의지에 의해 형성된다고 본다.
ㄴ. (나)는 사회가 개인에게 미치는 영향을 설명하지 못하는 한계가 있다.
ㄷ. (가)는 (나)와 달리 개인이 사회 구조와의 관련 속에서만 존재 의미를 갖는다고 본다.
ㄹ. (나)는 (가)와 달리 사회 현상을 분석함에 있어 거시적 요인을 중시한다.

① ㄱ, ㄴ   ② ㄱ, ㄷ   ③ ㄴ, ㄷ
④ ㄴ, ㄹ   ⑤ ㄷ, ㄹ

06 표는 개인의 일반적인 사회화 과정을 정리한 것이다. (가)~(마)에 대한 설명으로 옳지 않은 것은?

구분	사회화 내용	대표적 사회화 기관
유아기	(가)	(라)
아동기	언어, 규칙, 가치관 습득	(마)
청소년기	(나)	또래 집단, 대중 매체
성인기	(다)	직장, 대중 매체

① (가)에는 '기본적인 욕구 충족'이 들어갈 수 있다.
② (나)에는 '진로 및 직업 선택과 관련한 기술 습득'이 들어갈 수 있다.
③ (다)에는 '새로운 지식과 기술 습득'이 들어갈 수 있다.
④ '정서적 반응 방식 습득'은 (가)보다 (다)에 적절하다.
⑤ '가족'은 (라), (마) 모두에 들어갈 수 있다.

07 사회화의 유형 (가), (나)에 대한 옳은 설명을 〈보기〉에서 고른 것은?

> (가) 미래에 속하게 될 집단에서 요구되는 행동 양식을 미리 학습하는 과정
> (나) 사회 변화나 새로운 환경에 적응하기 위해 이전과는 다른 규범이나 가치, 기능 등을 학습하는 과정

┤ 보기 ├

ㄱ. (가)의 사례로는 '대학에 입학하기 전 합격생들을 대상으로 실시하는 신입생 예비 교육'을 들 수 있다.
ㄴ. (나)의 사례로는 '정보 사회에 적응하기 위한 노인들의 컴퓨터 교육'을 들 수 있다.
ㄷ. (가)는 재사회화, (나)는 예기 사회화이다.
ㄹ. (가)는 공식적 사회화 기관에서, (나)는 비공식적 사회화 기관에서 이루어진다.

① ㄱ, ㄴ   ② ㄱ, ㄷ   ③ ㄴ, ㄷ
④ ㄴ, ㄹ   ⑤ ㄷ, ㄹ

08 밑줄 친 ㉠~㉤에 대한 설명으로 옳은 것은?

> 1학기에 졸업 학점을 다 채운 나는 졸업을 앞둔 2학기에는 ㉠학교 수업이 없어서 ㉡디자인 회사에서 인턴으로 일하게 되었다. 의상 디자이너의 꿈을 가지고 대학에서 4년째 공부해 왔지만, 회사는 더 많은 능력을 요구하였다. 그래서 퇴근하고 나면 ㉢어학 학원, 컴퓨터 학원에 다니는 등 열심히 노력하고 있다. ㉣텔레비전이나 영화에서 보여 주는 멋진 디자이너의 모습을 보고 가진 꿈이지만 직업의 현실은 가시밭길인 것 같다. 주말에는 힘든 몸과 마음을 위로하기 위해 어릴 적부터 함께 지내온 ㉤동네 친구들과 만나 치킨을 먹고 수다도 떨었다.

① ㉠-1차적 사회화 기관, 공식적 사회화 기관이다.
② ㉡-사회화 자체를 목적으로 하는 기관이다.
③ ㉢-탈사회화 과정이 이루어지고 있다.
④ ㉣-지속적이고 체계적으로 교육을 담당하는 사회화 전문 기관에 해당한다.
⑤ ㉤-청소년기에 결속력이 강해지며, 그들만의 문화를 형성하면서 개인의 인성이나 습관에 큰 영향을 미친다.

09 그림은 사회화 기관의 유형 A~C를 분류한 것이다. 이에 대한 옳은 설명을 〈보기〉에서 고른 것은?

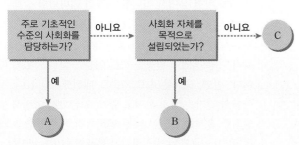

> **보기**
> ㄱ. A는 1차적 사회화 기관이다.
> ㄴ. B는 비공식적 사회화 기관이다.
> ㄷ. C의 사례로는 대중 매체를 들 수 있다.
> ㄹ. B는 C와 달리 재사회화의 기능을 수행하지 못한다.

① ㄱ, ㄴ   ② ㄱ, ㄷ   ③ ㄴ, ㄷ
④ ㄴ, ㄹ   ⑤ ㄷ, ㄹ

10 사회화 기관을 형성 목적에 따라 분류할 때 밑줄 친 ㉠~㉤ 중 성격이 나머지와 <u>다른</u> 하나는?

> 갑은 스무살이 되면서 ㉠ 직업 훈련 학교에 들어가 2년간 부지런히 기술을 배운 결과 우리나라 굴지의 ㉡ ○○ 중공업에 입사하였다. 그러나 노동조합에 가입하여 근로 조건을 두고 회사와 대립하다 부당 해고를 당하였다. 이후 ㉢ 가족의 만류에도 불구하고 근로자 권익을 위해 자신의 청춘을 바치기로 결심한 갑은 ㉣ 정당에 가입하고 ㉤ 대중 매체를 통해 노동 현실을 알리는 등 활발히 활동하고 있다.

① ㉠   ② ㉡   ③ ㉢
④ ㉣   ⑤ ㉤

11 사회학적 개념 A~D에 대한 설명으로 옳은 것은?

> 한 개인이 사회 속에서 차지하는 위치를 A (이)라고 한다. 이중 개인의 의지나 노력과 상관없이 주어지는 지위를 B (이)라고 하며, 개인의 의지나 노력을 통해 후천적으로 획득한 지위를 C (이)라고 한다. 한편, 개인이 차지하는 A 에 따라 요구되거나 기대되는 행동 양식을 D (이)라고 한다.

① 한 개인이 갖는 A는 여러 개일 수 없다.
② 한 개인이 소속된 집단의 수와 B의 수는 일치한다.
③ 일반적으로 현대 사회에서는 C보다 B의 중요성이 크다.
④ B의 사례로는 아버지, C의 사례로는 아들을 들 수 있다.
⑤ 같은 A라도 시대나 장소의 변화에 따라 기대되는 D는 달라질 수 있다.

12 밑줄 친 ㉠~㉦에 대한 설명으로 옳은 것은?

> 갑은 병마와 싸우고 있는 ㉠ 조카의 ㉡ 병원비를 마련하기 위해 돈을 훔친 일로 인해 ㉢ 교도소에 들어갔다. 출소 이후 마음을 다잡고 성실하게 살던 그는 불미스러운 일에 휘말려 예전에 그를 체포했던 경찰 을에게 쫓기는 신세가 된다. 갑은 ㉣ 신분을 세탁하고 살면서 사업에 성공하고, ㉤ 사업 수익을 자선 사업에 사용한다. ㉥ 자선 사업가로서 지역 주민들의 존경을 받던 그는 다른 사람이 자기 대신 누명을 쓰게 되자 ㉦ 죄책감에 고민하다 결국 자신이 진범임을 고백한다.

① ㉠, ㉥은 모두 성취 지위이다.
② ㉡은 갑의 역할 행동이다.
③ ㉢은 1차적 사회화 기관이다.
④ ㉣은 ㉤과 달리 갑의 역할이다.
⑤ ㉦은 갑의 역할 갈등이다.

13 (가)에 들어갈 옳은 질문을 〈보기〉에서 고른 것은?

사례 A, B는 각각 사회 집단과 사회 집단이 아닌 것 중 하나입니다. A, B는 [(가)]의 질문을 통해 각각의 성격을 구분할 수 있습니다.

A: 버스 정류장에서 줄을 서서 기다리는 사람들
B: 등산로에서 환경 정화 활동을 하는 ○○산악회 회원들

┤ 보기 ├
ㄱ. 2명 이상의 사람이 모여 있는가?
ㄴ. 구성원 간 지속적인 상호 작용이 이루어지는가?
ㄷ. 구성원들이 소속감과 공동체 의식을 갖고 있는가?
ㄹ. 문서화된 규약과 엄격한 절차에 따라 일이 처리되는가?

① ㄱ, ㄴ ② ㄱ, ㄷ ③ ㄴ, ㄷ
④ ㄴ, ㄹ ⑤ ㄷ, ㄹ

14 밑줄 친 ㉠~㉤에 대한 설명으로 옳은 것은?

나는 동아리인 ㉠ A고등학교 응원단 소속의 학생이다. 나는 지난 금요일 대통령배 축구 대회 결승에 진출한 ㉡ 우리 학교와 ㉢ B고등학교의 경기를 응원하기 위해 축구 경기장에 갔다. 나는 우리 학교의 승리와 명예를 위해 누가 시키지 않았으나 목이 터지게 응원하였다. 평소 ㉣ 학교를 좋아하지 않던 학생들까지도 하나가 되어 열심히 함께 하였다. 축구 경기장에는 우리 학교의 학생 외에도 많은 ㉤ 관중이 각자의 팀을 응원하기 위해 모여 있었다.

① ㉠은 '나'의 외집단에 해당한다.
② ㉡은 '나'의 내집단이자 소속 집단이다.
③ ㉢은 1차 집단이자 공동 사회에 해당한다.
④ ㉣을 통해 내집단과 외집단이 절대적임을 알 수 있다.
⑤ ㉤은 사회 집단에 해당한다.

15 다음 글을 읽고 내릴 수 있는 결론으로 가장 적절한 것은?

10대 시절 유명한 아이돌 그룹의 리더였던 승택은 지금의 상황을 생각하면 마음이 괴롭다. 그룹이 해체된 후, 과거 자신보다 인기가 많지 않았던 멤버들이 지금은 각자 다양한 연예 활동을 하며 이름을 날리고 있기 때문이다. 반면, 승택은 솔로 가수로 데뷔했지만 10대 시절만큼의 인기는 얻지 못하고 있다. 지금까지 여전히 높은 인기를 유지하고 있는 예전 멤버들의 현재 모습과 자신을 비교하자니, 자신의 처지가 볼품없게만 느껴진다.

① 내집단 의식은 소속 집단에서만 발생한다.
② 개인의 준거 집단은 소속 집단과 항상 일치하지 않는다.
③ 집단 간 갈등이 심화되면 집단 내부의 결속력이 강화된다.
④ 소속 집단과 준거 집단이 일치하지 않을 경우 상대적 박탈감이 생길 수 있다.
⑤ 소속 집단과 일치하지 않는 준거 집단은 개인에게 성취동기를 부여하기도 한다.

16 표의 (가)~(다)에 들어갈 사례로 옳은 것은?

구분	(가)	(나)	(다)
구성원의 선택 의지에 의해 형성된 집단인가?	아니요	예	예
공통의 관심사나 목표를 갖고 있는 이들이 자발적으로 결성한 집단인가?	아니요	아니요	예

	(가)	(나)	(다)
①	친족	군대	회사
②	회사	학교	군대
③	가족	학교	시민 단체
④	가족	동호회	노동조합
⑤	학교	노동조합	시민 단체

17 다음 내용의 A~C에 대한 설명으로 옳지 <u>않은</u> 것은?

- A~C는 각각 공식 조직, 이익 사회, 비공식 조직 중 하나이다.
- A와 달리 B는 특정한 목표와 과업 달성을 중시한다.
- A의 성립은 B를 전제로 하며, A의 구성원은 항상 B의 구성원이 된다.
- A, B 모두 인위적, 후천적으로 형성되었다는 점에서 C에 해당한다.

① 모든 A는 자발적 결사체에 포함된다.
② B는 2차적인 인간관계를 바탕으로 하는 조직이다.
③ B는 A에 비해 조직의 규모가 크고, 구성원이 이질적이다.
④ C는 A와 B의 총합이다.
⑤ C는 결합 의지에 따른 분류에 의해 구분되는 집단이다.

19 그림은 사회 조직의 유형 A, B의 특징을 나타낸 것이다. 이에 대한 설명으로 옳은 것은? (단, A, B는 각각 관료제 조직과 탈관료제 조직 중 하나이다.)

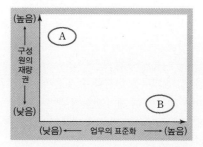

① A는 관료제 조직, B는 탈관료제 조직이다.
② A는 B와 달리 조직 운영의 효율성을 추구한다.
③ A는 B에 비해 연공서열에 따른 보상을 중시한다.
④ B는 A에 비해 조직 운영의 유연성이 높다.
⑤ B는 A에 비해 주로 하향식 의사 결정 방식을 따른다.

18 다음은 갑의 주말 일정표이다. 이에 대한 옳은 설명을 〈보기〉에서 고른 것은?

구분	오전	오후	저녁
토요일	사내 축구 동호회 친선 경기	영어 회화 학원 강좌 수강	고등학교 동문회 모임 참석
일요일	○○시 축구 동호회 모임 참석	회사 마케팅팀 프리젠테이션용 자료 준비	고향 친구 결혼식 참석

┤ 보기 ├
ㄱ. 일요일에는 공식 조직에서의 활동 계획이 없다.
ㄴ. 토요일과 일요일 모두 자발적 결사체에서의 활동 계획이 있다.
ㄷ. 토요일에는 일요일과 달리 이익 사회에서의 활동 계획이 있다.
ㄹ. 토요일에는 일요일과 달리 비공식 조직에서의 활동 계획이 있다.

① ㄱ, ㄴ   ② ㄱ, ㄷ   ③ ㄴ, ㄷ
④ ㄴ, ㄹ   ⑤ ㄷ, ㄹ

20 다음 내용에 나타난 조직 형태에 대한 옳은 설명을 〈보기〉에서 고른 것은?

- 직위의 위계 구조에서 상승 이동이 가능하고 기술적 자질, 능력, 업적 및 연공서열이 반영된다.
- 업무는 일반적인 조직 규칙에 의해 수행된다. 즉, 특수 주의에서 벗어나 탈인격적이고 보편주의에 입각한 업무 수행이 이루어진다.
- 직책을 담당하고 있는 조직원의 업무와 관련된 권위는 제한적이다. 즉, 권위는 규칙에 기반하여 업무 수행과 관련된 영역에 국한된다.

┤ 보기 ├
ㄱ. 업무의 세분화, 전문화가 강조된다.
ㄴ. 의사 결정 과정이 수평적 구조로 이루어진다.
ㄷ. 구성원의 자율성보다 조직의 과업과 목표를 중시한다.
ㄹ. 외부 환경 변화에 능동적이고 유연하게 대처할 수 있다.

① ㄱ, ㄴ   ② ㄱ, ㄷ   ③ ㄴ, ㄷ
④ ㄴ, ㄹ   ⑤ ㄷ, ㄹ

21 다음 대화를 통해 알 수 있는 관료제 조직의 문제점으로 가장 적절한 것은?

> 교사 내년도 사회 선택 과목을 정할 예정입니다. 희망하는 선택 과목을 적고 학부모 사인을 받아 제출하세요.
> ----------------------1주일 후----------------------
> 학생 선생님, 선택 과목을 변경할 수 있을까요? 생각해 보니 다른 과목이 더 재미있을 거 같아서요.
> 교사 규정에 따라 한번 정해진 선택 과목의 변경은 불가능하단다.
> 학생 과목을 선택하게 하는 것은 결국 학생들이 더 흥미로운 과목을 들을 수 있게 하기 위함이 아닌가요? 규정 때문에 제가 원하지 않는 과목을 들어야 하는 것은 불합리하다고 생각해요.

① 불필요한 인력의 증가로 효율성이 저하된다.
② 구성원의 신분을 안정적으로 보장하기 어렵다.
③ 연공서열의 강조에 따른 무사안일주의가 나타난다.
④ 규칙과 절차의 강조에 따른 목적 전치 현상이 나타난다.
⑤ 인간이 조직의 부속품으로 전락하는 인간 소외 현상이 나타난다.

22 (가) 조직의 일반적인 특징에 대한 설명으로 가장 적절한 것은?

> **(가) 조직의 대표적인 유형 중 하나인 네트워크형 조직**
>
>
>
> 조직의 핵심 업무나 핵심 부서를 중심으로 각각의 독립적인 부서가 상호 유기적 관계를 유지하면서, 부서 간 수평적 의사소통이 이루어지는 조직 형태이다.

① 구성원 개개인의 자율성이 높다.
② 조직의 안정성 유지가 용이하다.
③ 중간 관리층의 역할 비중이 높다.
④ 실적보다 경력에 따른 보상이 중시된다.
⑤ 규약과 절차에 따라 표준화된 과업을 수행한다.

23 다음 대화의 (가)에 들어갈 내용으로 가장 적절한 것은?

> 갑 뉴스를 보니 요즘 청년 중 일부가 입사 과정에서 본인의 학력을 위조하고, 각종 수상 및 인턴 경력을 허위로 작성하는 경우가 있대.
> 을 청년 대부분이 취업을 희망하고 있지만 일자리가 부족하여 경쟁이 치열한 상황이야. 이 과정에서 자신을 어필할 수 있는 경력이 부족한 이들은 경력 위조 등의 부적절한 방법을 써서라도 취업하고 싶어 하는 것이 당연해.
> 병 을은 이 상황이 발생하는 원인을 [(가)](이)라고 보는구나.

① 주변 사람들의 부정적 반응과 낙인
② 문화적 목표와 제도적 수단 간의 괴리
③ 일탈 집단과의 지속적 교제에 따른 학습
④ 일탈에 대한 기술과 우호적 가치의 습득
⑤ 급속한 사회 변동에 따른 지배적 규범의 부재

24 밑줄 친 '이 이론'에 대한 설명으로 옳은 것은?

> 일탈 행동에 대한 이 이론은 일탈을 개인 또는 집단의 특성이 아니라 일탈자와 비일탈자 간의 상호 작용 과정으로 해석한다. 누구나 때로는 일시적인 일탈, 즉 '1차적 일탈'을 하게 되는데, 이러한 일탈 행동이 발견되어 세상에 알려지면 그는 일탈자로 규정되고, 타인들은 그를 일탈자로 대하기 시작한다. 이에 따라 일탈자로서의 새로운 정체성을 형성하고 그에 따라 행동하기 시작하여 일탈이 습관화될 수 있다. 이를 '2차적 일탈'이라고 한다.

① 일탈 행동을 초래하는 사회 구조의 영향력을 강조한다.
② 일탈 행동은 일탈 집단과의 교류를 통해 학습된다고 본다.
③ 일탈을 규정하는 객관적인 기준은 존재하지 않는다고 본다.
④ 일탈에 대한 대책으로 사회 규범의 통제력 회복을 주장한다.
⑤ 사회의 지배적인 규범이 약화될 때 일탈 행동이 증가한다고 본다.

25 일탈 이론 A~C에 대한 옳은 설명을 〈보기〉에서 고른 것은? (단, A~C는 각각 낙인 이론, 차별 교제 이론, 아노미 이론 중 하나이다.)

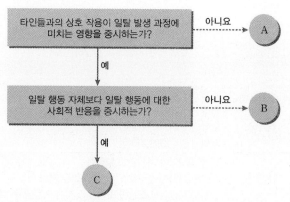

| 보기 |

ㄱ. A는 C와 달리 일탈 행동의 발생 원인으로 사회 구조적 요인을 강조한다.

ㄴ. B는 일탈 행동의 발생 원인으로 일탈 행동과 그에 대한 우호적 가치의 습득을 강조한다.

ㄷ. C는 일탈의 해결 방안으로 일탈자와의 접촉 차단을 제시한다.

ㄹ. C는 B와 달리 급격한 사회 변동으로 인해 일탈 행동이 발생한다고 본다.

① ㄱ, ㄴ   ② ㄱ, ㄷ   ③ ㄴ, ㄷ

④ ㄴ, ㄹ   ⑤ ㄷ, ㄹ

26 표는 일탈 이론 A, B를 비교한 것이다. ㉠~㉣에 들어갈 대답으로 옳은 것은? (단, A, B는 각각 차별 교제 이론과 낙인 이론 중 하나이다.)

질문	A	B
2차적 일탈의 발생 과정에 주목하고 있는가?	예	아니요
차별적인 제재로 인해 일탈 행동이 발생한다고 보는가?	㉠	㉡
일탈 행동의 해결 방안으로 사회 규범의 통제력 강화를 주장하는가?	㉢	㉣

	㉠	㉡	㉢	㉣
①	아니요	예	아니요	아니요
②	아니요	아니요	예	예
③	예	예	아니요	아니요
④	예	아니요	예	예
⑤	예	아니요	아니요	아니요

서답형 문제

27 (가), (나)에 해당하는 사회학적 개념을 쓰고, 각각의 차이점에 대해 서술하시오.

> (가) 가족 행사와 중요한 회사 일정이 겹쳐 고민하고 있는 회사원의 상황
> (나) 자유롭고 민주적인 학급 문화 조성에 대한 학생들의 요구와 질서 있고 정숙한 학급 문화 조성에 대한 학부모의 요구 사이에서 고민하는 학급 담임의 상황

28 빈칸에 들어갈 사회 조직을 쓰고, 이 조직의 특징을 두 가지 서술하시오.

> 현대 사회가 다원화되어 직업, 계층, 관심 등이 다양해지고 사회 참여의 욕구가 증대되면서 (   )의 역할이 커지고 있다. (   )은/는 공동의 관심사나 이해관계를 가진 사람들이 공동의 목표를 달성하기 위하여 자발적으로 형성한 조직을 의미한다.

29 다음 글의 ㉠, ㉡에 해당하는 일탈 이론을 쓰고, 이 이론의 공통점을 서술하시오.

> 청소년 일탈의 원인이 ㉠ 나쁜 친구들과 어울리기 때문이라고 생각하는 사람들이 많다. 그러나 조사 결과에 따르면 ㉡ 한번 잘못을 범한 청소년을 비행 청소년이라고 바라보는 시각이 또 다른 일탈로 이어지는 원인으로 드러났다.

III단원 문화와 일상생활

주제 01 문화의 의미

좁은 의미	인간의 사회적이고 후천적인 생활 양식 중에서 예술적이고 교양 있거나 세련된 것
넓은 의미	한 사회의 구성원들이 만들어 낸 공통의 생활 양식

주제 02 문화의 특성

문화의 보편성	어느 사회에서나 공통적으로 존재하는 생활 양식
문화의 특수성	다른 사회와 구분되는 고유한 특징

주제 03 문화의 속성

학습성	문화는 타고나는 것이 아니라 후천적으로 습득됨.
공유성	문화는 한 사회의 구성원들이 공통으로 가지고 있는 생활 양식임.
변동성	문화는 시간이 흐르면서 그 모습이나 내용, 의미 등이 변화함.
축적성	문화는 다음 세대로 전승되면서 새로운 문화 요소가 추가됨.
총체성 (전체성)	문화는 여러 구성 요소가 상호 유기적인 관계를 맺으며, 부분이 아닌 하나의 전체로서 존재함.

주제 04 문화를 바라보는 관점

총체론적 관점	어떤 문화 현상의 의미를 다른 문화 요소나 전체의 맥락 속에서 이해하는 관점
비교론적 관점	서로 다른 문화에 나타나는 유사성과 차이점을 비교하여 문화의 보편성과 특수성을 파악하는 관점
상대론적 관점	한 사회의 문화를 그 사회의 자연환경이나 사회적 상황, 역사적 맥락 등을 고려하여 파악하는 관점

주제 05 문화를 이해하는 태도

자문화 중심주의	자기 문화를 가장 우수한 것으로 여기면서, 그것을 기준으로 다른 문화를 수준이 낮거나 미개하다고 판단하는 태도
문화 사대주의	다른 사회의 문화를 우월한 것으로 여기고 추종하면서, 자기 문화를 열등하다고 생각하는 태도
문화 상대주의	어떤 사회의 특수한 자연환경, 역사적 전통, 사회적 맥락 등을 고려하여 그 사회의 문화를 이해하는 태도

주제 06 주류 문화와 하위문화

주류 문화 (전체 문화)	한 사회의 구성원 대다수가 공유하는 문화
하위문화	한 사회 내의 일부 구성원들이 공유하는 문화

주제 07 다양한 하위문화

지역 문화	한 나라를 구성하는 여러 지역 사회에서 각각 나타나는 고유한 생활 방식
세대 문화	공통의 의식을 가진 비슷한 연령대의 사람들이 공유하는 문화
반문화	한 사회의 주류 문화를 거부하거나 저항하는 사람들이 공유하는 문화

주제 08 대중문화와 대중 매체

대중문화	신분이나 계급, 지위 등에 따라 구분되지 않는 다수의 사람이 즐기고 누리는 문화
대중 매체	대량의 정보를 많은 사람에게 전달하는 수단

주제 09 대중문화의 기능

순기능	• 계층 간 문화의 차이를 줄임. • 오락이나 여가의 기회를 제공함. • 사회의 민주화에 기여함.
역기능	• 생활 양식이나 가치관의 획일화 • 지나친 상업성 추구로 인한 문화의 질 저하 • 정치적 무관심을 조장하고 여론 조작에 이용될 수 있음.

주제 10 문화 변동

의미		한 사회의 문화가 대다수 구성원의 삶에 커다란 영향을 미칠 정도로 변화하는 현상
내재적 요인	발명	그동안 존재하지 않았던 새로운 문화 요소를 만들어 내는 것
	발견	이미 존재하고 있었지만 알려지지 않았던 것을 찾아내는 것
외재적 요인	전파 직접 전파	이주, 무역, 전쟁 등을 통해 사람이 다른 문화와 직접 접촉하여 문화 요소가 전해지는 것
	간접 전파	책, 텔레비전, 인터넷 등과 같은 매개체를 통해 문화 요소가 전해지는 것
	자극 전파	다른 사회의 문화 요소에서 아이디어를 얻어 새로운 문화 요소를 만들어 내는 것

주제 11 문화 변동의 양상

내재적 변동			한 사회의 문화 체계 내에서 일어나는 것으로, 발견이나 발명에 의해 발생함.
문화 접변 (외재적 변동)	의미		두 문화 체계가 장기간에 걸쳐 전면적인 접촉을 함으로써 나타나는 문화 변동
	종류	자발적 문화 접변	서로 다른 문화가 교류하는 과정에서 스스로의 필요에 의해 다른 문화 요소를 받아들이는 것
		강제적 문화 접변	정복, 식민 지배 등의 상황에서 지배 사회의 문화가 피지배 사회에 강제적으로 이식되어 나타나는 것

주제 12 문화 접변의 결과

문화 병존 (문화 공존)	서로 다른 사회의 문화가 한 사회의 문화 속에서 나란히 존재하는 현상
문화 동화	한 사회의 문화가 다른 사회의 문화로 흡수되거나 대체되어 정체성을 상실하는 현상
문화 융합	서로 다른 사회의 문화 요소가 결합하여, 두 문화 요소의 성격을 지니면서도 두 문화 요소와는 다른 성격을 지닌 새로운 문화가 나타나는 현상

사회·문화

성명 [   ] 반 [   ] 번호 [   ]

01 ㉠~㉣에서 사용한 문화의 의미를 옳게 분류한 것은?

> • 갑국은 대표적인 ㉠ 다문화 사회이다. 갑국에는 다양한 ㉡ 이민자 집단의 문화가 존재하는데, 각각의 고유성이 유지되고 있다.
> • 을국에서는 이민자 집단에 대한 배타적 태도가 강하다. 이민자 집단의 생활 양식을 '㉢ 문화인답지 못하다.'고 비판하기 일쑤이며, 일부 ㉣ 문화 예술 공연에는 이민자의 출입을 금지하기도 한다.

	넓은 의미의 문화	좁은 의미의 문화
①	㉠, ㉡	㉢, ㉣
②	㉠, ㉢	㉡, ㉣
③	㉠, ㉣	㉡, ㉢
④	㉡, ㉢	㉠, ㉣
⑤	㉡, ㉣	㉠, ㉢

02 문화의 의미와 관련하여 밑줄 친 ㉠~㉢에 대한 설명으로 옳은 것은?

> • ㉠ 전통문화 전시회: 한국인의 ㉡ 의식주 문화
> • ㉢ 문화 행사 안내: 현대 미술 발자취

① ㉠에서의 문화는 문명과 동일한 의미이다.
② ㉡에서의 문화는 인간이 선천적으로 습득한 모든 것을 포함한다.
③ ㉢에서의 문화는 생활 양식의 총체를 의미한다.
④ ㉢에서의 문화는 평가적 의미를 내포하고 있다.
⑤ ㉠에서의 문화는 ㉡에서의 문화와 달리 '청소년 문화'의 문화와 동일한 의미이다.

03 다음 글에 나타난 문화의 속성에 대한 설명으로 옳은 것은?

> 우리나라에서는 늦가을에서 초겨울 무렵을 김장철이라고 부른다. 이 시기에 이웃이 배추, 무, 고춧가루 등을 대량으로 사는 것을 보면, 겨울에 먹을 김치를 담그기 위해 재료를 준비하는 것이라고 생각한다.

① 문화는 계속적으로 변화하여 이전과 다른 모습을 가진다.
② 문화는 세대 간 전승 과정에서 점차 풍부해지고 발전한다.
③ 문화는 다른 구성원과의 상호 작용이 안정적으로 이루어지게 한다.
④ 문화는 태어날 때부터 지니고 있는 것이 아니라 후천적으로 습득된다.
⑤ 문화는 여러 요소들이 유기적으로 연관되어 이루어진 하나의 전체이다.

04 다음 글에 나타난 문화의 속성에 대한 옳은 설명을 〈보기〉에서 고른 것은?

> 우리나라 사람들은 '미역국 먹는 날'이라고 하면 대부분 생일을 떠올린다. 우리나라에는 생일에 미역국을 먹는 문화가 있기 때문이다. 반면, 시험 보는 날에는 미역국을 잘 먹지 않는다. 우리 문화를 잘 모르는 외국인은 이와 같은 문화를 낯설어하는 경우가 많다.

┤ 보기 ├
ㄱ. 문화는 시간의 흐름에 따라 그 형태나 내용이 변화한다.
ㄴ. 문화는 타인의 행동을 예측하고 이해할 수 있게 해 준다.
ㄷ. 문화는 세대 간 전승을 통해 그 내용이 점차 풍부해진다.
ㄹ. 문화는 한 사회의 구성원이 함께 누리는 생활 양식이다.

① ㄱ, ㄴ   ② ㄱ, ㄷ   ③ ㄴ, ㄷ
④ ㄴ, ㄹ   ⑤ ㄷ, ㄹ

05 (가), (나)에 해당하는 문화의 속성으로 옳은 것은?

문화의 속성	사례
(가)	온돌 난방의 효율성을 위해 천장이 낮다 보니 자연스럽게 앉아서 생활하는 방식이 정착하게 되었다. 또한, 방바닥에 밀착하는 생활 때문에 '품'이 넉넉한 옷을 입게 되었다.
(나)	보편화된 온돌 방식인 온수 순환 방식의 핵심은 보일러이다. 최근, 보일러에 첨단 기술이 가미되고 있다. 각종 센서와 통신 기능을 내장하여 원격 제어 기술을 넘어 지진과 화재에 대비하는 안전 기능이 추가되고 있다.

    (가)   (나)
① 총체성   학습성
② 총체성   축적성
③ 학습성   변동성
④ 변동성   축적성
⑤ 공유성   총체성

06 다음 글에 나타난 문화의 속성에 대한 설명으로 옳은 것은?

> 문화 현상을 이해하기 위해서는 문화를 구성 요소 간의 관계 속에서 파악할 필요가 있다. 예를 들어, 특정 음식 문화는 해당 지역의 기후, 종교적 신념, 다른 지역과의 교류 정도 등과 밀접한 관련이 있다.

① 문화는 상징을 통해 다음 세대로 전승된다.
② 문화는 고정된 것이 아니라 지속적으로 변화한다.
③ 문화는 새로운 요소가 추가되어 점점 더 풍부해진다.
④ 문화는 특정한 상황에서 상대방의 행동을 예측하게 한다.
⑤ 문화는 각 부분이 모여서 전체로서 하나의 체계를 이룬다.

07 다음 글에 나타난 문화를 바라보는 관점에 대한 옳은 설명을 〈보기〉에서 고른 것은?

> 우리나라는 밥을 주식으로 먹는다. 이러한 문화는 벼농사를 주로 하는 농경 문화와 관련이 있다. 벼농사를 지으려면 많은 노동력이 필요하여 토지를 중심으로 가족 규모가 커졌고, 대가족을 운영하는 과정에서 가족 내 수직적인 상하 질서가 형성되었다. 상하 질서가 엄격한 가족 문화는 산업화와 핵가족이 일반적인 오늘날에도 상당 부분 남아 있다.

┤ 보기 ├
ㄱ. 여러 문화를 비교하면서 공유되는 보편성을 파악하고자 한다.
ㄴ. 타문화와의 비교를 통해 자문화를 객관적으로 이해하고자 한다.
ㄷ. 전체 문화의 맥락 속에서 해당 문화가 갖는 의미를 파악하고자 한다.
ㄹ. 문화 요소는 개별적으로 존재하는 것이 아니라 다른 요소와 상호 유기적 관계에 있다고 본다.

① ㄱ, ㄴ   ② ㄱ, ㄷ   ③ ㄴ, ㄷ
④ ㄴ, ㄹ   ⑤ ㄷ, ㄹ

08 다음 글에 나타난 문화를 바라보는 관점에 대한 옳은 설명을 〈보기〉에서 고른 것은?

> 우리나라는 아버지 쪽 형제의 자녀는 '친사촌', 어머니 쪽 남자 형제의 자녀는 '외사촌'으로 부르며, 여기에 나이도 기준으로 적용되어 형님이나 누님과 같은 존칭 체계가 있다. 하지만 미국에서 형제는 'brother', 자매는 'sister'라 부르며, 'brother/sister'에는 형, 동생의 구분이 없다. 또한, 친사촌이나 외사촌에 대한 구분도 없다.

┤ 보기 ├
ㄱ. 자문화를 객관적으로 이해하기 위해 필요하다.
ㄴ. 서로 다른 문화 간에도 공통적인 특성이 있다고 본다.
ㄷ. 문화를 이해의 대상이 아닌 평가의 대상으로 바라본다.
ㄹ. 문화를 부분이 아닌 하나의 전체로 파악해야 한다고 본다.

① ㄱ, ㄴ   ② ㄱ, ㄷ   ③ ㄴ, ㄷ
④ ㄴ, ㄹ   ⑤ ㄷ, ㄹ

09 다음 글에 나타난 문화를 바라보는 관점에 대한 설명으로 옳은 것은?

> 한국과 일본의 장례는 모두 삼일장을 기본으로 하고 부의금을 받는다는 공통점이 있다. 그러나 한국은 곡소리로 슬픔을 표현한다. 특히, 부모의 죽음에 곡소리가 작으면 불효라고 생각하여 돈을 받고 대신 울어 주는 대곡제가 있을 정도이다. 하지만 일본은 아무리 슬퍼도 조문객 앞에서 슬픈 표정을 짓지 않고 울음을 속으로 삼키며 대체로 조용하게 장례를 지낸다.

① 문화 간에는 우열이 존재한다고 본다.
② 문화는 각 부분이 독립적으로 존재한다고 본다.
③ 자기 문화에 대한 객관적인 이해를 가능하게 한다.
④ 문화를 바라볼 때 특수성보다 보편성을 중시해야 함을 전제한다.
⑤ 한 사회의 문화는 다른 문화 요소와의 관련성 속에서 파악해야 함을 강조한다.

10 다음은 사회·문화 수업 시간에 어떤 개념을 설명하기 위해 교사가 제시한 수업 자료이다. 이 자료에 나타난 문화를 바라보는 관점에 대한 설명으로 옳은 것은?

>
> • 티베트에서는 사람이 죽으면 시신을 독수리의 먹이로 주는 풍습이 있다.
> • 인도네시아의 한 지역에서는 시신을 수개월에서 수년간 집 안에 보관하는 풍습이 있다.
> • 아프리카 가나에서는 사람이 죽으면 좋은 곳으로 간다고 믿기 때문에 장례를 축제처럼 치른다.

① 서로 다른 문화에 대한 이해를 통해 문화 갈등을 줄일 수 있다.
② 자기 문화에 대한 주체성을 상실하거나 국수주의로 흐를 수 있다.
③ 선진 문물을 적극적으로 수용해서 문화 발전에 도움이 될 수 있다.
④ 문화 현상에 대한 의미를 다른 문화 요소와의 관련성에서 파악할 수 있다.
⑤ 문화의 보편성과 특수성을 파악해서 서로 다른 문화의 유사성과 차이점을 찾을 수 있다.

11 을의 문화 이해의 태도에 대한 설명으로 옳은 것은?

>
> 남부 유럽이나 라틴 아메리카 일부 지역에서는 시에스타(siesta)라는 낮잠 풍습이 존재한다고 해.
>
>
> 낮잠 풍습이라니! 참으로 멋진 문화! 역시 문화인들의 나라는 참 낭만적이고 여유로워. 우리나라가 그 나라 문화를 따라가려면 한참 멀었어.
>
> 갑   을

① 문화의 다양성 보존에 기여한다.
② 타문화에 대한 객관적 이해를 돕는다는 평가를 받는다.
③ 다른 문화를 그 사회 내부자의 시각으로 이해하고자 한다.
④ 외래문화의 수용 과정에서 문화적 정체성을 상실할 우려가 있다.
⑤ 타문화와의 접촉 과정에서 문화적 마찰을 일으킬 가능성이 있다.

12 밑줄 친 '이것'에 해당하는 문화 이해의 태도에 대한 설명으로 옳은 것은?

> 대부분 사람은 자신이 친숙한 생활 양식이나 관습은 옳고 좋은 것이며, 자신에게 익숙하지 않은 생활 양식이나 관습은 그르고 나쁜 것으로 생각하는 경향이 있다. 그러나 이러한 태도는 다른 사회의 문화를 제대로 이해하기 어렵게 한다. 한 사회의 문화는 그 사회가 처한 특수한 환경과 상황에 적응하는 과정에서 축적된 결과이고, 그 나름대로 가치를 지니기 때문에 문화 간에는 우열을 가릴 수 없다. 따라서 어떤 문화를 제대로 이해하기 위해서는 이것이 필요하다.

① 자문화의 정체성을 약화시킨다.
② 인류의 보편적 가치를 부정한다.
③ 외래문화를 수용하는 데 소극적이다.
④ 모든 문화 간 우열의 존재를 인정한다.
⑤ 서로 다른 문화의 사회적 맥락과 의미를 중시한다.

13 다음 글에 나타난 문화 이해의 태도에 대한 옳은 설명을 〈보기〉에서 고른 것은?

> 미국의 한 언론사에서 운영하는 여행 정보 사이트는 자사 보도 기자들의 추천을 받아 선정한 세계 각국의 일곱 가지 요리를 소개하였다. '세상에서 가장 역겨운 음식'이라는 제목으로 소개한 일곱 가지 음식은 모두 아시아 음식이었다. 해당 음식에 대해 사이트는 '악명 높은', '끔찍한' 등의 표현을 사용하면서 절대 먹어서는 안 되는 음식이라고 소개하였다.

┤ 보기 ├
ㄱ. 자기 문화의 정체성을 약화시킨다.
ㄴ. 문화 제국주의로 변질될 가능성이 높다.
ㄷ. 한 사회의 문화적 다양성을 높이는 데 긍정적 역할을 한다.
ㄹ. 자기 문화에 대한 자부심을 높이고 집단 구성원 간의 결속력을 높인다.

① ㄱ, ㄴ   ② ㄱ, ㄷ   ③ ㄴ, ㄷ
④ ㄴ, ㄹ   ⑤ ㄷ, ㄹ

14 갑과 을의 문화 이해의 태도에 대한 설명으로 옳은 것은?

> 얼마 전 다큐멘터리를 보니까 ○○국의 사람들은 아이가 칼을 가지고 놀거나, 불을 피우며 놀아도 혼내지 않는데 무척 야만적이야. ○○국 사람들에게 우리나라의 선진 육아 문화를 가르쳐야 해.

> ○○국은 전통적으로 수렵과 채집을 중심으로 살아왔기 때문에 아이들에게 사냥과 야외 생활에 필요한 것들을 빨리 경험하게 해. ○○국의 육아법은 그들 나름의 생활 방식으로 존중할 필요가 있어.

 갑   을

① 갑의 태도는 자기 문화의 주체성을 상실할 우려가 높다.
② 갑의 태도는 해당 사회의 내부자 관점에서 문화를 바라 본다.
③ 을의 태도는 문화 제국주의로 변질될 가능성이 높다.
④ 을의 태도는 문화의 다양성을 보존하는 데 기여한다.
⑤ 갑의 태도는 을의 태도와 달리 문화를 이해의 대상으로 본다.

15 다음 내용에 대한 옳은 설명을 〈보기〉에서 고른 것은?

> • A, B는 각각 문화 사대주의와 자문화 중심주의 중 하나이다.
> • (가)의 질문에 대해 A는 '예', B는 '아니요'의 답을 한다.
> • (나)의 질문에 대해 A는 '아니요', B는 '예'의 답을 한다.

┤ 보기 ├
ㄱ. (가)가 '문화적 갈등을 유발한다는 비판을 받는가?'이면, A는 문화 사대주의이다.
ㄴ. (가)가 '다른 문화의 수용에 대해 긍정적인가?'이면, B는 자문화 중심주의이다.
ㄷ. (나)가 '자기 문화가 우월하다는 믿음을 바탕으로 타문화를 평가하는가?'이면, A는 문화 사대주의이다.
ㄹ. (나)가 '특정한 기준을 바탕으로 다른 문화를 평가하는가?'이면, B는 문화 사대주의이다.

① ㄱ, ㄴ   ② ㄱ, ㄷ   ③ ㄴ, ㄷ
④ ㄴ, ㄹ   ⑤ ㄷ, ㄹ

16 그림은 문화 이해의 태도 A, B를 구분한 것이다. 이에 대한 설명으로 옳은 것은? (단, A, B는 각각 문화 사대주의, 자문화 중심주의 중 하나이다.)

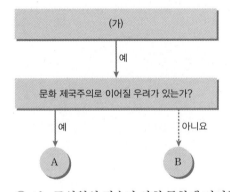

① A는 구성원의 결속과 사회 통합에 기여할 수 있다.
② B는 외부 사회의 문화를 수용하는 데 있어 부정적이다.
③ A는 B와 달리 문화를 이해의 대상이 아닌 평가의 대상으로 인식한다.
④ (가)에는 '문화의 다양성 보존에 기여하는가?'가 들어갈 수 있다.
⑤ (가)에는 '서로 다른 문화 간에 우열이 존재한다고 보는가?'가 들어갈 수 없다.

17 히피 문화와 관련된 설명으로 옳지 <u>않은</u> 것은?

> 히피(hippy)는 1960년대 미국에서 기존의 사회 통념, 제도, 가치관 등에 저항하면서 전쟁과 폭력 반대, 인간성의 회복, 자연으로의 복귀 등을 주장했던 사람들을 말한다. 그들은 폭동, 전쟁 등으로 많은 사람들이 죽고 다치는 모습을 보면서 사회에 대한 절망과 분노를 느꼈다. 이를 계기로 이들은 당시 사회에서 통용되던 규범과 가치 등 주류 문화를 비판하였고, 자유롭게 자신의 감정과 즐거움을 표현하며 평화를 노래하였다.

① 사회 변화를 주도하는 역할을 한다.
② 전체 문화에 다양성과 역동성을 제공한다.
③ 사회 전체 구성원의 문화 공유성을 높인다.
④ 주류 집단에 의해 일탈 문화로 규정되기도 한다.
⑤ 해당 문화를 누리는 구성원의 욕구 해결에 기여한다.

18 (가)~(다)에 대한 옳은 설명을 〈보기〉에서 고른 것은?

하위문화의 유형	의미
(가)	공통의 의식을 가진 비슷한 연령대의 사람들이 공유하는 문화
(나)	한 나라를 구성하는 여러 지역 사회에서 각각 나타나는 고유한 생활 양식
(다)	한 사회의 주류 문화를 거부하거나 저항하는 사람들이 공유하는 문화

┤ 보기 ├
ㄱ. (가)는 세대 간의 욕구나 가치관이 충돌하여 세대 갈등을 유발할 수 있다.
ㄴ. (나)는 해당 지역 주민의 유대감을 높이는 요인이 된다.
ㄷ. (다)는 (가), (나)와 공유하는 요소가 존재하지 않는다.
ㄹ. (가), (나), (다)의 총합은 전체 문화이다.

① ㄱ, ㄴ   ② ㄱ, ㄷ   ③ ㄴ, ㄷ
④ ㄴ, ㄹ   ⑤ ㄷ, ㄹ

19 다음 내용에 대한 옳은 설명을 〈보기〉에서 고른 것은?

> • A~C는 각각 전체 문화, 반문화, 하위문화 중 하나이다.
> • A는 B, C와 달리 한 사회의 지배적인 문화를 거부하거나 저항한다는 특징을 갖는다.
> • A와 B는 한 사회 내에서 일부 구성원들이 공유한다는 공통점을 갖는다.
> • B의 사례로는 (가), C의 사례로는 (나)를 들 수 있다.

┤ 보기 ├
ㄱ. B 문화는 A 문화와 달리 집단 간 갈등을 초래하는 요인이 된다.
ㄴ. 사회가 다원화될수록 B 문화는 C 문화로 수렴하는 경향을 보인다.
ㄷ. C 문화는 B 문화의 총합으로 설명할 수 없다.
ㄹ. (가)에 '고등학생 문화'가 들어가면, (나)에는 '한국 청소년 문화'가 들어갈 수 있다.

① ㄱ, ㄴ   ② ㄱ, ㄷ   ③ ㄴ, ㄷ
④ ㄴ, ㄹ   ⑤ ㄷ, ㄹ

20 (가), (나)에 대한 설명으로 옳지 <u>않은</u> 것은?

하위문화의 유형	사례
(가)	• 이천 쌀 문화 축제 • 보령 머드 축제 • 화천 산천어 축제
(나)	• 히피 문화 • 비행 청소년 집단의 문화 • 급진적인 종교 집단의 문화

① (가)는 지역의 환경적 특수성으로 인해 나타난다.
② (가)는 지역 간 인구 이동이 늘어나면 문화 고유성이 약화된다.
③ (나)는 사회 변동을 촉진하는 요인이 되기도 한다.
④ (나)를 규정하는 기준은 시대와 사회에 따라 변화한다.
⑤ (가)는 (나)와 달리 전체 문화와 공통 요소를 갖고 있다.

21 다음 내용에서 공통적으로 파악할 수 있는 문화 현상에 대한 설명으로 옳은 것은?

> • 체로키 인디언들은 영어의 일부 글자를 따서 자신들만의 고유 문자를 만들어 사용하였다.
> • 신라의 설총은 중국 한자의 음과 뜻을 빌려 우리말을 표현하는 문자인 이두를 만들었다.

① 매개체를 통해 다른 문화 요소가 전파되었다.
② 한 사회 내에서 발명을 통해 문화 변동이 발생하였다.
③ 다른 문화와 직접 접촉하여 새로운 문화가 전파되었다.
④ 다른 사회의 문화 요소에서 아이디어를 얻어 새로운 문화 요소가 만들어졌다.
⑤ 이미 존재하고 있던 문화 요소를 찾아내는 과정에서 문화 변동이 발생하였다.

22 A~C에 해당하는 개념으로 옳은 것은? (단, A~C는 각각 발명, 간접 전파, 자극 전파 중 하나이다.)

구분	A	B	C
문화 변동의 외재적 요인인가?	예	예	아니요
매개체를 통해 발생한 문화 변동인가?	아니요	예	아니요

	A	B	C
①	발명	자극 전파	간접 전파
②	간접 전파	발명	자극 전파
③	간접 전파	자극 전파	발명
④	자극 전파	간접 전파	발명
⑤	자극 전파	발명	간접 전파

23 (가)~(다)에 해당하는 사례로 옳은 것은?

문화 접변 결과	의미
(가)	서로 다른 사회의 문화가 접촉하면서 한 사회의 문화 체계 속에 외래문화 요소와 전통문화 요소가 온전하게 나란히 존재하는 현상
(나)	전통문화 요소가 외래문화 요소로 대체되어 고유한 문화적 정체성을 상실하는 현상
(다)	전통문화 요소와 외래문화 요소가 결합하여 두 문화 요소의 성격을 지니면서도 새로운 성격을 지닌 제3의 문화가 형성되는 현상

① (가)–활의 원리를 응용하여 개발된 현악기
② (나)–서양의 문화와 인도의 문화가 만나 형성된 간다라 미술
③ (나)–아프리카 흑인 음악과 유럽 백인 음악이 결합하여 나타난 재즈
④ (다)–멕시코 토착 인디언의 전통과 에스파냐 정복자의 문화가 결합하여 탄생한 메스티소 문화
⑤ (다)–라틴 아메리카의 원주민들이 원래 사용하던 언어 대신 에스파냐어나 포르투갈어를 사용하는 것

24 다음 사례에서 도출할 수 있는 문화 관련 개념을 〈보기〉에서 고른 것은?

> 백제는 고대 일본과 교류가 매우 활발하였다. 백제 출신의 학자, 승려, 유민 등은 일본에 건너가 불교, 건축, 조각, 회화, 여가 문화 등을 전해 주었다. 일본 오사카 지역에는 일종의 '코리아타운'처럼 백제인들이 그들 고유의 문화적 정체성을 지키며 살아가는 '백제 마을'이 조성되기도 하였다.

┤ 보기 ├
ㄱ. 직접 전파   ㄴ. 자극 전파
ㄷ. 문화 병존   ㄹ. 문화 동화

① ㄱ, ㄴ   ② ㄱ, ㄷ   ③ ㄴ, ㄷ
④ ㄴ, ㄹ   ⑤ ㄷ, ㄹ

25 그림은 문화 접변의 결과 A~C를 나타낸 것이다. 이에 대한 옳은 설명을 〈보기〉에서 고른 것은?

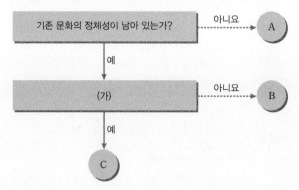

| 보기 |
ㄱ. A의 사례로는 한의학과는 별도로 서양 의학이 독립적으로 존재하는 경우를 들 수 있다.
ㄴ. B가 문화 융합이라면, C는 문화 병존이다.
ㄷ. (가)에 '서로 다른 문화 요소가 고유성을 유지한 채 나란히 존재하는가?'가 들어가면, B는 문화 동화이다.
ㄹ. (가)에 '새로운 문화 요소가 만들어지는가?'가 들어가면, C는 문화 융합이다.

① ㄱ, ㄴ   ② ㄱ, ㄷ   ③ ㄴ, ㄷ
④ ㄴ, ㄹ   ⑤ ㄷ, ㄹ

26 다음은 수업의 한 장면이다. 교사의 설명을 보고 A, B에 들어갈 용어를 옳게 고른 것은?

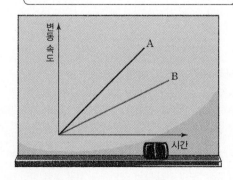

최근 무인 항공기인 드론이 대중화되면서 이를 다양한 곳에 사용하는 사람이 증가하고 있습니다. 하지만 이와 관련한 제도나 규범이 마련되지 않아서 사생활 침해와 같은 문제가 발생하고 있어요. 이러한 현상을 문화 지체 현상이라고 합니다. 이 그래프가 문화 지체 현상을 나타내 주고 있습니다.

	A	B
①	물질문화	전통문화
②	물질문화	비물질문화
③	물질문화	대중문화
④	비물질문화	물질문화
⑤	비물질문화	제도문화

서답형 문제

27 (가)의 순기능과 역기능을 각각 서술하시오.

한 사회의 구성원들은 오랫동안 함께 생활하면서 대체로 같은 문화를 공유한다. 한 사회의 구성원 대다수가 공유하는 문화를 주류 문화라고 한다. 한편, 한 사회 내에서도 지역, 집단, 연령 등에 따라 부분적으로는 서로 다른 문화가 나타날 수 있는데, 이를 (가) (이)라고 한다.

28 다음 대화를 읽고 물음에 답하시오.

지난 시간에는 ㉠ 대중문화의 등장 배경과 기능을 학습하였습니다. 이번 시간에는 대중문화가 우리 사회에 미치는 영향을 토론해 보려고 합니다.

저는 대중문화가 우리 사회에 긍정적 역할을 하고 있다고 봅니다.

갑

제 생각은 다릅니다. 대중문화로 인한 부정적 영향이 더 큽니다.

을

(1) 밑줄 친 ㉠에 해당하는 내용을 세 가지 서술하시오.

(2) 갑의 주장에 근거가 될 수 있는 대중문화의 기능을 세 가지 서술하시오.

(3) 을의 주장에 근거가 될 수 있는 대중문화의 기능을 세 가지 서술하시오.

IV 단원 사회 계층과 불평등

주제 01 사회 불평등 현상

의미	부, 명예, 권력 등의 사회적 자원이 차등적으로 분배되어 개인 및 집단이 서열화하는 현상
형태	• 경제적 불평등: 재산이나 소득의 차이로 나타남. • 정치적 불평등: 권력의 소유와 행사의 차이로 나타남. • 사회·문화적 불평등: 사회적 위신, 명예, 교육 수준, 지식 소유 등 사회·문화적 생활의 기회와 수준의 차이로 나타남.

주제 02 사회 불평등 현상을 바라보는 관점

구분	기능론	갈등론
기본 입장	사회 불평등의 책임은 개인에게 있으며, 사회의 유지·발전을 위해 필수 불가결함.	사회 불평등은 극복해야 할 대상으로 사회 구조의 근본적 개혁이 필요함.
발생 원인	직업 간 기여도 차이에 따라 합리적으로 차등적 보상함.	기득권 유지를 위해 지배 집단이 희소 자원을 불공정하게 분배함.
사회적 기능	성취동기 부여, 경쟁 원리에 따른 효율적 자원 배분	상대적 박탈감, 갈등과 대립 유발, 사회 발전 저해

주제 03 사회 계층 구조

계층 간 이동 가능성	폐쇄적 계층 구조	수직 이동 불가능, 귀속 지위 중시
	개방적 계층 구조	수직 이동 자유로움, 성취 지위 중시
계층별 구성원 비율	피라미드형 계층 구조	• 구성원 비율: 상층＜중층＜하층 • 과거 전통적인 신분제 사회나 오늘날의 저개발국 등에서 주로 나타남.
	다이아몬드형 계층 구조	• 중층 비율이 높아 안정적인 계층 구조 • 발달된 산업 사회에서 주로 나타남.
	모래시계형 계층 구조	• 중층 비율이 가장 낮고 양극화된 계층 구조 • 정보화 사회에 대한 비관적 견해
	타원형 계층 구조	• 중층 비율이 가장 높은 계층 구조 • 정보화 사회에 대한 낙관적 견해

주제 04 사회 이동

이동 방향	수직 이동	계층 간 상승 이동과 하강 이동
	수평 이동	동일 계층 내 이동
이동 원인	개인적 이동	개인의 능력, 노력에 따른 계층 이동
	구조적 이동	사회 변동으로 인한 계층 이동
세대 범위	세대 내 이동	생애 내에서의 계층적 위치 변화
	세대 간 이동	부모 세대와 비교해 자녀 세대의 계층적 위치 변화

주제 05 사회적 소수자 차별 문제

사회적 소수자	• 의미: 신체적 또는 문화적 특성으로 인해 사회의 다른 구성원들과 구별되어 불평등한 처우를 받으며, 자신이 차별받는 집단에 속해 있다는 의식을 지닌 사람들 • 특성: 권력의 열세, 구별 가능성, 차별적 대우, 집단의식
차별 문제	• 개인적 측면: 소수자의 인권 침해 및 인간 존엄성 훼손, 교육 및 취업 등 다양한 사회적 기회 박탈 • 사회적 측면: 주류 집단과 소수자 집단 간 대립과 갈등으로 사회 통합 저해
개선 방안	• 제도적 측면: 차별 금지 법 제정, 차별 시정 제도 도입 • 의식적 측면: 차별적 인식 교정, 사회적 소수자 집단 스

주제 06 성 불평등 문제

성 불평등 현상	남녀의 생물학적 및 사회적 성별 차이를 이유로 사회적 지위, 권력, 위세 등에서 특정 성이 차별받는 현상
원인	성 역할의 차별적 사회화, 가부장제에 바탕을 둔 사회 구조
해결 방안	• 의식적 측면: 성차별의 문제점 인식, 성 역할에 대한 고정 관념 타파, 성 평등 의식과 상호 존중의 자세 함양 • 제도적 측면: 불평등한 법률 및 제도 개선, 경제 활동에서의 평등한 기회 보장, 출산·양육에 대한 제도적 지원

주제 07 빈곤 문제

의미	기본적 욕구와 관련된 물질적 결핍이 지속되는 경제적 상태
절대적 빈곤	• 최소한의 인간다운 생활을 유지하기 어려운 상태 • 소득이 최저 생계비 미만인 가구
상대적 빈곤	• 다른 사람보다 상대적으로 생활 수준이 떨어지는 상태 • 소득이 중위 소득의 일정 비율 미만인 가구
원인	• 개인적 차원: 게으름, 무절제, 성취동기 부족 등 • 구조적 차원: 계급, 성, 인종 등에 의한 불평등한 사회 구조
해결 방안	• 개인적 차원: 빈곤 탈출 의지, 교육과 직업 훈련 등을 통한 능력 함양 • 사회적 차원: 기초 생활비 및 자녀 양육비 보조 등을 통해 빈곤층의 자립 지원

주제 08 사회 보장 제도의 유형

공공 부조	• 목적: 국민의 최저 생활 보장 • 종류: 국민 기초 생활 보장 제도, 의료 급여, 기초 연금 등 • 특징: 저소득층 대상, 사후 처방적, 비용 전액 국가 부담, 수혜자와 부담자의 불일치, 소득 재분배 효과
사회 보험	• 목적: 미래의 사회적 위험에 보험 방식으로 대비 • 종류: 국민 건강 보험, 국민연금, 고용 보험, 산업 재해 보상 보험, 노인 장기 요양 보험 등 • 특징: 강제 가입, 사전 예방적, 상호 부조적, 능력에 따른 비용 부담, 수혜자 부담 원칙, 소득 재분배 효과
사회 서비스	• 목적: 도움이 필요한 모든 국민에게 복지 서비스 지원 • 종류: 복지 서비스, 보건 의료 서비스, 교육 서비스, 주거 서비스, 고용 서비스, 환경 서비스, 문화 서비스 등 • 특징: 비금전적 지원, 공공·민간 부문이 함께 제공

사회·문화

01 (가)에 대한 옳은 설명을 〈보기〉에서 있는 대로 고른 것은?

> 시민 혁명 이후 평등사상이 확산되었고, 현대 사회에 들어서 평등은 인간이 당연히 누려야 할 기본적 권리로 인식되고 있다. 그러나 현실에서는 경제적 측면, 문화적 측면, 정치적 측면 등에서 개인마다 접근의 기회나 소유에서 차이가 있다. 이처럼 부, 명예, 권력 등의 사회적 자원이 차등적으로 분배되어 개인 및 집단이 서열화되는 현상을 　(가)　(이)라고 한다.

┤ 보기 ├
ㄱ. (가)는 자원의 희소성 때문에 나타난다.
ㄴ. (가)는 모든 사회에서 유사하게 나타난다.
ㄷ. (가)가 심화되면 사회적 갈등이 발생한다.
ㄹ. 사회 복지 정책은 (가)를 개선하려는 노력이다.

① ㄱ, ㄴ　　　② ㄱ, ㄹ　　　③ ㄴ, ㄷ
④ ㄱ, ㄷ, ㄹ　　　⑤ ㄴ, ㄷ, ㄹ

02 다음 글에 나타난 사회 불평등 현상에 대한 설명으로 가장 적절한 것은?

> 건강 불평등이란 개인 간 혹은 집단 간 나타나는 건강의 격차를 말한다. 건강 불평등의 원인은 직업, 교육 수준, 성별 등 다양하지만 무엇보다 소득 수준의 차이가 주요 변수로 연구되고 있다.

① 건강과 소득 수준은 음(–)의 관계이다.
② 건강 불평등은 수치화하여 측정할 수 없다.
③ 건강 불평등은 다른 불평등과 밀접한 관련이 있다.
④ 건강 불평등은 권력의 소유 차이 때문에 발생한다.
⑤ 문화적 취향의 차이가 건강 불평등의 주요 원인이다.

03 사회 불평등 현상을 바라보는 갑, 을의 관점에 대한 옳은 설명을 〈보기〉에서 고른 것은?

최고 경영자의 업무는 근로자의 능력으로 대체할 수 없기 때문에 큰 연봉 차이는 마땅해.

최고 경영자의 연봉이 높은 것은 연봉을 결정할 때 근로자보다 최고 경영자가 더 많은 권력을 행사하기 때문이야.

〈토론 주제〉
근로자 연봉,
최고 경영자의 30분의
1 수준

갑　　　　　　을

┤ 보기 ├
ㄱ. 갑은 사회 불평등을 합리적 배분의 결과로 본다.
ㄴ. 갑은 사회 불평등을 구조적으로 해결할 대상으로 본다.
ㄷ. 을은 직업 간 중요도의 차이가 있다고 본다.
ㄹ. 을은 사회 및 경제적 배경에 의한 불평등을 강조한다.

① ㄱ, ㄴ　　　② ㄱ, ㄹ　　　③ ㄴ, ㄷ
④ ㄴ, ㄹ　　　⑤ ㄷ, ㄹ

04 다음 글에 나타난 사회 불평등 현상을 바라보는 관점과 부합하는 진술로 옳지 않은 것은?

> 두 명의 청소부가 있다. 둘 중 한 명은 건물 외벽을, 한 명은 건물 내부를 청소해야 한다. 이때 두 일에 대한 임금이 똑같다면 둘 다 안전하고 수월한 건물 내부 청소를 원할 것이다. 하지만 외벽 청소의 임금을 더 높게 주겠다고 한다면, 이 제안을 받아들이는 사람이 나타날 수 있다. 이렇게 더 힘들고 위험한 일에 대해서는 이를 상쇄할 금전적 보상이 이루어져야 한다.

① 차등 보상은 공정한 것이다.
② 사회 불평등은 사회 발전의 장애 요소이다.
③ 사회 불평등은 구성원들의 성취동기를 높인다.
④ 개인의 능력과 노력이 성공에 결정적 영향을 미친다.
⑤ 사회 불평등은 경쟁 원리에 따라 효율적 자원 배분을 가능하게 한다.

05 사회 불평등 현상을 바라보는 갑, 을의 관점에 대한 설명으로 옳은 것은?

> 비정규직 제도는 지배 집단이 기득권을 유지하기 위해 만든 고용 제도입니다. 비정규직 제도는 기존의 불평등한 계층 구조를 재생산하는 데 기여할 것입니다.

> 급변하는 세계화 시대에 회사가 경쟁력을 가지고 살아남으려면 비정규직 제도와 같이 사회적 자원을 효율적으로 배분할 수 있는 제도가 필요합니다.

갑   을

① 갑은 사회 불평등이 성취동기를 부여한다고 본다.
② 갑은 직업의 기능적 중요도에 차이가 존재한다고 본다.
③ 을은 사회 불평등을 해소해야 할 현상으로 본다.
④ 을은 자원 배분에 가정 배경이 큰 영향을 미친다고 본다.
⑤ 을은 갑과 달리 사회 불평등이 사회 발전에 기여한다고 본다.

06 표는 사회 불평등에 관한 두 이론을 구분한 것이다. 이에 대한 옳은 설명을 〈보기〉에서 있는 대로 고른 것은?

구분	(가)	(나)
계급 구분 기준	A	다양한 희소가치
계급 의식	강함	약함

┤ 보기 ├
ㄱ. A에는 '생산 수단의 소유 여부'가 들어갈 수 있다.
ㄴ. (가)는 다른 계급 간 관계가 대립적이라고 본다.
ㄷ. (나)에 따르면 자본가와 노동자도 동일한 지위 집단에 속할 수 있다.
ㄹ. (가)와 (나) 모두 정치권력이 사회 불평등의 주요 원인이라고 생각한다.

① ㄱ, ㄴ   ② ㄱ, ㄹ   ③ ㄴ, ㄷ
④ ㄱ, ㄴ, ㄷ   ⑤ ㄴ, ㄷ, ㄹ

07 (가), (나)는 사회 불평등 현상에 관한 이론을 도식화한 것이다. 이에 대한 설명으로 옳은 것은?

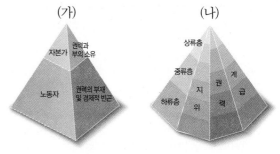

(가)   (나)

① (가)는 현대 계층 이론의 출발점이다.
② (나)는 권력 집단의 소속 여부에 따라 지위 집단이 형성된다고 주장한다.
③ (가)는 베버, (나)는 마르크스가 주장한 개념이다.
④ (가)는 (나)에 비해 계급 간 관계를 불연속적인 것으로 파악한다.
⑤ (나)는 (가)와 달리 계급을 사회 불평등의 핵심으로 파악한다.

08 다음 글에 나타난 사회 불평등 현상을 설명하기에 적합한 이론에 대한 설명으로 옳은 것은?

> 양반전은 박지원이 조선의 양반들을 비판하기 위해 쓴 소설이다. 모든 것이 풍족했던 부농들이 상민 계급에서 벗어나고자 몰락 양반들에게 그 신분을 사려는 것을 줄거리로 한다.

① 지위 불일치 현상이 일어날 수 있다고 보았다.
② 노동자가 계급 의식을 자각해야 한다고 보았다.
③ 일원론적 관점으로 사회 불평등 현상을 설명한다.
④ 자본의 소유 여부에 의한 갈등을 핵심으로 보았다.
⑤ 경제적 측면의 계급을 부정하고 다양한 측면에서 사회 불평등을 설명하였다.

09 다음 글에 나타난 사회 계층 구조에 대한 설명으로 옳은 것은?

> 카스트 제도는 수천 년간 지속되어 왔던 인도의 신분 제도이다. 카스트 제도에서는 개인이 출생할 때부터 계층적 위치가 정해지며, 신분 간에 이동이 완전히 차단되어 대대로 그 위치에서 벗어날 수 없다. 오늘날 카스트 제도는 법률적으로 폐지되었지만, 그 영향력이 일부 남아 사람들의 삶에 영향을 끼치고 있다.

① 성취 지위가 중시되는 계층 구조이다.
② 계층 구조가 제도적으로 지속되고 있다.
③ 상승 이동은 불가능하나 하강 이동은 가능하다.
④ 근대 사회의 전형적인 계층 구조에 대한 설명이다.
⑤ 일반적으로 피라미드 형태의 계층 구조로 나타난다.

10 사회 계층 구조 (가), (나)에 대한 옳은 설명을 〈보기〉에서 고른 것은?

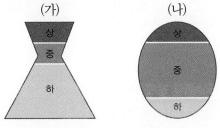

(가)　　　　(나)

┤ 보기 ├
ㄱ. (가)는 폐쇄형 계층 구조의 전 단계이다.
ㄴ. (나)는 기계화 및 자동화로 인한 일자리 감소와 관련이 깊다.
ㄷ. (나)는 다이아몬드 계층 구조보다 계층 간 격차가 줄어든 형태이다.
ㄹ. (가), (나) 모두 정보화에 따라 등장할 것이라고 예측되는 계층 구조이다.

① ㄱ, ㄴ　　　② ㄱ, ㄷ　　　③ ㄴ, ㄷ
④ ㄴ, ㄹ　　　⑤ ㄷ, ㄹ

11 다음 사례에 나타난 사회 이동에 대한 옳은 설명을 〈보기〉에서 고른 것은?

> 미국 최대의 스마트폰 회사를 일군 갑의 어린 시절 삶은 순탄하지 않았다. 사생아로 태어난 갑은 중산층 부모에게 입양되어 자랐다. 갑은 수학에 뛰어난 능력을 보여 대학에 진학하였으나 중퇴를 하였다. 그 후 프로그래머인 친구와 의기투합하여 개인용 컴퓨터 회사를 설립하였고 회사가 번창하면서 백만장자가 되었다.

┤ 보기 ├
ㄱ. 동일한 계층 내에서 지위만 변하는 이동이 있었다.
ㄴ. 한 계층에서 다른 계층으로 위치가 바뀌는 이동이 있었다.
ㄷ. 급격한 사회 변동으로 계층 구조가 변하여 생기는 이동이 있었다.
ㄹ. 부모 세대와 자녀 세대 등 세대를 가로질러 계층적 위치가 변하는 이동이 있었다.

① ㄱ, ㄴ　　　② ㄱ, ㄷ　　　③ ㄴ, ㄷ
④ ㄴ, ㄹ　　　⑤ ㄷ, ㄹ

12 표는 갑국의 소득에 따른 계층별 구성비 변화를 나타낸 것이다. 이에 대한 분석으로 옳은 것은?

(단위: %)

구분	1970년	1980년	1990년	2000년
상층	10	10	15	20
중층	30	40	50	50
하층	60	50	35	30

① 자신을 중산층으로 인식하는 사람들이 늘고 있다.
② 1970년 이후 상층 인구가 지속적으로 증가하였다.
③ 폐쇄형 계층 구조에서 개방형 계층 구조로 변하고 있다.
④ 1990년에서 2000년 사이에 하층의 5%가 상층으로 이동하였다.
⑤ 1980년에 비해 2000년의 사회가 상대적으로 안정적일 가능성이 높다.

13 표는 갑국과 을국의 세대별 계층 간 상대적 비율을 나타낸 것이다. 이에 대한 설명으로 옳은 것은? (단, 갑국과 을국의 가구 수는 같고 모든 부모의 자녀는 한 명이다.)

구분	부모 세대		자녀 세대	
갑국	중층/상층	3	중층/상층	1/3
	하층/중층	1/3	하층/중층	6
을국	중층/상층	3	중층/상층	1
	하층/중층	2	하층/중층	1

① 을국 자녀 세대의 계층 구조는 완전 평등한 계층 구조이다.

② 자녀 세대의 중층 계층 구성 비율은 을국이 갑국의 3배이다.

③ 갑국은 자녀 세대의 계층 구조가 부모 세대보다 더 안정적이다.

④ 을국 부모 세대는 갑국 부모 세대보다 계층 구조가 더 안정적이다.

⑤ 을국 부모 세대의 하층과 갑국 자녀 세대의 하층의 구성 비율은 같다.

14 다음 글에 대한 분석으로 가장 적절한 것은?

> '아프리카너'는 남아프리카 공화국에 거주하는 백인 중, 네덜란드계 개신교 신자를 말한다. 이들은 영국이 이 지역을 지배하자 영국 당국으로부터 2급 시민 취급을 받았다. 그러나 1910년 남아프리카 연방이 설립되자 정치적 주도권을 잡은 후 아파르트헤이트 정책을 통해 다수의 흑인을 차별하였다.

① 사회적 소수자는 상대적 개념이다.

② 한번 사회적 소수자가 되면 바뀌지 않는다.

③ 정치권력과 사회적 소수자는 관련이 깊지 않다.

④ 사회적 소수자는 수적으로도 소수자를 의미한다.

⑤ 사회적 소수자의 경험이 관용적 제도 확립에 도움이 된다.

15 사회적 소수자 문제 해결 방안 (가), (나)에 대한 옳은 설명을 〈보기〉에서 고른 것은?

> (가) 차별 금지법은 성별, 장애, 병력, 나이, 성적 지향성 등을 이유로 고용, 교육 기관의 교육 및 직업 훈련 등에서 차별을 받지 않도록 하는 내용의 법률이다.
>
> (나) 양성평등 교육은 여성주의 관점에서 교육을 바라보며, 교육의 개념·목적·내용·방법 등에서 나타나는 성차별적 요소를 바로잡고 사회의 성차별적 관행을 바로잡고자 하는 교육, 혹은 교육 과정이다.

┤ 보기 ├

ㄱ. (가)는 법과 제도의 마련을 통해 문제를 해결하고자 한다.

ㄴ. (가)는 (나)보다 '유리 천장' 문제를 해결하기에 효과적인 방안이다.

ㄷ. (나)는 (가)에 비해 차별 개선 효과가 떨어진다.

ㄹ. (가), (나) 모두 사회적 소수자에 대한 편견과 차별을 극복하기 위한 방안이다.

① ㄱ, ㄴ   ② ㄱ, ㄹ   ③ ㄴ, ㄷ

④ ㄴ, ㄹ   ⑤ ㄷ, ㄹ

16 표는 우리나라의 남성 대비 여성 임금의 비율을 나타낸 것이다. 이에 대한 분석으로 옳은 것은?

(고용노동부, 2016.)

구분	2012년	2013년	2014년	2015년
*임금	64.4	64	63.1	62.8

*남성 임금을 100으로 놓았을 때 여성 임금 비율(%)

① 2013년 여성의 임금은 64만원이다.

② 정치적 불평등도 확대되었음을 알 수 있다.

③ 남녀의 경제적 불평등 격차가 심화되고 있다.

④ 여성의 임금이 가장 높은 연도는 2012년이다.

⑤ 남성의 임금은 증가하고 있는데 여성의 임금은 지속적으로 감소하고 있다.

17 다음은 뮤지컬 '레 미제라블'의 일부이다. 밑줄 친 부분에 나타난 빈곤의 유형에 대한 설명으로 가장 적절한 것은?

> 장발장 난 빵 한 조각을 훔쳤을 뿐이오.
> 자베르 넌 도둑질을 했어.
> 장발장 유리창 하나를 깼지. 내 조카는 거의 죽어 가고 있었고, 우리는 굶주렸소.

① 상대적 박탈감에 의해 느끼는 빈곤이다.
② 개인이 느끼는 주관적 빈곤의 감정을 말한다.
③ 사회의 전반적인 소득 수준과 대비하여 소득 수준이 낮은 상태를 말한다.
④ 경제 성장으로 사회의 전반적 생활 수준이 향상되었을 때 더욱 심각해진다.
⑤ 인간다운 최저 생활을 유지하는 데 필요한 기준에 미치지 못하는 경우이다.

18 다음 글에 나타난 빈곤 문제 해결 방안에 대한 옳은 설명을 〈보기〉에서 고른 것은?

> 사회적 소외 계층은 그들이 당연히 가난하고, 밑바닥 인생에서 벗어날 수 없다고 생각하는 경향이 있다. '희망의 인문학'은 사회적 소외 계층이 스스로의 존엄을 깨닫도록 돕는 인문학 강좌이다.

┤ 보기 ├
ㄱ. 빈곤의 원인을 사회 구조적 모순에서 찾는다.
ㄴ. 빈곤층의 빈곤 탈출 의지를 함양하고자 한다.
ㄷ. 제도적 개선을 통해 빈곤 문제를 해결하고자 한다.
ㄹ. 빈곤의 원인을 개인적 노력이나 능력의 부족에서 찾는다.

① ㄱ, ㄴ ② ㄱ, ㄷ ③ ㄴ, ㄷ
④ ㄴ, ㄹ ⑤ ㄷ, ㄹ

19 표는 우리나라의 최저 생계비 변화를 나타낸 것이다. 이에 대한 분석으로 옳은 것은?

(통계청, 2018.)

구분	2015년	2016년	2017년
최저 생계비(원)	167만	176만	181만
중위 소득 대비율(%)	39.5	40	40

*4인 가구 기준, 천 단위 이하 반올림
*절대적 빈곤율 전체 가구에서 소득이 최저 생계비 미만인 가구의 비율
*상대적 빈곤율 전체 가구에서 소득이 중위 소득의 50% 미만인 가구의 비율
*중위 소득 전체 가구를 소득순으로 배열했을 때 한가운데 위치한 가구의 비율

① 절대적 빈곤율이 지속적으로 증가하고 있다.
② 최저 생계비는 중위 소득의 50%에 해당된다.
③ 2015년 절대적 빈곤선 금액이 상대적 빈곤선 금액보다 크다.
④ 모든 연도에서 절대적 빈곤율은 상대적 빈곤율과 같거나 작다.
⑤ 2015년 기준 상대적 빈곤율은 감소했다가 2016년 이후 다시 증가하였다.

20 표는 우리나라의 소득 5분위 배율의 변화를 나타낸 것이다. 이에 대한 옳은 분석을 〈보기〉에서 고른 것은?

(통계청, 2017.)

구분	2013년	2014년	2015년	2016년
*소득 5분위 배율(%)	5.43	5.41	5.11	5.45

*소득 5분위 배율=최상위 20%의 가구 소득의 합/최하위 20%의 가구 소득의 합

┤ 보기 ├
ㄱ. 완전 평등 사회는 5분위 배율이 1이다.
ㄴ. 2013년에 비해 2014년에 절대적 빈곤율이 감소하였다.
ㄷ. 2013년에 비해 2016년에 소득 양극화 현상이 심화되었다.
ㄹ. 2015년에 비해 2016년에 최상위 20% 가구 소득의 합이 증가하였다.

① ㄱ, ㄴ ② ㄱ, ㄷ ③ ㄴ, ㄷ
④ ㄴ, ㄹ ⑤ ㄷ, ㄹ

21 자료에 대한 옳은 분석을 〈보기〉에서 고른 것은?

대한민국 헌법 제34조
① 모든 국민은 인간다운 생활을 할 권리를 가진다.
② 국가는 사회 보장·사회 복지의 증진에 노력할 의무를 진다.

┤ 보기 ├
ㄱ. 사회 보장을 국민의 권리로 인식하고 있다.
ㄴ. 국민의 삶의 질 향상을 국가의 책무로 인식하고 있다.
ㄷ. 자유방임주의에 기초한 초기 자본주의의 정신을 담고 있다.
ㄹ. 복지를 최소한의 인간다운 삶을 위한 시혜적 성격으로 보고 있다.

① ㄱ, ㄴ   ② ㄱ, ㄷ   ③ ㄴ, ㄷ
④ ㄴ, ㄹ   ⑤ ㄷ, ㄹ

22 표는 복지 이념의 변화를 정리한 것이다. 이에 대한 설명으로 옳은 것은? (단, A, B는 초기 자본주의 사회와 현대 복지 사회 중 하나이다.)

구분	A	B
복지의 주체	(가)	(나)
복지의 대상	(다)	모든 국민
복지의 질	(라)	(마)

① 비스마르크의 사회 보험 제도는 A에 가깝다.
② (가)는 '민간', (나)는 '국가'이다.
③ (다)는 국가가 정한 빈곤선 이상의 가구를 말한다.
④ (라)의 정도는 시대와 사회에 상관없이 동일하다.
⑤ (마)에서는 주로 의식주와 관련된 최저 생활의 보장을 말한다.

23 우리나라 사회 보장 제도 (가), (나)의 일반적인 특징에 대한 옳은 설명을 〈보기〉에서 고른 것은?

(가) 노인 세대의 안정된 노후 생활을 지원하기 위한 제도로, 65세 이상인 노인 중 가구의 소득 인정액이 선정 기준 이하인 노인에게 매월 연금을 지급하는 제도이다.
(나) 고령이나 노인성 질병 등의 사유로 일상생활을 혼자서 수행하기 어려운 노인 등에게 신체 활동 또는 가사 활동 지원 등의 장기 요양 급여를 제공하여, 국민의 삶의 질 향상을 목적으로 시행하는 제도이다.

┤ 보기 ├
ㄱ. (가)는 미래의 불안에 대처하기 위한 것이다.
ㄴ. (나)는 경제적 능력이 있는 모든 국민을 대상으로 한다.
ㄷ. (가)는 (나)와 달리 소득 재분배 효과가 있다.
ㄹ. (가), (나) 모두 금전적 지원을 원칙으로 한다.

① ㄱ, ㄴ   ② ㄱ, ㄷ   ③ ㄴ, ㄷ
④ ㄴ, ㄹ   ⑤ ㄷ, ㄹ

24 다음 글에서 설명하는 복지 정책에 대한 옳은 설명을 〈보기〉에서 고른 것은?

드림 스타트 서비스는 취약 계층 아동에게 맞춤형 통합 서비스를 제공하여 아동의 건강한 성장과 발달을 도모하고 공평한 출발 기회를 보장하는 서비스로 아동 발달 단계별로 필요한 서비스를 제공한다.

┤ 보기 ├
ㄱ. 금전적 지원을 원칙으로 한다.
ㄴ. 사회 보장의 보조적 성격을 지닌다.
ㄷ. 공공 부문 및 민간 부문의 지원이 연계되기도 한다.
ㄹ. 강제 가입을 원칙으로 하며 상호 부조의 성격을 지닌다.

① ㄱ, ㄴ   ② ㄱ, ㄷ   ③ ㄴ, ㄷ
④ ㄴ, ㄹ   ⑤ ㄷ, ㄹ

25 (가), (나)에 대한 옳은 설명을 〈보기〉에서 고른 것은? (단, (가), (나)는 사회 보험과 민간 보험 중 하나이다.)

> (가) 차근차근 준비하고! 차곡차곡 쌓다 보면! 차례차례 받으니깐! 100세 시대 동반자 평생 월급 국민연금
>
> (나) 묻지도 않고 따지지도 않습니다. 월 2만 원, 노인성 질환 50가지를 한꺼번에 해결! 지금 ○○ 보험 회사로 신청하세요.

▪ 보기 ▪
ㄱ. (가)는 강제 가입, (나)는 임의 가입이 원칙이다.
ㄴ. (나)는 생활을 유지할 능력이 없는 계층을 대상으로 한다.
ㄷ. (가)는 (나)와 달리 상호 부조적 성격을 가진다.
ㄹ. (가), (나) 모두 미래의 위험에 대비하는 사전 예방적 성격을 가진다.

① ㄱ, ㄴ ② ㄱ, ㄹ ③ ㄴ, ㄷ
④ ㄴ, ㄹ ⑤ ㄷ, ㄹ

26 다음 복지 제도에 대한 설명으로 옳지 <u>않은</u> 것은?

> 근로 장려 세제는 일정 요건을 충족하는 저소득 근로자 가구에 대하여 근로 소득에 따라 선정된 근로 장려금을 지급하는 근로 연계형 소득 지원 제도다.

① 복지병 같은 부작용을 해소하고자 한다.
② 효율과 복지를 동시에 추구하려고 한다.
③ 영국 노동당의 '제3의 길' 정책과 관련이 깊다.
④ 소외 계층의 자활과 노동을 전제로 한 지원책이다.
⑤ 빈곤 문제를 제도적 측면이 아닌 개인의 의식 개혁으로 해결하고자 한다.

서답형 문제

27 표는 갑국의 계층 구성 비율을 나타낸 것이다. 표를 보고 물음에 답하시오.

(단위: %)

구분		부모 세대		
		상층	중층	하층
자녀 세대	상층	10	6	5
	중층	2	10	3
	하층	1	45	18

(1) 갑국의 계층 구조가 폐쇄적 계층 구조인지 개방적 계층 구조인지 표를 분석하여 서술하시오.

(2) 부모 세대와 자녀 세대의 계층 구조 중 사회의 안정성이 더 높은 계층 구조는 무엇인지 그 이유와 함께 서술하시오.

28 밑줄 친 ㉠을 실현하기 위한 구체적 방안을 두 가지 서술하시오.

> 2014년 우리나라의 국내 총생산 대비 복지 지출 예산은 10.4%로 경제 협력 기구(OECD) 중 가장 낮은 것으로 나타났다. 또한, 사회 보험료의 국민 부담률은 2013년 24.3%로 30개국 중 28위를 차지하였다. 이에 대해 전문가들은 "성장은 둔화하고 복지 수요는 증가하는 현재 상황에서 세금 제도를 그대로 두고 오래 버틸 수는 없다. ㉠ 세금 제도를 개편하기 위한 사회적 신뢰를 쌓아야 한다."라고 말하였다.

V 단원 현대의 사회 변동

주제 01 사회 변동

의미	인간의 생활 방식, 의식 구조, 사회적 관계, 사회 구조 등이 총체적으로 변화하는 현상
요인	과학과 기술의 발달, 가치관과 이념의 변화, 인구 변화, 자연환경의 변화, 사회 운동

주제 02 사회 변동의 방향을 설명하는 이론

구분	진화론	순환론
관점	사회는 단순하고 미분화된 상태에서 복잡하고 분화된 상태로 변화함.	사회는 생명을 가진 유기체와 마찬가지로 생성, 성장, 쇠퇴, 해체를 반복함.
변동 방향	사회는 일정한 방향으로 변동하며, 변동은 곧 진보와 발전을 의미함.	사회는 순환적인 변동을 반복함.
한계	• 과거보다 퇴보한 사회의 변동을 설명하기 어려움. • 모든 사회가 같은 방향으로 변화하지는 않음. • 비서구 사회에 대한 서구 사회의 지배와 착취를 정당화함.	• 미래 사회의 변동을 예측하고 대응하는 데 적합하지 않음. • 사회 변동을 숙명으로 여겨 이에 대응하는 인간의 노력을 과소평가함. • 중·단기적인 사회 변동을 설명하기 어려움.

주제 03 사회 변동을 설명하는 구조적 이론

구분	기능론	갈등론
관점	사회 변동은 사회를 구성하는 부분들 간에 생긴 긴장이나 불균형이 균형을 찾아가는 과정에서 발생함. → 사회 변동은 일시적이며 병리적인 현상임.	사회 변동은 피지배 집단이 기득권을 가진 지배 집단에 도전하여 불평등한 사회 구조를 변화시키려 할 때 발생함. → 사회 변동은 자연스러운 현상임.
장점	사회의 질서와 안정을 바탕으로 한 점진적인 사회 변동을 설명하기에 적합함.	급격한 사회 변동을 설명하기에 적합함.
한계	전쟁, 혁명과 같은 급격한 사회 변동을 설명하기 어려움.	사회 구성원 간의 조화와 타협을 설명하기 어려움.

주제 04 사회 운동

의미	사회 문제를 해결하거나 사회 체제를 근본적으로 변혁하기 위하여 대중이 자발적으로 하는 집단적이고 지속적인 행위
특징	뚜렷한 목표, 목표를 달성하기 위한 구체적인 활동 방법, 목표와 활동 방식을 정당화하는 이념, 체계적인 조직
유형	개혁적 사회 운동, 혁명적 사회 운동, 복고적 사회 운동
의의	• 바람직한 방향으로 사회 변동을 촉진하여 사회 발전에 기여함. • 다양한 사회 문제와 사회 갈등을 해소하고 발전적인 방향으로 사회 변동을 일으키는 요인으로 작용할 수 있음.

주제 05 저출산·고령화

구분	저출산	고령화
의미	출산율이 적정 수준보다 낮은 현상	전체 인구에서 노인 인구가 차지하는 비율이 증가하는 현상
원인	결혼과 출산에 대한 가치관 변화, 자녀 양육에 따른 부담 증가 등	생활 수준의 향상, 의료 기술 발전에 따른 기대 수명 증가, 저출산 현상 등
영향	• 생산 가능 인구의 감소에 따른 노동력 부족 및 소비 위축 • 노인 복지 비용 증가로 정부의 재정 건전성 악화 • 부양 부담을 둘러싼 세대 간 갈등 • 인구 및 산업 구조의 변화	
대응 방안	출산과 양육에 대한 사회적 책임 강화, 일·가정 양립을 위한 제도적 지원 강화, 부부가 공동으로 육아를 책임지기 등	노인 세대의 재취업 기회 확대, 연금 제도 개선, 고령 친화 산업 육성, 외국인 노동자 수용 확대, 자산 관리 등

주제 06 다문화 사회

의미	서로 다른 문화적 배경을 가진 집단들이 함께 살아가는 사회
영향	• 문화 다양성 증가 및 문화 발전 촉진 • 이주민과의 갈등 및 문제 발생
대응 방안	다문화 교육 확대, 이주민의 인권을 보호하기 위한 법적·제도적 장치 마련, 이주민에 대한 경제적·교육적 지원, 문화 상대주의적 태도 지향 등

주제 07 세계화

의미	국가 간 상호 의존성이 커지고 지구촌 전체가 단일한 체계로 통합되는 현상
변화 양상	• 세계적으로 활발한 문화 교류 및 확산→문화의 획일화 • 전 세계 시장의 단일화→국가 간 경제적 격차 심화 • 지구촌 문제에 대한 공동 대응→일부 강대국 중심의 의사 결정
대응 방안	문화 상대주의적 태도 함양, 세계 시장에서 개인과 기업의 경쟁력 확보, 인류의 보편적 가치 추구 등

주제 08 정보화

의미	지식과 정보가 사회 활동 전반에서 차지하는 비중이 커지는 현상
변화 양상	쌍방향 의사소통, 산업 구조의 변화, 온라인 네트워크에 의한 의사소통 증대, 정치 참여의 활성화
문제	정보의 오남용, 사이버 범죄, 정보 격차, 권력에 의한 정보 통제와 감시, 정보 소외 등
대응 방안	정보 소외 계층에 대한 지원, 사이버 범죄와 관련한 법과 제도 정비, 정보 윤리 의식 준수, 정보에 대한 비판적 수용 등

주제 09 전 지구적 수준의 문제

의미	특정 지역의 문제가 다른 국가나 전 지구적 차원에까지 영향을 미치는 문제
문제 양상	환경 문제, 자원 부족 및 고갈 문제, 전쟁과 테러 등
대응 방안	지속 가능한 사회 추구, 세계 시민 의식 함양

사회·문화

01 갑, 을, 병의 대화에서 공통으로 나타난 사회 변동의 요인으로 옳은 것은?

증기 기관의 발명은 대량 생산 체제에 영향을 미쳤어.

컨베이어 벨트의 개발도 대량 생산 체제에 영향을 줬지.

오늘날에는 인터넷과 로봇의 발달이 생산 체제에 영향을 미쳤어.

갑   을   병

① 인구 변화
② 자연환경의 변화
③ 정부 정책의 변화
④ 과학 및 기술의 발달
⑤ 가치관과 이념의 변화

02 다음 글을 통해 추론할 수 있는 내용으로 적절한 것은?

> 천부 인권과 자유주의 이념이 확산하면서 근대 서구 사회는 기존의 절대 왕정 체제에서 민주주의를 지향하는 사회 체제로 이행하였다.

① 가치관의 변화가 사회 변화를 이끌었다.
② 과학 기술의 발달로 사회 체제가 변화하였다.
③ 외국인의 유입이 증가하여 다문화 사회가 되었다.
④ 기후 변화로 인하여 친환경적 생활 양식이 확대되었다.
⑤ 시민의 능동적인 참여를 바탕으로 사회 운동이 일어났다.

03 (가)에 해당하는 사회 변동 이론의 특징을 〈보기〉에서 고른 것은?

> 영국의 생물학자 다윈이 제시한 적자생존 이론의 영향을 받은 사회학자 스펜서는 인류의 살아남기 위한 경쟁이 인류의 발전을 가져온다고 보았다. 이와 관련된 사회 변동 이론은   (가)   (이)다.

┌ 보기 ┐
ㄱ. 사회 변동의 결과 사회가 항상 발전한다고 본다.
ㄴ. 사회는 미분화된 상태에서 분화된 상태로 변화한다.
ㄷ. 현대 사회가 과거 사회보다 항상 우월하다고 보지 않는다.
ㄹ. 사회 변동에 대응하는 인간의 노력을 과소평가한다는 비판을 받는다.

① ㄱ, ㄴ   ② ㄱ, ㄷ   ③ ㄴ, ㄷ
④ ㄴ, ㄹ   ⑤ ㄷ, ㄹ

04 다음 글과 관련 있는 사회 변동 이론으로 옳은 것은?

> 파레토는 역사를 두 유형의 엘리트가 순환적으로 교체하면서 역사를 이끌어 가는 과정으로 설명한다.
> 인류 역사를 주도하는 엘리트의 유형에는 '사자형'과 '여우형'이 있다. 사자형 엘리트는 힘으로 대결하려 하고 기존 집단을 유지하려는 본능이 강하다. 이에 비해 여우형 엘리트는 말과 조작을 선호하고 새로운 결합을 이루려는 본능이 강하다. 권력을 장악하는 엘리트는 사자형에서 여우형으로, 다시 여우형에서 사자형으로 계속 바뀐다.

① 진화론   ② 순환론   ③ 기능론
④ 갈등론   ⑤ 상호 작용론

05 그림은 사회 변동 이론 A, B를 구분한 것이다. 이에 대한 옳은 설명을 〈보기〉에서 고른 것은? (단, A, B는 진화론, 순환론 중 하나이다.)

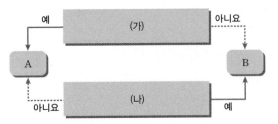

▮ 보기 ▮
ㄱ. A가 사회 변동을 진보와 발전으로 본다면, (가)에는 '사회 변동은 일정한 방향을 가지고 있는가?'가 적절하다.
ㄴ. B가 서구 중심적 사고를 전제한다는 비판을 받는다면, (나)에는 '사회 변동 과정에서 문명이 퇴보할 수 있다고 보는가?'가 적절하다.
ㄷ. (나)가 '과거의 반복되는 역사를 해석하는 데 유용한가?'라면, B는 미래 사회의 변화에 대한 역동적 대응이 곤란하다는 비판을 받는다.
ㄹ. (가)가 '사회 변동을 곧 발전으로 인식하는가?'라면, (나)는 '제국주의를 정당화하는 근거로 사용되었는가?'가 적절하다.

① ㄱ, ㄴ ② ㄱ, ㄷ ③ ㄴ, ㄷ
④ ㄴ, ㄹ ⑤ ㄷ, ㄹ

06 다음 글에 나타난 사회 변동 이론으로 가장 적절한 것은?

산업화 과정에서 핵가족 내 부부의 성 역할 분담이 나타난 것은 기존의 남성 지배적인 가족 관계를 고착화한 것이다. 즉, 남성 중심의 가부장적인 가치에 기초하여 남성은 사회에, 여성은 가족에 귀속한 것이다. 부부간의 수직적인 권력 관계에 기초한 이러한 역할 규정은 기존의 가치를 그대로 반영한 것이다. 이에 대한 문제 제기와 변화를 지속적으로 요구하여 가족 내 양성평등이 가능해진 것이다.

① 진화론 ② 순환론 ③ 기능론
④ 갈등론 ⑤ 상호 작용론

07 다음 글에 나타난 사회 운동에 해당하지 않는 사례는?

사회 운동은 구체적인 사회 문제를 해결하거나 사회 체제를 근본적으로 변혁하기 위하여 대중이 자발적으로 하는 집단적이고 지속적인 행위이다. 이는 뚜렷한 목표와 이념이 있으며 목표 달성을 위한 조직이 있다.

① 노동조합을 중심으로 실시한 쟁의 행위
② 시민 단체 주도로 운영되는 환경 보호 캠페인
③ 소비자 단체가 주최한 소비자 권리 보호 운동
④ 국제 비정부 기구가 실시한 국제 반전 평화 운동
⑤ 지하철에서 쓰러진 노인을 돕는 탑승객들의 행위

08 다음 글과 관련한 설명으로 가장 적절한 것은?

환경 운동 단체인 A는 원자력 발전과 화력 발전의 폐해를 지적하며 태양광과 풍력을 이용한 재생 에너지 사용을 촉진하는 법률 제정을 요구하고 있다. 재생 에너지로 생산한 전기를 고정적인 가격으로 매입해 안정적 수익을 보장하는 제도를 채택하게 되면, 환경 오염 등의 여러 폐해를 줄일 수 있다고 주장하는 것이다. 이에 A 단체는 입법 청원을 위한 시민들의 서명받기, 재생 에너지 홍보 활동, 시위, 언론 기고 등 다양한 활동을 전개하고 있다.

① 사회 운동은 주로 경제적 불평등의 해결을 목적으로 한다.
② 사회 운동은 어느 사회에서나 찾아볼 수 있는 보편적인 현상이다.
③ 사회 운동은 발전적인 방향으로 사회 변동을 일으키는 요인으로 작용할 수 있다.
④ 사회 운동이 바람직하지 않은 목표를 추구하면 공동체의 삶에 위험을 가져오기도 한다.
⑤ 사회 운동은 권위주의적 통치가 종식되고 민주주의적 정치 질서가 자리 잡을 수 있게 하였다.

09 (가), (나)에서 해결하고자 하는 사회 문제를 각각 옳게 연결한 것은?

> (가) 프랑스에서는 여성의 경력 단절을 막기 위해 보육 서비스 강화, 부양 자녀 수를 기준으로 한 가족 수당 지급, 조세 감면, 주택 보조금 지급 등의 종합적인 정책을 실시하고 있다.
>
> (나) 독일 사회는 정년 이후에도 노인에게 적합한 일자리를 제공하고 있다. 한편, 금융 자산이 많고 연금 수급으로 소득이 안정된 고령층 소비자를 대상으로 한 제조업과 서비스업이 성장하자, 독일 정부는 이에 대한 지원을 실시하고 있다.

	(가)	(나)
①	다문화적 변화	저출산 현상
②	저출산 현상	고령화 현상
③	저출산 현상	다문화적 변화
④	고령화 현상	다문화적 변화
⑤	고령화 현상	저출산 현상

10 (가)에 들어갈 용어로 옳은 것은?

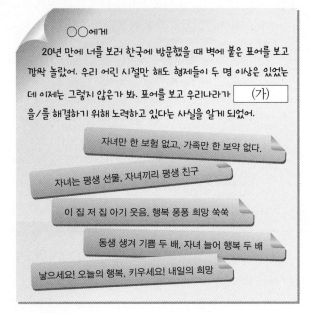

① 빈곤 문제   ② 테러 문제
③ 저출산 문제   ④ 빈부 격차 문제
⑤ 정보 격차 문제

11 교사의 질문에 대한 답으로 적절하지 <u>않은</u> 것은?

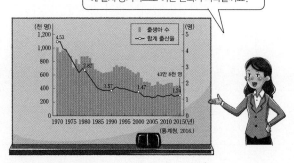

① 노동력의 감소
② 경제 성장 둔화
③ 노인 부양 부담 증가
④ 사회 보장비 부담 감소
⑤ 노인층의 영향력 증대

12 다음은 우리나라의 노인 부양비 및 인구 구성비 추계 그래프이다. 이를 보고 분석 및 추론한 내용으로 가장 적절한 것은?

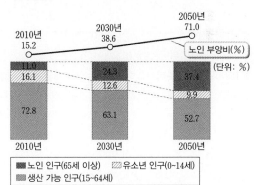

① 2010년에 우리나라는 고령 사회에 진입하였다.
② 노인 부양비가 2010년부터 2050년까지 지속적으로 감소하고 있다.
③ 2010년에 비해 2030년의 생산 가능 인구 비율이 감소하였다.
④ 노인 인구 비율의 감소로 인하여 사회 복지 지출 부담이 커질 것이다.
⑤ 2010년에 비하여 2050년에는 사회적 의사 결정 과정에서 노인층의 영향력이 감소할 것이다.

13 다음 글에서 노인을 바라보는 시각과 유사한 고령화 정책으로 가장 적절한 것은?

> 미국의 샤갈로 불리는 해리 리버먼은 76세의 나이에 노인 복지 회관에서 처음으로 미술을 공부해 세계적인 작가의 반열에 들어섰다. "나는 젊지 않아요. 그러나 늙었다고 말하지도 않습니다. 다만 102년 동안 성숙해 왔을 뿐입니다. 몇 년을 더 살까 생각하지 말고 내가 어떤 일을 할 수 있을지 생각해 보십시오."라는 그의 충고는 모든 노인에게 본보기가 되고 있다.

① 노인 소외 문제를 해결하기 위한 사회 보장 및 상담 제도를 정비한다.
② 청장년층과 노인층 간의 세대 갈등을 줄이기 위한 프로그램을 운영한다.
③ 노인 빈곤율을 낮추기 위하여 기초 연금 제도의 지원 대상을 확대한다.
④ 출산 보조금과 양육 수당 지급을 통하여 노인을 부양하는 청장년층 인구를 늘린다.
⑤ 노인의 경험을 활용하고 이들을 주로 고용하는 기업에 대한 세금 감면 정책을 운영한다.

14 다음 글에 나타난 사회의 변동을 가장 적절하게 추론한 것은?

> 2015년 기준으로 한국인의 성씨는 5,582개이다. 이 중 한자 표기가 가능한 성은 1,507개이고, 한자 표기가 없는 한글로만 된 성은 4,075개이다.
> 2000년까지 우리나라의 성씨는 728개였는데, 2000년 이후 국내 귀화자가 증가하면서 2015년에 5,582개로 증가하였다. 이는 2000년보다 7.7배 증가한 수치이다.
> 한자 성이 아닌 한글로 된 성씨로 펌, 혁, 팔, 십, 즙, 학, 뇌, 명, 풍, 필 초씨 등이 있다. 이는 한자를 사용하지 않는 국가 출신의 경우 본국에서 쓰던 본명을 그대로 사용하기 때문이다.

① 출산율이 적정 수준보다 낮은 현상이 나타나고 있다.
② 급격한 과학 기술의 발달로 사회 제도와 생산 방식이 변화하고 있다.
③ 사회 구성원 전체 인구 중 노인 인구가 차지하는 비율이 늘어나고 있다.
④ 서로 다른 인종 및 문화적 배경을 가진 집단들이 함께 살아가는 사회가 형성되고 있다.
⑤ 민주주의 이념을 바탕으로 한 선거 제도 개편을 요구하는 사회 구성원 수가 늘어나고 있다.

15 다음 글에 나타난 문제를 해결하기 위한 방안으로 옳지 않은 것을 〈보기〉에서 고른 것은?

> 필리핀에서 온 A 씨는 지난 1년간 5곳이 넘는 학교의 문을 두드린 끝에서야 겨우 입학을 할 수 있었다. 그러나 한국말을 하지 못하는 A에게 학교는 낯선 세계였다. 친구들과 어울리지 못하고 수업 시간에는 멍하니 앉아 있는 A를 학교에서도 힘들어했다. 결국 학교를 그만둔 A는 집에서 외로운 시간을 보내고 있다.

보기
ㄱ. 다른 문화를 가진 사람들에게 자신의 문화를 강요한다.
ㄴ. 단일 민족의식에서 벗어나 개방적인 자세를 가져야 한다.
ㄷ. 이주민이 적응할 수 있도록 돕는 다문화 정책을 마련한다.
ㄹ. 지역 사회 주민들과 외국인 이주민의 거주 공간을 분리한다.

① ㄱ, ㄴ　　② ㄱ, ㄹ　　③ ㄴ, ㄷ
④ ㄴ, ㄹ　　⑤ ㄷ, ㄹ

16 다음 글에 나타난 다문화적 변화에 따른 문제점을 해결하기 위한 방안으로 가장 적절한 것은?

> 이주 노동자 인권 단체에는 농축산 분야에서 일하는 외국인 근로자들의 인권 침해 사례 상담이 한 달에 20여 건 접수되고 있다. 가장 많은 상담 사례는 근로 시간 초과와 저임금으로, 이는 상담 건수의 80%에 이른다. 하루 11시간 근무 중에 휴식 시간은 밥 먹는 시간을 포함하여 1시간이며, 근로 기준법상 최저 임금을 적용하지 않는 경우도 많았다.

① 사회 구성원 각자가 문화적 차이를 인정한다.
② 사회 변화에 대한 개방적인 태도를 갖추어야 한다.
③ 사회 구성원을 대상으로 한 다문화 이해 교육을 강화한다.
④ 이주민들의 권리를 보호하기 위한 구체적인 법률과 대응 절차를 마련한다.
⑤ 소수자 집단에 대한 편견을 줄이기 위한 문화 상대주의적 관점을 가진다.

17 다음 사례를 통해 나타나는 세계화의 특징에 대한 설명으로 가장 적절한 것은?

> • 시장 개방을 지향하는 세계 무역 기구(WTO) 체계를 구축
> • 특정 지역이나 개별 국가 간의 자유 무역 협정(FTA) 체결 확대

① 대중 매체의 영향력이 확대되고 있다.
② 민주주의 제도가 제3세계로 확대되고 있다.
③ 전 세계가 하나의 단일 시장 체계로 통합되고 있다.
④ 취업, 유학 등을 목적으로 하는 이민이 증가하고 있다.
⑤ 다양한 비정부 기구(NGO)가 국제 사회의 행위 주체로 부각되고 있다.

18 다음 글을 통해 추론할 수 있는 세계화에 대한 대응 노력으로 적절한 것은?

> 2001년 제31차 유네스코(UNESCO) 정기 총회는 '문화 다양성 협약'을 채택하였다. 이 협약에 따르면, 문화 상품과 서비스를 단순한 상품이나 소비재로 다루지 않아야 하며 이를 보장하기 위한 적절한 문화 정책을 마련해야 한다. 또한, 문화 상품의 독특한 성격을 인정하고, 각국이 문화 정책을 수립할 자주권을 보장해야 하며, 문화 약소국에 대한 지원책도 마련해야 한다.

① 국가 경쟁력을 강화한다.
② 세계화의 부작용을 견제하고 감시한다.
③ 다양한 국가의 다양한 문화를 존중한다.
④ 세계적으로 나타나는 양극화에 대비한다.
⑤ 세계화의 성과가 선진 강대국에 집중되는 현상을 완화한다.

19 ㉠~㉢에 대한 옳은 설명을 〈보기〉에서 고른 것은?

저출산 현상과 고령화 현상을 해결하기 위한 ㉠ 사회 제도 개편이 우선순위가 되어야 합니다.

우리나라에서 발생하는 사회 문제 중에서 시급하게 해결해야 할 문제는 무엇일까요?

정보화 시대에 ㉡ 계층 간 정보 이용 수준의 차이가 벌어지는 문제 해결이 더 급합니다. 또한, ㉢ 이주민에게 한국어와 역사를 배우도록 해서 한국인으로서 정체성을 가지게 해야 해요.

> ┤ 보기 ├
> ㄱ. ㉠ - 일·가족 양립을 위하여 맞벌이 부부를 지원하는 정책이 필요하다.
> ㄴ. ㉡ - 정보 격차 문제에 해당한다.
> ㄷ. ㉡ - 다품종 소량 생산 체제로의 변화로 인해 발생한 문제이다.
> ㄹ. ㉢ - 문화 다원주의 관점에서의 사회 통합 해결책에 해당한다.

① ㄱ, ㄴ   ② ㄱ, ㄷ   ③ ㄴ, ㄷ
④ ㄴ, ㄹ   ⑤ ㄷ, ㄹ

20 정보화로 인한 변화 양상을 〈보기〉에서 고른 것은?

> ┤ 보기 ├
> ㄱ. 대면 접촉의 증가로 인한 공동체 형성
> ㄴ. 사이버 공간을 통한 시민들의 정치 참여 활성화
> ㄷ. 뉴 미디어의 등장으로 쌍방향적 정보 전달 확산
> ㄹ. 소품종 대량 생산 방식의 확산에 따른 산업 구조의 변화

① ㄱ, ㄴ   ② ㄱ, ㄷ   ③ ㄴ, ㄷ
④ ㄴ, ㄹ   ⑤ ㄷ, ㄹ

21 ㉠~㉢에 대한 설명으로 옳지 <u>않은</u> 것은?

> 정보 통신 기술의 비약적인 발전으로 인하여 ㉠ 지식과 정보에 대한 사회 구성원의 인식 전환이 나타났고, 다양한 정보를 손쉽게 얻고 ㉡ 쌍방향적 의사소통이 가능해지면서 ㉢ 다양한 사회 변동 현상이 나타나고 있다.

① ㉠ – 정보 사회에서 모든 지식은 경제적 대가를 지불하지 않아도 이용할 수 있다.

② ㉡ – 인터넷을 기반으로 한 뉴 미디어가 등장한 결과이다.

③ ㉡ – 대중이 정보의 생산부터 소비에 이르기까지 적극적으로 참여하게 되었다.

④ ㉢ – 비대면적인 접촉이 증대되고 다양한 형태의 사이버 공동체가 나타난다.

⑤ ㉢ – 사이버 공간을 통한 시민 참여가 늘어나 참여 민주주의가 활성화되고 있다.

22 표는 정보 소외 계층의 정보화 수준을 나타낸 것이다. 이에 대한 옳은 분석을 〈보기〉에서 있는 대로 고른 것은?

(단위: %)

구분	2014년	2015년	2016년
장애인	60	70.2	88.3
저소득층	62	76	93.2
노인	52	78	96.3

*표의 수치는 전체 국민의 스마트폰 보유 수준을 100으로 할 경우, 정보 소외 계층의 스마트폰 보유 수준을 의미한다.

보기

ㄱ. 모든 정보 소외 계층에서 정보 격차가 완화되고 있다.

ㄴ. 2014년에 스마트폰을 보유한 노인 수는 장애인 수보다 적다.

ㄷ. 2015년에 전체 장애인 중 70.2%는 스마트폰을 소유하고 있다.

ㄹ. 2016년에 전체 국민 대비 정보 격차가 가장 큰 계층은 장애인이다.

① ㄱ, ㄴ   ② ㄱ, ㄹ   ③ ㄷ, ㄹ

④ ㄱ, ㄴ, ㄷ   ⑤ ㄴ, ㄷ, ㄹ

23 (가), (나)에 나타나는 전 지구적 수준의 문제를 각각 옳게 짝지은 것은?

> (가) 특정 종교나 이념을 맹목적으로 추종하는 사람들이 집단을 결성하고 정치 지도자, 공공시설, 무고한 일반 시민에게 해를 끼치는 행위가 늘어나는 현상
>
> (나) 화석 연료의 사용이 급증하면서 지구의 온도가 올라가고 이상 기후 현상이 증가하는 현상

	(가)	(나)
①	테러	지구 온난화
②	테러	빈부 격차
③	빈부 격차	테러
④	지구 온난화	테러
⑤	지구 온난화	빈부 격차

24 다음은 형성평가 문제와 학생 답안이다. 학생의 점수로 옳은 것은?

> 〈형성평가〉
>
> ◎문제: 다음 진술을 읽고, ○, × 중 하나를 선택하여 표시하시오. (1문제당 1점)
>
> ◎학생 답안
>
> (1) 전 지구적 수준의 문제란, 한 국가의 문제가 다른 국가 또는 지구적 차원에까지 영향을 주는 문제를 말한다.   (○)
>
> (2) 전 지구적 수준의 문제를 해결하기 위해서는 인류가 공동으로 노력해야 한다.   (×)
>
> (3) 화석 연료의 사용으로 발생하는 이산화탄소는 지구 온난화 현상의 주요 요인이다.   (×)
>
> (4) 인류의 생태 자원의 소비가 증가할수록 지구 생태의 용량을 초과하는 날이 빨라진다.   (×)
>
> (5) 종교, 민족, 인종 간 갈등은 전쟁과 테러의 요인으로 작용한다.   (○)

① 1점   ② 2점   ③ 3점

④ 4점   ⑤ 5점

25 지속 가능한 사회를 위한 노력으로 적절한 내용을 〈보기〉에서 고른 것은?

┌─ 보기 ─────────────────────────────┐
ㄱ. 인권과 평화 등 인류 보편의 가치를 중시하고 일상에서 이를 실천하고자 한다.
ㄴ. 미래 세대의 필요를 충족하기 위하여 자원 절약을 호소하는 캠페인에 참여한다.
ㄷ. 저개발 국가들이 겪는 환경 문제는 현재 우리나라와 관련 없으므로 신경 쓰지 않는다.
ㄹ. 테러 문제를 해결하기 위하여 이주민에 대한 통제 위주의 정책을 바탕으로 그들의 문화를 포기하도록 한다.
└──────────────────────────────────┘

① ㄱ, ㄴ   ② ㄱ, ㄷ   ③ ㄴ, ㄷ
④ ㄴ, ㄹ   ⑤ ㄷ, ㄹ

26 다음 자료에서 추구하는 인간상으로 가장 적절한 것은?

1. 우리 모두는 인류 공동체의 구성원으로서 책임 의식을 가져야 합니다.

2. 이를 위해 인류 보편의 가치를 내면화하는 것이 필수적입니다.

3. 세계의 쟁점과 지구촌의 상호 의존성을 비판적으로 이해해야 합니다.

4. 인류 공동의 문제 해결을 위해 능동적으로 참여할 수 있어야 합니다.

① 군자   ② 보살   ③ 지성인
④ 교양인   ⑤ 세계 시민

서답형 문제

27 다음 글을 토대로 사회 운동과 사회 변동의 관계를 서술하시오.

케냐의 환경 운동가인 왕가리 마타이는 나무 심기 운동인 '그린벨트 운동'을 시작했다. 마타이는 아프리카 여성들에게 나무 심는 법과 함께 자신의 삶을 개척하는 방법도 가르쳤다. 또한, 마타이는 환경 운동을 하며 국가를 개발한다는 이유로 권력을 휘둘러 민생을 피폐하게 한 정권에도 맞섰다. 그 결과, 아프리카 여성의 인권이 신장되고, 민주주의 정착을 목표로 하는 사회 변동을 촉진하였다.

28 빈칸에 공통으로 들어갈 용어를 쓰시오.

　　　　　은/는 전체 인구에서 노인 인구가 차지하는 비율이 증가하는 현상으로, 우리나라는 빠른 속도로 　　　　　이/가 진행 중이다. 　　　　　(으)로 인하여 생산 가능 인구와 고령 인구 비율의 차이가 커지면서 사회 복지 비용이 증가하고, 그에 따라서 정부의 재정 건전성이 악화될 수 있다.

29 다음 글에 나타난 정보화로 인한 문제점을 서술하시오.

영화 「제이슨 본」에 등장하는 '딥 드림'이라는 회사는 미국 중앙 정보국(CIA)의 은밀한 지원을 받아 단시간에 전 세계 수억 명이 이용하는 인터넷 서비스 회사로 성장했다. 대신 딥 드림은 자사 서비스 이용 고객의 사생활 정보를 미국 중앙 정보국에 제공하는*백 도어(back door)를 만들었다.

*백 도어(back door) 시스템 관리자가 일부러 열어 놓은 시스템의 보안 구멍을 말한다.

I 사회·문화 현상의 탐구

단원 평가 제1회   p. 3 ~ p. 9

01 ②	02 ③	03 ④	04 ④	05 ②	06 ③
07 ①	08 ②	09 ⑤	10 ③	11 ③	12 ④
13 ④	14 ②	15 ③	16 ②	17 ④	18 ②
19 ④	20 ⑤	21 ①	22 ⑤	23 ①	24 ④
25 ④	26 ④	27 ②	28 해설 참조	29 해설 참조	

01 자연 현상과 사회·문화 현상의 특징   답 ②

자연 현상은 인간의 의지와 무관하게 자연계에서 발생하는 현상이며, 사회·문화 현상은 인간의 의지나 가치가 반영되어 나타나는 현상이다. 따라서 제시된 자료에서 ㉠, ㉣은 자연 현상, ㉡, ㉢은 사회·문화 현상이다.

정답을 찾아가는 셀파 - Tip

① ㉠과 같은 현상은 당위 법칙의 지배를 받는다. (×)
  → 자연 현상은 존재 법칙의 지배를 받는다.
② ㉡과 같은 현상은 인간의 의지가 개입되어 나타난다. (○)
③ ㉢과 같은 현상은 확실성의 원리를 따른다. (×)
  → 사회·문화 현상은 확률성 또는 개연성의 원리를 따른다.
④ ㉡과 같은 현상은 ㉢과 같은 현상과 달리 과학적 연구가 가능하다. (×)
  → 사회·문화 현상과 자연 현상 모두 과학적 연구가 가능하다.
⑤ ㉣과 같은 현상은 ㉠과 같은 현상과 달리 인과 관계가 명확하다. (×)
  → ㉠, ㉣ 모두 자연 현상이며, 자연 현상은 인과 관계가 명확하다.

02 자연 현상과 사회·문화 현상의 특징   답 ③

(가) 현상은 자연 현상, (나) 현상은 사회·문화 현상이다. 우리가 일상생활에서 직·간접적으로 접하는 다양한 일들은 인간의 의지나 노력이 작용하여 발생하는지를 기준으로 자연 현상과 사회·문화 현상으로 구분할 수 있다. 자연 현상은 인간의 의지와 노력이 개입되지 않으므로 몰가치적이며, 존재 법칙의 지배를 받는다. 반면, 사회·문화 현상은 인간의 의지와 노력이 작용하여 가치 함축적이며, 당위 법칙의 지배를 받는다. 또한, 같은 조건하에서 어떤 결과가 발생할 가능성이 필연적인 자연 현상과 달리 사회·문화 현상은 개연성만 가진다.

03 자연 현상과 사회·문화 현상의 특징   답 ④

ㄱ. 자연 현상은 원인과 결과의 관계가 분명하므로, 필연성의 원리가 적용된다. ㄴ. 자연 현상과 사회·문화 현상 모두 경험적 자료를 통해 연구할 수 있다. ㄷ. '행성의 이동'은 인간의 의지와 무관하게 발생하는 현상이므로 자연 현상이며, '행성에 이름을 붙이는 것'은 인간의 의지에 따라 발생하는 현상이므로 사회·문화 현상이다. ㄹ. 자연 현상과 사회·문화 현상을 구분하는 기준으로 '인간의 의지가 개입되어 나타나는지 여부'가 들어갈 수 있다.

04 사회·문화 현상을 바라보는 관점   답 ④

A는 사회 규범과 제도가 사회 전체 구성원의 합의에 의해 만들어졌다고 보는 기능론이며, B는 지배 집단이 피지배 집단을 억압하는 수단으로 사회적 합의를 사용한다고 보는 갈등론이다. ④ 갈등론에서는 희소가치의 배분과 관련하여 지배 계급과 피지배 계급의 이익을 서로 대립적으로 바라본다.

정답을 찾아가는 셀파 - Tip

① (가) – 인간은 사회 구조로부터 자유로운 존재이다. (×)
  → 미시적 관점에 대한 진술로 (가)~(다) 어디에도 해당하지 않는다.
② (가) – 사회 구조나 제도는 계급 재생산의 수단에 불과하다. (×)
  → 갈등론에 대한 진술로 (나)에 해당한다.
③ (나) – 사회는 각 부분들이 유기적으로 결합한 하나의 체계이다. (×)
  → 기능론에 대한 진술로 (가)에 해당한다.
④ (나) – 희소가치의 배분과 관련하여 각 계급의 이익은 양립할 수 없다. (○)
⑤ (다) – 사회·문화 현상을 이해할 때 사회 구조보다 개인의 행위에 초점을 맞추어야 한다. (×)
  → 미시적 관점에 대한 진술로 (가)~(다) 어디에도 해당하지 않는다.

05 사회·문화 현상을 바라보는 관점   답 ②

갑은 지배 계급이 자신들의 기득권을 유지하는 데 유리한 규범을 학습시키는 과정을 교육이라고 바라보므로 갈등론의 관점에 해당한다. 반면, 을은 교육을 사회가 합의한 가치나 규범을 내면화하는 과정으로 바라보므로 기능론의 관점에 해당한다. ② 갈등론은 한 사회에서 희소가치를 많이 가진 집단과 그렇지 않은 집단이 지배와 피지배 관계를 이루고 있다고 본다.

06 갈등론   답 ③

실업의 증가를 특정 계층에게만 유리한 경제 구조 때문이라고 바라보는 것은 갈등론적 관점이다. 갈등론은 부, 권력 등 사회적 희소가치를 둘러싼 집단 간 이해관계의 대립과 갈등을 강조한다. ①, ②는 기능론에 대한 설명이며, ④, ⑤는 미시적 관점인 상징적 상호 작용론에 대한 설명이다.

07 상징적 상호 작용론   답 ①

제시문에서 사회 문제는 실제로 존재하는 현상이 아닌 상황에 대한 정의에 따라 달라진다고 하였으므로, '이 관점'은 상징적 상호 작용론이다. ① 상징적 상호 작용론에서는 인간을 자율성을 지닌 주체적이고 능동적인 존재로 본다.

08 사회·문화 현상을 바라보는 관점   답 ②

(가)는 기능론, (나)는 갈등론, (다)는 상징적 상호 작용론이다. ② 갈등론은 현재의 사회 구조가 지배 집단에 의해 만들어진 불평등한 상태라고 보므로 사회 안정보다 사회 변동을 중시한다. 또한, 갈등론적 관점에서는 사회 질서도 기득권을 지키기 위한 지배 계급의 합의라고 본다. 반면, 기능론은 사회를 하나의 유기적 통합체로 보고 사회 제도 간의 유기적 관련성에 주목하며, 사회의 유지와 존속을 위해 사회에서 지배적으로 인정되는 규범을 필수적으로 따라야 한다고 본다. 사회 구조로부터 자유로운 능동적 개인에 의해 사회·문화 현상이 발생한다고 보는 관점은 상징적 상호 작용론이다.

09 양적 연구 방법의 특징 　　　　　　　📖 ⑤

현상에 대한 법칙 발견을 중시하는 입장은 양적 연구 방법이다. 양적 연구 방법은 사회·문화 현상과 자연 현상이 본질적으로 같다고 보는 방법론적 일원론에 근거하며, 현상의 계량화를 통한 통계적 분석을 선호한다.

10 사회·문화 현상의 연구 방법 　　　　　📖 ③

A는 양적 연구 방법, B는 질적 연구 방법이다. ③ 질적 연구 방법은 사회·문화 현상에 대한 심층적 이해를 목적으로 하므로 양적 연구 방법에 비해 연구 대상자의 주관적 가치 및 행위의 동기를 파악하는 데 유리하다.

11 양적 연구 방법의 특징 　　　　　　　📖 ③

제시된 사례에 적용된 사회·문화 현상의 연구 방법은 양적 연구 방법이다. 양적 연구 방법은 사회·문화 현상과 자연 현상이 본질적으로 같다고 보기 때문에 사회·문화 현상의 연구에 자연 과학적 연구 방법을 사용하며, 연구자가 연구 대상으로부터 분리될 수 있다고 본다.

12 문헌 연구법의 특징 　　　　　　　　📖 ④

갑과 을이 공통으로 사용한 자료 수집 방법은 문헌 연구법이다. 문헌 연구법은 기존 연구의 동향이나 성과를 파악하는 데 유용하다는 장점이 있다. 또한, 문헌 연구법은 자료 수집 시 시간과 비용이 비교적 적게 소요되며, 공간과 시간의 제약을 적게 받는다. 2차 자료를 수집하는 데 활용하기 용이하며, 양적 연구와 질적 연구 모두에서 활용할 수 있다.

13 질적 연구 방법의 특징 　　　　　　　📖 ④

사회·문화 현상에 대한 연구 대상자의 주관적 인식, 행위의 동기 등에 주목하는 연구 방법은 질적 연구 방법이다. 질적 연구 방법은 자연 현상과 사회·문화 현상이 본질적으로 다르다고 보는 방법론적 이원론에 근거하며, 양적 연구 방법과 달리 가설을 설정하지 않는다. 따라서 인과 법칙을 발견하려고 하기보다는 연구자 직관적 통찰을 통한 해석적 이해를 강조한다.

14 실험법 　　　　　　　　　　　　📖 ②

제시된 자료 수집 방법은 실험법이다. A 집단은 독립 변수의 처치가 가해지므로 실험 집단, B 집단은 통제 집단이다.

정답을 찾아가는 셀파 - Tip

① ㉠, ㉢은 독립 변수, ㉡, ㉣은 종속 변수이다. (×)
　→ ㉠은 독립 변수, ㉡, ㉢, ㉣은 종속 변수이다.

② A 집단은 실험 집단, B 집단은 통제 집단이다. (○)

③ 일반적으로 실험은 (가)-(나)-(다)-(라)-(마)의 순서로 진행된다. (×)
　→ 일반적으로 실험은 (가)-(다)-(나)-(라)-(마)의 순서로 진행된다.

④ (마)에서 A 집단에 유의미한 변화가 있으면 가설은 반드시 채택된다. (×)
　→ A 집단에 유의미한 변화가 있어도 B 집단에 동일한 변화가 있다면 가설은 기각될 수 있다.

⑤ 이 자료 수집 방법은 주로 방법론적 이원론을 전제로 한 연구에서 사용된다. (×)
　→ 실험법은 방법론적 일원론을 전제로 한 양적 연구에서 주로 사용된다.

15 질문지법 　　　　　　　　　　　　📖 ③

3번 문항에 답할 수 있는 응답 항목이 모두 제시되어 있어 포괄성이 부족하지는 않다. 단, 질문에 연구자의 가치가 드러나 있다.

자료를 분석하는 셀파 - Tip

1. 귀하의 나이는?　　　　　응답자가 20세라면 ①, ②번 둘 다 선택이 가능하므로 응답 항목 간 배타성이 부족하다.
　① 20세 이하　　　② 20세~40세　　　③ 41세 이상

2. 귀하의 TV 시청 시간은?　　　　　(　　) 시간
　'시청 시간'을 측정하는 기준이 하루인지, 일주일인지 명료하게 제시되지 않았다.

3. 청소년이 놀지 못하고 공부만 하면 인간관계에 문제가 생긴다고 합니다. 귀하는 청소년의 여가 활동을 늘려야 한다는 주장에 찬성하십니까?　　─ 연구자의 가치가 개입된 진술이다.
　① 예　　　　② 아니요　　　③ 잘 모르겠다.

4. 귀하의 여가 생활에 대한 만족도를 평가한다면?
　① 매우 만족　　② 만족　　③ 보통　　④ 매우 불만족
　　　　　　　　　　　　　　─ '불만족' 항목이 없어 균형성이 떨어진다.

5. 현재 귀하의 여가 시간과 여가 비용은 적절합니까?
　① 예　　　　② 아니요　　　③ 잘 모르겠다.
　'여가 시간은 적절합니까?', '여가 비용은 적절합니까?'로 나누어 물어봐야 한다.

내 것으로 만드는 셀파 - Tip

▶ 질문지 작성 시 유의 사항
· 한 문항에서는 한 가지 내용만 묻는다.
· 묻는 내용이 명료하지 않아서 응답에 혼란을 주어서는 안 된다.
· 특정한 답을 유도하거나 가치를 개입한 내용을 넣어 질문해서는 안 된다.
· 선택지는 서로 겹치지 않고 상호 배타성을 띠도록 해야 한다.
· 선택지는 어느 한 방향으로 치우치지 않도록 균형 있게 구성해야 한다.
· 선택지는 특정한 경우가 배제되지 않도록 예측 가능한 모든 경우를 포함해야 한다.

16 면접법과 실험법의 특징 　　　　　　📖 ②

A는 면접법, B는 실험법이다. 면접법은 연구자의 직관적 통찰로 해석해야 하는 자료를 수집하기에 용이한 자료 수집 방법이며, 상황에 따라 연구자의 판단하에 추가적인 질문을 통해 자료를 수집할 수 있으므로, 실험법에 비해 자료 수집 과정에서 연구자의 유연성이 높다. 반면, 실험법은 독립 변수와 종속 변수 간의 관계를 파악하는 데 주로 사용되며, 변수를 조작 정의하여 계량화된 자료를 수집하므로 면접법에 비해 통계 처리에 유리하다.

17 면접법과 질문지법의 특징 　　　　　📖 ④

면접법은 연구 대상자와의 정서적 교감을 중시하며, 질문지법은 주로 양적 연구에서 사용된다. 또한, 면접법과 질문지법 모두 언어적 상호 작용이 필수적이다.

18 참여 관찰법의 특징 　　　　　　　　📖 ②

갑이 사용한 자료 수집 방법은 참여 관찰법이다. 참여 관찰법은 자료의 실제성을 확보하는 데 유리하다는 장점이 있지만, 예상하지 못한 상황이 발생할 경우 유연한 대처가 어렵다는 단점이 있다.

19 양적 연구 방법 답 ④

귀납법은 구체적인 사례에서 관찰한 현상의 공통적인 것을 모아서 일반적인 원리를 도출하는 과정을 말한다. 따라서 (다) → (라) → (바)의 과정은 귀납적이다.

20 양적 연구 방법의 탐구 절차 답 ⑤

양적 연구는 일반적으로 연구 문제 인식 – 가설 설정 – 연구 설계 – 자료 수집 – 자료 분석 – 가설 검증 및 결론 도출의 과정으로 진행된다.

21 사회·문화 현상의 탐구 태도 답 ①

성찰적 태도는 사회·문화 현상을 있는 그대로 받아들이기보다 그 이면의 의미를 살펴보고 연구 과정을 되짚어 보는 태도이다.

22 가치 중립 답 ⑤

가치 중립이란 연구자가 가치를 가져서는 안 된다는 것이 아니라 특정한 가치나 태도에 치우쳐 연구 결과를 왜곡해서는 안 된다는 뜻이다.

23 사회·문화 현상의 탐구 태도 답 ①

연구자가 제삼자의 입장에서 사회·문화 현상을 사실 그대로 관찰하려는 태도는 객관적 태도이다.

24 양적 연구 방법의 탐구 절차 답 ④

(가)는 결론 도출, (나)는 연구 문제 인식, (다)는 자료 수집 및 자료 분석, (라)는 연구 설계, (마)는 가설 설정 단계이다. 제시된 연구는 질문지법을 사용한 양적 연구이다. 개념의 조작적 정의는 연구 설계 단계에서 이루어지며, 결론 도출, 자료 수집 및 자료 분석 단계에서는 연구자의 엄격한 가치 중립이 필수적이다.

25 사회·문화 현상의 탐구에서 고려해야 할 연구 윤리 답 ④

교사 갑은 자신의 연구에 참여를 거부한 학생에게 수행 평가 점수를 낮게 부여하였다. 이를 통해 연구 대상자의 자발적 참여를 보장하지 않았음을 파악할 수 있다.

26 사회·문화 현상의 탐구에서 고려해야 할 연구 윤리 답 ④

을이 강조하고 있는 사회·문화 현상의 탐구 태도는 개방적 태도이다. 개방적 태도는 사회·문화 현상의 탐구 시 여러 가능성을 인정하고 자신의 연구 결과에 대한 다른 연구자의 비판을 허용하는 것을 말한다.

27 사회·문화 현상의 탐구 태도 답 ②

갑은 최종 보고서에 근무 규정을 위반한 직원의 개인 정보를 명시함으로써 피조사자의 익명성을 보장하지 않았다. 또한, 전체 직원의 60%가 근무 규정을 위반했음에도 기업의 이미지 하락을 우려하여 최종 보고서에 10%만이 근무 규정을 위반하였다고 왜곡하여 기록하였으므로 연구 결과의 작성 과정에서 가치 개입이 이루어졌다.

서답형 문제

28 상징적 상호 작용론의 한계

모범 답안 | 이 관점은 상징적 상호 작용론이다. 상징적 상호 작용론은 개인의 행위가 사회 구조나 제도의 영향에 의해 나타날 수 있음을 간과한다.

주요 단어 | 상징적 상호 작용론, 사회 구조의 영향력 간과

채점 기준	배점
제시된 관점의 명칭과 해당 관점의 한계점을 정확하게 서술한 경우	상
제시된 관점의 한계점만을 정확하게 서술한 경우	중
제시된 관점의 명칭만을 정확하게 작성한 경우	하

29 자료 수집 방법의 특징

모범 답안 | (1) (가): 참여 관찰법, (나): 실험법, (다): 질문지법

(2) (가): 자료의 실제성을 확보할 수 있다. 의사소통이 곤란한 집단을 대상으로 조사를 수행할 수 있다.

(나): 인과 관계의 파악을 통해 법칙을 발견하는 데 유리하다. 정확성, 정밀성, 객관성이 높은 결론을 도출할 수 있다.

(다): 다수를 대상으로 대량의 자료를 수집하는 데 유리하다. 분석 기준이 명확하고 통계 처리가 용이하다.

주요 단어 | 자료의 실제성, 의사소통이 곤란한 집단, 법칙 발견, 정확성, 대량의 자료, 통계 처리 용이

채점 기준	배점
참여 관찰법, 실험법, 질문지법의 장점을 모두 정확하게 서술한 경우	상
참여 관찰법, 실험법, 질문지법 중 두 가지의 장점만 정확하게 서술한 경우	중
참여 관찰법, 실험법, 질문지법 중 한 가지의 장점만 정확하게 서술한 경우	하

(3) (가): 관찰하고자 하는 현상이 나타날 때까지 기다려야 한다. 예상하지 못한 상황이 발생할 경우 유연하게 대처하기 곤란하다.

(나): 사회 과학에서는 엄격하게 통제된 실험이 곤란하다. 윤리적 문제가 발생하기 쉽다.

(다): 문맹자에게 활용하기 어렵다. 표본의 대표성이 낮을 경우 조사 결과를 일반화하기 곤란하다.

주요 단어 | 유연한 대처 곤란, 윤리적 문제, 문맹자, 표본의 대표성

채점 기준	배점
참여 관찰법, 실험법, 질문지법의 단점을 모두 정확하게 서술한 경우	상
참여 관찰법, 실험법, 질문지법 중 두 가지의 단점만 정확하게 서술한 경우	중
참여 관찰법, 실험법, 질문지법 중 한 가지의 단점만 정확하게 서술한 경우	하

II 개인과 사회 구조

단원 평가 제2회					p. 11 ~ p. 17
01 ②	02 ①	03 ②	04 ③	05 ③	06 ④
07 ①	08 ⑤	09 ②	10 ①	11 ⑤	12 ②
13 ③	14 ②	15 ④	16 ③	17 ④	18 ④
19 ⑤	20 ②	21 ④	22 ①	23 ②	24 ③
25 ①	26 ⑤	27 해설 참조	28 해설 참조	29 해설 참조	

01 사회 구조의 특성 답 ②
ㄴ. 사회 구조는 구성원의 행위를 유형화하여 예측할 수 있게 한다.
ㄹ. 사회를 구성하는 개별 구성원이 바뀌어도 사회 구조는 쉽게 바뀌지 않고 계속 유지되는 지속성을 가진다.

02 사회 구조의 특성 답 ①
시민 혁명은 기존의 사회 구조도 구성원의 개혁 의지에 따라 변화할 수 있음을 보여 준다. 이는 사회 구조의 특성 중 변동성에 해당한다.

03 사회 실재론 답 ②
제시문에서 청년 실업 증가 문제를 해결하려면 교육 체계를 바꾸고 관련 제도를 정비해야 한다고 주장하므로, 제시문에 나타난 개인과 사회의 관계를 바라보는 관점은 사회 실재론이다. 사회 실재론은 사회가 개인의 외부에서 독자적으로 작동하며 개인을 구속하는 실체라고 본다. ①, ③, ④, ⑤는 사회 명목론의 입장에 부합하는 진술이다.

04 개인과 사회의 관계를 바라보는 관점 답 ③
A는 사회 명목론, B는 사회 실재론에 해당한다. ③ 사회는 개인의 외부에 실제로 존재하며, 독자적인 특성을 갖고 있어 영속성을 가진 존재라고 보는 것은 사회 실재론이므로, 해당 질문은 (나)에 들어갈 수 있다.

① (가) – 개인보다 사회가 우선하는가? (×)
→ 개인보다 사회가 우선한다고 보는 것은 사회 실재론이므로, 해당 질문은 (나)에 들어가야 한다.

② (가) – 개인의 행동은 사회 구조에 의해 결정되는가? (×)
→ 개인의 행동은 사회 구조에 의해 결정된다고 보는 것은 사회 실재론이므로, 해당 질문은 (나)에 들어가야 한다.

③ (나) – 사회는 개인과 달리 영속성을 가진 존재인가? (○)

④ (나) – 사회와 관계없이 개인은 자율적으로 행동하는가? (×)
→ 사회와 관계없이 개인은 자율적으로 행동한다고 보는 것은 사회 명목론이므로, 해당 질문은 (가)에 들어가야 한다.

⑤ (다) – 사회 규범은 개인들에 의해 형성되고 변화하는가? (×)
→ 사회 규범은 개인들에 의해 형성되고 변화한다고 보는 것은 사회 명목론이므로, 해당 질문은 (가)에 들어가야 한다.

05 개인과 사회의 관계를 바라보는 관점 답 ③
(가)는 사회 실재론, (나)는 사회 명목론에 해당한다. ㄱ. 사회 현상이 인간의 자율적 의지에 의해 형성된다고 보는 것은 사회 명목론이다. ㄹ. 사회 현상을 분석함에 있어 거시적 요인을 중시하는 것은 사회 실재론이다.

06 사회화 과정 답 ④
④ '정서적 반응 방식 습득'은 (가)에 적절하다.

구분	사회화 내용	대표적 사회화 기관
유아기	(가) 기본적인 욕구 충족 및 정서적 반응 방식 습득	(라) 가족
아동기	언어, 규칙, 가치관 습득	(마) 가족, 또래 집단
청소년기	(나) 지식이나 진로 및 직업 선택과 관련한 기술 습득	또래 집단, 대중 매체
성인기	(다) 새로운 지식과 기술, 생활 양식 습득	직장, 대중 매체

07 사회화의 유형 답 ①
(가)는 예기 사회화, (나)는 재사회화이다. ㄹ. 예기 사회화와 재사회화는 공식적 사회화 기관과 비공식적 사회화 기관 모두에서 이루어질 수 있다.

▶ 사회화의 유형

구분	내용
재사회화	• 의미: 사회 변화에 적응하기 위해 새롭게 등장한 정보나 가치 등을 습득하는 과정 • 사례: 외국으로 이민을 간 사람이 새로운 사회에 적응하는 과정, 노인을 대상으로 한 평생 교육 등
예기 사회화	• 의미: 미래에 속하게 될 집단에서 요구되는 행동 양식을 미리 학습하는 과정 • 사례: 신입생 예비 교육, 신입 사원 연수 등

08 사회화 기관 답 ⑤
ⓜ 동네 친구들은 또래 집단으로 1차적 사회화 기관이자 비공식적 사회화 기관에 해당한다. 특히 청소년기에 또래 집단의 결속력이 강해지며 자아 정체성을 형성하는 데 중요한 영향력을 행사한다. 또래 집단과 상호 작용하는 청소년기에는 또래 집단 내에서 공유되는 행동 양식이나 언어를 중시하며, 그들만의 독특한 문화를 형성한다. 따라서 청소년기에 어떤 또래 집단에 속하느냐에 따라 개인의 인성이나 습관이 크게 달라질 수 있다.

① ㉠ – 1차적 사회화 기관, 공식적 사회화 기관이다. (×)
→ 학교는 2차적 사회화 기관, 공식적 사회화 기관이다.

② ㉡ – 사회화 자체를 목적으로 하는 기관이다. (×)
→ 직장은 사회화 자체를 목적으로 형성되지는 않지만, 사회화에 영향을 미치는 비공식적 사회화 기관에 해당한다.

③ ㉢ – 탈사회화 과정이 이루어지고 있다. (×)
→ ㉢은 재사회화 과정으로 볼 수 있다.

④ ㉣ – 지속적이고 체계적으로 교육을 담당하는 사회화 전문 기관에 해당한다. (×)
→ 텔레비전과 같은 대중 매체는 본연의 목적이 따로 있으나 부수적으로 사회화 기능을 담당한다.

⑤ ㉤ – 청소년기에 결속력이 강해지며, 그들만의 문화를 형성하면서 개인의 인성이나 습관에 큰 영향을 미친다. (○)

09 사회화 기관의 유형 답 ②

A는 1차적 사회화 기관, B는 2차적 사회화 기관이면서 공식적 사회화 기관, C는 2차적 사회화 기관이면서 비공식적 사회화 기관이다. ㄴ. B는 공식적 사회화 기관이다. ㄹ. B와 C 모두 재사회화의 기능을 수행할 수 있다.

10 사회화 기관의 유형_형성 목적에 따른 분류 답 ①

제시문에서 ㉠ 직업 훈련 학교는 사회화 자체를 목적으로 하는 공식적 사회화 기관이다. 그 외의 ㉡ 직장, ㉢ 가족, ㉣ 정당, ㉤ 대중 매체는 모두 사회화가 부수적으로 이루어지는 비공식적 사회화 기관이다.

11 사회적 지위와 역할 답 ⑤

A는 지위, B는 귀속 지위, C는 성취 지위, D는 역할이다. ⑤ 사회마다 중시하는 가치가 다르므로, 같은 지위라도 시대와 장소의 변화에 따라 기대되는 역할은 달라질 수 있다.

정답을 찾아가는 셀파 - Tip

① 한 개인이 갖는 A는 여러 개일 수 없다. (×)
→ 한 개인이 갖는 지위는 여러 개인 경우가 많다.

② 한 개인이 소속된 집단의 수와 B의 수는 일치한다. (×)
→ 한 개인이 소속된 집단의 수와 귀속 지위의 수는 일치하지 않는다.

③ 일반적으로 현대 사회에서는 C보다 B의 중요성이 크다. (×)
→ 일반적으로 현대 사회에서는 귀속 지위보다 성취 지위의 중요성이 크다.

④ B의 사례로는 아버지, C의 사례로는 아들을 들 수 있다. (×)
→ 아버지는 성취 지위, 아들은 귀속 지위의 사례이다.

⑤ 같은 A라도 시대나 장소의 변화에 따라 기대되는 D는 달라질 수 있다. (○)

12 사회적 지위와 역할 답 ②

조카의 병원비를 마련하기 위해 돈을 훔친 일은 갑이 실제로 수행한 것이므로 갑의 역할 행동이다.

정답을 찾아가는 셀파 - Tip

① ㉠, ㉥은 모두 성취 지위이다. (×)
→ 조카는 귀속 지위, 자선 사업가는 성취 지위이다.

② ㉡은 갑의 역할 행동이다. (○)

③ ㉢은 1차적 사회화 기관이다. (×)
→ 교도소는 2차적 사회화 기관이다.

④ ㉣은 ㉤과 달리 갑의 역할이다. (×)
→ 신분을 세탁하고 살면서 사업에 성공한 것과 사업 수익을 자선 사업에 사용한 것 모두 갑의 역할 행동이다.

⑤ ㉺은 갑의 역할 갈등이다. (×)
→ 죄책감에 고민하는 것은 역할 간 충돌이라 볼 수 없으므로 역할 갈등이 아니다.

13 사회 집단의 의미와 성립 요건 답 ③

제시된 사례에서 A는 사회 집단이 아니며, B는 사회 집단이다. 사회 집단은 둘 이상의 사람이 소속감과 공동체 의식을 가지고 지속적인 상호 작용을 하는 모임을 의미한다. ㄱ. A, B 모두 2명 이상의 사람이 모여 있으므로 해당 질문은 두 사례를 구분할 수 없다. ㄹ. 모든 사회 집단이 문서화된 규약과 엄격한 절차에 따라 일이 처리되는 것은 아니므로 해당 질문은 (가)에 들어갈 수 없다.

14 사회 집단의 유형 답 ②

내집단은 소속감을 가지고 있는 집단이며, 소속 집단은 실제로 소속되어 있는 집단을 의미한다.

정답을 찾아가는 셀파 - Tip

① ㉠은 '나'의 외집단에 해당한다. (×)
→ A고등학교 응원단은 '나'의 내집단에 해당한다.

② ㉡은 '나'의 내집단이자 소속 집단이다. (○)

③ ㉢은 1차 집단이자 공동 사회에 해당한다. (×)
→ B고등학교는 '나'에게는 외집단에 해당하며, 학교는 2차 집단이자 이익 사회이다.

④ ㉣을 통해 내집단과 외집단이 절대적임을 알 수 있다. (×)
→ ㉣을 통해 내집단과 외집단이 절대적이지는 않다는 것을 알 수 있다.

⑤ ㉤은 사회 집단에 해당한다. (×)
→ 관중은 지속적이고 반복적인 상호 작용을 하지 않으며, 소속감을 가지고 있지 않으므로 사회 집단이 아니다.

15 준거 집단 답 ④

제시문에서 승택은 자신의 소속 집단과 준거 집단이 일치하지 않아 자신의 처지가 볼품없다고 느끼고 있다. 이를 통해 소속 집단과 준거 집단이 일치하지 않을 경우 상대적 박탈감이 생길 수 있다는 내용을 도출할 수 있다.

16 사회 집단과 사회 조직 답 ③

(가)는 공동 사회, (나)는 자발적 결사체에 해당하지 않는 이익 사회, (다)는 자발적 결사체이자 이익 사회이다. 따라서 (가)의 사례로는 가족, (나)의 사례로는 학교, (다)의 사례로는 시민 단체를 들 수 있다.

17 사회 집단과 사회 조직 답 ④

A는 비공식 조직, B는 공식 조직, C는 이익 사회이다. ④ 비공식 조직과 공식 조직의 총합이 이익 사회인 것은 아니다.

18 사회 집단과 사회 조직 답 ④

ㄱ. 일요일에는 회사에서의 일정이 있으므로 공식 조직에서의 활동 계획이 있다. ㄷ. 토요일과 일요일 모두 이익 사회에서의 활동 계획이 있다.

자료를 분석하는 셀파 - Tip

구분	오전	오후	저녁
토요일	사내 축구 동호회 친선 경기	영어 회화 학원 강좌 수강	고등학교 동문회 모임 참석
일요일	○○시 축구 동호회 모임 참석	회사 마케팅팀 프리젠테이션용 자료 준비	고향 친구 결혼식 참석

사내 축구 동호회: 이익 사회, 비공식 조직, 자발적 결사체
영어 회화 학원: 이익 사회, 공식 조직
고등학교 동문회: 이익 사회, 자발적 결사체
○○시 축구 동호회: 이익 사회, 자발적 결사체
회사 마케팅팀: 이익 사회, 공식 조직

19 관료제와 탈관료제 조직 답 ⑤

그림에서 A는 B에 비해 구성원의 재량권이 높고, 업무의 표준화 정도가 낮다. 따라서 A는 탈관료제 조직, B는 관료제 조직이다.

내 것으로 만드는 셀파 - Tip

▶ 관료제와 탈관료제 조직의 특징

관료제	과업의 전문화, 위계의 서열화, 규약과 절차에 따른 업무 수행, 연공서열주의
탈관료제	수평적 조직 체계, 구성원의 자율성과 창의성 존중, 유연한 조직 구조, 능력에 따른 보상 등

20 관료제 조직의 특징   🅰 ②

제시된 내용은 관료제 조직의 특징을 나타낸다. 관료제 조직은 구성원 간의 서열화된 위계를 바탕으로 명시적인 규범과 절차를 갖춘 대규모 조직으로, 수직적으로는 계층화되고 수평적으로는 기능상 분업 체계를 이루고 있다. ㄴ, ㄹ. 탈관료제 조직의 특징에 대한 설명이다.

21 관료제 조직의 문제점   🅰 ④

대화를 통해 희망하는 과목의 선택이라는 목적보다 규칙이 중시되는 목적 전치 현상을 발견할 수 있다. 목적 전치 현상은 목적 달성을 위한 수단에 집착하여 본래의 목적을 소홀히 하게 되는 현상을 의미한다.

> **정답을 찾아가는 셀파 - Tip**
>
> ① 불필요한 인력의 증가로 효율성이 저하된다. (×)
> → 불필요한 인력 증가로 인한 효율성 저하는 파킨슨의 법칙에 해당한다.
> ② 구성원의 신분을 안정적으로 보장하기 어렵다. (×)
> → 관료제에서는 연공서열에 기초하여 승진이나 보상이 이루어지기 때문에 구성원의 신분을 보장하기 용이하다.
> ③ 연공서열의 강조에 따른 무사안일주의가 나타난다. (×)
> → 제시된 사례와는 관련 없는 관료제 조직의 문제점이다.
> ④ 규칙과 절차의 강조에 따른 목적 전치 현상이 나타난다. (○)
> ⑤ 인간이 조직의 부속품으로 전락하는 인간 소외 현상이 나타난다. (×)
> → 인간 소외 현상은 획일적이고 반복적인 업무 수행으로 나타나는 문제이다.

22 탈관료제 조직   🅰 ①

(가) 조직은 탈관료제 조직이다. 탈관료제 조직은 관료제에서 벗어나 구성원의 창의성과 자율성을 보장하는 새로운 조직 형태를 의미한다. ① 탈관료제 조직은 수평적 조직 체계이므로 구성원 개개인의 자율성이 높다. ②, ③, ④, ⑤는 관료제 조직의 특징에 대한 설명이다.

23 머튼의 아노미 이론   🅰 ②

을은 청년 중 일부가 입사 과정에서 벌이는 일탈 행동에 대해 경력 위조 등의 부적절한 방법(비합법적 수단)을 써서라도 취업(문화적 목표)을 하고 싶어 하는 것이라고 보고 있다. 이는 머튼의 아노미 이론의 입장에 해당한다. ①은 낙인 이론, ③, ④는 차별 교제 이론, ⑤는 뒤르켐의 아노미 이론에 대한 설명이다.

24 낙인 이론   🅰 ③

밑줄 친 '이 이론'은 낙인 이론이다. 낙인 이론은 특정 개인이나 집단이 일탈자로 규정되는 과정과 사회적 여건에 주목한다.

> **정답을 찾아가는 셀파 - Tip**
>
> ① 일탈 행동을 초래하는 사회 구조의 영향력을 강조한다. (×)
> → 일탈 행동을 초래하는 사회 구조의 영향력을 강조하는 것은 거시적 관점이다. 낙인 이론은 미시적 관점이다.
> ② 일탈 행동은 일탈 집단과의 교류를 통해 학습된다고 본다. (×)
> → 차별 교제 이론에 대한 설명이다.
> ③ 일탈을 규정하는 객관적인 기준은 존재하지 않는다고 본다. (○)
> ④ 일탈에 대한 대책으로 사회 규범의 통제력 회복을 주장한다. (×)
> → 뒤르켐의 아노미 이론에 대한 설명이다.
> ⑤ 사회의 지배적인 규범이 약화될 때 일탈 행동이 증가한다고 본다. (×)
> → 뒤르켐의 아노미 이론에 대한 설명이다.

25 일탈 행동을 설명하는 이론   🅰 ①

A는 아노미 이론, B는 차별 교제 이론, C는 낙인 이론에 해당한다. ㄷ. 일탈의 해결 방안으로 일탈자와의 접촉 차단을 제시하는 것은 차별 교제 이론이다. ㄹ. 급격한 사회 변동으로 인해 일탈 행동이 발생한다고 보는 것은 뒤르켐의 아노미 이론이다.

26 낙인 이론과 차별 교제 이론   🅰 ⑤

A는 낙인 이론, B는 차별 교제 이론이다. 낙인 이론은 차별 교제 이론과 달리 차별적인 제재로 인해 일탈 행동이 발생한다고 본다. 일탈 행동의 해결 방안으로 사회 규범의 통제력 강화를 주장하는 것은 뒤르켐의 아노미 이론이다. 따라서 ㉠은 '예', ㉡은 '아니요', ㉢은 '아니요', ㉣은 '아니요'이다.

서답형 문제

27 역할 갈등과 역할 긴장

모범 답안 | (가)는 역할 갈등, (나)는 역할 긴장에 해당한다. 역할 갈등은 한 개인이 두 가지 이상의 지위를 가지고 있어 상반된 역할이 동시에 요구될 때 발생하며, 역할 긴장은 하나의 지위에 상반된 역할이 요구될 때 발생한다.

주요 단어 | 역할 갈등, 역할 긴장, 두 가지 이상의 지위, 상반된 역할, 하나의 지위, 상반된 역할

채점 기준	배점
(가), (나)에 해당하는 개념을 쓰고, 각각의 차이점에 대해 정확하게 서술한 경우	상
(가), (나)에 해당하는 개념을 쓰고, 각각의 차이점에 대해 서술하였으나 미흡한 경우	중
(가), (나)에 해당하는 개념만 쓴 경우	하

28 자발적 결사체

모범 답안 | 자발적 결사체이다. 자발적 결사체는 조직 목표에 대한 구성원들의 신념이 뚜렷하다. 가입과 탈퇴가 비교적 자유로우며, 구성원들의 조직 활동에 대한 열의가 높다. 형태가 다양하고 운영에 있어 융통성이 있으며 민주적이다.

주요 단어 | 자발적 결사체, 신념, 가입과 탈퇴 자유, 열의, 민주적

채점 기준	배점
자발적 결사체를 쓰고, 자발적 결사체의 특징을 두 가지 서술한 경우	상
자발적 결사체를 쓰고, 자발적 결사체의 특징을 한 가지 서술한 경우	중
자발적 결사체만 쓴 경우	하

29 일탈 행동을 설명하는 이론

모범 답안 | ㉠은 차별 교제 이론, ㉡은 낙인 이론이다. ㉠과 ㉡ 모두 사회 구성원들이 상호 작용 과정에서 특정 행위에 대해 어떤 의미와 상징을 부여하느냐에 따라 일탈 행동이 발생한다고 본다.

주요 단어 | 차별 교제 이론, 낙인 이론, 상호 작용, 상징

채점 기준	배점
㉠, ㉡에 해당하는 이론을 쓰고, 이 이론의 공통점을 정확하게 서술한 경우	상
㉠, ㉡에 해당하는 이론을 쓰고, 이 이론의 공통점을 서술하였으나 미흡한 경우	중
㉠, ㉡에 해당하는 이론만 쓴 경우	하

Ⅲ 문화와 일상생활

단원 평가 제3회   p. 19 ~ p. 25

01 ①	02 ④	03 ③	04 ④	05 ②	06 ⑤
07 ⑤	08 ①	09 ③	10 ⑤	11 ④	12 ⑤
13 ④	14 ④	15 ③	16 ①	17 ③	18 ①
19 ⑤	20 ⑤	21 ④	22 ④	23 ④	24 ②
25 ④	26 ②	27 해설 참조		28 해설 참조	

01 문화의 의미　　　　　　　　　　　　　　　🈁 ①

㉠, ㉡에서 사용된 문화는 넓은 의미의 문화, ㉢, ㉣에서 사용된 문화는 좁은 의미의 문화이다.

02 문화의 의미　　　　　　　　　　　　　　　🈁 ④

㉠, ㉡에서의 문화는 넓은 의미, ㉢에서의 문화는 좁은 의미이다.

정답을 찾아가는 셀파 - Tip

① ㉠에서의 문화는 문명과 동일한 의미이다. (×)
　→ 문명과 동일한 의미로서의 문화는 좁은 의미의 문화이다.
② ㉡에서의 문화는 인간이 선천적으로 습득한 모든 것을 포함한다. (×)
　→ 인간이 선천적으로 습득한 것은 문화에 해당하지 않는다.
③ ㉢에서의 문화는 생활 양식의 총체를 의미한다. (×)
　→ 생활 양식의 총체를 의미하는 것은 넓은 의미의 문화이다.
④ ㉢에서의 문화는 평가적 의미를 내포하고 있다. (○)
⑤ ㉠에서의 문화는 ㉡에서의 문화와 달리 '청소년 문화'의 문화와 동일한 의미이다. (×)
　→ '청소년 문화'에서의 문화는 넓은 의미의 문화이다.

03 문화의 속성　　　　　　　　　　　　　　　🈁 ③

제시문에는 문화의 속성으로 공유성이 나타나 있다.

정답을 찾아가는 셀파 - Tip

① 문화는 계속적으로 변화하여 이전과 다른 모습을 가진다. (×)
　→ 변동성
② 문화는 세대 간 전승 과정에서 점차 풍부해지고 발전한다. (×)
　→ 축적성
③ 문화는 다른 구성원과의 상호 작용이 안정적으로 이루어지게 한다. (○)
④ 문화는 태어날 때부터 지니고 있는 것이 아니라 후천적으로 습득된다. (×)
　→ 학습성
⑤ 문화는 여러 요소들이 유기적으로 연관되어 이루어진 하나의 전체이다. (×)
　→ 총체성(전체성)

04 문화의 속성　　　　　　　　　　　　　　　🈁 ④

제시문에 나타난 문화의 속성은 공유성이다. 문화의 공유성은 한

사회 구성원이 함께 누리는 생활 양식을 의미하며, 이는 타인의 행동을 예측하고 이해할 수 있게 해 준다. ㄱ은 변동성, ㄷ은 축적성이다.

05 문화의 속성　　　　　　　　　　　　　　　🈁 ②

첫 번째 사례에는 온돌 난방이 집의 구조와 집 안에서의 의복 문화와 연관되어 있음이 나타나 있다. 이는 총체성과 관련 있다. 두 번째 사례에는 온돌 방식에 새로운 요소가 추가되고 있음이 나타나 있다. 이는 축적성과 관련 있다.

06 문화의 속성　　　　　　　　　　　　　　　🈁 ⑤

제시문은 총체성에 대한 설명이다. 총체성은 문화가 독립된 개별 요소로만 존재하는 것이 아니라 각 부분이 모여 전체로서 하나의 체계를 이루고 있음을 의미한다. ①, ③은 축적성, ②는 변동성, ④는 공유성에 대한 설명이다.

07 문화를 바라보는 관점　　　　　　　　　　　🈁 ⑤

제시문에는 총체론적 관점이 나타나 있다. 총체론적 관점은 문화 요소는 개별적으로 존재하는 것이 아니라 다른 요소와 상호 유기적 관계에 있다고 보고, 전체 문화의 맥락 속에서 해당 문화가 갖는 의미를 파악하고자 하는 관점이다.

정답을 찾아가는 셀파 - Tip

ㄱ. 여러 문화를 비교하면서 공유되는 보편성을 파악하고자 한다.
　→ 비교론적 관점에 대한 설명이다.
ㄴ. 타문화와의 비교를 통해 자문화를 객관적으로 이해하고자 한다.
　→ 비교론적 관점에 대한 설명이다.

08 문화를 바라보는 관점　　　　　　　　　　　🈁 ①

제시문에는 비교론적 관점이 나타나 있다. 비교론적 관점은 자기 문화를 객관적으로 이해하기 위해 서로 다른 두 문화 간의 유사성과 차이점을 분석하여 보편성과 특수성을 밝히려는 관점이다.

내 것으로 만드는 셀파 - Tip

▶ **문화를 바라보는 관점**

총체론적 관점	어떤 문화 현상의 의미를 다른 문화 요소나 전체의 맥락 속에서 이해하는 관점
비교론적 관점	서로 다른 문화에 나타나는 유사성과 차이점을 비교하여 문화의 보편성과 특수성을 파악하는 관점
상대론적 관점	한 사회의 문화를 그 사회의 자연환경이나 사회적 상황, 역사적 맥락 등을 고려하여 파악하는 관점

09 문화를 바라보는 관점　　　　　　　　　　　🈁 ③

제시문은 비교론적 관점에서 한국과 일본의 장례 문화를 설명하고 있다.

10 문화를 바라보는 관점　　　　　　　　　　　🈁 ⑤

자료에는 각 나라별 장례 풍습이 나타나 있다. 이를 통해 장례 문화에 대한 보편성과 특수성을 파악할 수 있다. 이는 비교론적 관점에 해당한다.

11 문화 이해의 태도   답 ④

을은 낮잠 풍습을 누리는 지역 사람들을 문화인으로 평가하고 있다. 이를 통해 문화 사대주의를 파악할 수 있다. 문화 사대주의는 외래 문화를 적극적으로 수용하려는 태도인데, 이 과정에서 문화적 정체성을 상실할 우려가 있다. ①, ③ 문화 상대주의에 대한 설명이다. ② 비교론적 관점에 대한 설명이다. ⑤ 자문화 중심주의에 대한 설명이다.

내 것으로 만드는 셀파 - Tip

▶ **문화 이해의 태도**

자문화 중심주의	자기 문화를 가장 우수한 것으로 여기면서, 그것을 기준으로 다른 문화를 수준이 낮거나 미개하다고 판단하는 태도
문화 사대주의	다른 사회의 문화를 우월한 것으로 여기고 추종하면서, 자기 문화를 열등하다고 생각하는 태도
문화 상대주의	어떤 사회의 특수한 자연환경, 역사적 전통, 사회적 맥락 등을 고려하여 그 사회의 문화를 이해하는 태도

12 문화 이해의 태도   답 ⑤

밑줄 친 '이것'은 문화 상대주의이다. 문화 상대주의는 각 문화가 사회적 맥락 속에서 갖는 의미를 중시한다.

자료를 분석하는 셀파 - Tip

대부분 사람은 자신이 친숙한 생활 양식이나 관습은 옳고 좋은 것이며, 자신에게 익숙하지 않은 생활 양식이나 관습은 그르고 나쁜 것으로 생각하는 경향이 있다. 그러나 이러한 태도는 다른 사회의 문화를 제대로 이해하기 어렵게 한다. <u>한 사회의 문화는 그 사회가 처한 특수한 환경과 상황에 적응하는 과정에서 축적된 결과이고, 그 나름대로 가치를 지니기 때문에 문화 간에는 우열을 가릴 수 없다.</u>

→ 문화의 우열을 따질 수 없고, 각자 나름의 고유한 가치가 있다고 보는 태도: 문화 상대주의

13 문화 이해의 태도   답 ④

제시문에는 자문화 중심주의적 태도가 나타나 있다. 자문화 중심주의는 자기 문화에 대한 자부심을 높이고 집단 구성원 간의 결속력을 높인다. 하지만 문화 제국주의로 변질될 가능성이 높다. ㄱ은 문화 사대주의, ㄷ은 문화 상대주의에 대한 설명이다.

14 문화 이해의 태도   답 ④

갑의 태도는 자문화 중심주의, 을의 태도는 문화 상대주의이다. ① 은 문화 사대주의, ②는 문화 상대주의, ③은 자문화 중심주의에 대한 설명이다. ⑤ 갑은 문화를 평가의 대상으로, 을은 이해의 대상으로 본다.

15 문화 이해의 태도   답 ③

ㄴ. 다른 문화의 수용에 대해 긍정적인 것은 문화 사대주의이므로, (가)에 해당 질문이 들어가면, B는 자문화 중심주의이다. ㄷ. 자기 문화가 우월하다는 믿음을 바탕으로 타문화를 평가하는 것은 자문화 중심주의이므로, (나)에 해당 질문이 들어가면, A는 문화 사대주의이다.

정답을 찾아가는 셀파 - Tip

ㄱ. (가)가 '문화적 갈등을 유발한다는 비판을 받는가?'이면, A는 문화 사대주의이다.
→ 자문화 중심주의

ㄹ. (나)가 '특정한 기준을 바탕으로 다른 문화를 평가하는가?'이면 B는 문화 사대주의이다.
→ 문화 사대주의와 자문화 중심주의 모두 특정한 기준을 바탕으로 다른 문화를 평가하므로 (나) 질문은 적절하지 않다.

16 문화 이해의 태도   답 ①

A는 자문화 중심주의, B는 문화 사대주의이다. ① 자문화 중심주의는 해당 사회 구성원의 결속과 사회 통합에 기여할 수 있다.

정답을 찾아가는 셀파 - Tip

① A는 구성원의 결속과 사회 통합에 기여할 수 있다. (○)

② B는 외부 사회의 문화를 수용하는 데 있어 부정적이다. (×)
→ 외부 사회의 문화를 수용하는 데 있어 부정적인 것은 자문화 중심주의이다.

③ A는 B와 달리 문화를 이해의 대상이 아닌 평가의 대상으로 인식한다. (×)
→ 자문화 중심주의와 문화 사대주의 모두 문화를 평가의 대상으로 인식한다.

④ (가)에는 '문화의 다양성 보존에 기여하는가?'가 들어갈 수 있다. (×)
→ 문화의 다양성 보존에 기여하는 것은 문화 상대주의이므로, 해당 질문은 (가)에 들어갈 수 없다.

⑤ (가)에는 '서로 다른 문화 간에 우열이 존재한다고 보는가?'가 들어갈 수 없다. (×)
→ 자문화 중심주의와 문화 사대주의 모두 서로 다른 문화 간에 우열이 존재한다고 보므로, 해당 질문은 (가)에 들어갈 수 있다.

17 반문화   답 ③

히피 문화는 반문화의 대표적인 사례이다. 반문화는 주류 문화에 저항하고 대립하는 문화를 의미한다.

18 하위문화의 유형   답 ①

(가)는 세대 문화, (나)는 지역 문화, (다)는 반문화이다. 세대 문화는 같은 세대에 속하는 사람들의 일체감과 정체성 형성에 기여하지만, 세대 간의 욕구나 가치관이 충돌하여 세대 갈등을 유발할 수 있다. 지역 문화는 해당 지역의 독특한 문화적 정체성을 반영하므로 지역 주민의 유대감을 높일 수 있지만, 다른 지역 주민과의 갈등을 유발할 수 있다. 반문화는 기존 문화의 문제점에 대한 성찰의 계기를 마련하여 사회가 바람직한 방향으로 변화하는 데 도움을 주지만, 주류 문화와 대립하는 과정에서 충돌을 일으키기도 한다.

19 전체 문화와 하위문화   답 ⑤

A는 반문화, B는 하위문화, C는 전체 문화이다. ㄱ. 반문화와 하위문화 모두 집단 간 갈등을 초래하는 요인이 되기도 한다. ㄴ. 사회가 다원화될수록 하위문화는 더욱 다양해진다.

20 하위문화의 유형   답 ⑤

(가)는 지역 문화, (나)는 반문화이다. ⑤ 지역 문화와 반문화 모두 전체 문화와 공통 요소를 가질 수 있다.

21 자극 전파

제시된 내용은 자극 전파의 사례에 해당한다. 자극 전파는 다른 사회의 문화 요소에서 아이디어를 얻어 새로운 문화 요소가 만들어지는 현상을 의미한다.

> **정답을 찾아가는 셀파 - Tip**
>
> ① 매개체를 통해 다른 문화 요소가 전파되었다. (×)
>   → 간접 전파에 대한 설명이다.
> ② 한 사회 내에서 발명을 통해 문화 변동이 발생하였다. (×)
>   → 발명은 문화 변동의 내재적 요인이다. 자극 전파는 문화 변동의 외재적 요인이다.
> ③ 다른 문화와 직접 접촉하여 새로운 문화가 전파되었다. (×)
>   → 직접 전파에 대한 설명이다.
> ④ 다른 사회의 문화 요소에서 아이디어를 얻어 새로운 문화 요소가 만들어졌다. (○)
> ⑤ 이미 존재하고 있던 문화 요소를 찾아내는 과정에서 문화 변동이 발생하였다. (×)
>   → 발견에 대한 설명이다.

22 문화 변동의 요인　　④

간접 전파와 자극 전파는 문화 변동의 외재적 요인, 발명은 문화 변동의 내재적 요인이다. 간접 전파는 인쇄물, 텔레비전, 인터넷 등과 같은 매개체를 통한 문화 변동 요인이다.

23 문화 접변의 결과　　④

(가)는 문화 병존, (나)는 문화 동화, (다)는 문화 융합이다.

> **정답을 찾아가는 셀파 - Tip**
>
> ① (가)-활의 원리를 응용하여 개발된 현악기 (×)
>   → 발명
> ② (나)-서양의 문화와 인도의 문화가 만나 형성된 간다라 미술 (×)
>   → 문화 융합
> ③ (나)-아프리카 흑인 음악과 유럽 백인 음악이 결합하여 나타난 재즈 (×)
>   → 문화 융합
> ④ (다)-멕시코 토착 인디언의 전통과 에스파냐 정복자의 문화가 결합하여 탄생한 메스티소 문화 (○)
> ⑤ (다)-라틴 아메리카의 원주민들이 원래 사용하던 언어 대신 에스파냐어나 포르투갈어를 사용하는 것 (×)
>   → 문화 동화

24 문화 변동　　②

백제 출신의 사람들이 일본에 건너가 다양한 문화를 전해 주었다는 점에서 직접 전파를 도출할 수 있다. 또한, 일본 오사카 지역에는 백제 고유의 문화적 정체성을 지키며 살아가는 '백제 마을'이 조성되었다는 점에서 문화 병존을 도출할 수 있다.

25 문화 접변의 결과　　④

A는 문화 동화이며, B, C는 각각 문화 병존, 문화 융합 중 하나이다.
ㄱ. 문화 병존의 사례이다. ㄷ. (가)에 해당 질문이 들어가면, B는 문화 융합이다.

26 문화 지체 현상　　②

문화 지체 현상은 물질문화의 변동 속도를 비물질문화가 따라잡지 못해 발생하는 부조화 현상이다. A는 물질문화, B는 비물질문화이다.

서답형 문제

27 하위문화의 기능

(가)는 하위문화에 해당한다.

모범 답안 | • 순기능: 개인의 정체성을 형성하게 한다. 구성원의 소속감 고취에 기여한다. 사회 구성원에게 다양한 욕구 충족의 기회를 제공한다. 등
• 역기능: 집단 간 갈등을 초래하여 사회 통합을 저해할 우려가 있다. 사회의 지배 문화와 다른 성격 때문에 갈등이 발생할 수 있다. 등

주요 단어 | 정체성, 소속감 고취, 욕구 충족, 집단 간 갈등, 사회 통합 저해

채점 기준	배점
하위문화의 순기능과 역기능을 각각 정확하게 서술한 경우	상
하위문화의 순기능과 역기능을 각각 서술하였으나 미흡한 경우	중
하위문화의 순기능과 역기능 중 한 가지만 정확하게 서술한 경우	하

28 대중문화의 등장 배경과 기능

모범 답안 | (1) 산업화로 인한 대량 생산 체제의 발달, 의무 교육 제도의 도입, 보통 선거 제도의 도입, 대중 매체의 발달

주요 단어 | 산업화, 대량 생산 체제, 의무 교육 제도, 보통 선거 제도, 대중 매체

채점 기준	배점
대중문화의 등장 배경 세 가지를 모두 정확하게 서술한 경우	상
대중문화의 등장 배경 중 두 가지를 정확하게 서술한 경우	중
대중문화의 등장 배경 중 한 가지를 정확하게 서술한 경우	하

(2) 대중의 휴식 및 오락의 수단이 된다. 다양한 지식 및 정보를 제공한다. 사회의 민주화 실현에 기여한다.

주요 단어 | 휴식, 오락, 지식, 정보, 사회의 민주화

채점 기준	배점
대중문화의 순기능 세 가지를 모두 정확하게 서술한 경우	상
대중문화의 순기능 중 두 가지를 정확하게 서술한 경우	중
대중문화의 순기능 중 한 가지를 정확하게 서술한 경우	하

(3) 문화의 질이 낮아질 수 있다. 동일한 지식 및 정보 등이 불특정 다수에게 동시 제공되어 사회가 획일화될 수 있다. 대중의 정치적 무관심을 야기하거나 대중 조작의 수단으로 악용될 수 있다.

주요 단어 | 문화의 질, 획일화, 정치적 무관심, 대중 조작

채점 기준	배점
대중문화의 역기능 세 가지를 모두 정확하게 서술한 경우	상
대중문화의 역기능 중 두 가지를 정확하게 서술한 경우	중
대중문화의 역기능 중 한 가지를 정확하게 서술한 경우	하

IV 사회 계층과 불평등

단원 평가 제4회				p. 27 ~ p. 33	
01 ④	02 ③	03 ②	04 ②	05 ⑤	06 ④
07 ④	08 ①	09 ⑤	10 ⑤	11 ④	12 ⑤
13 ⑤	14 ①	15 ②	16 ③	17 ⑤	18 ④
19 ④	20 ②	21 ①	22 ②	23 ④	24 ③
25 ②	26 ⑤	27 해설 참조		28 해설 참조	

01 사회 불평등 현상 답 ④

(가)는 사회 불평등 현상이다. 다양한 유형의 사회 불평등 현상은 자원의 희소성 때문에 어느 사회에서나 나타나지만, 구체적인 모습은 사회마다 조금씩 다르게 나타난다.

02 사회 불평등 간의 관계 답 ③

소득 수준의 차이, 즉 경제 불평등이 건강 불평등에 영향을 미치는 주요 변수로 연구되고 있다는 점에서 건강 불평등이 다른 불평등과 영향을 주고받는다는 것을 알 수 있다.

03 사회 불평등 현상을 바라보는 기능론과 갈등론 답 ②

갑은 일의 중요도의 차이에 따라 임금 격차가 발생할 수 있다고 설명하므로 기능론적 관점에 해당한다. 반면, 을은 연봉 결정에 최고 경영자의 권력 행사가 중요하게 작용한다는 갈등론적 관점에서 임금 격차를 설명하고 있다. ㄴ. 사회 불평등을 해결해야 할 대상으로 보는 것은 갈등론적 관점이다. ㄷ. 직업 간 중요도의 차이를 강조하는 것은 기능론적 관점이다.

내 것으로 만드는 셀파 - Tip

▶ 사회 불평등 현상을 바라보는 관점

구분	기능론	갈등론
기본 입장	사회 불평등의 책임은 개인에게 있으며, 사회의 유지 및 발전을 위해 필수 불가결함.	사회 불평등은 극복해야 할 대상으로 사회 구조의 근본적 개혁이 필요함.
발생 원인	사회 불평등은 직업 간 기여도 차이에 따라 합리적으로 차등 보상한 결과임.	사회 불평등은 기득권 유지를 위해 지배 집단이 희소 자원을 불공정하게 분배한 결과임.
사회적 기능	성취동기 부여, 경쟁 원리에 따른 효율적 자원 배분	상대적 박탈감, 갈등과 대립 유발, 사회 발전 저해

04 사회 불평등 현상을 바라보는 기능론의 관점 답 ②

힘들고 위험한 일에 더 많은 보수를 지급함으로써 사회의 효율적 자원 배분이 가능하다는 주장은 기능론적 관점이다. 기능론에서는 사회 불평등이 구성원들의 성취동기를 높이고, 인재를 적재적소에 배치하게 하므로 사회 불평등은 사회 유지와 발전을 위해 불가피한 것이라고 설명한다. ② 사회 불평등을 불공정하고 사회 발전을 위해 해결해야 할 대상으로 보는 것은 갈등론적 관점이다.

05 비정규직 제도를 바라보는 기능론과 갈등론 답 ⑤

갑의 관점은 갈등론, 을의 관점은 기능론이다. 사회 불평등이 사회 발전에 기여한다고 보는 관점은 기능론이다.

06 계급 이론과 계층 이론 답 ④

(가)는 계급 이론이고 (나)는 계층 이론이다. 두 이론 모두 경제적 측면의 계급이 사회 불평등을 설명하는 주요 개념이라고 설명한다.

07 계급 이론과 계층 이론 답 ④

(가)는 마르크스의 계급 이론, (나)는 베버의 계층 이론을 설명하는 그림이다. 마르크스는 자본가와 노동자의 계급 관계를 불연속적인 대립 관계로 이해하였다.

정답을 찾아가는 셀파 - Tip

① (가)는 현대 계층 이론의 출발점이다. (×)
→ 현대 계층 이론의 출발점은 베버의 계층 이론(다원적 불평등론)이다.

② (나)는 권력 집단의 소속 여부에 따라 지위 집단이 형성된다고 주장한다. (×)
→ 사회적 위신이나 명예의 차이에 따라 지위 집단이 형성된다고 보았다.

③ (가)는 베버, (나)는 마르크스가 주장한 개념이다. (×)
→ (가)는 마르크스, (나)는 베버가 주장하였다.

④ (가)는 (나)에 비해 계급 간 관계를 불연속적인 것으로 파악한다. (○)

⑤ (나)는 (가)와 달리 계급을 사회 불평등의 핵심으로 파악한다. (×)
→ (가)와 (나) 모두 계급을 사회 불평등의 핵심으로 파악한다.

08 지위 불일치와 계층 이론 답 ①

베버의 계층 이론은 제시문의 부농과 같이 경제적으로는 부유하지만 사회적 지위는 낮은 지위 불일치 현상이 발생할 수 있다고 보았다.

09 카스트 제도와 사회 계층 구조 답 ⑤

카스트 제도는 사회 이동의 가능성이 제한된 폐쇄형 계층 구조이면서, 전근대 신분제 사회에서 주로 나타나는 피라미드형 계층 구조이다.

내 것으로 만드는 셀파 - Tip

▶ 사회 계층 구조

계층 간 이동 가능성	폐쇄적 계층 구조	수직 이동 불가능, 귀속 지위 중시
	개방적 계층 구조	수직 이동 자유로움, 성취 지위 중시
계층별 구성원 비율	피라미드형 계층 구조	·구성원의 비율: 상층＜중층＜하층 ·신분제 사회, 저개발국 등에서 나타남.
	다이아몬드형 계층 구조	·중층 비율이 높아 안정적인 계층 구조 ·발달된 산업 사회에서 주로 나타남.
	모래시계형 계층 구조	·20:80으로 양극화된 계층 구조 ·정보화 사회에 대한 비관적 견해
	타원형 계층 구조	·중층 비율이 다이아몬드형보다 높음. ·정보화 사회에 대한 낙관적 견해

10 모래시계형 계층 구조와 타원형 계층 구조　@⑤

(가)는 모래시계형, (나)는 타원형 계층 구조로 정보 통신의 발달로 나타날 것이라고 예상되는 사회 계층 구조이다. (가) 모래시계형 계층 구조는 기계화 및 자동화로 인해 중산층이 급격히 감소하는 20:80 사회에 대한 비관적 예측이다. (나) 타원형 계층 구조는 지식 정보화에 대한 낙관적 견해로 중산층이 더 두터워질 것이라는 예측이다. ㄱ. 폐쇄형 계층 구조는 사회 이동 가능성에 따른 구분으로 모래시계형 계층 구조, 타원형 계층 구조와 직접적인 관련이 없다.

11 사회 이동의 유형　@④

갑은 사생아에서 백만장자로 상승 이동을 하였고, 중산층인 부모 세대보다 상층으로 이동하여 세대 간 이동을 이루었다. 또한, 이는 사회 변동과 상관없이 개인의 능력이나 노력에 의해 이룬 개인적 이동에 해당한다.

12 사회 계층 구조의 변화　@⑤

갑국은 계층별 구성비의 변화에 따라 피라미드형에서 다이아몬드형 계층 구조로 변하고 있다. 상층, 하층보다 중층이 상대적으로 더 두터운 2000년이 1980년보다 더 안정된 사회일 가능성이 높다.

정답을 찾아가는 셀파 - Tip

① 자신을 중산층으로 인식하는 사람들이 늘고 있다. (×)
→ 계층에 대한 인식이 아닌 실제 계층별 구성비에 대한 표이므로 알 수 없다.

② 1970년 이후 상층 인구가 지속적으로 증가하였다. (×)
→ 연도별 구성비의 변화만 알 수 있을 뿐 인구수의 변화는 알 수 없다.

③ 폐쇄형 계층 구조에서 개방형 계층 구조로 변하고 있다. (×)
→ 피라미드형 계층 구조는 계층별 구성원 비율에 따른 구분이고, 폐쇄형 계층 구조는 사회 이동의 가능성과 조건에 따른 구분으로 서로 직접적인 연관이 없다.

④ 1990년에서 2000년 사이에 하층의 5%가 상층으로 이동하였다. (×)
→ 하층에서 중층으로 5%, 중층에서 상층으로 5% 이동하였을 수도 있다.

⑤ 1980년에 비해 2000년의 사회가 상대적으로 안정적일 가능성이 높다. (○)

13 세대 간 계층 구조　@⑤

갑국의 계층 구조와 을국의 계층 구조를 표로 다시 정리하면 다음과 같다.

구분		부모 세대	자녀 세대
갑국	상층	1(20%)	3(30%)
	중층	3(60%)	1(10%)
	하층	1(20%)	6(60%)
을국	상층	1(10%)	1(33.3%)
	중층	3(30%)	1(33.3%)
	하층	6(60%)	1(33.3%)

이를 통해 을국 부모 세대의 하층과 갑국 자녀 세대의 하층의 비율이 모두 60%로 같음을 확인할 수 있다. 갑국은 부모 세대가 다이아몬드형 계층 구조로 을국의 부모 세대나 갑국의 자녀 세대보다 안정적이다. 을국 자녀 세대의 중층 구성비는 갑국 자녀 세대 중층 구성비의 3배 이상이다.

14 사회적 소수자　@①

아프리카너는 남아공에 거주하는 네덜란드계 백인으로 보어인이라고도 불렀다. 이들은 식민지 시절 영국 지배층에 의해 차별당하였으나 독립 후 정치권력을 획득하자 다수의 흑인을 차별하였다. 이를 통해 사회적 소수자는 절대적 개념이 아니라, 사회적 상황에 따라 변하는 상대적 개념임을 알 수 있다.

15 사회적 소수자 문제 해결 방안　@②

사회적 소수자 문제를 해결하기 위해서는 의식 개혁과 제도적 개선이 함께 이루어져야 한다. (가)는 차별 금지법을 통한 제도적 해결, (나)는 양성평등 교육을 통한 인식과 태도 개선을 강조한다.

16 임금 격차와 성 불평등　@③

남성의 임금을 100으로 놓았을 때 여성 임금의 상대적 비율에 관련된 표이다. 여성 임금 비율이 2012년에서 2015년까지 점점 낮아지고 있으므로 남녀의 임금 격차가 지속적으로 벌어지고 있다는 점을 알 수 있다. 단, 임금의 상대적 비율이므로 실제 임금 수준과 임금의 증감 여부는 알 수 없다.

17 절대적 빈곤　@⑤

밑줄 친 내용은 인간의 기본적 욕구와 관련된 물질적 결핍이 나타나는 절대적 빈곤에 해당한다. 절대적 빈곤은 최저 생활의 유지와 관련이 깊다.

18 빈곤 문제의 해결 방안　@④

제시문에서 빈곤 문제의 원인 및 해결책을 개인적 차원에서 설명하고 있다. 개인적 차원에서 빈곤을 해결하기 위해서는 개인이 의지를 갖고 노력을 기울이는 것이 중요하다.

19 절대적 빈곤율과 상대적 빈곤율　@④

우리나라의 상대적 빈곤선은 중위 소득의 50%이다. 모든 연도에서 최저 생계비(절대적 빈곤선)는 상대적 빈곤선에 미치지 못한다. 상대적 빈곤선과 절대적 빈곤선 사이에 빈곤 가구가 없는 경우 빈곤율은 동일할 수 있다. 그러므로 절대적 빈곤율은 상대적 빈곤율과 같거나 작다.

20 소득 5분위 배율을 통해 본 불평등　@②

소득 5분위 배율은 전체 가구를 20%씩 다섯 조각으로 나눈 후 가장 소득이 높은 5분위 20%의 소득의 합을 가장 소득이 낮은 1분위 20%의 소득의 합으로 나눈 값으로, 5분위 소득이 1분위 소득의 몇 배인지를 보여 준다. 2013년 소득 5분위 배율이 5.43%이라는 의미는 1분위에 비해 5분위의 소득이 5.43배라는 뜻이다. ㄱ. 완전 평등 사회는 최상위 20% 가구 소득의 합과 최하위 20% 가구 소득의 합이 동일할 것이므로 5분위 배율은 1이 된다. ㄷ. 2013년에 비해 2016년에 5분위 배율이 증가하였으므로 소득 양극화가 심화되었다. ㄴ, ㄹ. 절대적 빈곤율의 증감 여부와 실제 가구 소득 금액은 표를 보고는 알 수 없다.

▶ 빈곤을 측정하는 여러 지표

절대적 빈곤	최저 생계비에 미치지 못하는 가구의 비율로 측정하며, 기초 생활 수급자와 관련이 깊다.
상대적 빈곤	중위 소득의 50%에 미치지 못하는 가구의 비율로 측정하며, 다수 구성원이 누리는 생활 수준과 관련이 있다.
지니 계수	시기별, 국가별 빈부 격차를 측정하는 지수로 1은 완전 불평등, 0은 완전 평등을 의미한다.
빈곤 갭	상대적 빈곤선에 해당하는 소득과 하위 소득 계층에 속하는 사람들의 소득 차이 정도를 나타낸 지표이다.
5분위 배율	최상위 20%의 소득의 합을 최하위 20%의 소득의 합으로 나눈 것으로 소득 격차의 배율을 알 수 있다.

21 우리나라의 복지 이념　　　　　　　답 ①

우리나라 헌법은 현대적 복지 국가의 이념을 담고 있다. 현대 복지 국가의 이념은 전 국민이 최소한의 안정된 삶을 누리도록 국가가 정책을 세워 책무를 다하는 것을 말한다. ㄷ, ㄹ. 복지를 시혜로 보는 것은 초기 자본주의 복지 이념의 특징이다.

22 사회 복지의 성격 변화　　　　　　　답 ②

모든 국민을 복지의 대상으로 보는 것은 현대 복지 사회에 해당한다. 따라서 A는 초기 자본주의 사회, B는 현대 복지 사회이다. ① 독일 비스마르크의 사회 보험 제도는 현대 복지 국가의 시초에 해당한다.

	초기 자본주의 사회	현대 복지 사회
구분	A	B
복지의 주체	(가) 민간	(나) 국가
복지의 대상	(다) 극빈층	모든 국민
복지의 질	(라)	(마)
	최저 생활 보장(최저 생활의 보장 기준은 시대와 사회에 따라 다르다.)	삶의 질 향상

23 우리나라 사회 보장 제도　　　　　　　답 ④

(가)는 기초 연금 제도로 공공 부조에 해당하고, (나)는 노인 장기 요양 보험 제도로 사회 보험에 해당한다. 공공 부조는 사후 처방적 제도이며, 공공 부조와 사회 보험 모두 소득 재분배 효과가 있다. 또한, 사회 보험과 공공 부조 모두 금전적 지원을 원칙으로 한다.

24 사회 서비스　　　　　　　답 ③

드림 스타트는 보건 복지부에서 시행하는 취약 계층 아동을 위한 사회 서비스이다. 사회 서비스는 공공 부조, 사회 보험 등과 결합해서 제공될 때 효과가 큰 보조적 성격의 사회 보장 제도이며, 사회 서비스 제공에 민간 부문이 참여하기도 한다.

ㄱ. 금전적 지원을 원칙으로 한다.
　→ 사회 서비스는 비금전적 지원을 원칙으로 한다.
ㄹ. 강제 가입을 원칙으로 하며 상호 부조의 성격을 지닌다.
　→ 사회 보험의 특징이다.

25 민간 보험과 사회 보험의 차이　　　　　　　답 ②

(가)는 사회 보험, (나)는 민간 보험이다. 보험은 기본적으로 미래의 위험에 대비하는 상호 부조적 성격을 가진다. 민간 보험과 사회 보험의 가장 큰 차이는 가입의 강제성 유무이다.

26 생산적 복지　　　　　　　답 ⑤

근로 장려 세제는 저소득 근로자가 일정 소득 구간에서 소득 향상을 위해 노동을 하면 정부가 세금 환급 형태로 금액을 지급함으로써 빈곤층의 근로를 유인하는 생산적 복지에 해당한다. 이는 개인의 자활 의지를 제도로써 보완하려는 정책이다.

서답형 문제

27 계층 구조와 세대 간 이동

모범 답안 | (1) 부모의 계층이 대물림되는 비율은 38%이다. 나머지 62%는 계층 이동이 있었다. 그러므로 계층 간 수직 이동이 가능한 개방적 계층 구조라고 할 수 있다.
주요 단어 | 수직 이동, 개방적 계층 구조

채점 기준	배점
계층이 대물림되는 수치를 정확하게 분석하여 개방적 계층 구조라고 서술한 경우	상
개방적 계층 구조와 그 이유를 서술하였지만 수치를 정확하게 분석하지 못한 경우	중
개방적 계층 구조라고만 서술한 경우	하

(2) 부모 세대의 계층 구조는 상층 13%, 중층 61%, 하층 26%로 다이아몬드형 계층 구조이다. 반면, 자녀 세대의 계층 구조는 상층 21%, 중층 15%, 하층 64%로 모래시계형 계층 구조이다. 부모 세대의 계층 구조가 중층이 두터워 상층과 하층의 완충 역할을 하므로 사회의 안정성이 더 높다.
주요 단어 | 다이아몬드형 계층 구조, 모래시계형 계층 구조

채점 기준	배점
부모 세대와 자녀 세대의 계층 비율을 각각 분석하여 부모 세대의 계층 구조가 사회 안정성이 더 높은 이유를 서술한 경우	상
부모 세대와 자녀 세대의 계층 비율을 분석하고, 부모 세대의 계층 구조가 사회 안정성이 더 높다고 결론만 서술한 경우	중
부모 세대의 계층 구조가 사회 안정성이 더 높다고만 서술한 경우	하

28 복지 제도

모범 답안 | 국민의 세금이 투명하게 집행되어 복지 제도에 쓰인다는 신뢰를 확보해야 한다. 복지비 지출이 저소득층뿐 아니라 모든 국민의 복지 수준을 보편적으로 높일 수 있다는 인식을 확산시켜야 한다.
주요 단어 | 세금의 투명 집행, 신뢰, 복지 수준

채점 기준	배점
세금 제도 개편을 위한 방안을 두 가지 모두 옳게 서술한 경우	상
세금 제도 개편을 위한 방안을 한 가지만 옳게 서술한 경우	중
세금 제도 개편을 위한 방안을 적절하게 서술하지 못한 경우	하

01 ④	02 ①	03 ①	04 ②	05 ②	06 ④
07 ⑤	08 ③	09 ②	10 ③	11 ④	12 ③
13 ⑤	14 ④	15 ②	16 ④	17 ③	18 ③
19 ①	20 ③	21 ①	22 ②	23 ④	24 ②
25 ①	26 ⑤	27 해설 참조		28 고령화	
29 해설 참조					

01 사회 변동의 요인 　답 ④

증기 기관의 발명, 킨베이어 벨트의 개발, 인터넷과 로봇의 빌딩은 사회 변동의 요인 중 기술의 발달에 해당한다.

02 사회 변동의 요인 　답 ①

천부 인권과 자유주의 이념과 같은 가치관의 변화가 사회 변화를 이끌었다.

03 사회 변동 이론 　답 ①

(가)는 진화론에 해당한다. ㄷ, ㄹ은 순환론에 대한 내용이다.

내 것으로 만드는 셀파 - Tip

▶ 사회 변동 이론: 방향에 따른 구분

이론	특성
진화론	• 사회 변동은 일정한 방향을 가지고 있으며, 변동은 곧 진보를 의미함. • 사회는 단순하고 미분화된 상태(낡고 비합리적인 것)에서 복잡하고 분화된 상태(새롭고 합리적인 것)를 향하여 변화함. • 과거보다 퇴화한 사회의 변동을 설명하기 어려움.
순환론	• 사회는 순환(생성, 성장, 쇠퇴, 해체)를 반복함. • 사회의 발전과 쇠퇴 가능성까지 설명하고자 하며, 지난 역사의 반복되는 사회 변동을 설명하기에 유리함. • 미래 사회의 변동을 예측하는 데 적합하지 않고, 숙명론에 빠져 인간의 노력을 과소평가한다는 비판이 있음.

04 사회 변동 이론 　답 ②

사회의 성쇠가 반복된다고 바라보는 순환론적 관점에 해당한다.

자료를 분석하는 셀파 - Tip

파레토는 역사를 두 유형의 엘리트가 순환적으로 교체하면서 역사를 이끌어 가는 과정으로 설명한다.

인류 역사를 주도하는 엘리트의 유형에는 '사자형'과 '여우형'이 있다. 사자형 엘리트는 힘으로 대결하려 하고 기존 집단을 유지하려는 본능이 강하다. 이에 비해 여우형 엘리트는 말과 조작을 선호하고 새로운 결합을 이루려는 본능이 강하다. 권력을 장악하는 엘리트는 사자형에서 여우형으로, 다시 여우형에서 사자형으로 계속 바뀐다. → 서로 다른 유형의 엘리트가 번갈아가며 나타난다는 점에서 순환론적 관점임을 알 수 있다.

05 사회 변동 이론 　답 ②

진화론은 사회 변동이 일정한 방향을 가지며, 이는 곧 진보와 발전을 의미한다고 본다. 순환론은 사회가 진보하기만 하는 것이 아니라 쇠퇴, 소멸하는 운명을 지닌다고 본다.

정답을 찾아가는 셀파 - Tip

ㄴ. B가 서구 중심적 사고를 전제한다는 비판을 받는다면, (나)에는 '사회 변동 과정에서 문명이 퇴보할 수 있다고 보는가?'가 적절하다.
→ 서구 중심적 사고를 전제한다는 비판을 받는 이론은 진화론이다. (나)에 해당 질문이 들어가면 B는 순환론이다.

ㄹ. (가)가 '사회 변동을 곧 발전으로 인식하는가?'라면, (나)는 '제국주의를 정당화하는 근거로 사용되었는가?'가 적절하다.
→ (가), (나)의 질문은 모두 진화론 여부를 묻는 질문이다.

06 사회 변동 이론 　답 ④

사회 변동을 바라보는 시각 중 구조적 관점, 그 중에서도 지배 계급과 피지배 계급 간의 갈등에 주목하는 갈등론과 관련되어 있다.

07 사회 운동 　답 ⑤

지하철에서 쓰러진 노인을 돕는 행위는 목표를 위한 조직이 존재하지 않으며 사회 변동을 목적으로 하지 않는다는 점에서 사회 운동에 해당하지 않는다.

08 사회 운동과 사회 변동 　답 ③

제시문의 환경 운동 단체는 서명 운동, 홍보 활동, 시위, 언론 기고 등을 통해 재생 에너지 사용을 촉진하는 법률 제정을 위해 노력하고 있다. 이러한 사회 운동은 환경 오염을 개선할 수 있는 방향으로 사회 변동을 이끌어 낼 수 있다.

09 저출산·고령화 현상 　답 ②

(가)는 여성의 경력 단절, 보육 서비스 등의 표현을 볼 때, 저출산 현상을 해결하기 위한 대책이다. (나)는 노년층 인구에 대한 지원책이므로 고령화 현상에 대한 대책이다.

자료를 분석하는 셀파 - Tip

(가) 프랑스에서는 여성의 경력 단절을 막기 위해 보육 서비스 강화, 부양 자녀 수를 기준으로 한 가족 수당 지급, 조세 감면, 주택 보조금 지급 등의 종합적인 정책을 실시하고 있다.
→ 저출산 현상에 대한 대책

(나) 독일 사회는 정년 이후에도 노인에게 적합한 일자리를 제공하고 있다. 한편, 금융 자산이 많고 연금 수급으로 소득이 안정된 고령층 소비자를 대상으로 한 제조업과 서비스업이 성장하자, 독일 정부는 이에 대한 지원을 실시하고 있다.
→ 고령화 현상에 대한 대책

10 저출산 현상 　답 ③

표어들이 자녀를 더 많이 낳자는 메시지를 전달하고 있으므로 우리나라에 저출산 문제가 나타나고 있음을 추론할 수 있다.

11 저출산의 영향   답 ④

그래프는 저출산 현상을 보여 주고 있다. 저출산이 지속되면 부양 인구가 줄어들어 사회 보장비 부담이 증가할 것임을 예측할 수 있다.

> **내 것으로 만드는 셀파 - Tip**
>
> ▶ **저출산·고령화의 영향**
> - 생산 가능 인구의 감소에 따른 노동력 부족 및 소비 위축 → 국민 경제의 성장 둔화
> - 부양 인구 감소 → 노인 인구를 대상으로 한 복지 지출 증가로 정부의 재정 건전성 악화 및 부양 부담을 둘러싼 세대 간 갈등 심화
> - 인구 및 산업 구조의 변화 → 노인층을 대상으로 한 새로운 산업의 성장
> - 사회적 의사 결정 과정에서 노인층의 영향력이 증대됨.
> - 노후 소득 감소로 인한 노인 빈곤 문제 발생

12 고령화의 영향   답 ③

2010년의 생산 가능 인구는 72.8%, 2030년에는 63.1%이므로 감소 추세임을 확인할 수 있다.

> **정답을 찾아가는 셀파 - Tip**
>
> ① 2010년에 우리나라는 고령 사회에 진입하였다. (×)
> → 고령화율이 14%가 넘을 때 고령 사회이므로, 2010년은 고령화율이 7%가 넘을 때 해당하는 고령화 사회이다.
> ② 노인 부양비가 2010년부터 2050년까지 지속적으로 감소하고 있다. (×)   증가
> ③ 2010년에 비해 2030년의 생산 가능 인구 비율이 감소하였다. (○)
> ④ 노인 인구 비율의 감소로 인하여 사회 복지 지출 부담이 커질 것이다. (×)   증가
> ⑤ 2010년에 비하여 2050년에는 사회적 의사 결정 과정에서 노인층의 영향력이 감소할 것이다. (×)   증가

13 고령화의 대응 방안   답 ⑤

제시문에는 노인을 노동력의 상실로 보기보다는, 이들의 경험을 활용하도록 하는 관점이 나타나 있다. 이와 관련하여 노인 일자리를 지원하는 정책이 적절한 대응에 해당한다.

14 다문화 사회로의 변화   답 ④

제시문을 통해 한국인의 성씨가 매우 다양해지고 있음을 알 수 있다. 이는 서로 다른 문화적 배경을 가진 집단이 늘어나고 있음을 보여 주는 것이다.

15 다문화적 변화에 따른 대응 방안   답 ②

이주민의 문화적 차이를 인정해주고, 그들이 우리 사회의 일원으로 적응하여 살 수 있도록 다문화 정책을 펴야 한다.

> **내 것으로 만드는 셀파 - Tip**
>
> ▶ **다문화적 변화에 따른 대응 방안**
>
> | 사회적 측면 | • 사회 구성원 전체를 대상으로 한 다문화 교육 확대
• 이주민의 인권을 보호하기 위한 법적·제도적 장치 마련
• 이주민에 대한 경제적·제도적 지원 |
> | --- | --- |
> | 개인적 측면 | • 문화 상대주의적 관점으로 다양한 문화를 이해해야 함.
• 소수 집단에 대한 편견과 차별을 비판적으로 성찰해야 함. |

16 다문화적 변화에 따른 문제와 해결 방안   답 ④

제시문에는 이주 노동자의 권리 침해와 관련된 문제가 나타나 있다. 이에 대한 해결책은 이주민의 권리를 보호하기 위한 법률과 대응 절차를 마련하는 것이다. 문화적 차이 인정 및 개방적인 태도, 다문화 이해 교육의 강화, 문화 상대주의적 관점은 해결책이기는 하지만 자료와 직접적인 연관성을 가졌다고 보기 어렵다.

17 세계화   답 ③

세계 무역 기구(WTO)나 자유 무역 협정(FTA)은 전 세계를 넘나드는 자본과 시장의 확대를 반영한 것이다.

18 세계화에 따른 대응 방안   답 ③

'문화 다양성 협약'은 문화가 획일화되는 현상을 막고 문화 다양성을 지키기 위해 맺은 협약이다.

> **내 것으로 만드는 셀파 - Tip**
>
> ▶ **세계화에 따른 대응 방안**
> - **사회·문화적 측면**: 다른 문화를 존중하는 관용의 자세와 문화 상대주의적 태도 함양
> - **경제적 측면**: 세계 시장에서 개인과 기업의 경쟁력 확보, 개발 도상국의 생산자를 보호하기 위한 활동 필요
> - **정치적 측면**: 세계 시민 의식을 바탕으로 인류 전체의 보편적 가치 추구

19 사회 변동에 따른 문제와 해결 방안   답 ①

㉠은 저출산·고령화 문제를 해결하기 위한 사회 제도이므로 일·가족의 양립을 위한 맞벌이 부부 지원 정책, 양육 지원 등이 해당된다. ㉡은 정보 격차 문제이므로 이를 해결하기 위해서는 저소득층, 농어촌 주민, 장애인 등 정보 격차를 경험하고 소외된 이들을 위한 지원책이 필요하다. ㉢은 이주민의 문화를 존중하기보다는, 그 사회의 주류 문화에 녹아 들어가기를 희망하고, 관련 역사 교육 및 언어 교육을 강조하는 입장으로, 이는 동화주의 관점에 해당한다.

> **정답을 찾아가는 셀파 - Tip**
>
> ㄷ. ㉡-다품종 소량 생산 체제로의 변화로 인해 발생한 문제이다.
> → 다품종 소량 생산 체제로의 변화는 정보 격차로 인한 결과가 아닌, 산업 사회에서 지식 정보 사회로의 변화 과정에서 등장한 것이다.
> ㄹ. ㉢-문화 다원주의 관점에서의 사회 통합 해결책에 해당한다.
> → 동화주의 관점에 해당한다.

20 정보화로 인한 변화 양상   답 ③

ㄴ. 시민들이 사이버 공간을 통하여 사회적 쟁점에 대한 많은 정보를 얻고 전자 투표에 참여하거나 다양한 방식으로 의견을 표출할 수 있게 되었다. ㄷ. 인터넷을 기반으로 한 뉴미디어의 등장으로 쌍방향적인 정보 전달이 가능해졌다.

> **정답을 찾아가는 셀파 - Tip**
>
> ㄱ. 대면 접촉의 증가로 인한 공동체 형성
> → 비대면 접촉이 늘어나고, 온라인 공동체가 형성된다.
> ㄹ. 소품종 대량 생산 방식의 확산에 따른 산업 구조의 변화
> → 다품종 소량 생산 방식

21 정보화로 인한 변화 양상 답 ①

제시문은 정보화 사회에서의 변화를 다루고 있다. ㉠ 지식과 정보가 부가 가치의 원천이 되면서 이와 관련된 산업이 늘어났고, 중요한 정보는 경제적 대가를 지불해야 이용 가능해졌다. ㉡ 쌍방향적 의사소통이 가능해진 것은 인터넷을 기반으로 한 뉴 미디어가 등장한 결과에 해당한다. ㉢ 정보화가 진행되면서 비대면적인 접촉이 증대되고, 다양한 형태의 사이버 공동체가 나타났으며, 사이버 공간에서의 시민 참여가 늘어나 참여 민주주의가 활성화되고 있다.

22 정보 격차 답 ②

표의 수치는 전체 국민 대비 상대적 수준을 의미하고 있다. 수치가 증가하고 있다는 점에서 정보 격차가 완화되고 있음을 알 수 있다.

23 전 지구적 수준의 문제 답 ①

(가)는 테러, (나)는 지구 온난화 문제에 대한 설명이다.

> **내 것으로 만드는 셀파 - Tip**
>
> ▶ **전 지구적 수준의 문제**
> - **환경 문제:** 지구 온난화 현상, 열대 우림 파괴, 황사, 미세 먼지, 토양 오염, 빠르게 사라지는 빙하 등
> - **자원 문제:** 자원 고갈, 식량 부족, 물 부족 등
> - **전쟁과 테러**

24 전 지구적 수준의 문제 답 ②

학생의 답은 모두 ○로 표시되어야 정답이다.

> **정답을 찾아가는 셀파 - Tip**
>
> (2) 전 지구적 수준의 문제를 해결하기 위해서는 인류가 공동으로 노력해야 한다. (×) → (○)
> (3) 화석 연료의 사용으로 발생하는 이산화탄소는 지구 온난화 현상의 주요 요인이다. (×) → (○)
> (4) 인류의 생태 자원의 소비가 증가할수록 지구 생태의 용량을 초과하는 날이 빨라진다. (×) → (○)

25 지속 가능한 사회를 위한 노력 답 ①

지속 가능한 사회를 만들기 위해 전 세계의 상호 의존성을 고려하여 자신이 속한 국가뿐만 아니라 전 세계의 사회 문제를 함께 해결하고자 노력해야 한다.

> **정답을 찾아가는 셀파 - Tip**
>
> ㄷ. 저개발 국가들이 겪는 환경 문제는 현재 우리나라와 관련 없으므로 신경 쓰지 않는다.
> → 남반구 지역의 문제라고 하더라도 전 세계의 상호 의존성을 고려하여 관심을 가져야 한다.
> ㄹ. 테러 문제를 해결하기 위하여 이주민에 대한 통제 위주의 정책을 바탕으로 그들의 문화를 포기하도록 한다.
> → 일방적인 동화 정책이나 통제는 이주민에 대한 권리를 침해하므로 사회 통합을 오히려 저해할 수 있다.

26 세계 시민의 자질 답 ⑤

전 지구적 수준의 문제에 능동적으로 대응하며 지속 가능한 사회를 이끌어 가기 위해서는 시민 각자가 세계 시민으로서의 자질을 함양해야 한다. 인류 보편적 가치를 지향하고, 현재 세대와 미래 세대의 인권을 조화롭게 인식하는 등 세계 시민으로서의 자질과 품성을 함양하는 것은 전 지구적 수준의 문제를 해결하는 데 도움이 된다.

서답형 문제

27 사회 운동과 사회 변동

모범 답안 | 사회 운동은 다양한 사회 문제와 사회 갈등을 해소하고 발전적인 방향으로의 사회 변동을 촉진하여 사회 발전에 기여할 수 있다.

주요 단어 | 사회 갈등 해소, 사회 변동 촉진, 사회 발전 기여

채점 기준	배점
사회 변동과 사회 발전의 관계를 제시문을 토대로 서술한 경우	상
사회 변동과 사회 발전의 관계를 서술하였으나 제시문의 내용과 관련이 없는 경우	중
사회 변동과 사회 발전의 의미만 서술한 경우	하

28 고령화 현상 답 고령화

전체 인구에서 노인 인구가 차지하는 비율이 증가하는 현상을 고령화라고 한다.

29 정보화로 인한 문제

모범 답안 | 특정 집단이나 권력자에 의한 정보의 통제나 감시가 나타나고 있다.

주요 단어 | 특정 집단, 권력자, 정보의 통제, 감시

채점 기준	배점
제시문에 나타난 정보화로 인한 문제점을 정확하게 서술한 경우	상
정보화로 인한 문제점을 서술하였으나 제시문의 내용과 관련이 없는 경우	하

단기간 고득점을 위한 2주

전략 질주

고등 전략

내신전략 시리즈

국어/영어/수학/사회/과학

필수 개념을 꽉~ 잡아 주는 초단기 내신 전략서!

수능전략 시리즈

국어/영어/수학/사회/과학

빈출 유형을 철저히 분석하여 반영한 고효율·고득점 전략서!

개념을 잡아 주는 **자율학습 기본서**

고등 **셀파**

BOOK **3** | 시험 대비 문제집

사회·문화

개념을 잡아 주는 **자율학습 기본서**

고등 **셀파**